消費者法講義
第6版
日本弁護士連合会 編

日本評論社

第6版の刊行によせて

　本書は、法科大学院における消費者法の教材とすることを主たる目的として編集された『消費者法講義』の第6版です。

　2018年10月に第5版が刊行されて以降、消費者契約法、特定商取引法、割賦販売法、預託法、資金決済法の改正や改正民法の施行（債権法改正、成年年齢引下げ）、特定DPF法や取引DPF法の制定、景品表示法の改正や消費者裁判手続特例法の改正など、消費者法分野の法改正や施行が次々と行われてきました。消費者法関連の多くの重要な判例も示されています。

　一方、SNSを利用した投資詐欺・副業詐欺事件、高齢者を狙った悪質商法、決済方法の多様化による被害の拡充、定期購入被害の蔓延など、新種の消費者被害も絶えない状況にあります。

　また、2009年に発足した消費者庁や消費者委員会は発足15年を迎えて、消費者の権利を擁護するための機関としての重要性が増すばかりであり、2012年に制定された消費者教育推進法が目指す「消費者市民社会」の構築は、まだまだ不十分と言わざるを得ません。

　このように消費者法の分野はダイナミックに動いていますが、消費者問題の予防・解決には、消費者法の立法や消費者行政の担い手による不断の努力が不可欠であり、消費者法の存在意義はますます重要なものとなっています。

　以上の状況を踏まえて、第6版は、第5版以降の法改正を織り込み、新判例をフォローし、アップツーデートな内容となっております。また「理論的教育と実務教育の架橋」や「社会に生起する様々な問題に対して広い関心をもたせる」との法科大学院の教育理念を、消費者法の分野で具体化するという書籍のコンセプトに変更はありません。

　本書は、初版以来、学部学生から法律実務家まで広い範囲の読者に受け入れられ増刷を重ねて参りました。この第6版も、従来と同様に広く活用され、消費者法発展の一助となることを強く期待しています。

　　2024年6月1日

　　　　　　　　　　　　　　　　　　　　日本弁護士連合会

　　　　　　　　　　　　　　　　　　　　　　会長　渕上玲子

第6版はしがき

　本書第5版が2018年10月に出版され、その後5年半が経ちました。

　この間に消費者問題や消費者法をめぐる状況に大きな変動が生じていることは、会長による「刊行によせて」でも触れられているとおりであり、ますます消費者法分野の重要性が増していることが実感されます。

　本書は、初版出版以降、各地の法科大学院の「消費者法」の講義で活用されるとともに、ボリュームある消費者法をコンパクトにまとめてある点が評価され、多くの大学の学部生や研究者、実務家からも好評を得てきました。しかし、消費者法のダイナミックな動きの中では、既に第5版の内容も古くなってしまいました。「消費者法」は現に起きている問題に対して解決方法を示す法律群であり、まさに生きている法律です。ですから、何よりも最新の情報が必要になります。そこで、内容を最新のものとして改訂致しました。

　旧版同様、本書を教科書として基本的な知識を習得し、具体的なケースは補充して頂いて、法科大学院の講義で利用して頂き、また、多くの学生・研究者・実務家のみなさんも広く活用して頂ければと思います。

　本書改訂においては、日本評論社の市川弥佳氏に大変お世話になりました。ここに御礼を申し上げます。

　　2024年6月

　　　　　　　　　　　日本弁護士連合会消費者問題対策委員会幹事

　　　　　　　　　　　　　　　　　　　弁護士　平澤慎一

刊行によせて

　本書は法科大学院における消費者法の教材とすることを主たる目的として作成されたものです。もちろん法学部の学部学生、大学院学生の教材としても利用可能です。また、本書は消費者問題に関わる実務の最先端をコンパクトにまとめているため裁判官や弁護士など法律実務家が消費者問題の現状を把握するためにも有益です。

　2004年に発足した法科大学院においては、その教育理念として「理論的教育と実務的教育の架橋」「国民の社会生活上の医師としての役割を期待される法曹の養成」「社会に生起する様々な問題に対して広い関心を持たせること」などがあげられます。人間の生き方に深くかかわり、最近紛争が増加している消費者法はまさにこのような理念に直結する法領域です。

　これまでの法曹養成においては等閑視されがちであった消費者法がこのような理念のもとに先端・展開科目群の一科目として位置づけられました。21世紀をになうすべての法曹が消費者法を学習して法律実務家として巣立ってゆくことが期待されます。

　日本弁護士連合会は2000年12月に「法科大学院センター」を設置し、その教育理念の実現のために全面的に協力をしてまいりました。本書の刊行もその一環であり、消費者問題対策委員会において消費者問題を深く研究してきた委員がそれぞれの専門分野を分担して著しました。実務経験に裏付けられた消費者法の体系的なテキストは類書があまりありません。このような時期に、理論と実務の橋渡しを図る本書が第一線の実務家により上梓されることは意義深いものがあると考えます。

　本書が、法科大学院学生をはじめ多くの学生、研究者、実務家に活用され、消費者法のさらなる発展の一助となることを強く期待しています。

　2004年9月

日本弁護士連合会

会長　梶谷　剛

はしがき

　2004年4月に法科大学院が開設され、新しい法曹養成制度がスタートしましたが、本書は、法科大学院における「消費者法」講義の予習用教材として実務家の観点から消費者法を体系的にまとめたものです。

　本書は、執筆者の一人である齋藤がすでに法学部の授業で展開していた講義例を参考として項目を選択し、齋藤の他、桜井、横山、池本と平澤でその構成を考え、そのうえで各章について実務の第一線で活躍している弁護士が執筆を担当しました。私は日弁連消費者問題対策委員会の消費者教育ネットワーク部会長として編集の取り纏めを行なったものです。

　本書の各章では、実務的な観点から各分野について、被害の実態と被害が生じる原因や背景を解説し、そのうえで問題解決の基礎となる法律の基本的な知識を押さえ、さらに問題解決のための手法をわかりやすく解説するようにしました。そして、全体を通して読むことにより、消費者問題に対する基本的な視点・考え方が身に付くように配慮しています。

　このような視点から編集を行ったため、本書はボリュームのある「消費者法」の基礎知識をコンパクトにまとめることを主眼に置いており、具体的なケース等は実際の講義で取り上げて頂くことを前提として、必要最小限のケースしか取り上げていません。したがって、具体的なケースについては講義の中で補充して頂き、さらに理解を深めて頂くことを希望しています。また、各章では参考になる判例や参考文献もできるだけ挙げましたので、それらを手がかりにさらに深く研究をして下さい。

　本書発行については、日本評論社の加護善雄氏には大変お世話になりました。ここにお礼を申し上げます。

　本書は以上のような目的で発行されるものですが、法科大学院学生だけでなく、多くの学生、研究者、実務家に活用されることも強く期待します。

　2004年9月

　　　日弁連消費者問題対策委員会・消費者教育ネットワーク部会長

　　　　　　　　　　　　　　　　　　　　　　　　弁護士　平澤慎一

●消費者法講義［第6版］───目次

第6版の刊行によせて　i　　第6版はしがき　ii

刊行によせて　iii　　はしがき　iv

凡例【法令名略称一覧】　xviii

第1章　消費者問題と消費者法 …………………………………………… 1

第1　はじめに　1
1　消費者法を学ぶということ　1
2　考える手がかりとしての事例　4

第2　消費者・消費者問題と消費者法　12
1　消費者　12
2　消費者問題と消費者法　16

第3　消費者および消費者問題の特性　19
1　消費者・消費者問題の特性を明らかにすることの意義　19
2　消費者・消費者問題の特性　21

第4　消費者法の位置づけ　27
1　消費者法の法源　27
2　消費者法の分類　28

【消費者問題の歴史と立法の経緯】　30

第2章　消費者契約の過程1──契約の成立と意思表示の瑕疵 ……… 38

第1　はじめに　38
1　消費者被害救済の法理　38
2　検討の対象と目的　41

第2　問題の所在と事例　42
1　問題の所在　42
2　事例　42

第3　契約の成否　44
　1　契約の成否に関する【事例1】および【事例2】の検討　44
　2　契約の成立　48

第4　意思表示の瑕疵（錯誤・詐欺）　53
　1　錯誤に関する【事例3】ないし【事例6】の検討　53
　2　錯誤・詐欺の趣旨——民法理論の整理　57

第5　交渉力の不均衡　66
　1　消費者取引と交渉力　66
　2　交渉力の不均衡を解消する制度　68

第3章　消費者契約の過程2——契約内容と効力　72

第1　はじめに　72

第2　契約内容の適正　73
　1　契約内容の適正に関する事例と検討　73
　2　契約内容の適正を図るための民法上の制度　76

第3　内容の適正（履行の段階での内容の妥当性）　84
　1　履行の段階での内容の妥当性に関する事例と検討　84
　2　信義則による契約履行段階における妥当性確保　85

第4　内容の適正（約款規制）　87
　1　約款規制に関する事例と検討　87
　2　約款の内容と効力の適正　88
　3　消契法による約款規制と改正民法の「定型約款」に対する規律　90

第4章　消費者契約法——契約締結過程と契約内容の適正化　95

第1　はじめに　95
　1　消費者契約法の制定と改正　95
　2　消費者契約法の立法目的と基本的視点　96
　3　消費者契約法の主な内容　98

第2　消費者契約法の適用範囲　100

第3　事業者の契約内容を明確かつ平易とする配慮と必要な情報提供の努力義務　102

第4　誤認による意思表示の取消し　103

1　3つの類型　103
2　「勧誘をするに際し」の意味　103
3　不実告知——法4条1項1号　104
4　断定的判断の提供——法4条1項2号　105
5　不利益事実の不告知——法4条2項　105
6　重要事項——法4条5項　107
7　因果関係　107

第5　困惑による意思表示の取消し　108

1　不退去——法4条3項1号　108
2　退去妨害——法4条3項2号　109
3　勧誘目的を告げずに退去困難な場所に同行する勧誘行為
　　——法4条3項3号　110
4　威迫する言動を交えて相談の連絡を妨害する勧誘行為
　　——法4条3項4号　110
5　願望の実現への不安をあおる勧誘行為——法4条3項5号　110
6　好意の感情に乗じる勧誘行為——法4条3項6号　111
7　判断力の低下による生活の維持への不安をあおる勧誘行為
　　——法4条3項7号　111
8　霊感等により不安をあおる勧誘行為——法4条3項8号　112
9　契約締結前に義務の内容を実施する勧誘行為——法4条3項9号　112
10　契約締結前に契約締結を目指した事業活動の実施による損失補償を請求する勧誘行為——法4条3項10号　112
11　因果関係　113

第6　過量な内容の契約の取消し　113

第7　取消しの効果　113

第8　取消権の行使期間　114

第9　媒介の委託を受けた第三者による勧誘　115

第10　不当条項の無効　115

1　不当条項の拘束力を否定する根拠　115
2　免責条項の無効　116
3　解除権を放棄させる条項等の無効　117
4　後見の開始の審判等に対して解除権を付与する条項　117

5　損害賠償額の予定条項等の無効　117
　　　6　消費者の利益を一方的に害する条項の無効　119
　第11　おわりに　121
　■コラム　高齢者の消費者被害　123

第5章　消費者取引と不法行為　……………………………………124

　第1　はじめに　124
　　　1　検討の対象　124
　　　2　事例　124
　第2　事例の検討　126
　　　1　事例の特徴　126
　　　2　マルチ商法事例（ベルギーダイヤモンド事件）の検討　126
　　　3　商品先物取引事例の検討　128
　　　4　原野商法事例の検討　129
　第3　消費者取引における不法行為責任　130
　　　1　消費者取引における不法行為責任の機能　130
　　　2　不法行為責任の意義　131
　　　3　不法行為の要件と取引型不法行為の特徴　132
　第4　過失相殺　142
　　　1　取引型不法行為における過失相殺の現状　142
　　　2　取引型不法行為における過失相殺の可否　143
　　　3　被害者の「不注意」の再検討　144
　　　4　加害行為が反倫理性を帯びる場合の過失相殺の否定　145
　第5　消費者取引における不法行為訴訟の現状と課題　146
　　　1　消費者取引と不法行為訴訟　146
　　　2　不法行為訴訟の課題　148
　　　3　集団的な被害回復制度　150
　　　4　違法利益の吐き出し制度　152
　■コラム　豊田商事事件　155

第6章　特定商取引法　………………………………………………156

　第1　はじめに　156

第2　紛争の実態と背景　157
1　被害の概況　157
2　典型的な消費者被害事例とその特徴　157
3　消費者の立場　159

第3　特定商取引法による規制と民事ルール　159
1　特商法による規制の基本構造　159
2　クーリング・オフ制度　160
3　過量販売解除制度（法9条の2）　166
4　通信販売の場合の民事ルール　166

第4　各取引類型に対する特定商取引法による規制の概要　167
1　訪問販売　167
2　電話勧誘販売　170
3　通信販売　171
4　連鎖販売取引　174
5　特定継続的役務提供　179
6　業務提供誘引販売取引　182
7　訪問購入　184
8　ネガティブオプション（法59条）　185
9　行政規制権限と申出制度　186

第5　救済の実務　186
1　相談処理の手順　186
2　適用対象の把握　187
3　書面の記載不備とクーリング・オフ　187
4　クーリング・オフが利用できない場合　188
5　割賦販売法の活用　188

■コラム　不当な架空請求と闘う　189
■コラム　不招請勧誘――訪問販売お断りステッカーとDo-Not-Call制度　190

第7章　販売信用・資金決済と消費者　191

第1　キャッシュレス決済の拡大と多様化　191
1　キャッシュレス決済の利用拡大　191
2　キャッシュレス決済の類型と特徴　192

第2　クレジット取引と割賦販売法の概要　200
　　　　1　割賦販売法の制定・改正の経緯等　200
　　　　2　適用対象　201
　　　　3　割賦販売法の規制の概要　204
　　第3　プリペイド決済・資金移動業・その他の支払方法に関する
　　　　法規制の概要　218
　　　　1　資金決済法の概要　218
　　　　2　プリペイド（前払式支払手段）決済と資金決済法　218
　　　　3　資金移動業　219
　　　　4　デビットカード決済その他の決済手段の法規制　220
　　第4　キャッシュレス決済被害への実務対応　221
　　　　1　クレジットカード決済に関する論点　222
　　　　2　個別信用購入あっせんに関する論点　222
　　　　3　カード番号不正利用被害　223
　　　　4　前払い等のキャッシュレス決済のトラブル　223
　　■コラム　消費者被害の国際化　225

第8章　公正かつ自由な競争と消費者──独占禁止法　227
　　第1　はじめに　227
　　第2　独禁法違反行為の実態と背景　229
　　第3　独占禁止法の実体規定　231
　　　　1　総論　231
　　　　2　三つの規制対象類型の概説　233
　　　　3　公正取引委員会による独禁法の執行　246
　　第4　独禁法の活用方法　249
　　　　1　公取委に対する違反申告　249
　　　　2　民事裁判手続等における独禁法の活用　249

第9章　表示・広告と消費者　254
　　第1　はじめに　254
　　　　1　問題の所在と検討の対象　254
　　　　2　事例　255

第2　安全表示・品質表示　257
1　安全・品質の表示に関する法制度　257
2　品質・安全表示と民事規制　270
3　保証表示　271

第3　取引条件や契約内容に関する表示・広告規制（適正な選択の確保）　274
1　我が国の表示・広告規制　274
2　各種法令による表示・広告規制の概要　274
3　表示規制と契約　290

第4　表示・広告と契約　291
1　表示・広告と契約　291
2　安全・品質表示に関する検討　291
3　商品・役務について取引上の表示と瑕疵　293
4　表示と契約　295

第5　宣伝、広告における広告媒体、推奨者の責任　297
1　実態と問題点　297
2　広告媒体（メディア）の責任　298
3　推奨者の責任　304

第10章　金融商品と消費者　309

第1　はじめに　309

第2　金融商品取引の法制度の変化と消費者被害の概要　311
1　法制度の変化　311
2　実態の変化　311
3　被害の拡大　312
4　紛争解決の状況　313

第3　関係法の解説　313
1　関係法の位置づけ　313
2　解釈の基本的視点　314
3　民法　316
4　金融サービス提供・利用環境整備法（金融サービスの提供及び利用環境の整備等に関する法律）　322

5　消費者契約法　324
　　　6　保険法　325
　　　7　金融商品取引法　325
　　　8　投資信託・法人法　328
　　　9　銀行法　328
　　　10　保険業法　329
　　　11　商品先物取引法　331
　第4　おもな金融商品別の被害と救済の実情　331
　　　1　預貯金　331
　　　2　社債（転換社債も含む）　331
　　　3　投資信託　333
　　　4　株式　333
　　　5　デリバティブ取引・デリバティブ仕組商品（仕組債、仕組預金）　334
　　　6　変額保険、変額年金保険　334
　　　7　商品先物取引　336
　　　8　外国為替証拠金取引　336
　　　9　問題業者の「金融商品」　337
　第5　心構えと手続　337
　　　1　金融商品の消費者事件を扱う心構え　337
　　　2　事件把握の要点　338
　　　3　手続の選択　339
　■コラム　行動経済学と消費者被害　342

第11章　製品の安全と被害の救済　343

　第1　はじめに　343
　第2　製品の安全確保　343
　　　1　製品安全にかかる法制度　343
　　　2　製品類型と安全規制　345
　　　3　消費者安全法　354
　第3　製品事故の被害救済　357
　　　1　製造物責任の無過失責任化　357
　　　2　製造物責任法の適用範囲　358
　　　3　製造物責任の責任要件　365

4　欠陥の立証責任　367
　　　5　損害賠償の範囲　369
　　　6　免責事由　370
　　　7　責任期間　373
　　　8　流通形態の変化と製造物責任法の課題　375
　■コラム　消費者法・環境保護運動と法律家　378

第12章　住宅と消費者 ……………………………………379

　第1　はじめに　379
　第2　欠陥住宅問題の実情　380
　　　1　欠陥住宅被害の状況　380
　　　2　欠陥住宅を生み出す要因　382
　　　3　紛争解決の困難性　386
　第3　住宅取得の形態と法制度　387
　　　1　住宅取得の形態　387
　　　2　住宅建築に関する法制度　388
　第4　欠陥住宅訴訟　397
　　　1　訴訟における論点　397
　　　2　欠陥住宅訴訟の特質　397
　　　3　欠陥（瑕疵）の判断基準　397
　　　4　損害評価　403
　　　5　責任主体と責任根拠について　408
　　　6　契約解除について　412
　　　7　売買代金ないし請負代金請求と瑕疵に基づく請求との関係　413
　第5　紛争解決手続　414
　　　1　訴訟手続き──付調停の利用　414
　　　2　裁判所鑑定等について　415
　　　3　訴訟手続以外の紛争解決制度　416
　　　4　消費者からの相談への対応について　416

第13章　消費者信用と多重債務 ……………………………417

　第1　はじめに　417

第2 多重債務問題の現状と背景　418
1 深刻化する多重債務問題とその原因　418
2 貸金業法の改正および多重債務問題に対する施策　420
3 債務者の位置づけ＝「被害者」としての債務者　421

第3 多重債務問題をめぐる諸法令　421
1 貸金業法による規制　421
2 利息をめぐる法規制　423

第4 多重債務問題処理の手続　426
1 多重債務事件の処理方法　426
2 事件の受任とその通知　427
3 正確な債務額の把握　428
4 手続の選択　429
5 任意整理手続　429
6 自己破産　431
7 個人再生手続　435

第5 多重債務に関する制度および諸問題　438
1 個人信用情報　438
2 ヤミ金問題　439
3 保証被害と民法改正による保証人保護制度　439

■コラム　商工ローン・ヤミ金融との戦い　442

第14章　情報化社会と消費者　443

第1 はじめに　443
1 問題の所在と検討の対象　443
2 高度情報化（ICT）社会における消費者　444
3 高度情報化社会の消費者問題　444

第2 情報通信と消費者　447
1 概要　447
2 情報通信関係の法律　448
3 携帯情報端末と情報　453
4 電気通信役務の変化　455

第3 電子商取引と消費者　456

1　概要　456
　　　2　電子商取引に関わる法律　457
　第4　情報の流通とコンテンツをめぐる諸問題　465
　　　1　概要　465
　　　2　情報の流通等をめぐる諸問題に対処する法律　466
　第5　おわりに　472
　■コラム　破産者マップ事件にみる消費者法と情報法の交錯　474

第15章　消費者紛争解決手続 …………………………………476

　第1　はじめに　476
　第2　消費者紛争の特徴について　476
　第3　消費者が裁判外紛争処理機関（ADR）を利用する場合　477
　　　1　消費者トラブルに関するADR　477
　　　2　消費生活センターにおける被害救済　478
　　　3　国民生活センターのADR　480
　　　4　民間型ADR　481
　　　5　司法型ADR（民事調停）　482
　第4　消費者が訴訟を利用する場合　483
　　　1　消費者紛争において訴訟が果たす役割　483
　　　2　消費者訴訟を機能させるための方策　484
　第5　消費者団体訴訟制度　484
　　　1　消費者団体訴訟制度とは　484
　　　2　消費者団体訴訟制度の創設と役割　485
　　　3　消費者団体訴訟制度（差止請求）　485
　　　4　消費者団体訴訟制度（被害回復）　492
　■コラム　霊視商法の実態と対策　498

第16章　消費者行政と消費者政策 ………………………………500

　第1　消費者問題における消費者行政の役割　500
　　　1　消費者行政の位置づけ　500
　　　2　未然防止・拡大防止・事後救済　500
　　　3　規制行政と支援行政　501

第2　従来の消費者行政の構造と課題　502
　　1　産業育成と消費者保護　502
　　2　規制緩和政策と消費者政策の転換　503
第3　国の消費者行政・消費者政策の展開　505
　　1　消費者保護基本法から消費者基本法へ　505
　　2　消費者基本法の概要　505
　　3　消費者保護関連法の整備　507
第4　消費者庁・消費者委員会の創設と消費者行政権限の整備　510
　　1　消費者庁・消費者委員会　510
　　2　消費者安全法の概要　512
　　3　国民生活センター　514
第5　地方消費者行政　515
　　1　地方公共団体における消費者行政　515
　　2　消費生活条例　515
　　3　消費生活相談の位置づけ　516
　　4　地方消費者行政の後退と活性化　516
第6　消費者教育推進法と消費者市民社会　520
　　1　消費者教育の推進　520
　　2　消費者市民社会　520
　　3　消費者団体の育成支援　521
■コラム　消費者教育の推進と弁護士の役割　522

事項索引　523
裁判例索引　532
執筆者一覧　538

●凡例

【法令名略称一覧】

液石法＝液化石油ガスの保安の確保及び取引の適正化に関する法律
会員権契約適正化法＝ゴルフ場等に係る会員契約の適正化に関する法律
割販法＝割賦販売法
金商法＝金融商品取引法
金販法／金融商品販売法＝金融サービスの提供及び利用環境の整備等に関する法律
携帯電話不正利用防止法＝携帯音声通信事業者による契約者等の本人確認等及び携帯音声通信役務の不正な利用の防止に関する法律
景表法＝不当景品類及び不当表示防止法
資金決済法＝資金決済に関する法律
出資法＝出資の受入れ、預り金及び金利等の取締りに関する法律
消安法＝消費生活用製品安全法
消契法＝消費者契約法
商先法＝商品先物取引法
消費者教育推進法＝消費者教育の推進に関する法律
消費者裁判手続特例法＝消費者の財産的被害等の集団的な回復のための民事の裁判手続の特例に関する法律
商品ファンド法＝商品投資に係る事業の規制に関する法律
生協法＝消費生活協同組合法
組織犯罪処罰法＝組織的な犯罪の処罰及び犯罪収益の規制等に関する法律
宅建業法＝宅地建物取引業法
探偵業法＝探偵業の業務の適正化に関する法律
出会い系サイト規制法＝インターネット異性紹介事業を利用して児童を誘引する行為の規制等に関する法律
電安法＝電気用品安全法
電子契約法＝電子消費者契約に関する民法の特例に関する法律
電子署名法＝電子署名及び認証業務に関する法律
電通業法＝電気通信事業法
投資信託・法人法＝投資信託及び投資法人に関する法律
特商法／特定商取引法＝特定商取引に関する法律
特定調停法＝特定債務等の調整の促進のための特定調停に関する法律
特定電子メール法＝特定電子メールの送信の適正化等に関する法律
独禁法／独占禁止法＝私的独占の禁止及び公正取引の確保に関する法律
犯罪被害回復給付金法＝犯罪被害財産等による被害回復給付金の支給に関する法律

品確法＝住宅の品質確保の促進等に関する法律
プロバイダ責任制限法＝特定電気通信役務提供者の損害賠償責任の制限及び発信者情報の開示に関する法律
法適用通則法＝法の適用に関する通則法
特定商取引法＝特定商取引に関する法律
民再法＝民事再生法
民訴法＝民事訴訟法
無限連鎖講防止法＝無限連鎖講の防止に関する法律
薬機法＝医薬品、医療機器等の品質、有効性及び安全性の確保等に関する法律
容器包装リサイクル法＝容器包装に係る分別収集及び再商品化の促進等に関する法律
預金者保護法＝偽造カード等及び盗難カード等を用いて行われる不正な機械式預貯金払戻し等からの預貯金者の保護等に関する法律
預託等取引法＝預託等取引に関する法律

ADR法＝裁判外紛争解決手続の利用の促進に関する法律
JAS法＝日本農林規格等に関する法律
JIS法＝産業標準化法
IT基本法＝高度情報通信ネットワーク社会形成基本法

改正民法＝民法の一部を改正する法律（平成29年法律第44号〔債権法改正〕）による改正後の民法

第1章
消費者問題と消費者法

第1　はじめに

1　消費者法を学ぶということ

　消費者法は、様々な個別の法律や法理論の複雑な織り合わせ（複合）によって成り立っている。消費者法の法源といえるものは多数ある。フランスには「消費法典」と呼ばれる包括的な法典があるが[1]、我が国には、現在、包括的・統一的な実定法の体系は存在していないので[2]、はじめて消費者法を学ぶ場合、「消費者法」というものを具体的にイメージすることは簡単ではない。また、「消費者」や「消費者問題」という概念も厳密なものではない

---

1)　フランス消費法典（2016年再編纂）は、第1編（消費者の情報および取引方法）、第2編（契約の締結および履行）、第3編（消費者信用）、第4編（製品および役務の適合性および安全性）、第5編（統制機関に与えられた調査・実行権限）、第6編（紛争に関する規則）、第7編（過剰債務状態の扱い）、第8編（認可を受けた消費者団体および消費［者行政］関連機関）の8編からなり、消費者法の対象となり得る事項が全てが網羅されている訳ではないが、かなり包括的な「法典化」がなされている。その概要については、大澤彩「フランスの消費者政策」（2018〔平成30〕年5月29日開催〔第7回〕の消費者庁「第4期消費者基本計画のあり方に関する検討会」の「資料3」<https://www.caa.go.jp/policies/policy/consumer_policy/basic_plan/basic_plan_fourth/pdf/basic_plan_fourth_180531_0004.pdf>）及び同「フランス消費法典の『現代化』」消費者法研究第15巻（信山社、2023年10月）45頁を参照。

ので、消費者法が扱う対象の範囲を厳密に定義するのは難しい[3]。

しかし、近年では消費者法の理論的体系化も試みられており[4]、大学等において消費者法を教える講座も増えたことに伴い、消費者法に関する教科書も複数公刊されている[5]。そのため、消費者法の基本的な概念や法理、制度を学ぶことで、その全体像を理解することが従前よりしやすくなってきている。

厳密に消費者法という法領域の範囲を画したり、内容を定義することが難しいのは、消費者法が、社会に生起する問題（消費者問題）の解決のために、実践的に形づくられてきたという背景や歴史をもつからである。このような背景や歴史の故に、消費者法は、問題解決に必要となる様々な法理や制度を取り込み、伝統的な法理論や法体系をごそごそと揺さぶり、その修正を迫るというダイナミックな性質をもっている。また、同時に絶えず自らもその輪

---

2) 日本弁護士連合会（以下「日弁連」という）が、1989年の人権擁護大会（松江市）において消費者の権利保障のための「包括的な消費者法」の制定および「消費者庁」の設置を決議し、その後、2009年に福田康夫内閣の省庁再編により、内閣府に消費者庁および消費者委員会が設置された。しかし、包括的な消費者法の制定には至っておらず、その後も日弁連などが後掲注4）のとおり、制定を目指して活動している（https://www.nichibenren.or.jp/activity/human/consumer.html）。

3) 消費者法の外縁の曖昧さや対応の柔軟さに意義や利点を認める論者も少なくない。たとえば、北川善太郎『消費者法のシステム』（岩波書店、1980年）3頁は、消費者法について「問題ごとに、その解決のために動員される諸々の法的技術・制度を機能的に関連づけることによって、社会的現実と接し、その変動に容易に対応しうる開かれた体系」と説かれており、鎌田薫「『消費者法』の意義と課題」『岩波講座・現代の法13』（岩波書店、1997年）12頁は「『消費者法』に関しても、その中核部分を明確にすることは必要であるが、周辺部分についてまで明確にする必要はなく、むしろ事情に応じて柔軟に対処しうる余地を残しておくことに一定の利点を認めることができるものと考える。」としている。

4) 大村敦志『消費者法』（有斐閣、1998年）は消費者法の理論的体系化の試みであり、第4版（2011年）まで改訂を重ねている。消費者法における基礎的な概念や消費者法全体を理解するには参考になる。なお、日弁連は消費者問題対策委員会の中に「包括消費者法部会」を立ち上げて包括的な消費者法の啓発と立法を目指した活動をしたり、近畿弁護士会連合会の消費者保護委員会が「消費者取引法試案――統一消費者法典の実現をめざして」（2010年12月発行・消費者法ニュース別冊）を発表するなど、統一的な消費者法（典）を実現するための取組も活発である。

5) 本章末尾の【教科書】に掲載したもの等が公刊されている。

郭を変えているという実態もある[6]。

　法律実務家として消費者法を学ぶということは、現代社会に生起する消費者問題に対し、様々な法制度や法理論、法的技術を機能的に活用することによって、問題を解決するための知識と技能を学ぶことであるといえよう。法律実務家として消費者法に関わる場合、最も一般的であるのは、消費者の代理人として具体的な消費者被害や消費者問題に係る紛争の解決にあたることであろうが、企業（事業者）の代理人として紛争や問題の解決にあたる場合もあろう[7]。また、裁判官や調停委員、あっせん・仲裁人の立場から消費者紛争の解決についての判断や結論を示す場合もあろう。

　この他にも、行政職員として消費者法の執行を担当したり[8]、具体的な紛争解決に直接関与するのではなく、立法担当者として消費者法の立案に携わったり、様々な場面や立場で消費者問題に関わる社会的、経済的な制度の立案者や実行者として関わることもあろう[9]。あるいは、消費者の権利や利益を実現するために、消費者紛争や消費者問題の根本的解決をめざし、法律の制定

---

6) 大村・前注4）〔第4版〕12頁以下では、①問題指向性、②複合領域性、③「現代法」性が消費者法の特色と指摘する。消費者法はさらに、現行の制定法の改正や伝統的法理論の変容を促すなど、外に向けて働きかける側面に加え、自らも変化していく特色がみられ、他の法領域より動的性質が強いといえる。この点が消費者法の輪郭を曖昧にしている理由でもあるが、反面で消費者法の機能面での利点であると説かれることは前掲注3）のとおり。
7) 児童労働や搾取、ジェンダーや性的嗜好の問題に象徴されるように、人権法がビジネスの世界（企業法務）では非常に重要な法分野となっている。同様に消費者法もビジネス法における極めて重要な法分野であり、消費者法の理解なくしてビジネス法を語ることはできない現実がある。企業法務を扱う代表的な法律雑誌であるNBL（商事法務）などを見ると、消費者法に関連する法改正やトピックス、解説記事・論文が掲載されない号は殆どない状況となっているのがその象徴であろう。
8) 消費者庁に任期付公務員として出向していた法曹実務家が、消費者行政の執行実務について解説した大島義則＝森大樹＝杉田育子＝関口岳史＝辻畑泰喬『消費者行政法』（勁草書房、2016年8月）などもこのような活動の成果の一つである。
9) 内閣府の消費者委員会事務局や消費者庁には、多数の弁護士が任期付公務員として採用され、これら機関の職務を担当している。こうした法曹実務家の活躍がなければ、消費者委員会や消費者庁の仕事が円滑に進められない現実があると言っても過言ではないだろう。

や改正等の立法運動や各種の制度改革運動に関わることもあろう[10]。さらには、実務家ではなく消費者法の研究者として学究に携わる場合もあろう。その意味では、消費者法は法分野として学際的であるだけでなく、学理と実践、言い替えれば実務と研究の相互連携が不可欠な学問分野であるといえよう[11]。

　このように法律実務家や立法者や法の執行者あるいは研究者となることも考え合わせ、そして消費者法が前述のような特質をもつことを踏まえると、消費者法を学ぶには、まず、消費者問題や消費者被害がどのように出てくるのか、そこでは何がどのように問題となっているのかを具体的な素材から考え、整理することが重要と考えられる。このような作業を通じて、消費者問題の実態と本質の理解を深め、問題解決のための基本的な制度、法理および手法を学び、それを敷衍し、一般化していくことで、消費者法全体の理解を深め、実践的な知識や技能の修得が可能となる。

　本書では、可能な限りこのような基本的な考え方に従って、消費者法についての知識の習得と理解および問題解決のための法的技術の修得ができるように配慮したつもりである。

2　考える手がかりとしての事例

(1)　事例とその検討

　手始めに、消費者法が扱う「消費者問題」とは、どのような社会的事象なのかを考えるために、具体的に生起している消費者問題をいくつか取り上げてみる[12]。これらの事例は、消費生活センターなどに苦情、相談として数

---

[10]　適格消費者団体の差止請求業務や特定適格消費者団体の集団的損害賠償請求の業務に携わることや、各種の法改正を目ざす運動団体の活動に携わることも消費法に関わる法曹実務家の重要な役割である。

[11]　消費者法における学術と実務の架け橋となるべく尽力されながら、日弁連消費者問題対策委員長の在任中に凶刃に倒れて亡くなった故津谷裕貴弁護士の追悼論文集刊行委員会編『消費者取引と法　津谷裕貴弁護士追悼論文集』(民事法研究会、2011年) はこのような趣旨のものである。また、津谷弁護士の業績を顕彰し、消費者法の分野において学術や実践に優れた業績を残した者を表彰する制度として「津谷裕貴・消費者法学術実践賞」が制定されており、2011年から2年に1度ずつ、学術賞(実践的学術賞) 及び実践賞が授与されている (http://www.minjiho.com/html/page50.html)。

多く寄せられる典型的な消費者問題のほんの一例である[13]。大きな社会問題となる事件もあるが、反面では消費者が結局泣き寝入りを余儀なくされる事例も多い[14]。

それでは、これらの事例では何が問題となっているのか、考えてみよう。

ア　アポイントメント商法【事例1】

> 若い女性の声で何度か電話がかかってきて、「旅行に安く行けたり、ブランド品が安く買える会員になれるから」などと誘われて、2カ月ぐらい前に相手の女性の事務所に出向いた。事務所で数人の社員から「いま会員に登録すればパソコンがついてくる。今キャンペーン中なので特別に安く契約できる。」など数時間にわたり夜遅くまで勧誘されて断りづらくなり、会員になればブランド品が安く買えるなど、いろいろ特典もあるという説明に気持ちも動いて、結局、総額で100万円を超えるクレジットでパソコンのついた会員契約を締結した。しかし、5日後にやはり支払いは無理だと考えて、担当者に電話して「解約したいが、手紙で通知を出せばいいのか。」と聞いたところ、「特別会員だから解約はできない。」と言われた。クレジットの支払いをしないでいたところ、クレジット会社から督促状が届いた。解約したいが、どうしたらいいか。

【事例1】は、典型的な「アポイントメント商法」と呼ばれる商法の被害事例である[15]。このような事例では、①消費者はどのような取引をしたのか曖昧なままで契約書に署名、捺印させられていることが多いが、これをどう考えるかは意思表示や契約の成否、効力の観点からは大きな問題である。ここでは消費者契約における契約意思の曖昧さが問題となっている。給付の

---

12) 消費者問題の具体的な事例については、国民生活センター（以下「国セン」という）や全国の消費生活センター（以下「消セン」という）が公表している相談統計資料や消費者啓発用の資料に掲載されている相談事例の紹介などを参照するとよい。たとえば、国センはホームページで「消費者から受け付けた相談事例」を紹介しているし（https://www.kokusen.go.jp/category/jirei.html）、毎年「消費生活相談年報」を刊行している（https://www.kokusen.go.jp/nenpou/index.html）。東京都消費生活総合センターでは、ホームページ上で「消費生活相談FAQ」を作り、相談事例の検索を可能にし、事例を紹介している（https://www.shouhiseikatu.metro.tokyo.lg.jp/sodan/faq/）。

内容が旅行に安く行けたり、ブランド品を安く購入できる特典（サービス）なのか、パソコンという商品の購入なのか、あるいは両方なのか、両方であるとしてどちらに重点があるのかが、曖昧かつ不確実のままで契約締結に至っている。まず、考えなくてはいけないのは、その場合でも契約は成立するのか、意思表示に瑕疵はないのかということである。また、②内容がはっきりしないのに、何故、契約締結に至っているのかが問題とされるが、それは勧誘の巧妙さ、不当さ、不公正さによるものであり、これらの事情が契約の成否、効力にどのように影響するのかも考えて欲しい。さらに、③このような消費者契約における契約意思の曖昧さが事案の解決を困難にしている実情があり、その場合でも紛争解決のためにどのような対応が考えられるのかについても考えて欲しい（**第2章、第6章**参照）。もちろん、④クレジット代金の支払義務も問題となっている。

---

13) 国センの「全国消費生活相談情報ネットワーク・システム」（PIO-NET）の情報によると、消費生活相談の受付総件数は、2004年度の192万件を最高に、2012年には84万4千件まで減少し、その後は、年間94〜95万件前後で増減を繰り返し、2018年には一時的に102万件まで増加したが、その後、94万件程度の件数となっていた（なお2006年までは年度統計（4月〜3月末）、それ以降は年統計（1月〜12月末）の数字である）。2021年はCOVID-19の流行の影響で85万2千件まで減少したが、定期購入の相談の増加の影響で2022年の相談件数は89.6万件と増加している。今後も90万件前後の相談が続くのではないかと思われる（https://www.kokusen.go.jp/nenpou/index.html）。

14) 商品・サービスに不満や被害を感じている者が、消セン等の行政の相談窓口に苦情申出や相談をした者の割合については、国センの調査報告が2014年まで公表されていた（2013年実施の「第41回国民生活動向調査」）。これによると2013年当時の割合は2.8％であり（https://www.kokusen.go.jp/pdf/n-20140306_2.pdf）、商品やサービス等に不満があったり被害を受けたと感じる消費者は、消セン等の相談窓口に相談に来た者の30倍以上はいたと推計できる。なお、同調査の公表は第41回が最後となっている（「国民生活研究」第60巻第1号の松本恒雄国セン理事長の巻頭言〔2020年8月〕https://www.kokusen.go.jp/research/pdf/kk-202008_1.pdf）。

15) アポイントメント商法は、多くの場合、特商法の適用がある。特商法については第6章を参照。なお、アポイントメント商法によって、この事例のような会員権を口実に商品を販売する商法は「恋人商法」的側面を持つものが多い。「恋人商法」については、宮部みゆき『魔術はささやく』（新潮文庫、1993年）を一読されたい。被害者の心情を理解するのに参考になる。

イ　内職・モニター商法【事例2】

> 着物や宝石を販売するA社が、着物の展示会での接客係などのパート募集の新聞の折り込みチラシなどを見てパートに応募してきた主婦などに対し、高価な着物や宝石をクレジットを利用して購入することを勧誘し、その際、A社のモニターに登録して展示会場で着物を着て接客の補助をしたり、新たな顧客を紹介をすればクレジット代金相当額をモニター料や紹介料として購入者に支払うという「モニター商法」を行っていた。しかし、A社が破産したため、モニター料などでクレジットの支払いができると考えて着物などを購入した多数の購入者がクレジット会社からクレジット代金を請求されるという事態になった。購入者はクレジット代金の支払いをする必要があるか。

【事例2】のような商法は、収入が得られる方法として内職（たとえばパソコンのデータ入力作業など）を口実にするものも含めて「内職・モニター商法」と呼ばれている[16]。【事例2】では、①被害者とは何か、ひいては消費者問題とは何か、②現代社会におけるクレジットの意義、機能、③消費者問題における近代法的処理の難しさ、④社会的公正担保の手段・方法としての消費者法を考える手がかりを与えてくれる。具体的には、次の論点を検討してみて欲しい（**第6章**および**第7章**参照）。

①　購入者側の主張や要求をどう考えるか

購入者の要求は、モニター料がもらえないなら、ⓐ着物を返すから代金を返して欲しい、ⓑクレジットの支払いをしたくない、ⓒすでに支払ったクレジット代金を返して欲しいというものであろう。この場合、購入者は代金を支払って商品（着物等）の引き渡しを受けているのだから「何が被害か？」

---

16)　【事例2】のモニター商法は、「愛染苑山久」という業者が展開した商法である。この他に布団などの寝具を購入して使用の感想などのレポートを提出すれば、モニター料が貰えると勧誘して多数の被害を出した「ダンシング」という業者の商法もその典型である。内職・モニター商法の被害が多発したことから、これらの商法に対する規制強化と被害救済を目的として、2000年に特商法が改正され「業務提供誘引販売取引」が新たに規制対象となった。

「何故救済する必要があるのか？」という疑問も生じる。クレジット会社側の主張はこのようなものであろう。しかし、A社のモニター契約では、着物や宝石などの販売（主たる給付義務）とモニター料等の支払い（付随義務）が組み合わされているが、購入者にとっては付随義務の方こそ契約の中心であると理解されている。

② 勧誘やこの商法の実態を踏まえるとどう考えるべきか

次に問題となるのは、A社がモニター料を貰えるパート募集を口実に「モニター料や紹介料の支払いをするので消費者の負担はない。」などと勧誘して着物などを買わせた行為をどう考えるかである。また、その際の勧誘の手口に問題（不実の告知など）がなかったかどうかも問題となる。さらに、A社の「モニター商法」では、購入者が受け取るモニター料は着物等の売り上げとしてA社が受け取る売買代金が源泉であるし、モニター料で購入者はクレジット代金が賄えると勧誘しているのであるから、A社の販売利益をモニター料に回すだけでは到底足りず、新たな購入者を増加させていかないと早晩モニター料の支払いができなくなるような仕組みの商法であった。その意味ではモニター商法は破綻必至の事業ではなかったのか、そのような事業を何故継続したのか、それに誰がどのように関わったか、その事業によって誰が利益を受けたかという点も検討が必要である。

A社の「モニター商法」は、着物や宝飾品など比較的高額の商品を購入させるものであり、通常は代金を一括して支払うのは難しい。また、クレジットを利用することでその支払いの繰り延べができ、将来受け取れるモニター料で繰り延べられた支払いが賄えるというものであるから、クレジット契約を媒介としなければ成り立たない商法である。購買動機の喚起、購買の促進という現代社会のクレジットの意義、機能を踏まえると、クレジット会社の責任はどのように考えるべきかも大きな問題である。具体的には、着物等の売買契約とクレジット契約の関係や割販法、特商法に基づくクーリング・オフや取消、解除に伴う清算、あるいは抗弁の対抗（**第7章**参照）の可否や民法、消費者契約法などに基づくクレジット代金の支払いの拒絶や既払金の返還請求（**第3章**参照）が可能か否かが検討されることになる。

ウ　契約約款の効力【事例3】

> 　海外では利用できない機種を選んでN社の携帯電話機を購入し、携帯電話サービス契約を締結した。カメラとして利用するため海外旅行にこの携帯電話機を持って行ったが、旅行中に盗難にあったので現地の警察署に被害届を出した。しかし、海外で使われることはないと思い、N社には帰国後10日してから（盗難日から12日後に）連絡して契約を解約した。ところが、翌月届いた利用料金明細書を見ると、通話料が300万円も請求されているのが分かり驚いた。N社に連絡をしたところ「この携帯電話から国際ローミングサービスが使われている。」と言われた。わざわざ海外では使用できない機種を選んで契約したのに、海外で勝手に使われた料金を請求されるのはおかしいと反論すると、N社は「この機種は海外では使用できないが、電話機の中に入っているSIMカード（ICカード）を別の電話機に差し替えれば海外でも使える。」「当社の契約約款では、SIMカードを差し替えられてお客様の回線で通話された場合も、通話料は契約したお客様に支払って頂くことになっている。」という。わざわざ海外では使えない機種を購入したのに、ICカードを差し替えて勝手に使われたら通信料金を支払わなければならないのか。

　【事例3】では、携帯電話会社の定める「携帯電話サービス契約約款」を根拠にして、携帯電話の無権限使用の責任を全て消費者に負担させられる結果となっている。ここでは、①消費者が一方的に不利益を受けるような内容を定める契約約款の効力が認められるのか否かがまず問題となる。このような効力を認める必要があるのか、あるとすればその根拠はどこに求められるのか、認める必要がないとすればそれは何故かを考えて欲しい。また、②そのような検討の前提として、契約約款の適正や公正さはどのように担保されるのか、さらには現代社会における契約約款の意義と機能はどのようなものであるのかを考えて欲しい（**第3章**参照）。

エ　コンビーフ偽装表示事件【事例4】

> 　コンビーフ製造では最大手のB社が、自社製造の缶詰のラベルに「山形県産米沢牛コンビーフゴールド」「松阪牛コンビーフゴールド」「山形県産

米沢牛牛肉大和煮」などと表示して販売していたが、米沢牛は使用しておらず、松阪牛も2割程度しか使わず、実際にはホルスタインの肉などを使っていた。このような偽装表示された缶詰を購入した消費者は、誰に対してどのような請求ができるか。

　【事例4】は、食品の偽装表示の事例である。食品の製造過程で表示と異なる材料が使用されていたとしても、消費者はこれらの事実や情報を知るすべがない。【事例5】とも共通するが、商品の購入において事業者と消費者間の情報格差が際だって問題となる場面である。このような場合に、①事業者に適正な表示をさせるためには、どのような制度が必要かつ有効なのかを考えてみて欲しい（**第9章**参照）。また、②偽装食品を購入した消費者が、製造メーカーに対し、直接、何らかの請求ないし責任追及はできないのかも検討してみて欲しい。③この事例では、偽装表示によって消費者が損害を蒙っているとしても、それはかなり少額である。しかし、被害が広く広がることも多い。このように少額、多数被害の消費者紛争の解決はどうすべきかについての検討も必要であろう（**第5章**参照）。

　オ　牛乳の集団食中毒事件【事例5】

　　Y乳業の北海道工場で製造された脱脂粉乳に、製造過程で黄色ブドウ球菌の出す毒素が混入したまま出荷され、その脱脂粉乳を使って同社の大阪工場で製造された加工牛乳などを飲食した消費者に集団食中毒が発生し、入院治療を受ける者も出た。被害に遭った消費者は、どのような救済を受けられるのか。

　【事例5】は、加工食品における製造物責任の事例である。ここでも【事例4】と同様に、消費者と企業（事業者）との間の情報格差が際だって問題となっている。消費者には加工乳に細菌毒が混入されていることは全く知る由もない。日常的に飲食する食料品の安全性を確保することは、我々の生活や生存にとって最も基本的な問題である。その意味で、この事例は、①健康被害につながる製品事故から消費者の安全を守る制度として、どのようなものが必要かつ適切であり、有効であるかを再検討させるきっかけになる。このような事故を踏まえて、消費者の安全をどのようにしたら確保できるのか

を考えて欲しい。また、②被害を受けた消費者が被害救済を受けるための制度、法理にはどのようなものがあるのか、どうしたら迅速、適切な救済を受けられるのかも考えてみて欲しい（**第5章、第11章**参照）。

カ 多重債務問題【事例6】

> もともとカードで買い物などをしており、毎月カードの利用代金の支払いの必要はあったが、給料で支払える範囲内であり、妻と小学生の子供2人の4人家族で何とか生活できていた。ところが、折からの不況で1年前のボーナスが大幅にカットとなり、クレジットカードのボーナス一括払い分を消費者金融から借り入れてから、現在の収入では生活できなくなり、次から次へと借入をしてしまった。その後は借金の支払いのために更に借金をするという悪循環になってしまい、消費者金融業者からの督促も厳しくて、夜も眠れない。現在の借入額は12社から合計で約500万円になっている。月々の返済額を減らして何とか借金を返済したいのだが、どうしたらよいだろうか。

【事例6】は、典型的な多重債務の事例である。消費者法の実務の問題として見た場合、このような事例では、直接的には公正かつ妥当な多重債務の整理をするには、いかなる手続によってどのようにそれを行うかを検討することになる（**第13章**参照）。

しかし、同時に①何故、【事例6】のような多重債務者が多数生じてしまうのか、②それはどうしたら防げるのかを考え、そして、③その前提としてこのような多重債務者を作り出す社会や経済の実態にも目を向けなければならない。具体的には、多重債務問題の歴史的経緯を含め、消費者金融における高金利、過剰貸付・過剰与信ならびに苛烈な取立行為の問題を正しく認識する必要がある。また、貸付契約の内容の不当性や信用情報の適正な利用のための制度をきちんと機能させることなども検討されなければならない。他方で、多重債務の整理では、破産免責や民事再生（個人再生）の再生計画の認可により債務者の債務を免除させることによる解決が多用される。このような制度のもたらす結論は、「借りた金は返す」「契約は守らなければならない」という基本的な社会的ルールと正面から衝突する。しかし、多重債務問

題の解決のためには、何故このような方法が合理的であり、適切であるのかも考える必要がある。

(2) 問題解決のための消費者法

すでに指摘したとおり、これらの事例は消費者問題のほんの一例に過ぎない。しかし、これらの事例に現れた問題を民法が用意している意思表示や法律行為に関する制度（錯誤、詐欺、公序良俗違反等）や契約法理、さらには過失責任主義や損害填補責任を前提とする不法行為制度などによって解決するのは難しい。また、多重債務問題の解決では、破産や民事再生などの特別の制度が必要となる。これらのことを考えても、消費者問題は民法を中心とした近代法（従来の法理論）ではうまく説明できなかったり、処理できない場合が少なくないことが理解できる。

繰り返しになるが、消費者法は、このような分野をカバーする法律群、法理論であると同時に、まさしく、現代社会において生活を営んでいく過程で生起する問題の理解、解決のための最先端の法律分野の一つである。そして、消費者法における法理や制度は、現代社会において消費者が置かれている状況や消費者の特性を前提にして、公正かつ適正な問題解決のための法理や制度として生まれ、発展してきたものである。

本章では、消費者法を学ぶ第一歩として、消費者の特性についての理解を中心にして消費者法の存在根拠を学ぶことにする。

第2　消費者・消費者問題と消費者法

1　消費者

法律学の問題として「消費者」を厳密に定義することは難しい。消費者契約法では、消費者とは、事業としてまたは事業のために契約の当事者となる場合におけるものを除く個人をいうとされているが（消契法2条1項）、この定義もあくまで消費者契約法の適用対象を決めるためのものであり、消費者法全般で妥当するものではない[17]。

「消費者」概念を明確にしようと考える論者は、消費者とは「生活のために用いる物資や役務（サービス）を他人から購入する者のことであって、生

産者、販売者などの供給者に対立する概念」などと説明しているが、ここでは「消費者」は、第1に商品やサービスの供給を担う事業者に対置される存在であること、第2に供給される商品やサービスを人の生活のために使用したり、消費する主体であることが要素とされている[18]。消費者概念が、事業者に対置される消費の主体と捉えられることは、消費者が生身の人間として生活している存在であることからして、ある意味では当然のことであって、結局、消費者とは「日常生活を送っている我々すべてである。」といっているに等しい[19]。そのため、消費者概念を厳密に定義してみても、具体的な問題解決のための法理や制度が直ちに導き出される訳ではない[20]。

このことから法的な消費者概念を明確にするよりも、「消費者」一般が有している特質を抽出して、それに適合的な法理や制度を検討することの方が有意義であるとの考え方から「消費者の『典型例』『プロトタイプ』を描き

---

17 消費者契約法の「消費者」概念については、谷本圭子「消費者契約法の人的適用範囲について」立命法学2000年3＝4号上巻、齋藤雅弘「消費者契約法の適用範囲」法セ2000年9月号15頁、落合誠一『消費者契約法』（有斐閣、2001年）56頁、後藤巻則「総則規定の問題点と課題」ジュリ1527号（2019年）46頁参照。なお、消費者か事業者かが争点となった裁判例には、①学校法人の事業者性を肯定した最判平18・11・27民集60巻9号3437頁、②個人のアパート経営の事業者性を認めた大阪高判平16・12・17判時1894号19頁があり、③リロケーションの事案で個人の賃貸人の事業者性を否定した京都地判平16・7・15判例集未登載（同地裁平成16年(ワ)第750号）、④大学の運動部（権利能力なき社団）が「消費者」に該当するとされた例として東京地判平23・11・17判時2150号45頁などがある。これらの見解や判断を踏まえると、同法の規定する「消費者」の意義は、同法の趣旨・目的に照らし「事業者」概念との関係で相対的なものと捉えられるのではないだろうか。

18) 竹内昭夫『消費者保護法の理論——総論・売買等』（有斐閣、1995年）4頁。この他に消費者の定義について述べているものとして、山田卓生「消費者保護法の意義」『消費者法講座　第1巻　総論』（日本評論社、1984年）18頁、谷原修身「消費生活と競争秩序」『現代経済法講座5』（三省堂、1990年）79頁、佐藤一雄『新講現代消費者法』（商事法務研究会、1996年）10頁などがある。

19) 現にケネディ大統領の「消費者の利益保護に関する大統領特別教書」（1962年）では「言葉の定義からいうならば、我々全てが消費者である。」と述べられているし、ジョンソン大統領の「消費者の利益に関する大統領教書」（1966年）でも「消費者とは、すべての市民、労働者、農民商工業者ならびにその家族である」と述べられている。

出すことが重要」として、積極的に消費者の特性を探求することの重要性を指摘したり[21]、消費者が置かれている状況や場所などを踏まえ、そこで損なわれている近代市民法の原理や根本理念を回復させるために必要な要素や要件を抽出して、消費者法の対象や介入根拠を要件化すべきであるとする論者もある[22]。

　消費者概念を明確にしようとする論者（注18）参照）も、消費者概念の定義付けを試みる一方で、消費者問題の特質やその問題背景を指摘し、議論する中で、消費者の特性や消費者が置かれている状況から生じる問題点を抽出し、消費者法の対象範囲を画する手がかりにしたり、一定の法的結論を導く原理の根拠として援用しているものが少なくない。とすれば、消費者概念を明確にするよりは、消費者の特性を明らかにしたり、消費者が置かれている状況や場面において生じる問題点を整理することにより、消費者法の適用範囲を画定し、解釈論や立法論の補強根拠を提供し、契約や取引関係への国家の介入や規制を行う目的、根拠、対象や方法などを導く原理を考察することの方が[23]、学問的にも政策上も有益であるし、実務的にも有益であろう。

---

20) 河上正二『民法総則講義』（日本評論社、2007年）392頁では、「『消費者』概念は『法的まやかし』（メディクス）とまでは言わないにしても、それだけでは、対象を確定する機能を果たしたり、介入の正当化根拠とするには、なお多くの曖昧さを残す」と述べられている。これに対し「人の法」という観点から、「消費者」という概念で「人の定型」を定めることは「消費者が市民の典型的姿態であって、それに関する法的規律の諸準則が民法学の中核的な考察対象とされなければならない」とし、消費者概念を民法（近代市民法）の中に積極的に位置づけようとする考え方もある（山野目章夫「『人の法』の観点の再整理」民法研究4号（信山社、2004年）1頁以下）。
21) 大村敦志「消費者・消費者契約の特性──中間報告（1）ないし（4・完）」NBL475号・476号・477号・478号、同『消費者法〔第4版〕』（有斐閣、2011年）20頁以下参照。消費者概念については長尾治助『消費者私法の原理』（有斐閣、1992年）19頁以下も参照。
22) 「消費者という言葉を使うことによって、一体近代市民法で守ろうとした、何を要件化して守ろうとしているのかというのが、本当は問題」であり、「意思的要素が十分発揮できないという状況があるのだったら、その状況を要件化すべきであり」「場所が問題であるならば、場所によって何が侵害されるのかを明らかにして、それを要件化すべきである」「『消費者だから守る』という議論をしてしまうと、市民法の理論の根幹が崩壊する」（創価大学法科大学院要件事実教育研究所編「法科大学院要件事実教育研究所報」6号（2008年）13頁以下の河上正二教授の発言）。

さらに近時、「事業者」性や「消費者」性に関する議論として、①フランチャイズ契約やリース契約などに関わる被害の解決の観点などから、消費者的事業者や事業者的消費者という事業者と消費者の中間的な属性や特質をもつ主体にも、消費者法の守備範囲を及ぼそうとする見解が提案されている[24]。また、②消費者（あるいは人）の認識（捉え方）について、従前の情報モデルによる消費者を前提にするのではなく、消費者の脆弱性を問題にし、その脆弱性を克服するための法理や制度を検討する議論が活発となっている[25]。消費者の脆弱性については状況・環境、地位、関係性に由来する脆弱性（一時的脆弱性）に加え人の心身上の状態に由来する脆弱性（恒常的脆弱性）が問題とされたり、近時のEU法では「デジタル脆弱性」というネットワークやデジタル機器やサービスに係る脆弱性の議論も活発になされている[26]。また、デジタルネットワーク上の問題に限らず、複雑で制御や管理が益々困難となっている現代社会の仕組みなどを踏まえて、③従前のように人の意思に権利義務の発生根拠や契約の拘束力の根拠、源泉を求めることの限界を意識しつ

---

23) 谷みどり「消費者政策と市場の規範――悪質商法や製品安全に関係する文献から抽出した経済社会の発展経路」（独立行政法人経済産業研究所ポリシー・ディスカッション・ペーパー2008年：http://www.rieti.go.jp/jp/publications/pdp/08p003.pdf）は、「消費者」の持つ特質も踏まえて市場の規範の問題を論じ、消費者、事業者および政府の協働を通じて市場の規範を強化し、経済社会全体の発展と安定の確保をめざす観点から消費者政策のあり方を提案している。
24) 近畿弁護士会連合会＝大阪弁護士会編「中小事業者の保護と消費者法」（民事法研究会、2012年）1頁、後藤巻則「消費者保護と事業者間契約の規律」田山輝明古稀記念『民法学の歴史と未来』（成文堂、2014年）125頁、大澤彩「いわゆる「消費者的事業者」に関する一考察」国民生活研究60巻2号（2020年）75頁。
25) EU法における「脆弱性な消費者」を巡る議論についてはノルベルト・ライヒ（角田美穂子訳）「EU法における「脆弱な消費者」について」一橋法学15巻2号（2016年7月）469頁、松本恒雄「『脆弱な消費者』概念と消費者政策」、菅富美枝「『脆弱な消費者』を包摂する法・社会制度と執行体制－イギリス法からの示唆」、佐川賢「脆弱な消費者のためのアクセシブルデザインと人間工学的技術標準」、タン・ミッシェル「オーストラリアの消費者政策と脆弱な消費者〜消費者取引を中心に」いずれも国民生活研究58巻第2号（2018年12月）所収を参照。
26) 川和功子「デジタル社会における消費者の脆弱性―「デジタル脆弱性」に向けて―」現代消費者法No.56（2022年9月）5頁。

つ、これらの根拠や正当性を何にどこまで求めるかという観点から、組織的認識と組織的意思決定、あるいは熟議と納得による意思決定か否かなどの要素も取り込むことも重要と思われる[27]。

2　消費者問題と消費者法
(1)　消費者問題とは
「消費者問題」についても、「消費者」と同様に厳密な定義は難しい。

　大まかな言い方では、消費者問題とは、我々の消費生活に関して社会に生起する現象ということになろう。消費者問題は歴史的な存在であり、そもそも生産と消費の分離以前には存在しえない社会問題であるし、「消費社会」の到来—別な言い方では「消費者」の出現—によって社会問題として明確に認識されるようになってきたものである。その意味では、消費者問題は消費者の特性の故に生起する問題であるといえ、消費者の抱えている性質や特質をそのまま反映する社会問題である。

　また、消費者法は、このような消費者問題の解決のために、様々な法制度や法的技術、法理論を動員し、機能的に活用することによって実践的に形づくられてきたものであるので、消費者法も消費社会の出現とともに消費者問題の歴史の中で次第に形成されてきたものである。

(2)　消費者問題の歴史と消費者法の沿革と形成
　次には、消費者法が形成されてきた背景となる、消費者問題の歴史と消費者立法の経緯を概観してみよう。その流れをまとめると、別表の**【消費者問題の歴史と立法の経緯】**のとおりである。

---

[27]　法律学とは直接結びつかないかもしれないが、この問題を考える上でヒントになる文献として、齊藤誠『危機の領域』勁草書房（2018年）、西垣通『集合知とは何か—ネット時代の「知」のゆくえ』（中公新書、2013年）、マックス・H・ベイザーマン＝アン・E・テンブランセル著・池村千秋＝谷本寛治訳『倫理の死角』（NTT出版、2013年）、トーマス・シーリー著・片岡夏実訳『ミツバチの会議——なぜ常に最良の意思決定ができるのか』築地書館（2013年）、スコット・ペイジ著・水谷淳訳『「多様な意見」はなぜ正しいのか』日経BP社（2009年）が参考になる。

ア　Ⅰ期

　Ⅰ期は、戦後の復興期の生活密着型の問題がクローズアップされている。食品衛生などを柱に、最低限の生活の質の向上への要求が強く押し出され、主婦連などを中心に社会運動となった時代であった。立法面では、消費者の利益や権利の保護を目的とした立法はなく、依然として戦後の経済統制の影響が残り、産業振興の観点からのいわゆる業者規制の立法が中心であった。

イ　Ⅱ期

　これに対し、Ⅱ期は、日本経済も高度経済成長期に入り消費社会が出現し、本来の意味での消費者問題が意識されるようになった。消費者保護基本法が制定されたのはこの時期であり、国民生活センター法も成立している。消費者問題としては、商品の品質、安全性が相変わらず主要な問題関心であったが、他方で消費者取引へも問題関心が集まり、消費者が商品選択を適正に行えるようにする観点から、表示を適正にすることを目的として家庭用品品質表示法や景表法が成立している。また、カラーテレビの二重価格問題やねずみ講、マルチ商法など取引内容の適正が問題とされるようにもなっている。

　この時期の後半は「石油ショック」が世界経済に大きな打撃を与え、日本では「狂乱物価」と呼ばれたインフレ経済が進行し、価格への関心と物価の引き下げを求める消費者からの要求が強まった時代であった。このような状況を背景に、消費者が石油元売り会社らによる違法なカルテルによって受けた損害の賠償を求める「灯油訴訟」が提起されたり[28]、物価対策の特別措置法などが成立している。

ウ　Ⅲ期

　次のⅢ期は、安定成長期からいわゆるバブル経済期に当たるが、この時期には契約締結方法や契約内容、消費者信用が消費者問題の中心となってきた。いわゆる「悪徳商法」が跋扈し、大きな社会問題となった時代であり、また、サラ金の高金利、過剰貸付、苛烈な取立が社会問題となった時代である。

　バブル経済の時期には、投資や利殖にからむ様々な悪徳商法が出現したが、

---

28)　最判昭62・7・2民集41巻5号785頁・判時1239号3頁、最判平1・12・8民集43巻11号1259頁・判時1340号3頁など参照。

同時に証券会社、保険会社をはじめ銀行までもが、満足な説明もせずに、また、適格性や適合性を欠く者に対してワラントや変額保険、ゴルフ会員権や投資マンションなどを積極的に販売し、これらの不当な投資勧誘や金融商品の販売によって多くの被害を生んだ。

　これらの消費者問題への対応のために、このⅢ期には、業法と呼ばれる規制法が多数成立している。これらの法律の中では、クーリング・オフ制度、書面交付義務等の契約内容の明示・説明義務、違約金の制限等の消費者の責任制限の規定や抗弁の対抗などが次々に盛り込まれ、消費者利益の保護の一つの手法が確立されていったといえよう。

　エ　Ⅳ期
　これに対し、Ⅳ期はバブル経済の崩壊とその後の経済不況を背景に、「規制緩和」の名の下に、自己責任の強調や市場機能の重視などが強く主張され、消費者の権利、利益の保護のあり方が再検討された時代といえる。

　また、情報処理技術や通信技術のめざましい発展を背景にして、高度情報化社会が出現し、情報通信やインターネット利用にかかる紛争など、新たな消費者問題が出現している。インターネットという新たな情報伝達、交換の手段の普及により、消費者取引における表示、広告や勧誘における公正や適正の問題も新たに意識されるようになってきているし、個人情報が不正に利用され、それに伴う消費者被害が広がっていることから、個人情報の保護も消費者問題の重要な課題として捉えられるようになった。

　しかし、他方では、従前から問題とされてきた商品の安全性の問題についても、遺伝子組換食品や食品添加物規制のグローバル化、牛海綿状脳症（BSE）などの家畜伝染病の蔓延、食品表示の偽装事件の多発などを背景にして、形を変えて新たに重要な問題として登場してきているだけでなく、一層その重要性が増している。

　これまでの概観からも分かるが、消費者問題は「消費社会」がある程度成熟する時代や国家において初めて生起してくるものであると同時に、社会、経済の実情の変化に合わせて消費者問題の内容や性格もかなり変化している。21世紀に入って、消費者問題はこのⅣ期に現れたような状況が一層進展するとともに複合的になってきているといえる。

オ　Ⅴ期

　消費者問題の歴史としてみた場合、2008年は大きな転換点として記憶される。この年は、外国産の冷凍餃子による食中毒事件や輸入されたメラミン入り食品や農薬等に汚染された事故米の流通事件、さらには食品の偽装表示事件など、国民の生活の安全、安心が大きく脅かされる事件が多発した。また、マルチ型の悪質商法の被害も顕在化したり、税金の還付金を口実にした新手の振り込め詐欺が高齢者などを中心に急増したこともあり、消費者被害の予防と救済のための国の責務と役割が強く問われた。

　かかる状況下で、政府の主導によって消費者行政の一元化を実現するための新たな行政組織として「消費者庁」および「消費者委員会」が設置され、消費者政策は新たな段階に入っている。

(3) 判例・学説と消費者法

　消費者問題の歴史と消費者立法の沿革の概要は、上記に示したとおりであるが、消費者法の分野では、学説や判例の果たしてきた役割も重要である[29]。消費者法の形成と発展において、判例の果たす役割は大きい。

　詳細は、各章の記述に委ねるが、判例には、①立法の補完、あるいは②立法の先駆けとしての意義があることを指摘しておく[30]。

第3　消費者および消費者問題の特性

1　消費者・消費者問題の特性を明らかにすることの意義

　消費者や消費者問題の特性を明らかにすることにより、次のようなことが可能となる。

　第1に、消費者法の適用対象や範囲を確定することが可能となる。たとえば、割販法は制定の当初は産業振興のための法律であったが、その後、1972

---

[29]　消費者問題に関する学説の概観と消費者法の発展に与えた影響については、大村敦志『契約法から消費者法へ』（東京大学出版会、1999年）3〜50頁に要領よくまとめられている。なお、1997年以降の消費者法に関する論文・著書、学説の状況を知るには、「法律時報」（日本評論社）の毎年12月号の特集「学界回顧」の中にまとめられている「消費者法」の部分を参照するとよい。

年にクーリング・オフ制度の導入とローン提携販売の規制を盛り込んだ改正がなされたことによって、法律の性格が変わり、消費者法として理解されるようになっている。また、不正競争防止法は1994年の法改正の過程では、不正競争行為により損害を受ける消費者や消費者団体にも差止権を認めるべきであるという議論がなされたが、結局、これらの導入が見送られ、事業者の法律に止まったと理解されている。

　第2に、消費者や消費者問題の特性を明らかにすることは、ある法律の性質や体系上の検討を行う際の基準や指標となる。このことにより、法体系上の消費者法の位置付けを明確にすることも可能となる。

　第3に、消費者や消費者問題の特性に応じた法的対応を導き出す根拠(原理)を明らかにできる。具体的には、解釈論では、特別法の規定(たとえば、割販法の抗弁対抗の規定等)を類推適用したり、民・商法の規定の適用を排除したり、修正する法解釈論の裏付けとなる。立法論では、国家が私的自治や契約自由の原則に介入したり、営業の自由を規制する目的や根拠となる。たとえば、ある業法にクーリング・オフを導入したり、書面交付義務の法定など消費者取引に関して事業者の営業の自由を規制し、情報の提供や開示義務を課す根拠となったり、消費者契約法の制定がその一例であるが、消費者契約に特別の民事ルールを作ることによって、私的自治や契約自由の原則を修正したり、規制する根拠になる。また、これらの修正や規制をどのような方

---

30) 立法の補完の例としては、口頭によるクーリング・オフを認めたり(福岡高判平6・8・31判時1530号64頁・判タ872号289頁)、割販法の適用のない取引についても、信義則を根拠に抗弁の対抗を認める判例(名古屋地判昭63・7・22判時1303号103頁、大阪地判平2・8・6判時1382号107頁)や、業者の不法行為責任を認めることにより、事実上、不当な契約の拘束力から消費者を解放するのと同様の結論を導き出す多数の判例(高松簡判平1・5・24消費者法ニュース準備号14頁、大阪地判平2・9・19消費者法ニュース5号25頁)などが挙げられる。また、立法の先駆けとしては、割販法に抗弁の対抗の規定が盛り込まれる以前に、クレジット契約において抗弁の対抗を認めた一連の判例(高松高判昭57・9・13判時1059号81頁、名古屋高判昭60・9・26判時1180号64頁、福岡高判昭61・5・29判タ604号123頁、小倉簡判昭61・7・8判タ614号114頁、京都地判昭59・3・30判タ526号184頁、名古屋地判昭58・4・20判時1083号117頁など)などが挙げられる。

法でどこまで行うかを考える指標になる[31]。

2 消費者・消費者問題の特性

(1) 「人」と「消費者」

ア 「合理的人間像」の転換の必要性

まず、消費者の特性からみてみよう。民法を含め、近代法では均一で、確固とした意思と判断力をもった合理的な人間像（人間観）を前提に法的な枠組みが形成されている。法律の世界でも、古典派経済学が前提にしている「合理的人間像」とほぼ同様の「人」の概念が前提にされているといえる[32]。

しかし、高度な消費社会のまっただ中にある我々は、日常生活の全ての場面でこのような合理的な人間でいることは到底不可能な状況に置かれている。現実社会における「人」と法が予定している「人」との間のギャップが、近代市民法による消費者問題への対応を困難にしているということもできる。消費者法は、消費者問題への対応を目的とする問題指向型の法であるので、消費者法の理解のためには、まずは、現実の消費社会においては、法が予定する人間像の転換がなされていることを承認することが必要不可欠である。

イ 現代法における人間像

問題は、どのような転換がなされていると捉えるかである。この点については二つの基本的な考え方の対立がある。

まず、民法上の人間の取扱いの変遷の背後には「理性的・意思的で強く賢い人間から弱く愚かな人間へ」という人間の捉え方の変遷があり、「割賦販売法や訪問販売法などの制定による消費者保護立法は、まさに消費者を『愚

---

31) 大村敦志「消費者・消費者契約の特性——中間報告（1）」NBL475号29頁では、消費者・消費者契約の特性を論じることは、実際面では、①消費者保護法の適用範囲を画定する、②消費者・消費者契約の特性に応じた法原理を確立し、援用することで、解釈論・立法論を補強する、理論面では、③消費者契約に対する各種の規制の説明原理になる、④契約に対する国家介入の目的・根拠に関連すると説明されている。

32) 民法の予定する人間像と現代法の人間像については、星野英一「私法における人間」『民法論集 第6巻』（有斐閣、1986年）、山本豊「消費者〈特集〉民法のなかの『人間』」法セ1999年1月号40頁、谷本圭子「民法上の『人』と『消費者』」『民法学の課題と展望 石田喜久夫先生古稀記念』（成文堂、2000年）73頁以下を参照。

かな者』と前提した規定」と説明する考え方である[33]。ここでは、消費者は「弱く保護を必要とする人」であること、つまり消費者が保護されるべき存在であることが、私的自治や契約自由の原則を修正したり、国家の介入が必要であり、合理的である根拠とされている。

他方、市場への信頼を重視する立場から、このような消費者観は消費者が無能力であることを強調し過ぎており、消費者の自立と自己責任を否定し「自由主義社会の基本的な構成原理を否定するもの」であり、市場における消費者の機能を軽視していると批判して、「賢くなりうる自立した消費者像」を前提として消費者法を捉えるべきであるとする見解がある[34]。

いずれの見解に立つにしても、現代の消費者は近代市民法の前提とするような合理的人間像をもって捉えることはできない。前述のような論争は、現代社会に実際に生活している人間像を前提にするべきである点ではそれほど違いはなく、経済学的な意味での「市場」への信頼の度合いや程度、「市場」のプレイヤーとしての消費者にどれだけの期待ができるのかについての認識の違いによるものと考えられる[35]。

しかし、近時、認知心理学や行動経済学の研究成果を踏まえると、現代社会を生きている生身の人間は、それほど「愚かな者」でもないが、かといってそう簡単には賢くはなれず、また、いつも合理的に振る舞うことはできない（限定合理性を持った）存在であり、自立もそう簡単ではないことが見えてくる[36]。これら周辺諸科学の知見も踏まえて、消費者法が前提にすべき人間観をより積極的に検討し、それに適合的な法制度や法理論および消費者政策の策定と実行の必要があるのではないかと思われる[37]。

また、最近では消費者を経済主体としてのみ捉えるのではなく、国や地球

---

33) 星野・前掲注32) 29、39頁参照。
34) 来生新「消費者主権と消費者保護」『岩波講座・現代の法13』（岩波書店、1997年）281頁参照。
35) 大村・前掲注4)『消費者法〔第4版〕』20頁参照。
36) 行動経済学は、古典派経済学が前提にしている「合理的人間像」に代わる、人間像についての新たな視点を提供している。行動経済学については、多田洋介『行動経済学入門』（日本経済新聞社、2003年）、友野典男『行動経済学』（光文社新書、2006年）など参照。

規模で倫理や経済、環境にも配慮しながら公正で持続可能な社会（消費者市民社会）を担う構成員として捉え、消費者も相応の社会的責務を果たしていくべき存在として評価し直そうという考え方が一般的になってきている[38]。

また、2015年9月には国連の「持続可能な開発サミット」において、17の持続可能な開発目標を達成することにより「誰一人取り残されない」社会の実現に向けて、途上国のみならず先進国も実施に取り組む目標として「持続可能な開発目標（Sustainable Development Goals：SDGs）」が採択された。このSDGsの考え方も消費者市民社会の理念と多くの点で共通する[39]。

---

[37] OECD消費者政策委員会（Committee on Consumer Policy）では、行動経済学の知見を取り入れて消費者政策の再検討が進められている。日本でも消費者の行動バイアスの研究を消費者政策へ応用しようとする動きもある（内閣府編「平成20年版国民生活白書」115頁以下）。法制度との関係で人の限定合理性を扱う論文として、村本武志「実務からみた民法改正と消費者法」現代消費者法4号（民事法研究会、2009年）38頁以下、同「消費者取引における心理学的な影響力行使の違法性──不当威圧法理、非良心性ないし状況の濫用法理の観点から」姫路ロージャーナル1・2号（2008年）193頁以下）、廣瀬久和「法と人間行動──必ずしも合理的でなく、画一的でもない人間観からの再出発」Law & Practice 4号（早稲田大学法科大学院、2010年）163頁以下、同「民法の諸原則と人間行動」文明11＝12合併号（東海大学文明研究所、2007年）3頁、山本顯治「投資行動の消費者心理と勧誘行為の違法性評価」北海道大学新世代法政策学研究5号（2010年）201頁以下を参照。

[38] ヨーロッパの学際的なNGO「Consumer Citizenship Network」は「consumer citizen（消費者市民）」という概念を提示している（http://www.hihm.no/Prosjektsider/CCN/Consumer-Citizenship-Network）。政府が2008年6月27日に閣議決定した「消費者行政推進基本計画」でも「個人が、消費者としての役割において、社会倫理問題、多様性、世界情勢、将来世代の状況等を考慮することによって、社会の発展と改善に積極的に参加する社会を意味しており、生活者や消費者が主役となる社会そのもの」との意味で「消費者市民社会」という文言を使用し、このような社会の構築が新たな消費者行政の目標であるとする（http://www.kantei.go.jp/jp/singi/shouhisha/kakugi/080627honbun.pdf）。また、「平成20年版国民生活白書」（内閣府編）でも、我が国の社会も「消費者市民社会への転換」をめざすべきことが提言されているが、ここでは消費者は「消費者市民社会」の構成員と捉えられている。2012年に制定された消費者教育推進法では「消費者が主体的に消費者市民社会の形成に参画することの重要性について理解および関心を深めるための教育」を含む「消費者教育」を総合的かつ一体的に推進することが目的とされている（同法1・2条）。

(2) 消費者・消費者問題の３つの特性

　消費者の特性としては、従前から①物やサービスの供給者と消費者間の格差、②消費者の弱さ、③消費者の負担転嫁能力の欠如の三点に整理されて論じられることが多い[40]。また、すでに述べたように、消費者問題は消費者のもつこれらの特性の故に生起するものであり、消費者の特性が社会問題化したものが消費者問題であるので、これらの特性は消費者問題の特性でもある。

　ア　供給者と消費者間の格差

　まず、供給者（特に企業）と消費者間の格差では、通常、資金力、資本力などの経済面の格差だけではなく、商品やサービスの内容や性質についての知識、情報および判断力における格差も含まれる。この供給者（企業）と消費者間の格差は、単に差があるということではなく、消費者と企業や事業者間には等質性が欠けていたり、立場の互換性が欠如しているばかりか、力の格差を背景に消費者は従属的であり、供給者に比べ劣位に置かれていると説明される。つまり、企業と消費者は、現代の消費社会では本質的に非対称であることを意味する。本章の冒頭で述べた消費者概念が企業に対立する概念要素を含むものとして述べられている理由はここにある。

　イ　消費者の弱さ

　次に、ここでいう消費者の「弱さ」は、文字通り消費者が日常生活を営む生身の人間であることから生じる特質である。

　消費者の弱さは、第１に消費者の生命・身体や心（精神）が傷つきやすいことを意味する。欠陥商品により死亡事故が発生したり、消費者が怪我をしたり、病気になる例を挙げるまでもなく、人身損害の結果は重大であり、深刻なものになる可能性がある。また、無碍に断ると嫌がらせをされるのではないかと考えて営業社員の訪問要請を断れなかったり、勧誘を受けている契約の締結を拒絶できないことは、消費者の心理としてはよくあることであるし、商品先物取引業者の外務員から「相場が予想外の下落をした」「追い証

---

39)　SDGsに関する消費者庁の取組は〈http://www.caa.go.jp/about_us/about/plans_and_status/sdgs/〉を参照。
40)　竹内・前掲注18)『消費者保護法の理論――総論・売買等』５頁、７頁参照。

500万円入れて貰う」といきなり言われ、気が動転して藁をも掴む思いで入金してしまうというのも、消費者の心（精神）の弱さを表すものである[41]。

　第2に、経済的側面における消費者の弱さには、比較的少ない損失であっても、生活そのものに対する直接的で大きな打撃になりやすいことも含まれている。数十万円程度の被害でも、毎月の生活費を考えれば、生活に与える影響は深刻である。

　ウ　負担転嫁能力の欠如　最後に負担転嫁能力の欠如とは、供給者（企業）は自己の利益を守るためのコストを商品やサービスの価格に織り込んで、消費者に広く薄く転嫁できるのに対し、消費者にはこのような機会や能力もないことを意味する。別な言い方をすれば、消費者は発生した損害を自分で引き受けなければならない立場にあるということである。この中には、発生した損害自体を引き受けることになるという側面と、紛争を解決したり損害を回復させるための時間や費用を自分で負担しなければならないという側面が含まれる。

(3)　消費者・消費者問題の特性からみた消費者法の存在根拠

　ア　保護の対象と捉える消費者観と消費者法の存在根拠

　このような特性のために、消費者は従属的であり、供給者に比べ劣位に置かれており、その格差の是正や弱点の補強、損失予防のために法的な保護が必要だとされている[42]。

　消費者を主として保護の対象と捉える消費者観については、近時、批判がなされていることは前述のとおりであるが、21世紀の現代においても、消費者が基本的にはこのような状況に置かれていることには変わりはないといえよう。むしろ、消費者問題が高度な消費社会の構造に由来している現実があ

---

[41]　消費者が持つこのような精神の弱さや心理的バイアスが、取引勧誘の違法性の評価においてどう影響するのかについては、前掲注37)の村本、山本顯治論文および桜井健夫「消費者被害救済の実務における行動経済学的知見の活用」現代消費者法33号（2016年）61頁を参照されたい。また、消費者紛争では事実認定等について消費者の心理的バイアスを考慮した対応が必要であることについて、裁判所も研究報告をまとめている（廣谷章雄＝山地修『現代型民事紛争に関する実証的研究――現代型契約紛争(1)　消費者紛争』司法研究報告書63輯1号〔司法研修所、2011年〕）。

る以上、現代社会で消費者の置かれている状況は、さらに複雑、多様化しており、供給者（企業）側との格差が拡大している面がある[43]。

　イ　自立する消費者観と消費者法の存在根拠

　市場の機能に比較的大きな意義を認める論者は、情報が提供されれば、消費者は適切な判断や選択ができると主張するが[44]、現代の消費社会に流通

---

[42]　消費者・消費者契約の特性については、大村・前掲注4）『消費者法〔第4版〕』19頁以下参照。また、大村・前掲注15）「消費者・消費者契約の特性――中間報告（1）～（4・完）」NBL475号・476号・477号・478号では、消費者や消費者契約の特性についての従前の論点が整理されており、現象面では、「商品の安全、品質、表示の問題」「売り方の問題（販売方法、販売条件）」「価格の問題」「消費者信用の問題」「消費者の権利実現の問題」が消費者問題として発生しており、消費者契約に重点を置いて整理すると、①契約目的たる商品の安全性・品質の問題、②広義の契約条件（価格、付随条件）の問題を要素とする「契約自体の問題」と、③契約締結前の交渉過程（販売方法、表示）の問題、④契約締結後の権利義務調整過程の問題を要素とする「契約の前後の問題」が発生していると指摘されている。そして、これらの消費者問題の背景には消費社会の出現があり、消費社会における企業側の事情には、①商品の大量化（規模の利益獲得、契約交渉費用の節約）、②商品の高度化、複雑化（消費者は不十分な商品知識しか持ちえない）、③販売技術の進歩（セールス技術・売込み技術の開発、需要の発見・創出、販売攻勢）、④企業自体の規模の拡大（市場への影響力［寡占・独占］）、⑤消費者信用の発達（安易な契約）、⑥モラルの低下（バブル期以来の事件）という事情があり、他方、消費者側には、⑦消費者は日々の生活を営む「生身の人間」であることという事情があると整理されている。そして、消費者は、①判断材料となる情報の不足、②契約条件についての交渉力の欠如、③商品の比較選択の機会の喪失、④決定のための冷静な熟慮が困難、⑤危険・劣悪・不要・期待はずれの商品を買わされることになり、自己に不利益・不公正な契約条件に縛られる、⑥消費者には人身損害の問題がある、⑦紛争解決が困難、⑧損失の転嫁ができない、などの状況の下に置かれ自由な決定が阻害されることが多くなっていると指摘されている。

[43]　鎌田・前掲注3）「『消費者法』の意義と課題」6頁以下では、消費者の置かれている基本的状況認識としては従前の見解に従いながら、現代の「豊かな社会」における消費者問題の特徴として、①生産と販売の両面にわたる技術革新により、生産技術、販売方法・契約内容が高度化・複雑化し、消費者の自由な選択がほとんど不可能になっており、供給者の一方的な宣伝に踊らされて不相応な選択を強いられる危険性があること、②企業が大量生産、大量販売により経済効率を高め、商品や契約条件の画一化が進み、寡占化・独占化が生じていることにより、消費者の比較選択の機会が失われ、価格その他の契約条件の交渉の余地もほとんどなくなっており、市場が健全に機能しているとは言い難いことなどを特徴として指摘する。

している商品やサービスは内容も複雑であるし、高度な技術に基づいているものがほとんどであり、与えられた情報を基に的確で合理的な判断や選択をするためには、かなり高度で専門的な知識が前提として必要になっている。また、消費者が高度な知識をもっていたとしても、より良い選択をするのは言うほど簡単ではない。消費者は肉体の脆弱性だけでなく精神の脆弱性も併せ持っている。宣伝や広告につられることも少なくない。販売技術やセールステクニックは、こうした人間の精神の脆弱性を突くからこそ効果的なのである[45]。このような意味で、企業と消費者の非対称性は、消費者の自由や自己決定を阻害する結果になっている[46]。現代社会では、消費者の自由の回復や自己決定権の確保が消費者法の存在根拠と考えられている。

さらに、企業と消費者の非対称性の故に、消費者は商品の選択、価格そして契約条件などについての交渉の過程で、より良い選択をしたくてもほとんど不可能な状況に置かれている。別な言い方をすれば、消費者は「交渉力」を奪われているということになる。市場における競争を確保すれば、消費者の交渉力が強まるという議論もあるが、そう簡単ではない[47]。消費者の交渉力の欠如を補うためにも消費者法の存在根拠が認められる。

第4　消費者法の位置づけ

1　消費者法の法源

我が国の消費者法には、統一した法源はない。消費者基本法や消費者安全法、消費者庁および消費者委員会設置法をはじめ、特商法や割販法などのかなりの数のいわゆる「業法」や消費者契約法、製造物責任法、利息制限法などの民事特別法の集合と修正、拡張されて適用される民・商法の条項が法源である。

---

44)　来生・前掲注34) 参照。
45)　ロバート・B・チャルディーニ (社会行動研究会訳)『影響力の武器――なぜ、人は動かされるのか〔第3版〕』(誠信書房、2014年) が参考になる。
46)　大村・前掲注21)「消費者・消費者契約の特性――中間報告 (3)」NBL477号を参照。
47)　大村・前注の論文を参照。

実定法のレベルでは、基本法的性質のものとして、①憲法[48]、②消費者基本法、③消費者安全法などがあり、民事法の分野では、④消費者契約法やその他の民法の特例法（利息制限法、製造物責任法、各業法の民事規定など）がある。別表の【消費者問題の歴史と立法の経緯】に記載されている法律の大部分が、「業法」と呼ばれている法律であり、業法では、一つの法律の中に民事法、行政法、刑事法の性質を持った規定が混在するものが多く、複合法領域性を有する。

2　消費者法の分類

　消費者法においても、法律の一般的な性質に応じて、①消費者民事法、②消費者行政法、③消費者手続法に分けて整理することも可能である。①は、消費者と事業者間の私法上の権利義務関係を規律するものであり、民事実体法である。②にはいくつかの側面がある。一つは消費者の権利利益の保護の観点から事業者に課されている行政上の義務を中心として、事業者と行政庁との法律関係を規律するものであり、もう一つは、いわゆる広い意味での給付行政として、行政が消費者に対する情報提供や紛争のあっせんなどの行政サービスの提供を行ったり、消費者に学習や教育の場や機会を提供したりすることも消費者行政法の対象である。さらに国や地方公共団体の全体的な消費者政策や具体的な施策への参加をめぐる問題も対象となる。③の消費者手続法では、消費者が当事者となる訴訟やその他の裁判外紛争処理制度[49]、破産や個人再生など多重債務の法的整理などが対象である。

《参考文献》
【消費者法の原理・総論】
・竹内昭夫「消費者保護」『現代法学全集52　現代の経済構造と法』（筑摩書房、

---

[48]　山本敬三「現代社会におけるリベラリズムと私的自治」論叢133巻4＝5号（1993年）、同「取引関係における公法的規制と私法の役割（1）（2・完）」ジュリ1087号・1088号では、憲法13条を自己決定権の根拠とする。
[49]　2008年の国セン法改正により、2009年4月から重大消費者紛争については国センの「紛争解決委員会」による、裁判外紛争処理の手続が創設され、運用されている（http://www.kokusen.go.jp/adr/index.html）。

1975年）所収
・岩村正彦他編『岩波講座・現代の法13　消費生活と法』（岩波書店、1997年）
・大村敦志『契約法から消費者法へ――生活民法研究Ⅰ』（東京大学出版会、1999年）
・大村敦志『消費者・家族と法――生活民法研究Ⅱ』（東京大学出版会、1999年）
・長尾治助『消費者私法の原理』（有斐閣、1992年）

【教科書】
・大村敦志『消費者法〔第4版〕』（有斐閣、2011年）
・後藤巻則＝村千鶴子＝齋藤雅弘『アクセス消費者法〔第2版〕』（日本評論社、2007年11月）
・中田邦博＝鹿野菜穂子編『基本講義 消費者法〔第5版〕』（日本評論社、2022年）
・谷本圭子＝坂東俊矢＝カライスコス・アントニオス『これからの消費者法』（法律文化社、2020年6月）
・河上正二『遠隔講義・消費者法〔第2版〕』（信山社、2021年5月）
・宮下修一＝寺川永＝松田貴文＝牧佐智子＝カライスコス・アントニオス『消費者法』（有斐閣、2022年11月）
・大澤彩『消費者法』（商事法務、2023年1月）などがある。

【コンメンタール】
・後藤巻則・齋藤雅弘・池本誠司『条解消費者三法〔第2版〕』（弘文堂、2021年）
・この他に消費者契約法、特定商取引法、景品表示法、割賦販売法、製造物責任法などについてもコンメンタールが公刊されているが、具体的にはこれらの法律を取り扱っている章を参照されたい。

【判例解説】
・『消費者取引判例百選』別冊ジュリスト135号（1995年）
・『消費者法判例百選』別冊ジュリスト200号（2010年）
・『消費者法判例インデックス』（商事法務、2017年）

［齋藤雅弘］

【消費者問題の歴史と立法の経緯】

	年次	発生した消費者問題	立法の経緯
Ⅰ期	1947(昭22)		食品衛生法、独禁法
	1948(昭23)	不良マッチ追放運動、物価値下げ運動(主婦連など)	農薬取締法、募取法、生協法
	1950(昭25)		クリーニング業法
	1951(昭26)	着色料オーラミン使用禁止運動	
	1952(昭27)		計量法、宅建業法、旅行斡旋業法(旅行業法)
	1953(昭28)	水俣病発生	
	1954(昭29)		利息制限法、出資法
	1955(昭30)	森永砒素ミルク事件	
	1960(昭35)	偽牛缶事件	薬事法
Ⅱ期	1961(昭36)		割販法、電気用品取締法
	1962(昭37)	サリドマイド事件	家庭用品質表示法、景表法
	1967(昭42)	薬害スモン事件	
	1968(昭43)	カネミ油症事件	消費者保護基本法 割販法改正(前払い式取引の許可制)
	1969(昭44)	チクロ問題、欠陥自動車問題	
	1970(昭45)	カラーテレビ二重価格問題、ブリタニカ問題	国民生活センター法
	1971(昭46)	ねずみ講(天下一家の会=第一相互経済研究所)の摘発	
	1972(昭47)	PCB汚染問題	景表法改正、割販法改正(クーリング・オフ、ローン提携販売規制)
	1973(昭48)	狂乱物価	生活関連物資の買占め及び売惜しみに対する緊急措置に関する法律 消安法、家庭用品質表示法改正
	1974(昭49)	AF2(食品添加物)追放運動、灯油訴訟(鶴岡・東京)	
	1974(昭49)~	マルチ商法の被害が多発、霊感商法被害	
	1975(昭50)	合成洗剤追放運動	
	1977(昭52)	OPP(防カビ剤)反対運動	
	1967(昭42)~1978(昭53)	ねずみ講被害の多発	
	1976(昭51)		訪販法
	1978(昭53)		無限連鎖講防止法
	1979(昭54)		医薬品副作用被害救済基金法
	1979(昭54)~1980(昭55)	金の先物取引被害の多発	
	1980(昭55)		薬事法改正、宅建業法改正
Ⅲ期	1981(昭56)~1985(昭60)	豊田商事など「現物まがい商法」の被害多発	
	1981(昭56)~1988(昭63)	海外商品先物取引被害の多発	
	1982(昭52)		海先法、旅行業法改正
	1983(昭53)~	サラ金被害多発	
	1983(昭53)		サラ金二法(貸金業法、出資法改正)
	1984(昭54)		割販法改正(抗弁の接続、クーリングオフ期間の延長)
	1985(昭60)~	キャッチセールス、アポイントメントセールス等の新種の訪問販売被害の多発 各種の預かり商法(抵当証券、宝石・英会話教室会員権の現物 まがい商法、TPC商法)、投資顧問、資格商法、霊視商法の被害	

第1章 消費者問題と消費者法

期	年	事件・被害	法令
	1986 (昭61)		預託等取引法、投資顧問業法
	1987 (昭62)		抵当証券業法
	1988 (昭63)		訪販法改正 (訪販・連鎖販売の定義拡張など)
	1989 (昭64→平1)	薬害エイズ事件 (大阪 (平Ⅳ 訴訟提起)	
	1990 (平2)		商取法改正、プリペイドカード法
	1990 (平3)~		変額保険被害、証券取引被害、ダイヤルQ2被害
	1991 (平4)		商品ファンド法
	1993 (平5)		会員権契約適正化法
	1994 (平6)		製造物責任法、不動産特定共同事業法
	1995 (平7)		保険業法改正、容器包装リサイクル法
	1996 (平8)		訪販法の改正 (電話勧誘販売)、新民事訴訟法
	1996 (平9)~	牛の預託商法、ココ山岡事件	
	1998 (平10)		訪販法省令改正 (電子商取引の表示規制)
	1999 (平11)		訪販法・割販法改正 (継続的役務取引) 消安法改正
Ⅳ期	1999 (平11)~	内職・モニター商法 (ダンシング、愛染苑山久)、インターネット上の消費者問題 (ネットショッピング、ネットオークション)、国際電話の自動架電被害など	民再法
	2000 (平12)		消費者契約法 特商法 (訪販法・割販法改正：業務提供誘引販売取引・連鎖販売取引規制強化) 品確法 金販法 民再法改正 (個人再生・住宅資金特別条項) 特定調停法 電子署名法 利息制限法・貸金業法改正 書面交付の電子化一括改正法 マンション管理適正化推進法 民事法律扶助法
	2000 (平12)~	迷惑メール、ワン切り被害	
	2001 (平13)	大和都市管財 (抵当証券販売) 事件	電子契約法 プロバイダ責任制限法
	2002 (平14)		特商法改正 (迷惑メール規制) 特定電子メール法 有線電気通信法改正 (ワン切り防止) 独禁法改正 (差止請求権) 食品衛生法改正 (罰則強化、氏名公表制度) 電子商取引等に関する準則 (法律ではなく民事上の解釈指針)
	2002 (平14)~	ヤミ金被害 出会い系サイト等の利用料の架空請求 預貯金過誤払い事件多発	
	2003 (平15)	オレオレ詐欺 マルチ商法の被害多発 外国為替証拠金取引の被害多発 B (昭E問題)	古物営業法改正 (ネットオークション対応) 電通業法改正 (取引条件説明義務) 出会い系サイト規制法 出資法・貸金業法改正 (ヤミ金対策) 景表法改正 (合理的根拠のない表示規制)

期	年	主な消費者問題	主な法律等
Ⅳ期	2004(平16)	振り込め詐欺被害急増(消費生活相談6割増に)、二次被害トラブル増加	個人情報保護法 食品安全基本法、食品衛生法・健康増進法改正(虚偽・誇大広告禁止) 消費者基本法(消費者保護基本法改正) 特商法改正(勧誘目的明示義務、取消権、連鎖販売の中途解約権など) 公益通報者保護法 金販法施行令改正(為替証拠金取引を適用対象に追加) 新破産法制定 民法改正(現代語化)
	2005(平17)	悪質訪問リフォーム被害 生命保険金不払い問題、偽造・盗難カード被害急増、銀行窓口販売トラブル増加 アスベスト問題 薬効・効能を謳う健康食品被害 マンション耐震偽装問題	携帯電話不正利用防止法、特定電子メール法改正(虚偽アドレスによる送信禁止等) 独禁法改正(課徴金・審判手続等) 会社法 預貯金者保護法
	2006(平18)	海外商品先物・オプション取引被害増加 欠陥商品事故(ガス湯沸かし器、シュレッダー、エレベーター)問題 証券(ライブドア株、未公開株)取引被害 高齢者をターゲットとする振り込め詐欺の急増	消費者契約法改正(適格消費者団体による差止請求権導入) 法適用通則法 消費生活用製品安全法改正(重大な製品事故が発生した場合のメーカー等の事故報告義務など) 探偵業適正化法 容器包装リサイクル法改正 金商法(証取法等改正) 建築基準法改正(耐震偽造対策など) 石綿健康被害救済法 出資法・貸金業法改正(グレーゾーン金利・みなし弁済制度の廃止など)
	2007(平19)	外国語会話学校(NOVA)の倒産 食品表示偽装 未公開株取引、ロコ・ロンドン貴金属取引の被害急増	消費生活協同組合法改正(貸付事業・共済事業への規制強化) 電気用品安全法改正(旧法の〒マーク等のある電気用品の販売規制の緩和) 組織犯罪処罰法改正 犯罪被害回復給付金法(犯罪収益吐き出し) 犯罪収益移転防止法 特定住宅瑕疵担保責任履行確保法
	2008(平20)	中国産の農薬汚染冷凍餃子による食中毒事件、メラミン入り食品、農薬等に汚染された事故米の流通事件、食品の偽装表示事件の多発 携帯電話が絡んだトラブル・被害(高額の通話料・パケット料請求、出会い系サイト利用料金、アルバイト口実の携帯電話契約) マルチ商法型詐欺商法(ワールドオーシャンファーム、L&G)の破綻 振り込め詐欺の新手口(還付金詐欺) 留学斡旋会社(ゲートウエイ21)、自動車学校(八王子自動車学校)の倒産 大和都市管財国家賠償請求事件の控訴審判決(国の規制権限不行使の違法性を認定)確定	国民生活センター法改正(AD(令機能の追加) 消費者契約法改正(特商法違反行為を差止請求の対象にした) 出会い系サイト規制法改正(年齢認証の厳格化など) 特定電子メール法改正(迷惑メールのオプトイン規制導入) 保険法制定 金商法改正(プロ市場の創設、投資信託商品の多様化への対応) 特商法改正(指定商品制の廃止、過量販売解除権など)割販法改正(過剰与信規制、与信契約のクーリング・オフ、過量販売解除権、不当勧誘時の取消権など) 携帯電話不正利用防止法改正(携帯電

第1章　消費者問題と消費者法　33

	年	出来事	法改正等
V期			レンタル業者への規制強化など） 青少年インターネット環境整備法（青少年が安心してインターネットを利用できる環境整備）
	2009（平21）	消費者庁・消費者委員会発足 商工ローン大手（(昭FCG)の破産	消費者庁及び消費者安全委員会設置法（消費者庁と消費者委員会の設置） 消費者安全法（消費者庁の権限を規定） 独禁法改正（課徴金制度の見直し、不当な取引制限違反に対する罰則強化など） 商品先物取引法（商品取引所法改正：不招請勧誘の禁止、海外商品先物取引の商取法への取り込みなど） 商品ファンド法改正（商取法改正に伴う条文の整備など） 資金決済法（プリペイドカード法改正：金融機関以外の業者に振込等を解禁） 民法（債権法）改正の議論が法制審議会で開始
	2010（平22）	武富士の破綻（会社更生申立） 未公開株・社債さらに外国通貨取引など投資に関するトラブル（劇場型未公開株・社債詐欺）急増 クレジットカードの決済代行がかかわるネット取引のトラブルが深刻化 改正貸金業法、割販法が完全施行されたが、他方でクレジットカード現金化等の新手の与信取引が問題化 アフィリエイト・ドロップシッピングなど、ネットを利用した副業トラブル増加 マンション販売・住宅リフォームなど住居に関する悪質勧誘が増加 使い捨てライター規制など、子どもの事故の予防に向けた取組み進む 新「消費者基本計画」が策定される こんにゃく入りゼリーの問題がクローズアップ 国民生活センターの廃止を含めたあり方の見直し議論	保険業法改正（社団・財団法人などの少額短期保険業者、認可特定保険業者の規制緩和）
	2011（平23）	東日本大震災と福島原子力発電所の事故に伴う震災関連・放射能関係の相談が急増 テレビ放送の地上波デジタル化とこの対応に関連する取引トラブル サクラサイトやアダルトサイト等の料金請求に関するトラブル多発 個別信用購入あっせんに代わり、提携リースの訪問取引の被害が目立つ クーポンサイト、情報商材のトラブル ファンド型投資商品の被害増加 イラクディナール、スーダンポンド、サウジアラビアレアル等換金可能性の乏しい通貨取引のトラブル 和牛預託商法を行っていた安愚楽牧場が倒産（民事再生申立後、破産手続開始決定） 洗顔石鹸含有の小麦由来物質によるアレ	電波法、電気通信事業法改正 刑法改正（ウイルス作成罪） 民事訴訟法改正（裁判管轄） 犯罪収益移転防止法改正（電話転送等の場合の本人確認義務）

V期	2012（平24）	ルギー被害 訪問買取の苦情相談が急増 美容医療の苦情相談増加 コンプガチャの景表法違反 国民生活センター改革 健康食品の送りつけ商法被害増加 劇場型投資勧誘（買え買え詐欺）被害が高齢者を中心に多発 電子メールによるサイト利用やデジタルコンテンツ料金などの架空請求の増加 サクラサイト被害の深刻化（被害の高額化） 電気通信事業者の説明不足による電気通信サービスの契約に係る苦情相談の増加 健康食品の送りつけ商法被害の増加	特商法改正（貴金属等の訪問購入を規制対象へ追加） 消費者安全法改正（消費者安全調査委員会の設置、消費者の財産被害に係るすき間事案への行政措置の導入） 著作権法改正（違法ダウンロードに罰則） 消費者教育推進法
	2013（平25）	MRI 投資被害 カネボウ白斑被害 スマホの通信サービスに係る表示の景表法違反 メニュー偽造問題 冷凍食品農薬（マラチオン）混入事件 高齢者の消費生活相談の増加傾向が続く 投資経験の乏しい消費者にプロ向けファンドの勧誘被害が増加 光回線、プロバイダ、モバイルデータ通信や携帯電話・スマートフォン等の電気通信サービスの苦情相談の高止まり アダルト情報サイトの相談がさらに増加 出会い系サイト被害ではSNSをきっかけにしたものの割合が増加	消費者裁判手続特例法 食品表示法 薬事法改正（医薬品医療機器等法）
	2014（平26）	ビットコイン（Mt.Gox取引停止）問題 アダルト情報サイトの相談が過去最高 遠隔操作でのプロバイダ契約の乗換など新手の被害が急増 バイナリーオプション取引など店頭デリバティブ取引の被害急増	景表法改正（6月改正：事業者のコンプライアンス体制の強化、情報提供・連携の確保、都道府県知事の権限強化等）(2016年4月1日施行) 消費者安全法改正（消費生活相談員の資格制度、消費者安全確保地域協議会の設置と相互連携等） 景表法改正（11月改正：課徴金導入）(2016年4月1日施行) 医薬品医療機器等法（改正薬事法）施行
	2015（平27）	光回線の卸売りに関する勧誘の苦情相談が急増 支払手段のキャッシュレス化によるプリペイドカード詐害の被害が拡大 マイナンバー制度のスタート、電力の小売自由化にともなう関連の便乗商法が拡大 海外とのオンラインショッピングにおける詐欺的業者とのトラブルが急増 還付金詐欺に関する相談が2011年度から2015年度の5年間で10倍以上増加	民法の一部を改正する法律（債権法改正）成立 食品表示法施行 金商法改正（プロ向けファンド規制の拡充）
	2016（平28）	トラブル救済を謳う興信所・探偵業者等に関する相談が増加 お試し等を強調して化粧品、健康食品、飲料等の定期購入の申込みをさせる取引に関する相談が急増	消費者契約法改正（過量販売取消権、重要事項・不当条項追加など）(2017年6月3日施行) 消費者裁判手続特例法施行 特商法改正（電話勧誘販売に過量販売解除

第1章　消費者問題と消費者法　35

V期		還付金詐欺の相談が過去5年間で7倍に増加 原野商法の二次被害が再び増加し、被害が深刻に 高齢者を中心にした点検商法が再び増加傾向に	権導入、迷惑FAX、常習的違反業者に対する業務禁止命令など）（2017年12月1日施行） 割販法改正（クレジットカード番号等の適切な管理、販売業者に対する管理強化、FinTec（平対応、電話勧誘販売による個別信用購入あっせんの場合に過量販売解除を追加等） 銀行法改正（仮想通貨対応、ITの進展に対応した、決済関連サービスの提供の容易化と利用者保護の確保など） 資金決済法改正（仮想通貨交換業等の規制など仮想通貨への対応）
	2017（平29）	ガスの小売自由化 仮想通貨の購入などにおけるトラブルが増加 仮想移動体通信事業者（MVNO）が提供する音声通話付きの携帯電話サービス（格安スマホ）に関する相談の増加 海外マルチ業者とのトラブル増加 SMS（ショートメッセージサービス）による勧誘被害が増加 美容を目的とした「プエラリア・ミリフィカ」を含む健康食品による危害が多発 お試し等を強調して定期購読の申込みをさせる取引の苦情 フリマアプリ・フリマサイトでの取引トラブルの増加 ジャパンライフに対し消費者庁から2017年中に4度の取引停止・業務停止命令	2016年改正の特商法施行 国民生活センター法改正（特定適格消費者団体への立担保等による支援など（2017年10月1日施行） 消費者契約法改正（適格消費者団体の認定の有効期限を6年に延長） 消費者裁判手続特例法改正（特定適格消費者団体と国センその他の団体との連携など） 金商法改正（取引高速化への対応、取引所グループの業務範囲の柔軟化、上場会社による公平な情報開示） 銀行法改正（FinTec（平対応、オープンAPI） 組織的な犯罪の処罰及び犯罪収益の規制等に関する法律等の一部を改正する法律改正（犯罪収益の追加など）
	2018（平30）	ハンドスピナーの部品の幼児の誤飲事故 ジャパンライフに破産手続開始決定	民法の一部を改正する法律（成年年齢の引き下げ）成立 消費者契約法改正（状況濫用型の勧誘による契約の取消権、事業者の免責に関する不当条項追加など）（2020年6月15日施行） 保険業法改正（少額短期保険業者の経過措置の延長） 食品表示法（自主回収の充実、行政機関による情報提供など）改正（2021年6月1日施行） 電気通信事業法改正（電気通信業務等の休廃止に係る利用者保護の整備など）
	2019（平31→令1）	若者を中心に広がる「もうけ話」のトラブル 年齢問わずネット関連の相談が増加し、SNSがトラブルの切っ掛けとなることが目立つ 新しい手口も含め架空請求に関する相談が依然として目立つ 高齢者からの相談が依然として多数寄せられる 死亡事案を含め子どもの事故が目立つ チケット転売に関する相談件数が従前の5倍以上に	放送法の一部を改正する法律（NHKのネット放送充実、衛星基幹放送業務認定要件の整備など） 電気通信事業法の一部を改正する法律（モバイル通信市場の競争促進、販売代理店に届出制度導入、電気通信事業者、代理店等の勧誘行為規制）成立 チケット不正転売禁止法施行

	年	消費者問題・主な出来事	法律の制定・改正等
V期	2020（令2）	「アポ電」と思われる不審な電話相次ぐ 改元に便乗した消費者トラブル発生 キャッシュレス化が一層進み、それに関連したトラブルが増加 日本各地で自然災害が多発し、消費生活相談を通じた被災地域の支援が行われる 新型コロナウイルスの世界的流行（パンデミック）と新型インフルエンザ等対策特別措置法第32条1項（及び令和2年法律第4号附則1条の2）に基づく政府による同感染症に対する緊急事態宣言が出され、消費生活にも大きく影響 キャッシュレス決済の利用が進展する反面、不正使用相次ぐ デジタル・プラットフォーム等の利用の急拡大に伴い、消費者取引のデジタル化の環境整備の検討が進む 子ども、高齢者を問わずオンライン関連の相談増加 定期購入のトラブルに関する消費生活相談件数が過去最高に 特定適格消費者団体による被害回復訴訟で初めての判決が確定 国民生活センターの創立から50年	公益通報者保護法改正（通報しやすさを拡充、通報者の保護の強化など：2022年6月1日施行） 民法の一部を改正する法律（債権法改正）施行（4月1日） 郵便法及び民間事業者による信書の送達に関する法律の一部を改正する法律（通常郵便物の配達頻度・配達日数の見直しなど）成立 電気通信事業法及び日本電信電話株式会社等に関する法律の一部を改正する法律（ユニバーサルサービスの提供方法、外国法人に対する執行強化など） 割賦販売法改正（認定包括信用購入あっせん業者及び登録少額包括信用購入あっせん業者新設、クレジットカード番号等の適切管理の義務主体の拡大、書面交付の電子化、業務停止命令の導入など）（2021年4月1日施行） 特定デジタルプラットフォームの透明性及び公正性の向上に関する法律（特定DPF法：2021年2月1日施行）
	2021（令3）	「優先接種」「予約代行」コロナワクチン関連の便乗詐欺発生 コロナで「おうち時間」が増え、オンラインゲーム利用による子どものゲーム課金トラブル 成年年齢引き下げに向けた啓発活動が活発化 やけどや誤飲、窒息死亡事故など子供の事故が繰り返される 自宅売却や予期せぬ"サブスク"の請求などの高齢者の消費者トラブル増加 消費者裁判手続特例法に基づく特定適格消費者団体の被害回復請求が初めての解決案件 「消費生活相談のデジタル化」検討はじまる 「訪日観光客消費者ホットライン」多言語サイト開設	資金決済法改正（2021年5月1日施行） 取引デジタルプラットフォームを利用する消費者の利益の保護に関する法律（取引DPF法）制定（2022年5月1日施行） 特定商取引法（詐欺的な定期購入商法対策、ネガティブオプション対策〔返還請求権消滅に期間要件撤廃〕）と預託法（販売預託取引の原則禁止、適用対象の拡大、行政処分の強化など）改正（2022年6月1日施行） プロバイダ責任制限法改正（開示請求範囲の見直し、開示のための新たな裁判手続創設など） 電気通信事業法施行規則（省令）改正（電話勧誘における説明書面の交付義務の厳格化、中途解約時の違約金の制限、開設・撤去工事の上限規制、専ら営業として利用する個人以外は消費者保護ルールの適用除外とならないことなど）
	2022（令4）	安倍元首相の殺害事件を切っ掛けにした旧統一教会の高額寄付、霊感商法及び宗教2世問題 定期購入トラブルが増加 成年年齢を18歳に引き下げる改正民法が施行（4月1日） SNSやマッチングアプリを使った詐欺被	消費者契約法（困惑類型の取消を追加、解約料の説明努力義務、免責範囲不明確条項の無効、事業者の努力義務の拡充）及び消費者の財産的被害の集団的な回復のための民事の裁判手続の特例に関する法律（対象範囲拡大、和解の早期柔軟化、情報提供方法の充実、特定適格消費者団

第1章 消費者問題と消費者法

V期		害が目立つ 高齢者が海産物の送り付け商法の被害に遭うケースが増加 ウクライナ情勢を悪用した詐欺やトラブル発生 「霊感商法」について消費者庁の対策検討会の提言がまとまる 急激な円安などから生活必需品の値上げ相次ぐ 新型コロナウイルス感染症の一般用抗原定性検査キットが承認されネットでの購入も可能に 子どもの誤飲事故　折りたたみ式踏み台による負傷事故の再発が目立つ 消費生活相談のデジタル化のアクションプランが公表される ジャパンライフ元会長の刑事事件で実刑判決（懲役8年）	体の支援法人認定制度）の一部改正法成立（一部を除き2023年6月1施行） 民法の一部を改正する法律（成年年齢の引き下げ）施行（4月1日） 民事訴訟法等の一部を改正する法律（秘密保持のための訴訟記録の閲覧等の制限など）成立 刑法等の一部を改正する法律（拘禁刑の創設など）成立（2025年6月1日施行予定） 法人等による寄附の不当な勧誘の防止等に関する法律（旧統一教会等の献金被害の救済など）制定（2023年1月5日施行） 消費者契約法（霊感商法対策の困惑類型の追加、取消権の行使期間延長など）及び独立行政法人国民生活センター法（国センADRの強化）の一部改正成立（2023年1月5日施行） 電気通信事業法の一部を改正する法律（利用者情報の適正な取扱、ブロードバンドサービスを基礎的電気通信役務に位置付けなど） 資金決済法及び犯罪収益移転防止法（犯収法）改正（2022年6月）
	2023（令5）	ネット通販の「偽サイト」「代引き配達」に関する相談が増加 「定期購入」トラブル急増 起業・副業をめぐる消費者トラブルが目立つ 中古自動車の売却トラブル増加 電動アシスト自転車の販売、使用を巡るトラブル 遠隔操作アプリを悪用して借金をさせる 副業や投資の勧誘が増える 自動音声電話による未納料金の架空請求の詐欺 インターネットで依頼したロードサービスのトラブル急増 ネットバンキングを使う還付金詐欺 引き続き生活必需品の値上げによる消費者物価の高騰	仲裁法の一部を改正する法律成立 裁判外紛争解決手続の利用の促進に関する法律の一部を改正する法律成立（認証紛争解決手続において成立した和解に基づく強制執行を可能とする制度を創設等） 民事関係手続における情報通信技術の活用等の推進を図るための関係法律の整備に関する法律（裁判所に対する申立ての電子化など）成立 景表法改正法成立（確約手続の導入、課徴金における返金措置の弾力化など） 電気通信事業法施行規則（省令）改正（モバイルサービスの場合の利益提供制限の上限を4万円に引き上げ、継続利用割引規制の拘束期間の見直し、規制対象MVNOの基準引上げなど） 消安法施行令改正（別表第1の「特定製品」に磁石製娯楽用品と吸水性合成樹脂製玩具を追加）

（この表の法令名は、本書凡例の「法令名略称一覧」の名称に従って表記してある）

第2章
消費者契約の過程 1
―― 契約の成立と意思表示の瑕疵

第1 はじめに

1 消費者被害救済の法理

　第1章で述べたとおり、法律実務家が消費者法に関わる最も一般的な態様は、具体的な消費者被害や消費者紛争の解決にあたることである。消費者に関わる紛争は、消費者や消費者問題の特性からして、その大多数が消費者が締結した（させられた）契約をめぐって争われる。その意味で、消費者問題の多くは契約の問題であり、契約の過程全体が問題となる。

　具体的には、事業者の違法な勧誘や不当あるいは過当な勧誘によって締結された契約からの解放が問題とされたり、これらの契約締結などにより消費者が蒙った損害の回復が問題とされる。製造物責任が問題とされる欠陥商品事故の場合にも、事故の原因となった商品は契約に基づいて消費者が取得したものであり、その点では契約が関連している。

　消費者取引における契約過程の概要は、【図1】のとおりである。このような過程で締結された不当な契約からの解放や損害の回復には様々な手法（被害救済の法理）があり、これを整理すると次の(1)ないし(4)のとおりである[1]。

---

[1]　松本恒雄「消費者取引における不当表示と情報提供責任（上）」NBL229号6頁は、消費者被害の救済方法を「契約解消型」「損害賠償請求型」「履行貫徹型」に整理する。

第2章 消費者契約の過程1　39

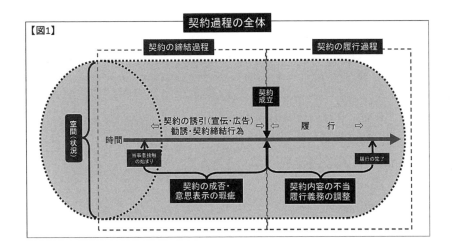

(1) **契約の拘束力否定型**

ア　契約の成立の否定

イ　錯誤、詐欺・強迫等意思表示の取消し（民法95条・96条）、無効（民法93条・94条）

ウ　不当勧誘行為に基づく意思表示の取消し（消契法4条、特商法9条の3、割販法35条の3の13など）[2]

エ　消契法（同法8条～10条）による不当な契約条項の無効、特商法、割販法等による違約金条項等の無効

オ　公序良俗違反による法律行為の無効（民法90条）

カ　取締法規違反の法律行為の効力否定（民法90条・91条）

キ　未成年者取消し（民法5条）[3]

---

2) 消契法などに基づく契約条項の無効は、ある契約条項が無効となった結果、契約自体が意味を失って全体が無効とされる場合もあるので、ある特定の契約条項だけでなく、契約全体の拘束力からの解放にもなる（拘束力否定型）。また、消契法9条のように契約条項の効力について一定範囲をこえる部分を無効とする場合には、契約の拘束力自体を奪うものではなく、消契法9条の規定が履行義務の調整機能を果たしていることになる（履行義務調整型）。

ク　契約解除

　　①　債務不履行解除（民法541〜543条）

　　②　クーリング・オフ（特商法9条、割販法35条の3の10、宅建業法37条の2など）、初期契約解除（電通業法26条の3、放送法153条の3）

　　③　中途解約（特商法40条の2・49条など）

　　④　過量販売解除（特商法9条の2・24条の2、割販法35条の3の12）

(2)　**履行義務調整型**

　ア　信義則（民法1条2項）による給付義務の調整

　　①　請求権行使の否定

　　②　請求の減縮

　　③　義務調整

　イ　抗弁の対抗（割販法30条の4・35条の3の19、特商法58条の15、民法1条2項）

　ウ　契約条項（約款）規制

　　①　定型約款規制（民法548条の2〜4）

　　②　消契法、特商法、割販法等による契約条項の無効（前記(1)のエ）

　　③　解釈型

　　④　信義則援用型

(3)　**損害賠償請求型**

　ア　債務不履行（民法415条）

　イ　不法行為（民法709条、金融サービス提供法6条、製造物責任法3条）

(4)　**履行請求型**（事業者に対する契約上の債務の履行請求）[4]

　以上の(1)ないし(4)を図式化したものが次頁の**【図2】**である。

3）　2022年4月1日施行の改正民法により、成年年齢が満18歳に引き下げられた。この改正に伴い従前は未成年者取消権が認められていた18歳・19歳の若年者は取消権を失うことになり、若年者の消費者被害が増加するのではないかとの懸念がある。令和5年版消費者白書では、この年齢層の若者の相談件数の大幅な変化はみられないが、2022年は「脱毛エステ」の相談が多くみられたとの指摘がある（同白書23頁）。

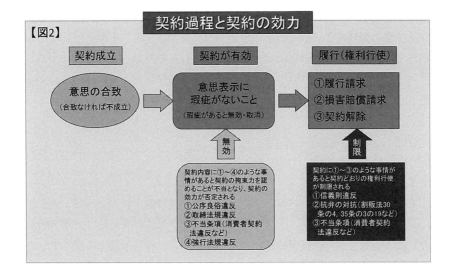

2　検討の対象と目的

本章と次章の検討の対象は、消費者契約の過程である。

消費者が供給者（企業・事業者）から商品やサービスの供給を受け、それを使用、消費する過程（＝取引）は法律的には契約によって規律される。契約は、法律の側面から取引の枠組みを形づくり、その安定を保障する。

本章では、消費者契約の契約過程（【図1】参照）のうち、消費者と事業者との社会的接触から契約成立までの過程を対象とする（成立後の過程は次章の対象）。具体的には、消費者取引における、①契約の成否、②意思の欠缺及び③意思表示の瑕疵の問題を扱う。「被害救済の法理」でいえば、「契約の

4）　消費者紛争で契約上の債務の履行請求が問題となる典型的な事案は、保険契約上の紛争である。保険事案では、契約上の保険金を受け取れないことから紛争となる。なお、近時、消費者紛争が目立つインターネットのデジタルプラットフォーム（以下「DPF」とする。）を介した取引でも、例えば海外旅行のための宿泊予約（契約）や移動手段（車）のシェアサービスなどでは、契約をキャンセルしたり返金や損害賠償を受けるよりも、締結した契約どおり実際にサービスの提供がなされることの方が消費者にとっては重要である。

拘束力否定型」の法理と手法を学ぶことといえよう。民法における契約の成立と意思の欠缺および意思表示の瑕疵の問題を整理をし、それと対比をしながら、具体的な消費者被害の実例の中で、これらの原則がどのように扱われているのか、どう修正されているのか、あるいは修正を迫られているのかを整理し、「契約の拘束力否定型」の法理の理解を深めることにしたい。

第2　問題の所在と事例

1　問題の所在

　消費者が締結する契約においては、**第1章**の【**事例1**】のように、消費者の契約意思が曖昧であり、そのことが問題や紛争を生じさせることが多い。それは、消費者が当初は契約締結の意思はもとより購買動機すら持っていないにもかかわらず、事業者から積極的に勧誘されて契約締結に至ることが多いこと、そして、多くの場合、契約の目的物にしろ契約条件にしろ、契約締結に必要な情報は、事業者の勧誘によって事業者側から一方的に提供されるという実態があるからである。

　消費者の契約締結過程におけるこのような問題について、判例を題材にして、①契約の成否、②錯誤・詐欺の問題を検討するが、まず、事例を検討し、その後に法理論の考察を行うことにする。

2　事例

　本章で検討の対象とするのは、次の事例（裁判例）である[5]。

(1)　契約の成否

【**事例1：英会話教材のアポイントメント商法**】

　ここで検討するのは、次の2つの事例とそれに対する判決である。この事例は、典型的な英会話教材のアポイントメント商法の被害例であり、販売会社の女性社員から呼び出された若者（男性）が、海外旅行に安く行けるなど

---

[5]　判例の読み方については、「〈特集〉『判例』へのアプローチ」法教117号13頁以下、大村敦志「判例を読む（上）（下）」国民生活1995年7月号・8月号などを参照。

と勧誘されて、結局、英会話教材などをクレジットで購入する契約をさせられたというものである[6]。

①本荘簡判昭60・3・25（生活行政情報318号109頁・判時1157号181頁〔長尾治助判例評釈〕、大村敦志『判例・法令消費者法』（有斐閣、1994年）〔2〕判例）

②秋田地判昭61・11・17（判時1222号127頁：①の控訴審判決）

【事例2：学習塾の開設を口実にした学習教材販売】

・門司簡判昭60・10・18（判タ576号93頁、消費者法判例百選〔18〕）

この事例は、実際には学習教材の販売であるのに、学習教室の開設者の募集と称して顧客を集め、教材は販売会社側で用意と説明する一方で、社内の事務手続に必要だとして契約内容は殆ど記載されていない契約書に署名・捺印させたという事案である。

(2) 錯　誤

【事例3：英会話教材のアポイントメント商法】

・名古屋高判昭60・9・26（判時1180号64頁、消費者法判例百選〔17①〕・同第2版〔18①〕）

【事例1】と同様、この事例も販売会社の社員に呼び出されて「海外旅行に安く行ける」と勧誘されて、英会話教材等を購入させられたケースである。

【事例4：教育指導付学習教材販売】

・岡山簡判昭61・12・23（山本映子「消費者取引と錯誤をめぐる最新判例の動向（中）」NBL374号58頁）

この事例は、学習塾での教育指導が受けられると説明されて学習教材を購入したものの、その後、教育指導が受けられなくなったという事案である。本来の給付（学習教材の売買契約）に付帯する役務（サービス）である教育指導が契約締結後に履行できなくなった場合に売買契約の意思表示の効力に影響するのか否かがここでの問題である。

---

6) 割販法に抗弁の対抗の規定（同法30条の4）が入ったのは1984年改正からであり、この事案は同法による抗弁の対抗が認められる以前の事案である。そのため、この事例では消費者と教材販売会社との間の教材の売買契約の効力を問題にするだけでは不十分であり、消費者とクレジット会社との間の立替払い契約それ自体の効力を争わざるをえなかったという事情がある。

【事例5：原野商法】
・大阪地判平2・10・29（金法1284号26頁、消費者法判例百選〔62〕）、同平2・11・14（金法1284号26頁）

この事例は、鉄道や高速道路の敷設や開発計画などを口実にして、殆ど価値のない僻地の土地を数十倍から数百倍もの暴利で販売する「原野商法」の事例であり、消費者が契約した原野の代金の支払いのために締結した金銭消費貸借契約の錯誤が問題になったケースである。

【事例6：相続税対策目的の変額保険の勧誘】
・横浜地判平8・9・4（判時1587号91頁）

この事例は、相続税対策のために変額保険を勧誘されたケースであり、断定的判断の提供と錯誤の関係が問題となる（変額保険については第10章参照）。

第3　契約の成否

まず、本章の【事例1】と【事例2】の裁判例の検討を通じて、契約の成否の問題を考えてみよう。検討にあたっては、第1に【事例1】の①判決と②判決で結論が変わったのは何故か、第2に【事例1】の①、②の判決と【事例2】の判決では、契約成立に関する考え方はどう違うのか、事実面および評価面ではどうか、第3に【事例1】の①判決のような契約成立の判断をどう考えるか、を考えて欲しい。

1　契約の成否に関する【事例1】および【事例2】の検討
(1)　【事例1】の①判決（本荘簡判昭60・3・25）

この判決は、クレジット（立替払）契約の成立を否定している。契約を不成立とした理由は、①説明はもっぱらアクションクラブ（海外旅行に安く行けるという会員制クラブ）のことであった、②教材テープの売買については目的物、代金額、支払方法とも説明がなかった、③被告（消費者）も海外旅行クラブ入会申込と思い込んでいた、④販売担当者も被告の思い違いを知っていたふしがある、との事実認定を前提にして、取引通念から見て立替払契約締結の形態から著しく逸脱しているので契約が不成立としている[7]。

この判決は、「不成立」と判断しているので、この事例では立替払い契約の本質的部分について当事者間に意思の合致がないと考えたことになる。この判決は、「被告（消費者）が思い違いしていることを（販売会社の社員が）知っていたふしがある」と認定していることからみると、消費者の真意は英会話教材の購入契約ではなく、海外旅行に安く行ける会員になる契約の申込みであるから、販売業者の承諾の意思表示（契約書による英会話教材の売買契約の承諾）とは合致しないと考えたと見ることができる。

　そうすると【事例1】の①判決は、被告（消費者）の真意と表示（契約書に書かれている内容）との間で意思表示の不一致があるから契約不成立としていると考えられるが、真意と表示の不一致は、契約の不成立ではなくて錯誤の問題なのではないかという疑問も生じる。そもそも、契約の成否の判断において、この判決が理由として挙げた上記の①ないし④のような事情を考慮することは必要なのか、あるいは考慮してよいのかの検討も必要である。

　さらにこの判決は、取引通念から見て立替払契約締結の形態から著しく逸脱していることも理由に挙げて、契約の不成立の理由としている。その意味では、この判決は契約成立の要件である「意思の合致」には、何らかのハードルがあると考え、それを前提に本件ではそのハードルを越えていないから「一致」がないと考えたものと見ることができる。そして、そのハードルの内容や高さが「立替払いの契約締結方法の社会通念」によって決まるとしている。かかる判断は、当事者（消費者）の内心の意思（いわゆる「真意」）にかなり重点をおいた契約の成否の判断であるし、意思の合致以外の要素を考慮している点で、契約の成否や錯誤に関する従来の考え方からはかなり離れたものであろう。むしろ、表示（契約書）から推測される真意からみれば、

7）　判例の読み方と判断構造にも関連するが、この判決は契約成立せず＝立替払い契約の存在を主張する請求原因の存在を認定しなかったことになるが、民事訴訟法の基礎に戻って、この本荘簡裁の判決は、一体何について判断したのかを、整理して考えてみて欲しい。契約の成否の判断は、本来は申込みと承諾の意思表示がなされたこと、それが合致したことについての事実認定であるので、この判決が契約不成立と判断したのは、事実のレベルで存在を認定できなかったのか、それとも前提となる契約の成立要件の設定の仕方（つまり法律あるいは意思表示の解釈）からみて不十分と判断したのかが問題となっている。

契約の本質的部分についての意思の一致はあるので契約は有効に成立するとして錯誤を問題にする方が、表示から推断される意思（表示上の効果意思）と真意（内心的効果意思）との不一致をもって錯誤とみる民法の原則（意思主義と表示主義の折衷的立場）には忠実である[8]。

(2) 【事例1】の②判決（秋田地判昭61・11・17）

この判決は、①判決（本荘簡裁）の控訴審の判決であるが、一審判決とは異なり、立替払い契約の成立を認め、被告（消費者）の錯誤の主張も否定したが、最終的には信義則を根拠にクレジット会社の立替金請求を否定した。

この判決が契約の成立を認めた理由は、①説明の中で英会話を覚える必要のある旨の話があった、②被告の面前で商品、代金、支払方法を記入した、③被告は異議なく「後日商品が届く旨」の話を聞いて申込書とパンフを持って帰った、④申込書には表に不動文字でカセットテープ等の商品名が書いてある、⑤立替払いの電話確認に異議を述べていないという点にある。一審判決と比較すると前提となる事実認定が異なるので、事実認定の違いが結論を分けたようにも見えるが、この判決は表示から推測される真意と契約の本質的部分の意思表示には食い違いがなく、英会話教材の売買契約とその代金支払いのための立替払い契約であると認識して意思表示したとして契約成立を認めたものである。その意味では、契約成立の判断としては、表示の面で主要な部分に一致があれば契約成立と考える従来の立場に沿った判断である。

次に、この判決は「錯誤」の成立も否定しているが、その理由は、被告は海外旅行に関する興味は乏しかったので、海外旅行に安く行けることは契約締結の動機にはなっていないので、「動機の錯誤」ではないというものである。しかし、このような論理では、被告（消費者）は、一体何のために契約したのか一層分からなくなってしまう。

契約意思というものが明確に観念できるならば、真意と動機をはっきり区別できるし、真意や動機の内容をそれぞれ確定することが可能であろうが、

---

[8] この判決が認定した勧誘の経緯、内容からみれば、契約不成立として契約の拘束力を否定したことは実質的公正を欠くことはない。むしろ、本件では勧誘方法に問題がある（違法性が認められる）ことから、やや制裁的な意味も込めて、契約の不成立と判示しているのではないかと考えることができる。

消費者契約では、第1章の【**事例1**】のように契約意思がそもそも曖昧だったり、不明確なまま契約締結に至ることの方がむしろ多いのではないかと思われる。消費者契約では、動機の内容も不明確であるので、通説・判例のように「動機の錯誤」の場合に錯誤が認められるためには動機の表示が必要であるとすると、落ち着きの悪い結論になることが多いであろう。

　この判決は、結局、信義則を根拠にして立替払い請求を否定している。信義則援用の根拠事情としては、①販売意図を秘して何か特典が得られるかのような錯覚を起こさせる言葉で関心を引き、会社まで呼び出している、②海外旅行等の話ばかりして、真の目的である本件商品、その立替払いの内容について必要事項の説明をしていない、③執拗に申込書への署名を求め、困惑した相手の意思を押し切って署名させた、④相手方にとって全く必要のない高額商品の立替払契約の申込書に署名させた、という事情を挙げている。

　①と②の事情は、消費者へ誤認を与えるような働き掛けであり、②は説明義務違反的な考え方を示している。③は、勧誘の執拗性の指摘であり、威迫・困惑行為的な勧誘がなされていたことを示している。④は、不要、高額な商品の押しつけということであり、③と共通する。これらの事情（行為）は、消費者の契約締結の場面において、事実の認識を歪めたり、契約価値に対する判断を歪めるものであり、本来は意思表示の瑕疵の問題として処理されるべきである。しかし、これらの行為によって形成された消費者の意思表示の態様が、民法の錯誤や詐欺、強迫の要件を満たすまでには至らない程度の意思表示の瑕疵に止まることが多く、これらの規定に拠ったのでは契約の拘束力からの解放がうまく行かないことから、やむをえず信義則を持ち出してきて、不当な事情を複数拾い上げて、いわば「合わせて一本」というような評価により[9]、その違背だと判断したものであろう。

(3) 【**事例2**】の判決（門司簡判昭60・10・18）

　この判決でも、教材セットの立替払い契約は不成立と判断されている。判決が理由として挙げているのは、①説明会では教材はすべてコーキ（販売会

---

9)　河上正二「契約の成否と同意の範囲についての序論的考察（4・完）」NBL472号41頁以下。

社）が準備すると説明した、②社内事務手続のためと説明して契約書等を作成させた、③契約書には被告（消費者）の住所、氏名欄の外は、すべて空白だった、④契約書等の控えも渡していない、⑤クレジット会社からの確認の電話にも被告（消費者）は購入していないと返事している、という契約締結の過程や事情であり、結局、記名・捺印を騙し取られて申込書の偽造をされたのと同一であるとの判断をしている。

この事例では、教材は学習教室開設者が用意する必要はなく、販売会社側で用意するという口頭説明がなされている。また、社内の事務手続に必要だとして契約書に署名・捺印させられているし、契約書には売買の目的物の記載もなく、契約書の控えも渡されていないので、契約書に署名、捺印がなされているとしても、教材の売買契約であることは表示の上でも示されていないと判断するのももっともである。その意味では、この事例では表示の上からも消費者の真意は教育セットの売買とはみられないことから、意思の一致がなく契約は不成立とされたものと考えられる。

2　契約の成立
(1)　契約成立の意味
ア　権利義務の発生根拠

契約は、権利義務の発生根拠であるので、契約が成立するということは、その成立の時点から、契約で合意されたとおりの権利義務（債権債務）関係が発生することを意味する。

イ　給付の対象物の受領についての正当性の根拠

契約に従って発生した権利が行使され、義務が履行されてしまうと、契約は存在意義を失って意味がなくなってしまうようにも思える。売買契約を例に取れば、売買目的物と代金が交換されれば契約は目的を達成するので、契約の効力を残しておく意味がないように思える。しかし、契約の効力が全くなくなってしまうとすると、契約当事者は交換された財貨を保持し続けることができる法的根拠もなくなってしまう。その場合、契約にしたがって一旦交換された財貨であっても契約当事者の一方的な都合で返還請求ができることになってしまうが、そのような勝手な巻き戻しを認める訳にはいかない[10]。

その意味で、契約は履行の完了後も給付の目的物を保有できる正当な権限を付与する効力が残っていることになる[11]。裏側からいえば、契約に基づいて交換された財貨は不当利得（民法703条）にならないということである。

　ウ　契約の拘束力

　契約が成立すると「契約の拘束力」と呼ばれる効力が生じる。契約が給付の目的物を保有できる正当権限や契約により財貨の移転についての将来の不確実性の減少の根拠たりうるのは、この契約の拘束力を背景にしている。

　契約の拘束力とは、一旦、適法に成立した契約は、当事者の一方的な都合や理由だけでは、契約を解消したり、その内容を変更することはできないという効力である。契約の拘束力は、このように非常に重要な契約の効力であるが、民法には明文をもってはどこにも書かれていない[12]。

　民法は、契約を解消できる場合（取消し、解除など）を規定することで、それ以外の場合には勝手な契約の解消を認めないという立場をとっている。契約が解消できる場合や理由が限られているからこそ、そうではない場合には契約を勝手に解消できない効力（契約の拘束力）があると考えられている。

　このような契約の効力は非常に厳格なものであり、適法に成立した契約は、最終的には国家によって履行が強制されることになる[13]。

---

10)　この点は、八百屋で1本100円の大根を買い、その場で100円を支払って大根を持ち帰り、その日の夕食で大根下ろしにして食べてしまった場合を考えると分かりやすい。契約の締結と履行が全部即時に終わっているので、契約はその目的を達成して使命を終えているといえる。しかし、契約がなくなったのだから支払った100円を返せとはいえない（つまり不当利得にはならない）のは契約の持つこの効力のためである。

11)　大村敦志『消費者法〔第4版〕』（有斐閣、2011年）54頁以下では、このような「適法な交換の保障」が契約の第一の存在意義であり、権利義務の発生によって「将来の不確実性の減少」となることが、第二の存在意義であると説明されている。

12)　民法には、契約の拘束力のように、条文には書かれていない重要な原則や法律効果がかなりある。これらは「書かれざる法律」と呼ばれることがあるが、あまりにも当然のことは法律には書かれていない。書かれざる法律については、星野英一『民法のすすめ』（岩波新書、1998年）、同「〈INTERVIEW〉忘れられていた（?）『条文にない民法の『原則』』その重要性と勉強の仕方」法教152号11頁参照。また、書かれざる法律である契約の拘束力と契約自由との関係については大村敦志「Ⅵ　契約の拘束力・契約の自由」法教152号33頁参照。

消費者契約では、不当な勧誘などにより不合理、不必要な契約を締結させられることが少なくない。この場合でも契約の拘束力が文字通り働けば、消費者はこのような契約の履行を強制されることになる。契約が不成立ならば、不当な契約の拘束力を受けないので、不当な契約や不必要な契約からの解放という面では、契約の成否は消費者にとっては重要な問題である。

(2) 契約成立の要件

法律行為が本来の効果を生じるには、①成立要件（要件事実的には権利発生要件）と、②有効要件（要件事実的には権利発生阻害要件や権利消滅要件の不存在）が必要であるが[14]、契約の場合の成立要件は、契約当事者間で意思が合致していること（合意の存在）であり、有効要件は、当事者の意思表示に欠缺や瑕疵がないことおよび契約内容が不当なものではないことである。

契約の有効要件は、本章の第4以下および次章の検討対象であるので、ここでは契約の成立要件である「意思の合致」について検討しておきたい。

「意思の合致」により契約が成立するということは、次の二つの意味を含んでいる。第1は、契約の成立には意思の合致以外の要素（一定の要式や第三者の関与、時間の経過等）は不要ということであり、これらの要素によって契約の成立が左右されないということである[15]。第2は、契約は意思が合致しさえすれば、直ちに契約が成立し、その瞬間から前記の契約の拘束力が生じるということである。第1については、例外として要物契約（消費貸

---

[13] 履行の強制がなされない場合には契約の拘束力は事実上、大きく減殺されるので、契約の拘束力は、法律的な権利義務が最終的には国家権力によって履行を強制されることが、重要な前提となっている。なお、江戸時代に、幕府が旗本・御家人を救済するために借入金債務を免除する「棄捐令」と一定期日以前の金銭貸借は金公事（かねくじ）の対象外として訴訟による保護を与えないこととする相対済令がしばしば出された。棄捐令は信用収縮の弊害があり、単発的なものに止まった（園尾隆司『民事訴訟・執行・破産の近現代史』（弘文堂、2009年）10頁以下）。相対済令は金銭貸借の紛争を幕府の権力を裏づけとする「公事出入（訴訟）」の対象外とするものであり、契約の拘束力を減殺させるものと言えるが、その後、明治時代になり出訴期間の制限から消滅時効制度へと変身を遂げて生き延びたとのことである（園尾同書11頁）。

[14] 我妻栄『新訂民法総則』（岩波書店、1965年）243頁、四宮和夫『民法総則〔第4版〕』（弘文堂、1986年）154頁など参照。

借：民法587条)[16]、書面契約（定期借地権：借地借家法22・24条）などがあるし、第2の例外としては、解除条件（民法127条2項）、解約手付（民法557条1項）、売買の一方の予約（民法556条1項）などがあるが、基本的には意思の合致以外は考慮する必要はない。このことからすれば、消費者契約において勧誘の方法や内容が取引通念から逸脱していたとしても、これらの事情は「契約の成立」には影響を及ぼさないということになり、【事例1】の①判決（本荘簡裁）の判例が、勧誘の問題点も取り込んで契約の成否を判断したとすると、契約の成立に関する民法の原則を修正していると見ることができる。

次に、「意思の合致」については、従前から「表示のレベル」で意思の合致があれば契約が成立すると考えられている。また、一致の範囲は「契約の本質的な部分」に関する一致、すなわち本来の給付に関する一致であれば足りると考えられている[17]。ここでは、当事者の「真意」には重点が置かれていない。むしろ、約款による契約や定型的な書式を用いた契約の場合には、「真意」は考慮されないといっても過言ではないであろう。しかし、消費者契約の場合には、もう少し真意を重視して意思の合致を考える必要がある。【事例1】の①判決（本荘簡裁）の判決はこのような意味で、契約書の記載ではなく消費者の真意を重視して契約の成否を判断したと理解できる。

(3) 消費者契約における「意思の合致」の考え方

ア　契約意思の曖昧さ

消費者契約では、事業者側の勧誘によって契約締結に至るものが多く、消

---

15) 契約の成立について、2017年改正民法は「契約は、契約の内容を示してその締結を申し入れる意思表示（以下「申込み」という。）に対して相手方が承諾をしたときに成立する」（民法522条1項）、「契約の成立には、法令に特別の定めがある場合を除き、書面の作成その他の方式を具備することを要しない」（同条2項）との明文規定を置いた。

16) 2017年改正民法では、書面による諾成的消費貸借契約が認められた（民法587条の2第1項）。

17) 大村・前掲注11）66頁。なお、契約の「要素」あるいは「本質的部分」は、民法の典型契約の場合には、基本的にはそれぞれの典型契約の定義規定（売買なら民法555条）に書かれている契約の要素がこれに当たると考えられる。その意味では、この要素（要件ともいえる）の限度で一致していれば契約が成立することになるので、民法は契約の成立についてはかなり間口の広い考え方を採用しているといえる。

費者が契約内容を十分認識したり、理解する余裕もなく、消費者の契約意思も曖昧なままで契約に至ることが多い。また、契約締結の手続としてみても、事業者側で用意した契約書に消費者はそのまま署名、捺印させられるだけであるので、契約書が消費者の真意を表示するものとはなっていない場合も多い。そのため、契約書に署名、捺印しただけで直ちに硬直で厳しい契約の拘束力が生じ、事業者から不当な契約や不必要な契約の履行を迫られるのは消費者の特性からみても不合理であろう。

イ　真意重視の必要性

このような消費者契約における特質を踏まえると、契約の成立に関する意思解釈や事実認定に関し、消費者契約の場合には契約の成立の場面でも真意を重視することで、従前の契約法理論の硬直性に修正を迫る努力が必要である[18]。この場合、真意をどこまで重視すべきなのかが問題となるが、まずは、消費者契約では、契約書＝意思の合致という考え方を無批判に受け入れない姿勢が重要である。つまり、契約の成立にかかる事実認定は書面にだけ頼らないという基本的な態度を前提にして契約の成否を判断するべきである。

ウ　消費者法における契約成立についての原則の修正

消費者法では契約成立について民法の原則が修正されているものが少なくない。各種の業法に見られる書面交付義務（特商法4・5条、割販法4条など）は、消費者契約における要式性の重視の現れである。意思の合致だけで契約が成立するとする民法の原則との関係でみると、書面交付義務は契約の成立に直接結び付けられていないが、クーリング・オフ権行使の始期を画する重要な意味があり、その限度では契約の成立（拘束力）に影響を与えている。

また、クーリング・オフ制度は契約の成立という問題に直接修正を迫っている。クーリング・オフの趣旨や性質については、様々な説があるが[19]、クーリング・オフがなされるまでは、結局、契約の拘束力は宙ぶらりんの状態に置かれることになる。したがって、クーリング・オフ制度の背景には、意

---

18)　廣谷章雄・山地修『現代型民事紛争に関する実証的研究――現代型契約紛争（1）消費者紛争』司法研究報告書63輯1号（司法研修所、2011年）は、契約の成否などの事実認定において、消費者の特性も考慮する必要があることを指摘する。

思の合致だけでは契約は完全には効力を生じないという考え方がある。これをみても、クーリング・オフ制度が「契約は意思の合致で直ちに成立する」という民法の原則に揺さぶりをかけていることが理解できる。

第4　意思表示の瑕疵（錯誤・詐欺）

1　錯誤に関する【事例3】ないし【事例6】の検討[20]

(1)　【事例3】の判決（名古屋高判昭60・9・26）

この判決は「海外旅行を安くすることができる」という「動機」に錯誤が

---

19) クーリング・オフの法的性質としては、①条件契約説（契約は成立するが、解除についての消費者の随意条件がついたものと考える〔解除条件説〕、期間内にクーリング・オフがなされないことを停止条件として契約が成立する〔停止条件説〕）、②契約不成立説（クーリング・オフ期間が経過して初めて契約が確定的に成立するとし、その説明の違いにより、ａ）法律が契約の成立の時期を遅らせたもの、ｂ）契約が徐々に成立していくとするもの、ｃ）時間の経過が契約成立の要件（法定の）となっていると考えるものがある）、③取消権説（意思表示や契約の取消しと同様の権利と考え、クーリング・オフされると成立した契約は当初から効力がなかったものとされると考える）、④撤回権・解除権説（理由の不要な申込の撤回あるいは契約の解除と考える）、④売買予約説などがある。なお、クーリング・オフについては長尾治助「クーリング・オフ権の法理」立命183＝184号（1985年）、清水厳「消費者契約とクーリング・オフ制度」阪法149＝150号（1989年）、近藤充代「クーリング・オフ権の根拠をめぐる学説の検討」都法35巻1号（1994年）、同「消費者取引類型とクーリング・オフ権」日本福祉大学経済論集8号（1994年）、河上正二「『クーリング・オフ』についての一考察──『時間』という名の後見人」法学60巻6号（1997年）、浜上則雄「訪問販売法における基本問題」『現代契約法大系　第4巻』（有斐閣、1985年）293頁、丸山絵美子「クーリング・オフの要件・効果と正当化根拠」専法79号1頁（2000年）、内山敏和「消費者保護法規による意思表示法の実質化（1）～（5・完）」北園45巻1号・3号、46巻1号・2号・4号（2009～2011年）、山本豊ほか「〈特集〉消費者撤回権をめぐる法と政策」現代消費者法16号4頁以下（2012年）、齋藤雅弘「クーリング・オフの時間的拡張」小野ほか編『民事法の現代的課題──松本恒雄先生還暦記念』商事法務113頁以下（2012年）など参照。

20) 本文中で錯誤について述べている民法の解釈適用に関しては、2017年改正民法の施行後もそれほど変容はしないといえる。同改正民法の錯誤については、潮見佳男『民法（債権関係）改正法の概要』（金融財政事情研究会、2017年）、大村敦志・道垣内弘人編『解説民法（債権法）改正のポイント』（有斐閣、2017年）参照。

あり、クレジット会社側がこれを認識しており、この錯誤は「意思表示の重要部分の錯誤」として契約の無効を導いている。

2017年改正民法では、錯誤の効果を無効から取消しに変更し（民法95条1項）、取消しができる要件についても、その錯誤が、①意思表示に対応する意思を欠く錯誤（表示の錯誤）と、②表意者が法律行為の基礎とした事情についてのその認識が真実に反する錯誤（動機の錯誤）があった場合であって、法律行為の目的および取引上の社会通念に照らして重要なものであるときに取消しを認めることとした（民法95条1項1・2号）。しかし、上記の②の動機の錯誤による取消しは「その事情が法律行為の基礎とされていることが表示されていたときに限り、することができる」とされた（同条2項）。

錯誤に関する2017年改正民法の規定は、従来の通説・判例の考え方が明文化したものと理解されるので、【事例3】及び【事例6】の検討においても錯誤の成立要件の点については、それほど考え方に相違はない。

以上を踏まえて検討すると、この事例のような契約は「英会話教材等の売買契約」と「格安海外旅行等の割引が受けられる会員契約」の複合した契約とみることもできる。その場合、海外旅行へ割安で行けるサービスを受けられる契約と英会話教材の売買契約がそれぞれ成立することになり、いずれの契約の内容についても勧誘の過程で表示され、消費者はこれらの二つの契約の内容を認識していたとみられる事情もある。とすると、この場合には「錯誤」といっても、成立した契約の内容を前提にすれば、二つの契約のいずれを重要と考えていたのかの食い違いであり、また、会員契約の内容が実際にはあまり役に立たない会員権であったという、契約上の「給付の質」についての評価に関する勘違いではなかったのかという見方もできる[21]。そうすると給付の質に関する錯誤は、いわゆる「性状の錯誤」の一つとみられるから、錯誤による取消し（この裁判例では無効）が認められることは例外的になる。しかし、事業者の勧誘によって「英会話教材等の売買契約」と「格安海外旅行等の割引が受けられる会員契約」という二つの契約の結びつきが強められ、その給付の質の評価を誤らされたのであるから、契約締結における

---

21) 大村・前掲注11)の81頁参照。

消費者の「動機」が事業者側に明らかであるし、一方の契約の重要性についての勘違いであっても全体として「意思表示の重要部分」に錯誤があったと見ることは十分に可能であろう。

(2) 【事例4】の判決（岡山簡判昭61・12・23）

この判決は、学習塾での教育指導付の学習教材の購入契約について、後から教育指導が受けられなくなったことをもって錯誤の成立を認めている。

この場合には、学習塾での教育指導は、いわゆる「付帯役務」とみることができ、契約成立後にこのような付帯役務が履行されなくなったことが「錯誤」になるという判断は、民法の錯誤の理論からはかなり離れたものである。この判決は、契約成立後の事情を取り込んで、意思表示の瑕疵を判断しているといっても過言ではない。この判決が「錯誤」の問題として処理したのは、「学習教材」と「学習塾での教育指導」という二つの契約内容のうち主眼が後者であったことを前提に、「結果」と「真意」の食い違いを「錯誤」としているからである。しかし、契約の成立時においては「学習塾での教育指導」という役務については真意との間に食い違いはない。その意味では、この事案を「錯誤」の問題として処理したのは、消費者を契約から解放すべしという実質的な理由から、無理をして錯誤理論を用いたものと考えられる。

【事例3】と【事例4】の判決では、いずれも「付帯役務」がきちんと履行して貰えるかどうかが問題となっているが、【事例3】と【事例4】の違いは、契約締結時点においても動機形成の前提事実が存在していなかったのか（【事例3】）、契約成立時点には存在していたが後発的に不存在となったのか（【事例4】）、つまり「海外旅行に安く行ける」ということは契約時点でも事実と相違していたか、「学習塾で授業が途中で受けられなくなったこと」が契約時点でもすでに決まっていたか否かである。

しかし、学習塾での教育指導のような継続的な役務提供契約では、役務内容が適正なものか否か、契約内容に適合しているか否かの判断をするには、契約時点だけでは不十分なことが多い。その意味では、継続的な役務提供契約では、契約の成立や適否についても、時間の要素が入り込んで来ざるをえない特質を持っているので、契約成立後の事情が契約成立の要件の判断に取り込まれることも、ありえないことではない。

(3) 【事例5】の判決（大阪地判平2・10・29、同地判平2・11・14）

【事例5】の2つの判決では、金銭消費貸借契約においては借入金の使途、借入の必要性はそもそも間接的な目的や理由であって「動機」にもならないとして、錯誤の成立を否定している。

従前の「錯誤理論」では、意思表示の間接的な目的ないし理由は法律行為の効力に影響を及ぼさないとして、錯誤を認めることには否定的である[22]。

しかし、原野商法における借入金の使途のような事情が、間接的な目的や理由であると言い切るには疑問もある。このような借入金の使途や目的が表示されていたり、意思表示の当然の前提とされている場合には、動機の錯誤を認めてもよいのではないかと思われる。そもそも、間接的な目的や理由といっても内容は様々であり、通常の「動機」と容易に区別できるとはいえない。また、消費者取引では、動機と内心的効果意思を区別することが難しいという事情もある。結局は「要素」の判断、つまりその錯誤がなかったならば意思表示しなかったという「因果関係」と、意思表示をしないことが取引通念上ももっともであると認められる程度であるという「重要性」の要件が満たされる場合には、他の動機の錯誤と別に扱うべきではないと考える[23]。

(4) 【事例6】の判決（横浜地判平8・9・4）

この判決は、「9％の運用利回りを保証」という点に錯誤を認める。本来、将来不確実な事情を確実なものとして消費者に告げて契約を勧誘し、締結させることは「断定的判断の提供」の問題であり、場合によっては詐欺に該当したり、不法行為が成立することはあるが、伝統的な錯誤理論では、契約の時点で不確実な事実について錯誤の成立を認めることには消極的であろう。

しかし、このような場合では、給付の内容のとらえ方によっては、「性状

---

[22] 四宮・前掲注14）『民法総則〔第4版〕』175頁では、このような錯誤を「狭義の動機の錯誤」と呼んで、表意者自身がそのリスクを負担すべきとする。

[23] 実際にも、融資一体型の変額保険契約の勧誘の例では、保険料の一時払いに充てるために金融機関との間で締結された金銭消費貸借契約について動機の錯誤を認める判例もある（大阪高判平15・3・26金判1183号42頁、東京高判平17・3・31金判1218号35頁、同平16・2・25金判1197号45頁など）。また、最判平14・7・11判時1805号56頁は、空クレジット契約における保証人の意思表示について、従来の考え方からすれば動機の錯誤と見られる主債務の内容に関する錯誤を「要素の錯誤」と判示している。

の錯誤」と同様の評価も可能である。変額保険のような金融商品の取引においては、金融商品というパッケージ化された観念的な商品を想定すれば、ハイリスクの金融商品を確定利回りあるいは元本保証の金融商品と誤信する場合は、給付の内容や性質の錯誤と変わらないであろう[24]。

(5) **詐欺**

消費者取引では、事業者の「二段の故意」の立証が事実上困難であることから、詐欺による取消しが認められるケースは非常に少ない。

民法上の詐欺のこのような問題点を解消するために、消費者取引の実態に即し、故意を要件とせず誤認惹起を理由とする意思表示の効力を否定するため、消契法や特商法などに不実告知等を理由とする取消権が法定されている。

2　錯誤・詐欺の趣旨──民法理論の整理

(1) **「錯誤」と「詐欺」について**

ア　錯誤

民法95条1項は、「意思表示は、次に掲げる錯誤に基づくものであって、その錯誤が法律行為の目的及び取引上の社会通念に照らして重要なものであるときは、取り消すことができる」として、①意思表示に対応する意思を欠く錯誤と②表意者が法律行為の基礎とした事情についてのその認識が真実に

---

[24] 錯誤は、意思表示の時点において存在していた事実と表示された意思の内容との齟齬を問題にするが、断定的判断の提供は、将来における変動が不確実な事項（つまり意思表示の時点では存否やその内容や程度が決まっていない事項）について決めつけた判断を提供することであるので、断定的判断の提供がなされ、それによって誤認を生じて意思表示をしたとしても「動機の錯誤」になる場合があるものの、直ちに要素の錯誤の問題とはならない。しかし、実際の消費者取引の場面では、両者がオーバーラップすることも少なくない。たとえば、変額保険の勧誘において「この保険の運用利回りは年9％以上となることは間違いありません」と勧誘した場合には断定的判断の提供となるが、運用利回りが変動する保険なのに「この保険は年9％で回る保険です」と勧誘した場合は、変額保険を9％の利回りのある定額保険と勧誘したと評価でき、消費者がその旨誤認して契約した場合には、意思表示の時点における契約目的物の客観的性質についての誤認があるので錯誤（性状の錯誤あるいは属性の錯誤）の問題となりうる。なお、変額保険契約の勧誘につき錯誤を認める裁判例の多くは「動機の錯誤」を認定している（前掲注23）の判例参照）。

反する錯誤による意思表示の取消しを認めている（錯誤の効果は、従前は「無効」であったが、2017年改正民法により「取消し」に変更された）。

2017年改正前の民法95条では、錯誤の対象は「法律行為の要素」と規定されていたが、改正により「要素」という文言ではなく、「その錯誤が法律行為の目的及び取引上の社会通念に照らして重要なものであるとき」はとの文言に変更された。しかし、その趣旨は改正の前後を通じ、それ程大きな相違はないと考えられている（2017年改正民法の錯誤規定の解釈については、注20）の各文献を参照）。

「法律行為」とは意思表示を要素とする私法上の法律要件であるので[25]、結局、錯誤は意思表示を要素とする法律行為（単独行為、契約及び合同行為）全体としてみて重要な内容に関する錯誤があった場合に、その要素である意思表示の効力を否定できるものとされてきた。

契約なら契約という法律行為の重要な部分について間違いや勘違いがあれば、契約の要素である「申込み」や「承諾」という意思表示の効力が否定されるのである。ここでは、効力が否定されるもの（意思表示）と、効力を否定される場合に判断の対象となるもの（法律行為の要素）が逆立ちしている。つまり、意思表示が組み合わさっている法律行為の場合には、その全体からみて重要な事項に錯誤があれば、意思表示が取り消されることによって、法律行為全体が遡及的に無効となる。ただし、民法では、法律行為を行った者の勘違いのうち、意思表示の効力を否定してもやむをえないと思われるものだけ、錯誤による取消しを認めることにしたもので、このような価値判断を行う要件として「法律行為の目的及び取引上の社会通念に照らして重要なもの」（要素の錯誤）に限るという限定がなされている。これは表意者の勘違いという一方的、主観的態様によって法律行為の効力が否定されることを避け、リスクを公平に分配するためのものである。同様の趣旨は、表意者に「重過失」があった場合には、①相手方が表意者に錯誤があることを知り、又は重大な過失によって知らなかったときであるか、②相手方が表意者と同一の錯誤に陥っていたときでない限り、取消しを主張できないという民法95条3項

25）　我妻・前掲注14）『新訂民法総則』238頁。

にもみられる[26]。

　他方、民法では、そもそも「錯誤」の定義はされていないし、その意義や内容についても何も規定がない。そこで、従前から「意思表示理論」によって民法の「錯誤」の概念を明らかにする努力がされてきた。

　イ　詐欺

　民法は、詐欺による意思表示は取り消すことができるとする（民法96条1項）[27]。詐欺による意思表示の取消しが認められるには、①相手方の欺罔行為があること、②表意者が錯誤に陥ったこと、③欺罔行為と錯誤との間に因果関係があること、④詐欺が違法であること、そして⑤欺罔者には「相手方を錯誤に陥らせる」故意と「その錯誤によって意思表示をさせる」故意という「二段の故意」が必要とされる[28]。しかし、詐欺の場合には、錯誤と異なり、間違いの対象が「法律行為の要素」である必要はなく、単なる動機に関する勘違いでも、契約の価値についても勘違いであっても、相手方からの欺罔行為によるものであれば、取消しが認められる。

　このように詐欺は、錯誤より活用範囲が広そうに見えるが、現実には二段の故意や違法性の立証には大きな困難がつきまとう。そのため、詐欺による取消しが認められた事案は少ないし、これまであまり活用されてこなかった[29]。「詐欺」の意義についても、民法は明文で定義をしている訳ではない。「錯誤」と同様に「詐欺」についても「意思表示理論」を用いて説明することに

---

26)　重過失のある錯誤者には意思表示の効力を否定する主張を認めないのは、リスクの公平分配のためであるので、2017年改正民法が、本文で上げた2つの場合（①意思表示の相手方が悪意・重過失の場合、②共通錯誤の場合）は、表意者に重過失があっても取消しの効力を主張できることと規定された。これは、従前の民法でも学説上ほぼ異論のない考え方を明文化したものと説明されている（前掲注20）潮見『民法（債権関係）改正法の概要』10頁など）。

27)　詐欺については、2017年改正民法が第三者の詐欺による取消しが認められる場合の相手方の主観的要件に第三者の詐欺を「知ることができたとき」を追加し、詐欺取消しの効果を第三者に対抗できない場合の要件を第三者の「善意」に加え「過失がない」ことを必要とした点（民法96条2項・3項）を除き変更はない。

28)　我妻・前掲注14)『新訂民法総則』308頁。

29)　消費者取引では、本来なら詐欺取消しが認められるケースでも、実務的には不法行為責任を追及することで同等の結果を獲得する場合が多かった。

よって、意思の欠缺と意思表示の瑕疵を統一的に理解しようとされてきた。

(2) **意思表示理論**

我が国の伝統的な意思表示理論は、19世紀ドイツの心理学の影響を受けた意思表示理論により、錯誤や詐欺の概念を説明しようとしている。このような意思表示理論によれば、人の意思表示は、①内心的効果意思、②表示意思、③表示行為の3つからなっており、意思表示は、①を出発点にし、②を媒介にして、③がなされることにより完成すると考えられた。この意思表示理論では、まず、法律行為には「内心的効果意思」という法的にはっきりした形と内容をもった意思が存在していることを前提としている。このことから「内心的効果意思」と「動機」やそれ以外の心理的な縁由とは、はっきり区別できるものであることを前提にしている。さらに意思表示の形成過程の考察においては「内心的効果意思」を始点にするので、「内心的効果意思」が形成される以前の表意者の心理状態は、はじめから意思表示の考察の対象外とされている。このことから「内心的効果意思」以前の心理状態である「動機」や「間接的な目的・理由」は法的な検討の枠外に置かれる[30]。

意思表示理論では、このような考え方を前提にしたうえで、民法は、表示と内心的効果意思の不一致を「意思の欠缺」と捉えて無効という効果を与え（通謀虚偽表示、心裡留保）、動機（意思決定の過程）に他人の違法行為が影響した場合を「瑕疵ある意思表示」として取り消しうるもの（詐欺、強迫）と扱ったものであるという理解がなされている。しかし、このような意思主義的な捉え方では、表意者の一方的な態様によって法律行為の効力が否定されることになってしまうので、リスク分配の面からみて不公平であるとの強い批判がなされた。そのため、民法における意思表示の取り扱い方は、意思主義と表示主義との折衷的な立場から、表示行為から推断される効果意思（「表示上の効果意思」）と内心的効果意思の不一致を「意思の欠缺」と捉える考え方が通説となった。また、従前から通説・判例（大判大3・12・15民録20輯1101号）は「動機」の取扱いについても、当事者が動機を意思表示の内容とし、それが法律行為の「要素」に関するときには錯誤無効を認めていた[31]。

---

30) 大村・前掲注11)の76頁以下参照。

他方、「動機」の表示を要求するのは「相手方の信頼の保護」もしくは「取引の安全」のためであるとして、相手方の信頼や取引の安全を図るには、何も「動機」の表示を要求する必要はなく、「要素」の解釈と相手方の「悪意または過失」を問題にすればよいという考え方も有力に展開されてきた[32]。これらは、伝統的な意思表示理論に変更を迫るものといえる。

これらの議論を踏まえて、2017年改正民法では、「表意者が法律行為の基礎とした事情についてのその認識が真実に反する錯誤の場合」（民法95条1項2号）は、「その事情が法律行為の基礎とされていることが表示されていたときに限り」取消しを認めることとした（同条2項）。

(3) **詐欺・錯誤の拡張理論**

錯誤において表示主義的な考え方がとられているのは、相手方の信頼保護や取引の安全の確保というリスク分配の見地からであることは指摘したが、消費者取引の場合には、このような意味でのリスク分配の考え方は修正をする必要がある。なぜなら、消費者取引では、通常、多くの場合、消費者は商品にしろ役務にしろ最終的な消費者（エンドユーザー）であるので、これ以上取引の安全に配慮すべき事情にはないことが大多数だからである。また、消費者は事業者の宣伝や積極的な勧誘によって、意思表示の動機も効果意思の形成もその表示行為も惹起させられることで契約を締結する場合が多いことから、相手方たる事業者側の信頼を考慮する必要性はあまりないからであ

---

31) 「動機の錯誤」の問題は、意思表示の要素や態様のうち、何と何に食い違いがあれば、錯誤と認めるかの問題であり、「要素の錯誤」の問題は、どのような、あるいはどの程度の食い違いがあれば錯誤として意思表示の効力を否定してもよいのかの問題である。通説は「表示から推断される意思と表意者の真に意図するところにくい違いがあれば、内心的効果意思とのくい違いないしは内心的効果意思の欠缺でなくとも、なおこれを錯誤とみる」とし、「真に意図するところ＝真意」は、内心的効果意思＋動機（表示された）とみている（我妻・前掲注14）『新訂民法総則』295頁以下）。そうすると、2017年改正民法が錯誤の効果を「取消し」と規定したのは、表示された動機と内心的効果意思が結びついたものが、真意と齟齬する場合には内心的効果意思がない（つまり欠缺）とは評価できないので、動機の錯誤を取り込んで錯誤を理由にして意思表示の効力を否定することを認める以上、無効ではなく取消しとしたと考えることも可能であろう。

32) 川島武宜『民法総則』（有斐閣、1965年）、野村豊弘「意思表示の錯誤」法協92巻10号。

る。特に、消費者契約では、事業者の勧誘は、消費者の購買動機の形成に決定的な影響を及ぼしており、事業者は積極的に消費者に動機形成をさせ、それを利用して意思表示を行わせている実態がある。その場合に、自ら惹起させた「動機」を「効果意思」と切り離して、意思表示の瑕疵を論ずるのは、かえってリスク分配の面では不公平であろう。

このようなことを背景にして、「動機」や「効果意思」を区別せずに、意思形成の過程の全体を視野に入れて、消費者の勘違い（間違い）を理由にして意思表示の効力を否定することはできないかとの発想や詐欺の活用の困難さを克服しようという発想から、詐欺や錯誤を拡張する理論が登場してきた[33]。

詐欺・錯誤の拡張理論には、いくつかのアプローチの違いがある。議論の方向としては、錯誤の拡張では「要素の錯誤」を広げようとする説、「動機」をもう少し広く錯誤に取り込もうとする説がある。詐欺の拡張については「沈黙の詐欺」へも詐欺取消しを拡張しようとする説、違法性や故意の要件を緩和したり、あるいはその判断を緩和しようとする説がある。

これらの拡張理論の中には、端的に、事業者の勧誘行為に基づき消費者が錯誤に陥った場合には、一定の要件の下に、消費者の認識と客観的事実の不一致をもって錯誤の成立を認めようとする説もある[34]。このような見解は動機も区別せずに「要素の錯誤」の判断を拡張しようとするものであるが、批判も強い[35]。また、事業者側の情報提供義務を前提にして、取引上許されないような勧誘形態に当たる行為がある場合には欺罔行為の存在を認め、当該行為を行う意図がある場合には、詐欺の故意があると判断することで、

---

33) 詐欺・錯誤の拡張理論については、森田宏樹「『合意の瑕疵』の構造とその拡張理論(1)～(3・完)」NBL482～484号参照。
34) 長尾治助『消費者私法の原理』（有斐閣、1992年）104頁以下、伊藤進「錯誤論——動機の錯誤に関する一考察」『法律行為論の現代的課題　山本進一教授還暦記念』（第一法規、1988年）27頁以下。
35) 大村・前掲注11)の92頁では、このような見解は「錯誤の一般条項化」であると批判している。なお、意思表示論からの批判として森田・前掲注33)「『合意の瑕疵』の構造とその拡張理論」がある。また、このような考え方は実質的には過失ある詐欺取消しを認めることになり、詐欺取消制度と評価矛盾であるという批判（磯村保「契約成立の瑕疵と内容の瑕疵(1)」ジュリ1083号81頁）もある。

詐欺の成立判断を広げ、さらに、事業者側にこのような意味での故意がない場合については、「要素の錯誤」とは別の「動機の錯誤」の類型を認めたうえで、①意思決定に対する錯誤の重要性、②当事者の属性、契約目的の性質を勘案して相手方と表意者それぞれによる錯誤の除去可能性を要件として、効果は取消しに止まる錯誤を認めるべきだという見解もある[36]。

　いずれにせよ、伝統的な錯誤論や詐欺論が消費者取引にはうまく機能しないという現実があること、実際にも、従前の考え方では説明ができないような法の適用がなされることがあることなどから（【事例4】や【事例6】の判決がその例である）、意思表示理論の再検討が求められ、動機も含めて錯誤を処理したり、情報提供義務を用いて錯誤について詐欺に近い処理をするなどの考え方が示されている。2017年改正民法では、錯誤や詐欺の要件の緩和等に関する議論もなされたが[37]、法制審議会でのコンセンサスが得られるまでには至らず、現時点での判例・通説の考え方を明文化するに止まっている。消費者被害の救済のためには、今後ともこれらの法理を積極的に活用していく必要があるであろうし、また、民法の錯誤（民法95条）や詐欺（同96条）の規定の解釈を通じ、要件の緩和を検討していくことも必要であろう。

(4) **詐欺・錯誤の補完理論・制度**

　以上のとおり、伝統的な詐欺・錯誤論を前提にした民法の規定するルールだけでは、消費者取引への活用に限界があることから、次のような他の法理の活用や立法的な手当てがなされている。

　ア　補完法理

　①　契約締結上の過失

　消費者取引のように、当事者の有する情報の質・量、知識、経験および判

---

36) 大村・前掲注11）の97頁以下。なお、フランス法の情報提供義務を踏まえて、詐欺・錯誤の拡張の可能性を指摘するものとして、後藤巻則『消費者契約の法理論』（弘文堂、2002年）を参照。
37) 法制審議会での議論については、同審議会の「民法（債権関係）部会」資料76A（http://www.moj.go.jp/content/000121590.pdf）、同78A（http://www.moj.go.jp/content/000123524.pdf）、同79B（http://www.moj.go.jp/content/000124055.pdf）および同83-2（http://www.moj.go.jp/content/000126620.pdf）を参照。

断力に大きな格差のある場合には、契約締結前であっても事業者が消費者と接触した段階から、事業者側には、契約内容や契約締結によって消費者が被る不利益などについて十分に説明し、消費者が不測の損害を蒙ることのないように配慮する義務が認められる。

　この義務は信義則を根拠に認められるものと理解され、事業者側がこの義務に違反した（契約締結上の過失のある）場合には、事業者に損害賠償責任が認められる。契約締結上の過失は、原則として不法行為に基づく損害賠償請求権の問題として理解されているが、この義務を契約に付随する義務として捉え、債務不履行責任として構成したり、この考え方をさらに進めて、契約締結上の過失に基づいて締結された契約の解除を認める見解もある[38]。

　②　信義則による請求権行使の否定

　事業者側の勧誘態様の不当性を根拠に、信義則を援用して、事業者側の請求権の行使を否定する事例があることは前述（【事例1】の②判例）のとおり。

　③　取引型不法行為論

　不法行為法が、消費者取引において、実質的には不当な契約からの解放のための法理として活用されている。この点は、第5章で論じる。

　イ　立法

　①　消契法・特商法などによる取消し

---

[38] 本田純一「『契約締結上の過失』理論について」『現代契約法大系　第1巻』（有斐閣、1983年）参照。契約締結上の過失の法理と他の法理との関係については、森田・前掲注32）「『合意の瑕疵』の構造とその拡張理論（3・完）」NBL484号56頁、磯村保「契約成立の瑕疵と内容の瑕疵（2・完）」ジュリ1084号77頁を参照。他方、破綻した信用保証協同組合の出資勧誘の事案について最判平23・4・22民集65巻3号1405頁は、出資勧誘を行う当事者が、その出資契約の締結に先立ち、信義則上の説明義務に違反して、当該契約を締結するか否かに関する判断に影響を及ぼすべき情報を相手方に提供しなかった場合、勧誘した当事者は、相手方が被った損害を不法行為による賠償責任を負うことがあるのは格別、その契約上の債務の不履行による賠償責任を負うことはないと判示している。この最判は、契約上の義務は勧誘により締結された契約から生じるものであり、締結されていない契約から生じる債務（説明義務）の違反を理由にして、その契約を締結したことによって生じた損害を債務不履行責任として請求することは背理とする。形式的にはそういえるかもしれないが、契約締結過程における義務の捉え方や発生根拠については、このように言い切れない側面もあると思われる。

消契法は詐欺に該当しない誤認類型（不実の告知、断定的判断の提供、不利益事実の不告知）による意思表示の取消しを認めている（詳しくは第4章参照）。また、特商法でも同法の規定する不実告知や故意による事実の不告知の禁止に違反する勧誘によって消費者が誤認した場合には、意思表示の取消しを認めているし（特商法9条の3など）、割販法は、同様の不当勧誘による個別信用購入あっせん契約の意思表示の取消しを認めている（割販法35条の3の13）。

② クーリング・オフ制度

クーリング・オフは、その行使期間内では、理由は必要なく、消費者から契約を解消できる権利である。クーリング・オフ制度の趣旨には、詐欺や錯誤などの立証の困難さから消費者を救済するという側面もある。

③ 情報提供義務

消契法3条1項は、事業者に情報提供の努力義務を課しているが、事業者に対し一般的に民事法上の情報提供義務を課す法律は他にはない。しかし、業法では商品やサービスの内容や取引や契約条件についての開示義務や説明義務、書面交付義務を課すことにより、情報提供を義務づける法令が多数ある。

消契法の規定する情報提供義務は努力義務に止まるので、その違反が直ちに民事上の効果を生じさせるものではないし、業法の定める情報提供義務も行政規制上の義務であるので、同様に直ちに民事上の効果が認められることにはならない。しかし、いずれの場合も、法律上の義務であることには変わりなく、その違反の内容や程度によっては、消費者との間の契約の効力に影響を及ぼすことは承認されるべきである[39]。

---

39) 具体的には、事業者の沈黙が詐欺の欺罔行為と評価されたり、これらの義務が不法行為上の注意義務の内容に取り込まれたり、公序良俗違反の判断の要素になったり、信義則による請求権の減縮や否定の根拠になったりする。

第5　交渉力の不均衡

1　消費者取引と交渉力
(1)　消費者取引の実情
　消費者取引では、事業者からの突然の勧誘による不意打ち的な取引や長時間にわたる勧誘により困惑しての契約も少なくない。また、正確で十分な情報が与えられないまま、決断をせかされたり、断りづらい雰囲気の下で冷静な判断ができないまま、契約をさせられるケースも多い。また、お金に困っている多重債務者は返済のためには新たに借金をしない訳にはいかず、高金利であってもサラ金やヤミ金から借入をせざるをえないことに象徴されるように、消費者取引では消費者が不利益条件を甘受させられたり、そもそも選択の余地がない状況で契約を迫られることもある。また、知識や経験が乏しいこともあり、消費者は専門家（医師、弁護士がよく想定されるが、証券会社、保険会社、不動産業者等ももちろん含まれよう）に対する信頼や依存をしやすいので、これらの信頼や依存関係を悪用されたり、濫用をされやすい状況にある。不当な勧誘が行われる場面に限らず、もう少し広く捉えると、消費社会では、一般の商品についても消費者には交渉可能性がなく、不利益な条件を甘受しなければならない場合も少なくない[40]。

(2)　交渉力の欠如とその背景
　消費者に交渉力が欠如している背景には、2つの側面がある。
　1つは、市場のプレイヤーとして、個々の消費者の行動が市場全体に与える影響力が極めて少ないということである。そのため、定型的で大量の取引が行われる場面では、たとえば取引条件については事業者の策定した契約約款に拠らざるをえず、約款の内容が不当だったり、不都合な内容であってもそれを押しつけられてしまう。消費者にとっては、その事業者と契約をする

---

[40]　大村・前掲注11）の116頁以下では、このような状況を「交渉力」の不均衡の問題と捉え、交渉力の不均衡の類型を①状況の濫用、②関係の濫用、③地位の濫用の3つに整理している。

か否かの選択しかできず、不当な取引条件であることを理由にして消費者がその契約を締結しない選択をしても、その結果、事業者に与えるダメージは無いに等しい。このような側面では、消費者に正確で適切な情報が与えられたとしても、消費者の望む選択は不可能といえるだろうし、個々の消費者が市場での競争を通じて、適切な福利を享受できるようになることは望めない。

　もうひとつの側面は、消費者が肉体と精神を持った生身の人間であるが故に、交渉力が減殺されているということである。

　消費者は、生身の人間であるので、心と身体の脆弱性をもっていることから、たとえば、具体的な取引の場面における状況や相手方との関係など様々な要素に左右されやすい。専門家との間の取引では、相手を信頼しやすかったり、相手に依存しやすいのもその例である。

　たとえば、悪質事業者から訪問勧誘や電話勧誘などで契約を勧誘された場合には、契約を断れば被害に遭わずに済むから、定型的で大量の取引の場面のように事実上、断る選択が意味をなさないということにならないが、それでも消費者が契約に引き込まれてしまうのは消費者のもつ脆弱性が故である。

　心理的側面に限ってみても、人の行動原理には一定のルールがあり、そのような行動原理に支配されて、人は不合理な行動をとりがちであると指摘されている[41]。つまり、人の持つこのような行動原理を逆手に使われると、消費者の交渉力は大きく削がれてしまう[42][43]。

---

41)　ロバート・B・チャルディーニ『影響力の武器〔第3版〕』（誠信書房、2014年）によると、人の行動原理には、①返報性——Give and take（他人が何か恩恵を施してくれたら、それには何らかの形でお返しをしなければならない）、②コミットメントと一貫性——心に住む小鬼（ひとたびある決定を下したり、ある立場をとると、そのコミットメントと一貫した行動を取るように、個人的にも対人的にも圧力がかかり、その圧力によって前の決定、選択を正当化するように行動する）、③社会的証明の原理——真実は私たちに（人は、他人が何を正しいと考えているかに基づき物事を判断している）、④好意——優しい泥棒（自分が好意をもっている相手からの要請は断れない）、⑤権威——導かれる服従（権威の命ずることには服従してしまう義務感を感じる）、⑥希少性——わずかなものについての法則（手に入りにくくなると、その機会がより貴重なものと思えてくる）という「6つのルール」があると指摘されている。

2 交渉力の不均衡を解消する制度
(1) 消費者の影響力を強める制度

交渉力の不均衡の解消は、意思表示理論や契約法での対処はかなり難しく、業法による行為規制や競争法による規制の必要性が高い問題である[44]。

市場における消費者の影響力を強める方策としては、消費者が集団で行う

---

42) 大村・前掲注11) 113頁以下に挙げられている、①状況の濫用、②関係の濫用、③地位の濫用という3つの交渉力の不均衡類型も、人の行動原理を逆手にとって契約を締結させることが、不当と評価される場合を整理したものと考えられる。オランダ民法では、これらのうち状況の濫用については、契約締結の相手方による状況の濫用があった場合には契約の取消しを認めている(この点は、内山敏和「オランダ法における状況の濫用(1)——我が国における威圧型不当勧誘論のために」北海学園大学法学研究45巻3号1頁参照)。また、英米法では「非良心性」の法理(unconscionabilty)と呼ばれる考え方があり、契約当事者が相手方の不利益な状況につけ込んで利益を得ようとする行為があれば、それによって締結された契約は裁判所によって取り消されることがある。これらの国々では、日本より消費者の交渉力の不均衡を是正するために用いられる法理の選択肢が多いといえる。しかし、前注で指摘したような人の行動原理は、ある意味ではマーケティングの手法としてこれまでも広く使われており、このような行動原理を取引の手段として利用することがすべていけないともいえない。その意味では、「濫用」や「つけ込み」といえるか否かの線引きが重要となるが、どこに線が引かれるべきかは、かなり難しい問題である。

43) FaceBookの初代CEOショーン・パーカーは、Facebookサービスについて、アプリ開発者は「最大限にユーザーの時間や注意を奪うためにユーザーの脳に少量のドーパミンを分泌させることが必要だと考え、人の心理の『脆弱性』を利用している。開発者はこのことを理解した上であえて実行した」<https://www.youtube.com/watch?v=XyMlE8r3Jek>と述べている。また、脳神経科学、行動科学の研究の深化により、人の五感や心を操るツールも大きく進化しており、例えば「クロスモーダル現象」を利用して、特にバーチャルリアリティとの融合による人の意思決定に非常に大きな影響を与える手法も考え出されている。クロスモーダル現象については、鳴海拓志(東京大学大学院情報理工学系研究科講師)は自らの研究を報告する資料「感覚間の相互作用を利用したバーチャルリアリティの技術とその可能性」<https://www.iias.or.jp/wp/wp-content/uploads/46066c18ee96f6b3b6d8620405a7ebfb.pdf>の中で、「人は感覚入力を元に行動や判断を決定している。クロスモーダルによる感覚提示は人の行動や判断を変え、現実を変えうる。この力は個別の感覚・行動・体験だけではなく自己のデザインをすることにも繋がる。薬に用法・用量があるように、上述のような現実を変える力をどう使うか議論する必要がある。そのためにはVRで何ができるか／何が起こるかを社会に示す必要がある」との指摘をしている。

不買運動などがあり、過去には主婦連などの消費者団体が主導して不買運動が展開されたことがあるが、社会的な制度や法制度としては用意されていない。

　また、市場における消費者の影響力の拡大のためには、消費者団体の役割も重要であり、消契法に基づく適格消費者団体の差止訴訟や、消費者裁判手続特例法により特定適格消費者団体（同法2条10号）に訴訟追行を認める集団的消費者被害の救済制度も新たに導入された[45]。これらの制度の積極的活用により、従前よりも差止請求や消費者の集団的な権利行使（損害賠償請求）がやり易くなっており、消費者団体が市場における消費者の影響力や交渉力が強める機能を果たすことが期待される。

　さらに、たとえば多数の消費者が被害に遭う反面、ひとり当たりの被害が少額なことが多い不当表示による被害などの広く浅い被害については、不当利益の吐き出しや懲罰的な損害賠償請求を可能にする制度の導入により、市場に対し持つ個々の消費者の影響力はさらに増大するものといえよう。

　このような観点から、2014年の景表法改正では優良誤認表示、有利誤認表示違反について課徴金制度が導入されたが（景表法8条）、不当表示による消費者被害は、個別消費者による損害賠償請求も非現実的であるし、費用対効果を考えると特定適格消費者団体による損害賠償請求も躊躇されることもあり、課徴金制度の効果的運用が求められる[46]。

44）　交渉力の格差から生じる問題への対処については、大村敦志「契約内容の司法規制（1）（2・完）」NBL473号・474号参照。

45）　「消費者の財産的被害の集団的な回復のための民事の裁判手続の特例に関する法律」（平成25年法律第96号）。被害回復手続の概要は、二段階となっており、まず、特定適格消費者団体が事業者に対し、共通義務確認訴訟を提起して勝訴判決を得て、その後、共通義務確認訴訟でみとめられた共通義務に関する個別の消費者から委任を受けて簡易確定手続開始の申立てを行い、具体的な支払い額の確定を経て、適格消費者団体が消費者に損害賠償金を分配するというものである。詳細は本書の第16章参照。

46）　課徴金納付命令を受けた事業者が、実施予定返金措置計画に沿って適正に返金を実施した場合には、事業者が消費者に任意に返金した額を課徴金の金額から控除することを認めている（景表法10条）。このような制度を通じて少額であっても広く生じた被害の回復が図られることが期待される。

(2) 状況の濫用等への対応

　意思が抑圧された状態でなされた意思表示に関しては、民法96条1項が強迫による意思表示の取消しを認めている。しかし、強迫とは、他人に害悪を告知して、意思表示の自由を奪って意思表示をさせることをいうので、消費者が任意の意思表示が期待できない程度に抑圧された状態でなされた意思表示である必要がある[47]。

　これに対し消費者取引の勧誘は、消費者が断っても「熱心に」「強引に」契約を迫るものなので、意思表示の任意性が失われるまで抑圧された状態でなされたとはいえないことが多い。そのため、民法の「強迫」を理由に不当な抑圧による契約の取消しを主張するのは困難な場合が多いであろう。

　また、消契法が規定する困惑類型の勧誘行為により困惑してなされた意思表示の取消しや不当条項を無効とする規定は、消費者と事業者間の交渉力の不均衡を是正するために導入されたものであり（消契法1条）、これらの規定を使うことにより（第4章参照）、意思抑圧型の不当勧誘の場合には、ある程度の目的を達することができる。しかし、「強迫」には至らない「威迫・困惑」一般については取消しの対象とはなっていない。消契法の2018年及び2022年改正で、困惑類型の取消事由をかなり追加する改正がなされたことは一歩前進であるが（これらの改正内容については第4章の解説を参照）、依然として取消事由の要件が限定的であり、適用される場面が限られており、交渉力の不均衡の是正という観点からは不十分である。後追いで取消事由を追加するのではなく、「威迫・困惑」について正面から取消しを認めるべきである。

　さらに、消費者の状況につけ込む形態での契約については、民法90条の「公序良俗」違反の一態様として判例が認めるようになった暴利行為論の活用（第3章参照）が考えられるが[48]、暴利行為論が使える場合も限られてい

---

47) 意思が完全に抑圧された状態（たとえば、拳銃を突きつけられて契約書への署名、捺印をさせられたような場合）での意思表示は「無効」と評価されるので、そこまでは至っていない場合が民法96条の「強迫」ということになるが、いずれにしても強迫による取消しが認められるためには、意思抑圧の程度がかなり高いことが必要とされる。
48) 大村・前掲注11）の116頁以下では、このような場合に暴利行為論の積極的な活用を主張している。

るので、立法論としては交渉力の不均衡につけ込むような行為がなされた場合に、契約の拘束力を否定する制度の導入も必要であろう[49]。

いわゆる業法では、消費者のおかれている状況や関係につけ込む行為を規制しているものもある。たとえば、特商法では、威迫・困惑行為や適合性原則違反行為などを行政処分の対象としているが（特商法6条3項・7条3号、省令18条など）、これらの行政規制違反行為の民事上の効力を問題にすることにより（第3章参照）、不当なつけ込み行為によって締結された契約から消費者を解放することが可能な場合もあろう。

《参考文献》
・大村敦志『消費者法〔第4版〕』（有斐閣、2011年）
・大村敦志『契約法から消費者法へ』（東京大学出版会、1999年）
・大村敦志「続・消費者のための契約法入門 第7回」「判例を読む（上）（下）」国民生活1995年7月号・8月号
・森田宏樹「『合意の瑕疵』の構造とその拡張（1）ないし（3・完）」NBL482号・483号・484号
・後藤巻則『消費者契約の法理論』（弘文堂、2002年）
・後藤巻則『消費者契約と民法改正』（弘文堂、2013年）
・河上正二「『契約の成立』をめぐって―現代契約論への一考察（一）（二・完）」判例タイムズ655号・657号

［齋藤雅弘］

---

[49] 特商法の過量販売解除権や消契法の過量販売取消権も、状況の濫用がなされたことも一つの根拠として契約の拘束力を否定する制度といえる。なお、2018年及び2022年の消契法改正では、現在の消契法の困惑類型に追加して、(1) 社会生活上の経験不足の不当な利用（①不安をあおる告知、②恋愛感情等に乗じた人間関係の濫用）などつけ込み型の勧誘による困惑、および、状況の濫用型といえる (2) 契約締結前に債務の内容を実現等をすることで消費者が困惑して行った消費者契約の申込み、承諾の取消しを認める改正などがされたが、その内容の詳細は第4章を参照。

第3章
消費者契約の過程 2
―― 契約内容と効力

第1 はじめに

　本章では、契約内容の適正（契約の成立段階での内容の妥当性）と効力の適正（契約の履行段階での妥当性）の問題を検討する。
　消費者取引では、事業者側の勧誘によって不当な内容の契約を締結させられたり、不当な履行を迫られたりすることが少なくない。このような場合に、消費者をこれらの契約の拘束力から解放したり、契約に基づく履行義務を否定したり、減縮することが被害の救済につながる。
　本章では、いかなる制度や法理によって、内容の不当な契約から消費者を解放するかを検討する。第2章で述べた「被害救済の法理」に即していえば、「契約の拘束力否定型」のうち、公序良俗違反による無効、取締法規違反の法律行為の効力の否定、法律による不当条項規制ならびに「履行義務調整型」の法理と手法を検討することになる。また、そのことを通じて契約内容や効力の適正を確保する方法についても検討する。

第2　契約内容の適正

1　契約内容の適正に関する事例と検討
(1)　原野商法における暴利行為【事例1】
・名古屋地判昭57・9・1（判時1067号85頁）

　この事例は、第2章の【事例5】の大阪地判と同じ「原野商法」と呼ばれる悪徳土地取引の事案である。原野商法も、取引それ自体は不動産取引であり、宅建業法等の規制を受けるが、営業自体は自由に行えるものである。

　この事例の名古屋地判は、原告（被害者）側の主張した詐欺、錯誤の主張は排斥したが、公序良俗違反（暴利行為）を認定している。

　この判決が、詐欺、錯誤を排斥した理由のポイントは、①勧誘は過大ではあっても積極的虚偽ではない、②投機性については消費者もある程度認識していた、③売買解消の動機が自らの土地管理の不能と購入資金の支払いの困難性にあり、「要素の錯誤」ではないというものである。他方、公序良俗違反を認めた理由は、①勧誘が消費者の無知・無思慮に乗じたものである、②深夜に及ぶ執拗な勧誘であり、考慮時間を与えずに契約させている、③勧誘は宅建業法に違反し、クーリング・オフの保証がなかったし、過大な説明をしたことは商道徳を著しく逸脱した方法である、④1坪当たりの時価200円を2万円、全体では時価1万円の土地を100万円で販売しており暴利を得たというものである。暴利行為論を適用し、契約を無効としたが、その判断においては契約締結過程と契約内容の問題を総合して契約を無効としたといえる。

(2)　海外商品先物取引の公序良俗違反【事例2】
・東京地判平4・11・10（判時1479号32頁、消費者取引判例百選〔24〕）

　この判決は、海外商品先物取引の被害事例についてのものである。商品先物取引は営業としては自由に行えるものではなく、かなり厳しい法規制の下に認められるべきものである。ところが、海外商品先物取引は、我が国の商品取引所法（平成21年法律第74号による改正前の法律）の規制が及ばない外国の商品取引所に注文を取り次いでいるとして、知識や経験のない一般委託者に対する執拗な勧誘や断定的判断の提供などにより取引に引き込み、委託者

の預託した保証金を取引上の損失や手数料に転嫁させて収奪していくものが殆どであった[1]。

　この判決は、原告らと商品先物取引業者との取引が公序良俗に違反すると判断したが、公序良俗違反を認めた理由は、①海外商品先物取引の投機性、危険性を前提にした業者の説明義務、安全配慮義務違反の程度が著しい、②勧誘およびその後の一連の取引行為は社会通念に照らし許容できる範囲を著しく逸脱した反社会性の強い行為形態であることを挙げている。

　この判決は商品先物取引業者の不法行為責任も認めているが、その判断手法は、先物取引を勧誘する業者や従業員には、取引の勧誘に際して一定の「注意義務があり、会社ないし従業員がこの義務に違反しその程度が社会通念に照らし許容できる範囲を超えた場合」に不法行為となるとしているが（注意義務違反＋許容範囲を超えた）、公序良俗違反については、上記のとおり、著しい違反（注意義務違反の程度の著しさ＋反社会性の強さ）を挙げており、不法行為が成立する場合と公序良俗違反により法律行為を無効とする場合における非難の程度に差があるという考え方を前提にしている。

(3) 取締法規違反行為を行った事業者からの履行請求【事例3】

・名古屋地判昭60・4・26（判時1163号112頁）

　この事案も商品先物取引の事案である。この事案の先物取引業者は、旧商品取引所法（平成16年法律第43号による改正前の法律：以下「旧商取法」とする。）では、商品先物取引の受託業務を行う場合に必要とされていた許可を

---

[1] 海外商品先物取引については消費者問題ブックレット1号『海外商品先物取引──消費者トラブルの実態』（国民生活センター、1987年）を参照。この当時、海外商品先物取引は、海外商品先物取引の受託等に関する法律（以下、「海先法」という。）の規制を受けていた。現在は、海先法は廃止されて海外商品先物取引も商先法の規制対象であるので、許可業者でないと一般委託者からの受託業務は行えない。しかし、投資や投機取引に関わる悪質業者は、様々な手法でこれらの業法の規制を免れようとしたり、実際に潜脱している。たとえば、イギリスの事業者間市場である「ロコロンドン市場」における貴金属の投資（投機）取引を日本国内の消費者に勧誘したり、あるいは欧州のCO_2排出権取引市場の相場を参照したCDF（差金決済）取引を勧誘する悪質業者による被害がある（「暮らしの判例」Web版『国民生活』2023年9月号、30頁以下など）。

受けていない業者であり、旧商取法8条（違反には刑事罰あり）に違反する私設市場での取引を一般委託者に勧誘していた。この業者が取引をした委託者に取引差損金請求をしたのに対し、名古屋地裁は旧商取法8条違反を理由に請求を否定した事例である。

　この判決は、旧商取法違反（私設市場の開設とその市場での取引）があったとしても、委託者と先物取引業者間の私法上の契約は無効とはならないとしながら、他方で業者からの履行請求は否定した。その理由は、①私設市場の先物取引は旧商取法8条に違反する、②旧商取法違反による契約が直ちに無効とはならないが、違法行為には刑事罰を課しているので、裁判所がこの履行を強制することはできないというものである。

　(4)　ベルギーダイヤモンド事件【事例4】
　①大阪地判平4・3・27（判時1450号100頁）
　②大阪高判平5・6・29（判時1475号77頁、消費者取引判例百選〔47〕）

　【事例4】は「ベルギーダイヤモンド事件」と呼ばれるマルチ商法（連鎖販売取引）についての判決であり、上記の②は①判決の控訴審判決である。

　この事件のベルギーダイヤモンド社（以下、第5章も含め「BD社」という）の取引は、同社が販売員との間でダイヤモンドの販売媒介委託契約を締結し、販売員は新たに獲得した新規顧客（販売員）とBD社との間でダイヤモンドの売買契約の媒介をするという形式を用い、階層的に新たな販売員を獲得していく形態の販売組織（「あっせん」形態の連鎖販売取引）となっていた。そして、販売員になって上位にランクアップして行けば行くほど、高額なリクルート利益が得られるとして消費者を勧誘し、多数の被害を出した。連鎖販売取引は、旧訪販法（現特商法）でも、原則禁止に近い規制がなされていた取引であったが、BD社の販売形態は、旧訪販法の連鎖販売取引規制の適用対象外の「あっせん」形態のものだったことから、同法での規制が難しいという事情があった。しかし、その後の同法の改正により「あっせん」形態のものについても「連鎖販売取引」の定義に加えられた（特商法33条）。

　【事例4】の①判決は、BD社の営業自体が公序良俗に違反するとし、そのような営業を行うことが不法行為に該当するという。この判決がBD社の営業を公序良俗に違反するとした理由は、①組織原理として破綻必然である

こと、②先に加入した少数者のみが巨額の利益を得、多数の末端が被害者となること、③射倖性、賭博性があること、④必ず詐欺的、欺瞞的な勧誘がなされるものであること、があげられている。

これに対し控訴審である、【事例4】の②判決は、無限連鎖講防止法2条に該当するような「金銭配当組織」を開設、運営し、顧客に加入を勧誘することは公序良俗違反とした上で、BD社の営業は、適法な「商品流通組織」と違法な「金銭配当組織」類似の「リクルート利益配当組織」が結合した構造をもっており、後者の実態は「金銭配当組織」の要件を満たすものであり、その商法は全体として民法上違法との判断をしている。なお、この②判決は、最終的には不法行為責任を認めたものであり、BD社の営業が公序良俗に違反するとは明示してはいない。

(5) 印鑑マルチ商法事件【事例5】

・名古屋高金沢支判昭62・8・31（判時1254号76頁・判時1279号22頁）

この事例は「印鑑マルチ商法」あるいは「印鑑ねずみ講」と呼ばれる商法についての判決である。この商法では、販売員となり、新たに印鑑または呉服を販売する者を獲得すれば、その購入者の支払うマージンの一定割合を販売員が取得でき、販売員が下段の販売員を獲得していくとさらにマージンが増えていくという形態の販売組織となっていた。【事例4】のBD社の場合と同様に、この商法は原則的には禁止されているのと同様の取引である。

この判決も【事例4】の②判決と同様に、印鑑マルチ商法は、印鑑セットまたは呉服の「商品売買契約」と「連鎖型金銭配当契約」が合体したものと認定し、後者は無限連鎖講防止法の趣旨に反する極めて射倖性の強い反社会的な契約であり、公序良俗違反としたが、商品売買契約部分は私法上は有効として、一つの契約のうち適正価格を超える対価の部分につき一部無効とした。

2 契約内容の適正を図るための民法上の制度

(1) 公序良俗違反（民法90条）

ア 従来の理解

民法90条は、公の秩序または善良の風俗に反する法律行為は無効とすると定めている[2]。同条により、法律行為が無効となる要件は「公の秩序又は善

良の風俗」に反する法律行為をすることであるが、「公の秩序又は善良の風俗」とは、元来、国家の統治機構や性風俗を害する行為が対象であり、通常の取引行為は対象ではなかった。

また、効果の面でも民法の制定当時の国家社会の根本の原則に反するような法律行為を対象としていたことから、無効の効果は誰もが無効を主張できる絶対無効であり、法律行為の全部が無効となり、追認もできず、給付したものの返還請求もできないものと考えられていた（不法原因給付）。

しかし、その後、行政取締法規違反行為の効力論（末弘厳太郎博士）の登場や判例が「暴利行為論」を承認するようになったことから[3]、公序良俗の内容に経済的な問題を含めて考えるようになった。さらに、戦後の日本国憲法下では、労働基本権、平等原則（男女平等）などの憲法的価値を公序良俗の中に読み込み、憲法価値に反する法律行為を無効とする考え方も取り込まれた[4]。このような「公序良俗」概念の修正の結果、近時では、公序良俗は「社会的妥当性」と読み替えられる状況に至っている[5]。

---

2) 従前、民法90条は、公の秩序又は善良の風俗に反する「事項を目的とする」法律行為は無効とするとの文言となっていたが、2017年改正民法において「事項を目的とする」との文言が削除された。公序良俗違反の該当性判断においては、法律行為の内容のみに着目して判断されるのではなく、勧誘など法律行為の過程やその他の諸事情を考慮して判断されるものであることから、この文言が削除されたものである（第2章の前掲注20) 潮見『民法（債権関係）改正法の概要』5頁参照）。

3) 2017年改正民法における改正の議論の過程では、民法90条に暴利行為を明文化することが検討されたが「適切な定式について合意形成が困難」であるとの理由で明文化は見送られた（第2章の前掲注20)の大村他『解説民法（債権法）改正法のポイント』18頁参照）。また、中間論点整理の段階では「状況の濫用」を民法90条に公序良俗の類型として規定することも問題提起されたが（「民法（債権関係）の改正に関する中間的な論点整理の補足説明」〔http://www.moj.go.jp/content/000074988.pdf〕213頁）、それ以上の具体的な議論にはならず、実現はされなかった。

4) 我妻栄『新訂民法総則』（岩波書店、1965年）271頁。

5) 最近では、国家の保護義務を媒介にして、公序良俗の意義を再構成しようとする立場がある（山本敬三「現代社会におけるリベラリズムと私的自治」論叢133巻4号＝5号（1993年）、同「取引関係における公法的規制と私法の役割（2・完）」ジュリ1088号95頁）。

イ　消費者取引における「公序良俗」

　消費者取引では、事業者の勧誘によって、不当な内容を定める契約をさせられるケースが少なくないが、公序良俗が社会的妥当性と読み替えられるのであれば、社会的見地から見た契約内容の不当性を根拠に、消費者契約の公序良俗違反＝無効を主張することにより、消費者を不当な契約から解放するために積極的に活用することが可能となる。

　このような観点から、消費者取引について、①取締法規違反の契約の効力を民法90条（あるいは91条）を使って積極的に否定していく[6]、②消費者取引に適合する「消費者取引公序」というものを措定し、消費者取引公序に反する契約は無効とする[7]、などの考え方が提示されているが、前掲の事例にもこのような傾向が見られる。

　【事例１】は、単純な「暴利行為論」の当てはめ問題のように見えるが、判決理由では「相手方の無知・無思慮に乗じて」「暴利を得た」という暴利行為論で提示されている通常の要件以外に、勧誘の執拗性や誇大性、業法違反なども契約を無効とする理由として挙げられていることから、この判決では宅建業法（取締法規）違反や原野商法における勧誘の社会的妥当性の判断も同時になされている。また、【事例２】では、商品先物取引を勧誘する事業者が遵守すべき義務の違反の程度が著しいことが公序良俗違反の理由とされているが、これら業者が遵守すべき義務はいわば、社会的妥当性の基準と言い換えることもできる。また、この判決では、事実認定としては海先法9条や同法10条で禁止されているような勧誘の事実が認定されているので、判決理由の中で同法違反であるとの明示はないものの、業規制法（行政取締法規）に違反するような不当な勧誘の存在が事実上、公序良俗違反の判断に影響を与えている。

　また、【事例３】は、「公序良俗」違反という当てはめはしていないが、旧商

---

6)　山口康夫「取締規定に違反する契約の効力──消費者取引との関連を中心として」札大１巻１号、大村敦志「取引と公序──法令違反行為効力論の再検討（上）（下）」ジュリ1023号・1025号（同『契約法から消費者法へ』（東京大学出版会、1999年）所収〔第２章第２節　取引と公序〕）、山本・前掲注５）など。

7)　長尾治助「消費者取引と公序良俗則（上）（中）（下）」NBL457号・459号・460号。

取法8条違反を理由に先物取引業者からの請求を認めない点では、取締法規に違反して締結された契約に基づく権利行使を否定する考え方をとっている。

【事例4】の①および②判決では、論理の展開は多少異なるが、いずれもBD社の営業のうち、「金銭配当組織」部分については、実質的に無限連鎖講防止法違反であると判断し、同法違反の営業（犯罪に該当する）は民法上も公序良俗（民法90条）違反であるとしている。

(2) **取締法規違反行為の私法上の効力**

ア　取締法規違反行為の私法上の効力論

消費者保護のための「業法」あるいは「行政規制法」といわれている法律の中には、消費者との契約に先立って、あるいは契約締結に際して、取引条件の明示や説明の義務付けを行ったり、書面交付を義務づけたり、不実告知の禁止や威迫・困惑の禁止などの禁止行為を規定するものが多い。

これらの義務や禁止は取締目的の行政規制の上の義務であるので、事業者が義務規定や禁止規定に違反したからといって、直ちに、消費者との間の契約の効力には影響を及ぼさないと考えられている。しかし、一定の事情や要件の下では取締法規違反行為により締結された契約等の効力が否定されることがある。これが取締法規違反行為の私法上の効力論と呼ばれる問題である。この法理が使える場面では、取締法規違反の私法上の効力を否定することで、消費者を不当な契約から解放することができるので被害救済に役立つ。

イ　沿革と通説・判例

取締法規違反行為の私法上の効力論は、歴史的には明治時代からの行政優位の考え方に対し、大正期の自由主義的な考え方を法律の世界に取り込もうとしたものである。

明治、大正時代を通じ、法律的には行政優位の思想が支配的であり、行政法規が私法の領域に積極的に介入することが承認されていた。

これに対し、大正デモクラシーと呼ばれる自由主義的な思想の広がりを踏まえて、私法の領域では私的自治や契約自由の原則を貫くべきであるとの考え方から、法領域を公法と私法に分けた上（公法と私法の二元論）、公法が私法にむやみに介入することのないような法理として主張されたのが取締法規違反行為の私法上の効力論である。

つまり、それまでは取締目的の法令違反行為が私法上も無効となると考えられていたのに対し、末弘厳太郎博士によって[8]、①法令違反行為を無効とすることが法令の禁止目的達成に必要か否か、②違反行為が公序良俗に反するか否か、③違反行為を無効とすることによって当事者間に不公正とならないか、という要件を立て、これらの要件に該当しない限り、取締目的の法令に違反する行為があったとしてもそれによる私法上の法律行為の効力は無効とはならないという考え方が提示された[9]。末弘博士の議論の歴史的背景からも分かるとおり、取締法規違反行為の私法上の効力論は、国家が私的領域に介入することを排除するための法理として、取締目的の法令違反行為の有効化に寄与したものといえる[10]。

現在の通説・判例では、末弘説を踏まえて、①取締法規の趣旨、②行為の倫理的非難の程度、③取引の安全、④当事者の信義の公平という要件を考慮して、取締法規違反行為の効力を判断している。通説・判例が②の要件を挙げていることから、取締法規違反行為の私法上の効力を否定する根拠は、実質的には「公序良俗違反」に求められているとみることもできる[11]。

　ウ　取締法規違反行為の私法上の効力否定論の新たな展開

このような通説・判例の考え方に対し、消費者取引においては取締法規違反行為の私法上の効力を積極的に否定して行こうという考え方が有力に主張

---

8) 末弘厳太郎「法令違反行為の法律的効力」法協47巻1号68頁（1929年）。
9) 二元論は公法と私法は法領域が異なり、お互いに干渉しないことを原則とするので、無効を導き出すのに公序良俗違反を持ち出す必要はないはずであるが、末弘説では、取締法規違反行為が私法上無効とされる場合の実定法上の根拠には、公序良俗違反（民法90条違反）も含まれている。なお、この点について大村敦志教授は二元論からは、第一に違反行為の個別事情は捨象されている、第二に無効の効力を引き出すのに「公序良俗違反」には依拠しないという特徴があるが、末弘説では前記の①ないし③の要素を考慮する点で、理論上も実際上も貫かれていないと指摘している（大村・前掲注6）「取引と公序——法令違反行為効力論の再検討（下）」ジュリ1025号68頁）。
10) 取締法規違反行為の効力論の意義については、前掲注6）の各論文を参照。
11) 取締法規違反行為の効力論の通説・判例については、我妻・前掲注4）263頁、四宮和夫『民法総則〔第4版〕』（弘文堂、1986年）195頁、根岸哲「取締法規違反の契約の効力」（加藤一郎・米倉明編『民法の争点I（総則・物権・親族・相続）』ジュリ増刊（有斐閣、1985年）34頁）など参照。

されている[12]。このような考え方の多くが、消費者取引では取引の安全は問題とならないこと、消費者取引の分野における各種の規制法令の趣旨、目的が「消費者の利益保護」に変質してきていることを重視しているし、また、強行規定違反（民法91条）と公序良俗違反（民法90条）を一元的に理解する傾向がある[13]。末弘博士の取締法規違反行為の効力論が、違反行為の有効化の理論であったのに対し、消費者取引における規制法令違反行為の効力論を展開するこれらの考え方は、違反行為の無効化の理論であるといえよう。

　これらの学説は「無効化」の根拠に違いがある。その一つは「公法私法関係の変化」から取締法規の効力を論じる大村説である。大村説では、取締法規は取引とは直接に関係しない価値を実現するための法令（警察法令）から取引と密接な関連を有する法令（経済法令）へ変化してきており、経済法令には、個々の取引において当事者の利益を保護することを目的とする法令（取引利益保護法令）と取引の環境となる市場秩序の維持を目的とする法令（経済秩序維持法令）があるとし、法秩序の実現における個人の役割の再検討が必要で、法令は個人の権利実現を支援し、公法の領域に属する法令が私法上の公序に組み込まれるべきで、法秩序の実現のためには個人の権利を左右することも必要と説く[14]。

　また、民法の公序の基礎にある基準や原理の整理を通じて、新たな公序の承認を論じ、消費者取引では消費者の正当な利益の擁護、促進が広義の公序

---

12) 特に消費者取引との関係で取締法規の効力論を展開するものとしては、前掲注6）の山口、大村の各論文、長尾治助「消費者取引と公序良俗則」『消費者私法の原理』（有斐閣、1992年）213頁以下、石田穣『民法総則』（悠々社、1992年）284頁以下がある。また、制度間競合論の視点からこの問題を論じたものとして、山本敬三「取引関係における公法的規制と私法の役割——取締法規論の再検討（1）（2・完）」ジュリ1087号・1088号を参照。

13) 大村・前掲注6）「取引と公序——法令違反行為効力論の再検討」では、立法の沿革としては、強行規定違反は当然無効と考えられていたこと、そのような規定がない場合でも法律行為が無効となる場合のあることを明記するために民法90条が置かれたこと、他方、民法91条は慣習の法的効力を規定した民法92条について見解が分かれたため、民法92条の論理的な前提として民法91条が置かれたものであり、民法の起草過程では、強行法規違反と民法91条は結びつけられておらず、民法91条は、強行規定の効力論とは別の理由から規定されたと指摘されている。

の一環をなしているとし、民法90条の公序良俗の中にはこのような「消費者取引公序」が含まれているとする。その上で、消費者取引を対象とした公序良俗違反の有無を判定する要素となる事項を挙げる長尾説がある[15]。

これに対し、憲法秩序からの私法の見直しを行い、通説的な取締法規違反行為の効力論が前提としていた公法と私法の二分論（二元論）の再検討を行い、個人は国家に対する基本権の保護請求権を有することを根拠にして、「取締法規とは、国家＝立法者が、基本権の保護もしくは支援を目的として、一定の積極的な措置——一定の行為を禁止ないし命令し、その違反に対して場合によっては制裁を科す——を定めたもの」であり、このことを前提にして「裁判所が、右の取締法規の目的を実現するために、90条を用いて、違反行為の効力を否定するという法形成を行う」のが取締法規違反行為の効力論であるとする山本説もある[16]。

これらの考え方を踏まえると、消費者取引の場面では取締法規違反行為の私法上の効力が積極的に否定される場合が多くなることは間違いない。

特に、消費者利益の保護のための各種の業法は、直接に消費者（文言上は「購入者」や「利用者」「委託者」などとされている）の利益を保護することを立法目的に謳っているのであるから（たとえば、特商法1条）、これらの業法が事業者に課す義務は行政上の義務ではあっても、消費者の利益を直接保護するために課されているものであり、その義務に違反する行為は法的には存

---

14) 大村・前掲注6)「取引と公序——法令違反行為効力論の再検討（下）」ジュリ1025号71頁。なお、「取締規定の趣旨目的」を再検討して取締法規違反の効果論を詳細に検討するものとして石田・前掲注12)『民法総則』284頁以下がある。

15) 長尾・前掲注12)「消費者取引と公序良俗則」213頁以下。長尾教授の挙げる判定要素は、①当事者の関係と状況、②勧誘の不当性、③不当な利益の追求（消費者のおかれている社会的条件（弱み）を悪用しての）、④事業者の意図の悪質性、⑤消費者関連行政法規とその立法趣旨などであり、具体的には「不公正な取引の仕組み」「不公正な勧誘方法」「景品類等による不当勧誘」などが挙げられている。

16) 山本敬三『公序良俗論の再構成』（有斐閣、2000年）246頁以下。山本説では「そうした法形成が、過剰介入の禁止に反しないかどうかが、決定的な問題となる。」とし、過剰介入の禁止になるかどうかの判断を行う際の衡量基準の検討を行っている。山本説が挙げる衡量基準としては、①均衡の原則、②適合性の原則、③必要性の原則がある（同書253頁以下）。

在を許されないと評価されるべきものである[17]。

　そうである以上は、保護すべき利益が同じ場合や同種あるいは共通する場合には、これらの利益を侵害する行為が許容されないものと評価する以上、公法だけでなく私法の世界においても同様に法的には存在を否定されるべき行為と考えなければ、社会全体の規範としては矛盾した結論となってしまう。

　山本教授が論じているように、明治憲法下とは異なり、個人の尊重を基本とし、人権のメニューも多様化している日本国憲法下においては、国家からの自由のみを憲法が規定しているのではなく、国家による自由も規定しているのであるから、個人の尊重のために国家の役割が積極的に求められる分野においては、公法と私法の二元論は相対化されたものにならざるをえず、また、お互いに影響しあうことも承認されると考えるべきである。

　したがって、行政取締法規であっても、消費者の利益を直接に保護するための規定に違反した行為によって締結された契約の効力を、そのまま承認することは相当ではなく、かかる契約は私法上も無効として扱うべきであろう。

　この意味で、取締法規違反の私法上効力論は、消費者を不当な契約から解放する法理として活用することが必要であるし、特に民事効の定められていない各種の業法違反行為によって締結された契約の拘束力から消費者を解放

---

[17] 特に、消費者の利益を保護するために、ある業態を一般的に禁止して違反者に刑事罰を科したり（無限連鎖講防止法）、非常に厳しい要件や規制の下にその業務を許容し、違反した場合に刑事罰の制裁を加えている場合（特商法の連鎖販売取引規制や商品先物取引法などによる商品先物取引規制など）には、なおさら社会的に存在を許容されない行為によって契約が締結されたとみられるから、その効力が否定されてしかるべきである。その意味では、消費者の利益を守るための取締法規に違反する取引の私法上の効力を考える場合にも、そもそもそのような取引が法令によって規制を受けているのか否か、受けているとするとその規制の内容はどのようなものか、違反の場合の制裁が刑事罰なのか行政罰なのか、制裁の程度はどの程度のものとされているのか等も無効判断に影響を及ぼすと考えられる。本章の事例についてこのような観点から序列をつけるとすると【事例5】【事例4】→【事例3】【事例2】→【事例1】の順に、当該の取引を行ったという事情のみで契約が無効とされる可能性が高くなる。また、無効の効力も、絶対的無効か相対的無効か、むしろ取消権とすべきか、あるいは契約自体を無効にするのではなく権利行使を否定するに止まるものかの違いを認める必要もあるように思われる。

するために積極的な活用が求められる。

第3　内容の適正（履行の段階での内容の妥当性）

1　履行の段階での内容の妥当性に関する事例と検討

(1)　信義則によるローン請求権の減縮【事例6】

・東京地判平3・4・17（判時1406号38頁、消費者取引判例百選〔38〕）

　この事例は、倒産寸前のゴルフ会員権販売業者が、売買契約書を偽装してローン会社からゴルフ会員権ローンの直接支払いを受け、その後、顧客に名義書換をしない間に倒産したケースである。

　この事例の判決は、売買契約書等ゴルフ会員権の名義書換手続に必要な書類が偽造されたものであることは認めたが、契約締結過程の事情を考慮して、結局、ローン会社との間の金銭消費貸借契約の成立を認めたうえで、信義則を根拠に貸金の半額についてのみ支払義務を認めている。この判決が、信義則適用の根拠として挙げている事情は、①契約書の偽造は貸金業者側に容易に認識できたこと、②貸金業者は業者の信用状態の悪化も予見できたことなどであり、契約締結時点におけるローン会社の過失が考慮されている。

(2)　過剰与信事案における信義則による貸金債権の減縮【事例7】

・釧路簡判平6・3・16（判タ842号89頁、消費者取引判例百選〔81〕）

　この事例は、過剰与信を理由にして貸金業者からの貸金請求を信義則によって減縮したケースである。

　この判決は、貸金業者において借り主の返済能力について重大な調査不足または判断の誤りがあったとし、信義則を根拠に貸金業者の請求できる範囲を減縮したものである。この判決は、貸金業法等に定める過剰与信の禁止が訓示規定であったとしても、その違反の程度が著しい場合には、信義則違反あるいは権利濫用の判断、さらには公序良俗違反の判断を根拠づける重要な要素として働くとし、返済能力についての貸金業者の調査や判断に重大な誤りがあった場合には、信義則を適用して請求の減縮ができるとする[18]。

2　信義則による契約履行段階における妥当性確保

(1) 不当な内容の契約に基づく履行請求と信義則による義務調整

　消費者取引では、消費者の特性の故に、内容が不当な契約が締結されることが少なくない。その場合、すでに述べたように、契約締結過程で発生した様々な問題を取り上げて、契約の成立自体や錯誤、詐欺を理由とする意思表示の取消し、あるいは公序良俗違反、行政規制法規違反による無効が主張できる場合は、そもそもこのような不当な契約内容が実現され、履行が強制されることはない。しかし、そこまで契約締結過程の問題が深刻ではない場合には、このような方法で消費者を不当な契約から解放することは難しくなる。しかし、他方で契約内容が不当であるのに、その履行を消費者が強制されることも問題である。

　そこで、履行段階における不当な権利行使を抑制するために、信義則が援用されることがよく行われる。第2章の【事例1】を思い起こして欲しい。一審の本荘簡裁がそもそも立替払契約は不成立としたのに対し、控訴審の秋田地裁は、一転して契約成立を認め、さらに錯誤の成立は否定しながら、結論としては信義則を援用して、クレジット会社の立替金請求権を否定している。本章の【事例6】と【事例7】も、同様な問題状況にあると考えられる。

(2) 信義則の機能と請求の減縮

　信義則の適用の場面あるいは機能としては、補完的、創造的、調整的機能があると指摘されているが、通常は、本来の給付債務それ自体ではなく、付随義務の根拠になったり、履行段階での相互利益の調整根拠になるなど、本来の給付の外延や周辺を修正する原理であった[19]。

　しかし、本章の事例のような場合では、信義則を根拠に請求権自体を減縮

---

18)　なお、【事例6】および【事例7】以外で信義則を根拠に請求の減縮をした判例としては、過剰貸付を理由に信義則を援用して貸金請求を減縮したケースでは下関簡判昭63・12・27日弁連消費者問題ニュース9号6頁、大阪地判平6・9・13判時1530号82頁があり、先物取引の差損金請求権を否定したものとして、大阪高判平3・9・24判時1411号79頁とその上告審である最判平6・1・31先物取引裁判例集15号77頁がある。また、後述する【事例8】の最判では電話サービス契約約款の効力が問題とされているが、電話の通話料金の請求の減縮という結論では、同じである。

してしまうものなので、ドラスティックな方法である。消費者法の分野では、消費者と事業者間の情報や交渉力の不均衡を埋めるためには、このような信義則の使い方が必要とされる社会的現実と実定法や法理論上の不備がある。

　たとえば、【事例６】の判決は、契約書などの偽造がなされているにもかかわらず、金銭消費貸借契約の成立を認めながら、他方で信義則で請求を減縮するという手法をとっている。理論構成としては歯切れが悪く、もう少しストレートに契約不成立または抗弁の対抗（第７章参照）を認める方がすっきりする。この判決が、消費貸借契約の成立を認めた理由として挙げている点、すなわち、①貸し主の担当者が購入者の融資意思を確認していること、②分割金の口座引落等に購入者が異議を述べていないこと、③購入者が名義書換がいずれなされるだろうと期待していたことなどをみると、消費者の意思表示にはかなり曖昧な部分が多く、契約の成否で結論を付けてしまうには躊躇を覚える現実がある。反面、この判決も認定するように、名義書換には半年くらいかかるのが通例とすれば、購入者がこのような態度でいたことはもっともなことであると考えられる。消費者契約では、このように意思が曖昧であることが多い現実があり、他方で曖昧な意思のまま契約の成立を認めて消費者が契約の拘束力に服するとするには酷な場合も多い。このようなことから、【事例６】の判決のように、全体を眺めて中間的な結論を是とし、そのような結論を導きだすために信義則が用いられることが少なくない。

　また、【事例７】の判決では、制裁のない訓示規定であっても行政規制上の法律に定められている義務に著しく反している場合には、法の力を借りて債務者にその履行を強制することは信義則に反すると述べられている。自ら法令違反を犯していながら、他方で法令違反の行為によって生じた民事上の請求権の行使は信義則上許されないと考えたものである。しかし、見ようによっては、業者が違反したのが訓示規定であったが故に、私法上の効力の否定ではなく、信義則を援用して義務履行の内容と程度の調整を図らざるをえ

19）　信義則の機能については、好美清光「信義則の機能について」一論47巻２号181頁、谷口知平・石田喜久夫編『新版注釈民法（１）』（有斐閣、1988年）116頁以下〔安永正昭執筆部分〕を参照。

なかったものといえよう。

(3) **請求制限の根拠としての信義則の活用**

　以上のように、他の法理では妥当な解決が図れない、あるいは、契約の拘束力や不当な契約の効力を否定することまで踏み切れない場合に、信義則が請求権を制限する法理として使われている現実があるが、不当な契約に基づく履行を強制されることから消費者を解放する法理として、このような法理の活用が必要である。

第4　内容の適正（約款規制）

1　約款規制に関する事例と検討

(1) **ダイヤルQ2事件【事例8】**

　・最判平13・3・27（民集55巻2号434頁、消費者法判例百選〔97〕）

　この事例は、ダイヤルQ2の通話料の支払義務を巡る一連の訴訟に対して、最高裁が信義則違反を理由として通話料の請求の減縮を認めたものである。

　最高裁は、NTTの電話サービス約款に基づき、加入電話契約者は、その加入電話を利用した者が誰であるかを問わず、その通話料を支払う義務を負うことが原則であるとしながら、これは、それまでの通常の通話の状態を前提とするものであり、これを変更する新たな事態が創出され、これに伴って通話料の負担についても大きな変動が起こりうる可能性がある場合には、これを創出したNTT側において、その内容を周知徹底させ、その不知から生じうる危険を未然に防止すべき契約当事者としての信義則上の義務があり、これを怠ったことにより、加入電話契約者が不知の間に、通話料が予測をはるかに超える高額なものとなった場合には、加入電話契約者が、その事由を解明し、その防御措置を講ずるために要する相当な期間は、ダイヤルQ2にかかる通話料につき、NTTは相当割合を超えて請求することは信義則上許されないと判断している。

(2) **自動車保険普通保険約款の故意免責の制限【事例9】**

　①東京地判昭60・10・25（判時1168号14頁）

　②最判平5・3・30（判時1489号153頁、消費者法判例百選〔54〕、①の上告審）

この事例は、自動車のドアの取っ手に手を掛けてドアを開けるよう要求している人がいるのに急発進させてその人を転倒死亡させた事案である。被害者の相続人が加害車両の任意保険会社を被告として普通保険約款に基づく被害者への保険金の直接請求をした。裁判所は自家用自動車保険普通保険約款中の「故意免責」条項を限定解釈することによって、「故意免責」条項にいう「故意」には「未必の故意」は含まないと判示し、自動車の運転手に被害者に対する「未必の故意」がある場合でも、保険会社の免責の主張を認めず、保険金の支払いを命じたものである。

2　約款の内容と効力の適正
(1)　約款規制の法理
　約款は、予め事業者によって一方的に作成され、消費者には一律に適用されることになる契約条件である。消費者には交渉の余地はなく、通常、その内容すら知らずに画一的契約条件として適用されるものである。その意味では、法律に近いものであるが、問題はその内容を事業者が自らの利益のために一方的に定めてくるということである。約款の利用は、取引を迅速かつ簡単にし、コストを引き下げるという消費者にとってのメリットもあるが、畢竟、事業者に都合のいい条項ばかりが並び、消費者に不利益な条項が置かれることが当たり前となっていることは、前述の事例をみれば、明らかであろう。
　しかし、内容が不当な約款の拘束力から消費者を解放することは簡単ではない。最も手っ取り早いのは、約款規制法を制定することであろうが、ヨーロッパ諸国と異なり、我が国では消契法に不当契約条項を規制する条項が置かれた以外には、2017年改正民法により後述の「定型約款」に関する規律が導入されるまでは、一般的な約款規制法は存在しなかった[20]。
　したがって、約款の内容の適正を図るには、何らかの法理論によるしかなかったが、このような意味で約款の内容規制の方法としては、①約款そのものの拘束力を否定してしまおうという方法と、②契約内容の規制に関する他

---

20)　特商法や割販法に規定されている違約金などの制限条項も約款規制のひとつであるが、適用対象が限定されており、一般的な約款規制法ではない。

の法理を援用して個別の約款条項の効力を検討する方法がある。

　①の約款そのものの効力を否定するアプローチは、約款も契約であることを前提にして、不当な内容の約款は合意の内容にならないという考え方である[21]。これに対し、②の内容規制に他の法理を援用するものには、「信義則の援用型」と「解釈型」がある。

　信義則の援用型は、文字通り、信義則を援用して不当な約款の条項の効力を否定したり、それに基づく権利行使を否定するもので、【事例8】がそれである。解釈型は、契約や意思表示の解釈を通じて硬直な契約の効力や不都合な条項を排除しようとするもので、【事例9】のように約款の条項の意味を限定的に解釈したり[22]、創造的に解釈することにより[23]、不都合な条項の効力を修正しようとするものである。解釈型の約款規制の手法は、やり方によっては解釈の枠を超えることになるし、解釈による法の創造となるという批判もある。

　このような批判を踏まえて、「はじめに契約類型ありき」として、その典型的な契約類型からの偏差や逸脱に正当な理由があるか否かを問題にする

---

21)　ダイヤルＱ２については、NTTが電話サービス約款中に、番組提供業者（IP）の提供する番組をダイヤルＱ２によって利用した場合には、その情報提供料をNTTかIPに代行して加入電話契約者から取立代行できる旨の規定が置かれていることを根拠に、NTTは加入電話契約者に対するIPの情報提供料の支払請求権があると主張していた。しかし、他の電話会社との間の見なし契約の条項と異なり、このような約款の条項があっても、IPとの間では、加入電話の契約者であるからといって当然に情報提供料の支払い義務がある訳ではない。実際に情報提供を受けた者が支払義務を負うという解釈がなされているのも、約款の規定があっても合意の対象にならないと考えたものとみることも可能である。
22)　【事例9】の①判決が理由中で約款解釈の原則として述べられている「疑わしきは、保険契約者の利益に解すべし」とする解釈方法がその例である。
23)　東京高判平13・1・25判タ1085号228頁が、金銭消費貸借契約書上には、利息の支払いが1回でも期限に後れると当然に期限の利益を喪失する旨記載されている場合でも、借り主の利息の遅滞に対して貸金業者が遅延損害金の請求をしなかったことから、貸金業者が借り主の利息の支払い遅滞によっても直ちに期限の利益を喪失したとして、残元金の返済を求めたり、遅延損害金の請求をする意思を有していなかったものであり、期限の利益の喪失にあたる事由があってもこれを宥恕していたものと認められると判示しているのがこのような例である。

「典型契約論」も主張されている[24]。この説では、解釈の基準として「典型契約」から出発するので、類型化や基準明確化に資すると主張されている。

(2) 契約過程の重要性と契約正義

約款の問題を検討してきたが、約款を巡る議論では、①約款の「拘束力」ということと、②約款の「内容の適正、公正、公平」が問題となっている。もう少し一般化すると消費者契約の成立、有効性の問題も含めた「拘束力」と不合理な契約内容の規制の根拠、理論、方法が問題となっている。

古典的（伝統的）な法理論では、このような問題、特に現代社会で起きている問題をうまく説明できなかったり、処理できない場合が少なくない。消契法が制定された背景には、このような事情がある。

これまでみてきたように、現代における契約（特に消費者契約）では、成立・効力ともに過程（プロセス）が重要になってきている。契約に時間の要素が入ってきている。その場合、取り込まれる要素は、当事者の意思だけではなく、状況や環境、慣習や合理性という当事者の意思の外にあるものも考慮に入れるようになっている。

これを別な言い方をすれば「契約正義」ということになるが、契約正義の強調は、私的自治との緊張関係を生じさせることになる。

3　消契法による約款規制と民法の「定型約款」に対する規律

(1) 消契法による約款規制

従来、民法には約款規制に関する規定は置かれておらず、以上、解説してきたとおり、約款規制については、意思表示や法律行為の効力、契約法理などの民法の基本原則から議論されてきた。

これに対し、「消費者契約」については消契法が、①事業者の損害賠償責任を免除する条項（同8条）、②債務不履行や瑕疵担保責任に基づく契約解除権を消費者に放棄させる条項（同条の2）、③事業者に対し後見開始の審判等による解除権を付与する条項（同条の3）、④消費者の損害賠償責任を

---

[24] 大村敦志『消費者法〔第4版〕』（有斐閣、2011年）139頁、同「契約内容の司法的規制 (1) (2・完)」NBL473号・474号参照。

加重する条項（同9条）および、⑤任意規定と比較して消費者の権利を制限しまたは消費者の義務を加重する消費者契約の条項であって、信義則に反して消費者の利益を一方的に害する条項等を無効とすることで約款規制を行っている。詳細は、**第4章**を参照されたい。

(2) 民法による「定型約款」の規律

ア　2017年改正民法による「定型約款」規定の新設

民法は、2017年改正において「定型約款」について規定し、定型約款について基本的なルールを定めた（民法548条の2～4）。しかし、民法は規律の対象を「定型約款」に限定しており、約款一般を対象とはしていない。また、当然のことであるが消費者取引に用いられる定型約款に限定している訳でもない。

その概要は、イからオのとおりである。

イ　定型取引と定型約款

定型約款とは、「定型取引」に用いられるものであるが、定型取引は、①ある特定の者が不特定多数の者を相手方として行う取引であって、②その内容の全部または一部が画一的であることが双方にとって合理的なものである必要がある。そして、このような定型取引において、③その取引の契約内容とすることを目的として、④特定の者（契約の一方当事者）により準備された条項の総体が、「定型約款」と定義とされている（民法548条の2第1項）。つまり、交渉により修正や変更の余地がないものを意味し、個別合意した条項は定型約款に該当しない。

そのうえで、民法は定型約款が契約内容となる要件（組入要件）（同548条の2第1項）、契約内容として組入れられない条項（不当条項）（同548条の2第2項）、定型約款の開示（同548条の3）および定型約款の条項の変更（同548条の4）について基本的な規律を定めている。

ウ　定型約款の積極的組入れ要件（民法548条の2第1項）

定型約款が契約内容となるためには、まず、①定型約款を契約内容とする旨の合意（組入れの合意）が必要である。この合意は、個々の条項を契約内容とすることの合意ではなく、約款全体を契約内容とすることの合意である。次に、②定型約款準備者があらかじめその約款を契約内容とする旨を相手方

に表示している必要があるが、民法は表示方法について限定は設けていない。

なお、取引の公共性が高く、約款による契約内容の補充の必要性が高い取引では、定型約款の準備者が「表示」していなくても、個別の特別法に基づき「公表」されていれば組入れ要件を満たすものとされた[25]。

エ　定型約款の消極的組入れ要件（民法548条の2第2項）

積極的組入れ要件を満たす場合でも、①相手方の権利を制限し、または相手方の義務を加重する条項であって、②その定型取引の態様およびその実情ならびに取引上の社会通念に照らして信義誠実の原則に反して相手方の利益を一方的に害すると認められるものについては、「合意しなかった」（組み入れなかった）とされる。消契法10条の不当条項規制の要件と類似しているが、その効果は、上記の①および②に該当すると、当該約款が無効となるのではなく、合意されなかったことになる点で消契法10条と異なっている。

また、消契法10条と異なり、比較や考慮の対象は任意規定ではなく定型取引の「態様」「実情」ならびに「取引上の社会通念」であって、条項の内容面だけでなく、意思形成過程を含む取引プロセスも考慮した合意擬制の排除の判断がなされることになる。

オ　定型約款の内容の表示（民法548条の3）

民法は、定型約款の内容についての開示義務を約款準備者に課し、開示を拒絶した場合の約款組入れの効果については、相手方が請求したにもかかわらず、開示を拒絶した場合には、契約内容への組入れ要件が満たされないものとしている。

しかし、開示義務は、①相手方の請求が要件であり、②合意の前または合意後相当の期間内という開示請求の時間的制限がある。また、③定型約款記載書面（電磁的記録）を交付、提供していた場合は開示義務が除外されている。

カ　定型約款の変更（民法548条の4）

民法は、定型約款について、①変更が、相手方の一般の利益に適合すると

---

[25]　このような例に該当する特別法としては、鉄道営業法18条ノ2、軌道法27条ノ2、海上運送法32条の2、道路運送法87条、航空法134条の3、道路整備特別措置法55条の2などがあるが、これらの事業では消費者が取引の相手方になる場合が殆どである。

き、または、②変更が、ⓐ契約をした目的に反せず、かつ、ⓑ変更の必要性、ⓒ変更後の内容の相当性、ⓓこの条の規定により定型約款の変更をすることがある旨の定めの有無およびその内容、ⓔその他の変更に係る事情に照らして、ⓕ合理的なものであるときは、相手方との個別合意なしに変更できることとしている（同条1項）。

ただし、定型約款を変更する旨、変更後の内容および効力発生時期の周知が必要とされており（同条2項）、また、民法548条の4第1項2号（上記の②）の変更は、変更の効力が発生する時期までに周知しなければ変更の効力はないとされている（同条3項）。

なお、この周知は「インターネット」その他の適切な方法によることで足りるとされている。

《参考文献》
【契約内容の適正】
・長尾治助「消費者取引と公序良俗則（上）（中）（下）」NBL457号・459号・460号
・山口康夫「取締規定に違反する契約の効力——消費者取引との関連を中心として」札幌法学1巻1号
・大村敦志「取引と公序——法令違反行為効力論の再検討（上）（下）」ジュリスト1023号・1025号（同『契約法から消費者法へ』（東京大学出版会、1999年）所収〔第2章第2節　取引と公序〕）、同「契約内容の司法的規制（1）（2・完）」NBL473号・474号
・山本敬三「現代社会におけるリベラリズムと私的自治」法学論叢133巻4号・5号、同「取引関係における公法的規制と私法の役割（2・完）」ジュリスト1088号95頁、同『公序良俗論の再構成』（有斐閣、2001年）
・椿寿夫・伊藤進編『公序良俗違反の研究——民法における総合的検討』（日本評論社、1995年）・潮見佳男「第三章　消費者契約における不当条項の内容規制」『契約法理の現代化』（有斐閣、2004年）の「第二部　投資取引・消費者契約に見る民法法理の現代化」所収
【約款・不当条項規制】
・広瀬久和「附合契約と普通契約約款」『講座基本法学4』（岩波書店、1983年）・河上正二『約款規制の法理』（有斐閣、1988年）

・滝沢昌彦「約款規制のあり方についての一考察」ジュリスト1034号24頁
・山本豊『不当条項規制と自己責任・契約正義』〔上智大学法学叢書18〕（有斐閣、1997年）
・大澤彩『不当条項規制の構造と展開』（有斐閣、2010年）
・河上正二責任編集『消費者法研究』3号（信山社、2017年）「〈特集〉改正民法における『定型約款』と消費者」

[齋藤雅弘]

第4章
消費者契約法
―― 契約締結過程と契約内容の適正化

第1　はじめに

1　消費者契約法の制定と改正

　現代社会において消費者は、事業者から商品を購入したり、サービスを委託するなどの消費者契約に囲まれている。ところが大量宣伝、大量販売の中で消費者と事業者には、商品・サービスの内容や契約内容に関する知識、情報、ならびに交渉力などに大きな格差が生じている。この事業者と消費者との間の格差の存在を原因として消費者トラブルや被害が増加している。また、規制緩和が進行して消費者の自己責任が求められるようになり、格差のある契約当事者に適応した法制度が必要となって、消費者契約法（以下「消契法」または「法」という）は2000年4月28日に成立し、2001年4月1日から施行された。

　消契法は、消費者と事業者の間の構造的な格差の存在を前提として、原則として契約当事者は対等であるとしている民法に変容を加え、一定の場合に消費者に契約からの離脱を認めたり、契約の拘束力を否定した。もともと日本の消費者保護法制は、私人間の契約には直接影響を及ぼさない行政規制が中心であったが、消契法は一定の場合に私人間の契約の拘束力を否定するものであり、同法の制定は、消費者保護法制が行政的救済と民事的救済の両輪を備えるようになる契機として重要性がある。

また、2006年5月に、同法の改正によって、消費者紛争・被害の予防、拡大防止や消費者団体の権限の強化などの必要から、内閣総理大臣が認定した適格消費者団体に、同法4条、8条ないし10条所定の不当な勧誘行為や契約条項を使用する事業者に対して差止訴訟を提起できる権利を付与する、消費者団体訴訟制度が創設された。
　そして、成立から16年を経た2016年5月に、高齢者被害の増加などに対応して、過量な内容の契約の取消しや無効となる契約条項の例示を加えるなどの改正が行われ、2018年6月にも高齢者や若年者の消費者被害に対応した改正が行われた。さらに2022年5月と12月にも改正がされている。この改正は、高齢者、若年者、障害者、マインドコントロールされた者など消費者の中でもより脆弱な状況に置かれた者に対する対応が求められてきていることや新たな不当条項が生じていることが大きな要因である。

2　消費者契約法の立法目的と基本的視点

　消契法1条は、同法の基本的な視点を定めており、重要なことは、消費者と事業者間の「情報、交渉力における格差」を正面から認めていることである。
　民法では、理性ある対等な当事者を前提として、私的自治の原則が妥当するとされていた。しかし、社会の発展に伴い、現実の社会では必ずしも理性ある対等な当事者を前提としたのでは具体的妥当性が確保できない事態が多く発生するようになっている。そのために、たとえば、労働法、借地借家法、利息制限法等によって私的自治の修正が行われてきた。
　消費者契約の分野においても、特商法（旧訪販法）、割販法等によって、クーリングオフ権が認められるなど、一定の私的自治の修正がなされてきたが、販売方法や対象が限られ、限定的であった。しかし、消費者契約をめぐるトラブルは消契法が制定された2000年頃は増加の一途を辿り、最初に改正された2016年頃は様々な対策によって多少減少していたが、その後も消費生活センターへの消費者相談件数は年間90万件前後で推移しており、依然高水準である[1]。また、70歳以上の高齢者の相談の割合が最も多い[2]。

1）　国民生活センター『消費生活年報2022』5頁。

このような消費者契約に関するトラブルの増加に対処するには、限定された私的自治の修正と、後追いで規制対象にすき間ができてしまう行政規制では不十分である。包括的な民事ルールとして消費者契約を規律する消契法の立法に至ったものである[3]。

現代の消費者契約では、消費者は、情報において優位に立つ事業者の情報提供に依拠して、商品、サービスを選択し、事業者が用意した契約条件で契約を締結するか否かを選択できるのみであることが多い。事業者と消費者には、商品、サービス等の契約目的や契約条件に関する知識や情報に格差があり、示された約款等の内容を検討したり拒否したりすることは事実上できないなど交渉力に格差が存在する。この格差の存在が不当勧誘や不当条項が生じる一つの原因となっている。高齢者、若年者、障害者、マインドコントロールされた者などの脆弱な消費者はさらにこの格差が大きい。

消契法は、このような消費者と事業者の間の情報・交渉力の格差を正面から認め、契約締結過程および契約内容に関しこれを適正化して、消費者の保護を図ることを目的としており、これを法1条で宣言している。

この法1条の基本的視点は法2条以下の各条項の解釈において非常に重要であるし、消費者契約に関する民法等の解釈においても重要な役割を果たすものである。また、法1条は本法の解釈の指針となるだけでなく、様々な消費者法制定や改正の指針となっているし、民法をはじめとする消費者契約を規律する法規の解釈の指針となるものである。裁判例においても、講座に関する事業者の説明義務に対する民法709条の解釈（大津地判平15・10・3最高裁ホームページ下級裁判所判例集、日弁連消費者問題対策委員会消費者問題ニュース97号11頁参照）、返済金の充当方法の解釈（福岡高判平16・11・12最高裁ホームページ下級裁判所判例集）などで、法1条が引用され消費者に有利な解釈がされている。

---

2) 国民生活センター『消費生活年報2022』4頁、6頁
3) 同法の立法経緯・内容・解釈については、末尾の参考文献を参照されたい。

3　消費者契約法の主な内容

消契法は4つに大別される。

(1) 目的、適用範囲

① 消費者と事業者との間の情報の質、量ならびに交渉力の格差の存在を明記し、これを是正して消費者保護を図ることを立法目的とした（法1条）。

② 例外を設けず、消費者と事業者との間で締結された消費者契約を幅広く適用対象としている（ただし、労働契約を除く）（法2条・48条）。

「事業者」とは、法人その他の団体および事業としてまたは事業のために契約する個人と定義され、あらゆる団体が「事業者」とされ、その適用範囲は広い（法2条）。

③ 事業者に対して、消費者契約の内容を消費者にとって明確かつ平易とする配慮と必要な情報提供をする努力義務を明記した（法3条）。

(2) 契約締結過程

契約締結過程での事業者の以下の不適切な勧誘行為に対して、消費者に取消権を与えた。

① 誤認行為

ⅰ　重要事項に関する不実告知（法4条1項1号・4条5項）

ⅱ　将来の変動が不確実な事項についての断定的判断の提供（法4条1項2号）

ⅲ　重要事項に関する消費者の不利益事実の故意又は重過失による不告知（法4条2項・5項）

② 困惑行為

ⅰ　住居、就業場所からの不退去による勧誘行為（法4条3項1号）

ⅱ　勧誘場所からの退去を阻害する勧誘行為（法4条3項2号）

ⅲ　勧誘目的を告げずに退去困難な場所に同行する勧誘行為（法4条3項3号）

ⅳ　威迫する言動を交えて相談の連絡を妨害する勧誘行為（（法4条3項4号）

ⅴ　願望の実現への過大な不安をあおる勧誘行為（法4条3項5号）

ⅵ　好意の感情に乗じる勧誘行為（法4条3項6号）

ⅶ　判断力の低下による生活の維持への過大な不安をあおる勧誘行為（法

4条3項7号)

　viii　霊感等により不安をあおる、あるいはこれに乗じる勧誘行為（法4条3項8号）

　ix　契約締結前に義務の内容を実施したり、原状回復を困難にする勧誘行為（法4条3項9号）

　x　契約締結前に契約締結を目指した事業活動の実施による損失補償を請求する勧誘行為（法4条3項10号）

　③　過量な内容の契約の勧誘行為（法4条4項）

(3) **不当条項規制**

約款等の契約条項のうち、以下のような消費者に一方的に不利益な条項は無効となるとした。

　①　免責条項

債務不履行・不法行為に基づく損害賠償責任や、契約不適合責任をまったく免除する免責条項（故意・重過失による損害賠償責任は一部免除の免責条項も無効）、または当該事業者にその責任の有無や限度を決定する権限を付与する条項（法8条）

　②　消費者の解除権を放棄させる条項、または当該事業者にその解除権の有無を決定する権限を付与する条項（法8条の2）

　③　消費者が後見の開始の審判等を受けたことのみを理由とする解除権を事業者に付与する条項（法8条の3）

　④　損害賠償の予定条項

　i　解除に伴う損害賠償の予定が当該事業者に生ずべき平均的な損害額を超えるもの（法9条1号）

　ii　金銭の支払期日経過による遅延損害金の予定が年14.6%を超えるもの（法9条2号。ただし、金銭消費貸借契約は利息制限法が適用。法11条2項）

　⑤　一般条項

前記以外でも、そのような契約条項がない場合に比べて、信義則に反して消費者の利益を一方的に害する条項は無効となる（一般条項。法10条）。

(4) **消費者団体訴訟制度**

　①　消費者の被害の発生または拡大を防止するため、内閣総理大臣の認定

を受けた適格消費者団体に対し（法2条4項・13条）、事業者等が4条1項から4項に規定する不当勧誘行為、あるいは8条から10条に規定する不当契約条項を含む契約締結行為を、現に行いまたは行うおそれがある場合に、これを差し止める権限を付与した（法1条・12条）。差止対象は、景表法・特商法・食品表示法によって拡大されている。

② 併せて、適格消費者団体に対して監督規定を置き（法23条から36条、49条から53条）、さらに、内閣総理大臣、独立行政法人国民生活センターや地方自治体の役割を定めた（法39条・40条）。

③ 訴訟手続は、民事訴訟法を原則とするものの、差止請求ができない場合、適格消費者団体が事業者に開示や説明を要請できる事項など一定の特則を設けた（法12条の2から12条の5・41条・43条から46条）。

第2　消費者契約法の適用範囲

1　消契法が適用される消費者契約とは、「消費者」と「事業者」との間で締結される契約である（法2条3項）。

2　「消費者」とは、事業としてまたは事業のために契約の当事者となる場合を除く個人である（法2条1項）。個人に限定され、法人その他の団体は消費者とはならない。法人その他の団体の中には規模が小さく、契約に関して情報や交渉力が乏しく、他の事業者に対して格差がある場合が存する。これらの団体が「消費者」として保護されないのは、立法論として問題がある。場合によって、類推適用が考えられよう。

個人は、当事者となる契約が事業に関連するか否かで、事業者と消費者が区別されるため「事業」とは何かが問題となる。情報・交渉力において優位な立場にあるといえるためには、ある行為を反復継続して行うこと、または行う意思をもって一定の行為をする必要がある。また、趣味等個人生活における活動は除かれるべきである。「事業」とは、社会生活上の地位に基づいて一定の目的をもって反復継続的になされる行為およびその総体というべきである。情報・交渉力の格差が問題であるから、事業かどうかの判断にあたっては、営利・非営利、あるいは公益・非公益の活動かどうかは問わない。

「事業として」とは、本来の事業活動そのものとして契約する場合をいい、「事業のために」とは、事業遂行そのものではないが、事業遂行のために通常必要となる場合の契約をいう。事業所に設置するために契約する場合でも、事業遂行のために通常必要としない動産の購入は「事業のため」とはならないと解される。事業遂行のために通常必要となる契約は当該事業活動を通じて情報を得たり、経験を積むことができるが、そうでない場合には情報や交渉力の蓄積がなく、いまだ格差があると解されるからである。

3　「事業者」とは、法人その他の団体、および事業としてまたは事業のために契約の当事者となる場合における個人をいう（法2条2項）。ここで注意すべきは、全ての法人および法人格なき社団は本法においては事業者に当たることである。地方公共団体、学校法人、宗教法人、NPO法人、ボランティア団体も例外なく団体であれば「事業者」となる（学校法人について最判平18・11・27民集60巻9号3732頁など）。

また、賃貸借契約の個人賃貸人の事業者性が問題となったが、賃貸人が個人でも、アパート経営を行っている場合は反復継続性が認められ事業者となると考えられる（大阪高判平16・12・17判時1894号19頁など）。間貸しや1軒だけ借家を持っている場合も結局賃貸を繰り返すことに反復継続性が認められるので事業者と解すべきである。

4　マルチ商法や内職商法の被害者は、一見すると収益を目的に反復継続する活動が予定されているので「事業者」ではないかが問題となる。法2条の事業関連性は形式的な定義から一律に判断されるものでなく、法1条記載の趣旨を勘案して、①収益性が単に商品を購入させるための口実にすぎないか否か、②契約者が契約締結当時にその契約の業務内容について情報や知識を有していたかどうか、あるいは開業準備段階にすぎないかどうか、③予定されている労務が私生活の範囲内かどうかなどの判断要素を考慮して、具体的事案に即して柔軟に判断すべきである。内職商法は、内職自体は商品販売や加盟料取得の口実にすぎず、被勧誘者は情報、交渉力において圧倒的に劣位におかれており、予定されている業務も私生活の範囲で行われるものであるので消費者である。マルチ商法の末端の被勧誘者も、情報・交渉力において圧倒的に劣位にあり、マルチ商法自体多くの場合破綻が予想され、さらに

その販売行為も特に店舗などを持たず私生活上の範囲内で行われることが多いことから、消費者と解される場合が多い。

第3　事業者の契約内容を明確かつ平易とする配慮と必要な情報提供の努力義務

1　法3条1項は事業者の努力義務を定めている。1号で事業者は契約条項につき消費者にとって「疑義が生じない」明確さが求められ、平易なものにするよう配慮しなければならない。2号で消費者契約の内容につき必要な情報を提供するよう求められている。情報提供の際に考慮すべき要素として、消費者契約の目的となるものの性質に応じ、個々の消費者の年齢、心身の状態、知識および経験への考慮が必要である。3号で消費者に約款開示請求権があるとの情報提供の努力義務、4号で解除権の行使に関する情報提供努力義務が定められている。

消費者と事業者との間には情報の質および量に大きな格差があるため、消費者は契約に関する情報を事業者に依存している。契約を締結するか否かの判断に必要な情報は事業者が保有しており、これが契約締結過程で情報として提供され、かつそれが正しいものでなくては、消費者は責任ある選択ができない。本法の立法前の国民生活審議会では、事業者が契約の重要事項に関する情報を提供しなかった場合には、意思表示を取り消すことができるようにすべきである、あるいは少なくとも事業者の情報提供義務を明定すべきであるとの議論があった。しかしながら、事業者団体等の反対で、結局、法3条1項のような「努力義務」となった。

法3条1項は、同項違反で取消しの効力が認められるわけではないが、努力義務も法的義務の一つであり、信義則上認められている事業者の情報提供義務の存在の実定法上の根拠となるし、同項違反の努力義務違反があれば民法上の不法行為を構成するなどの民事上の効果があると解せられる。その意味で同項は単なるプログラム規定ではない。

2　法3条2項は、消費者は、事業者からの情報提供等を活用し、消費者契約の内容について理解するよう「努めるものとする」とする。「努めなけ

ればならない」と規定されている事業者の努力義務との表現の差異、上記本法の基本的視点を考えれば、消費者には事業者に課せられているような努力「義務」が課されているわけではないと解される。

第4　誤認による意思表示の取消し

1　3つの類型

法4条では、消費者が契約締結過程における事業者の行為によって、意思表示を取り消しうる場合として、消費者が誤認した場合（法4条1項・2項）と消費者が困惑した場合（法4条3項。立法時には困惑類型は1号2号の2つの行為態様だけであったが、改正によって8つの行為態様が追加されている。）の2つの類型を規定し、その後改正によって、過量な内容の契約をした場合の類型が加えられた（法4条4項）。

民法の詐欺（民法96条）には当たらないが、①事業者の不適切な情報提供と考えられる誤認行為と、②民法の強迫（民法96条）には当たらないが、事業者の不適切な勧誘態様と考えられる困惑行為と、③高齢者被害で多く見られる合理的な判断ができないことにつけ込んだ過量販売となる勧誘の3つの類型について取消事由を定めたものである。

そして、誤認による意思表示の取消事由として、事業者が契約締結を勧誘するに際しての、不実告知、断定的判断の提供、不利益事実の不告知の3つの場合を定めている（法4条1項・2項）。

2　「勧誘をするに際し」の意味

誤認させる行為、困惑させる行為、過量販売となることは、いずれも事業者が消費者に対して「消費者契約の締結について勧誘をするに際し」なされる必要がある。

ここでいう「勧誘」とは、消費者の消費者契約締結の意思の形成に影響を与える程度の勧め方をいう。立法担当者は、不特定多数の消費者に向けられたパンフレット、チラシ、あるいは事業者が単に消費者からの商品の機能等に関する質問に回答するに止まる場合は「勧誘」に当たらないとする考え方

を取っていたが、パンフレット、チラシなども、消費者の契約締結の意思決定に影響を与えるものであることは明らかであり「勧誘」に当たる。判例も、事業者等による働きかけが不特定多数の消費者に向けられたものであったとしても、そのことから直ちにその働きかけが「勧誘」に当たらないということはできないとした（最判平29・1・24民集71巻1号1頁）。

3　不実告知——法4条1項1号

「重要事項」につき、「事実と異なることを告げること」によって消費者が誤認した場合には、消費者は当該意思表示を取り消すことができる（法4条1項1号）。

何が「重要事項」となるかについては法4条5項に規定されている（後述の法4条5項の解説部分参照）。

「事実と異なることを告げる」とは、真実または真性でないことをいう。民法の詐欺とは異なり、事業者が真実または真性でないことにつき認識を有している必要はなく、事業者に過失がなくてもよい。告知内容が客観的に真実でないことで足りる。たとえば、事故歴がないと説明して販売した中古車が実際には事故歴があった場合に、そのことを中古車販売業者が過失なく知らなくても消費者は契約を取り消すことができる。

「安い」「新鮮」などの主観的評価は「事実と異なること」の告知の対象とならないとの考え方がある。しかしながら、客観的相場や保存期間、保存方法から「安い」「新鮮」という評価も客観的な判断が可能な場合もあり、これを一律に対象から排除すべきではない。

裁判例として、当該宝石の価格について、商品をいかなる価格で販売するかは基本的に売り主の自由であるが、宝飾品については、主観的かつ相対的な価値判断によって価格設定がされるので、それが一般的にどのような価格で販売されているかが、購買意思に密接に関連するとして、当該宝石の一般的市場価格についてせいぜい12万円程度であるものを一般的な小売価格を40万円余りであると告げたことが、不実告知であるとして取消しを認めたものがある（大阪高判平16・4・22消費者法ニュース60号156頁参照）。

4　断定的判断の提供——法4条1項2号

　事業者が、消費者契約の目的となるものに関し、将来における不確実な事項について断定的判断の提供をなした場合も、消費者は意思表示を取り消すことができる（法4条1項2号）。専門家である事業者が将来の変動の見込みについて断定した判断を告げることは、契約の締結にあたり消費者の判断を誤らせるものとなるので、不適切な情報提供行為として取消事由としたものである。

　本号は、保険、証券取引、先物取引、不動産取引、連鎖販売取引、エステ、健康食品等の分野において問題になることが多い。裁判例として、パチンコ攻略情報に関する東京地判平17・11・8（判時1941号98頁、判タ1224号259頁）、外国為替証拠金取引に関する大阪高判平19・4・27（判時1987号18頁）などがある。

　断定的判断の対象は「物品、権利、役務その他の当該消費者契約の対象となるものに関し、将来におけるその価額、将来において当該消費者が受け取るべき金額その他の将来における変動が不確実な事項」とされているが、これが財産上の利得に関するものに限定されるか争いがある。「この塾に入れば必ず成績が上がります」「このエステを受ければ必ず美しくなります」など、財産上の利得以外の不確実な事項についても、本条の適用があると解すべきである。条文上の例示は財産的な指標であるが、断定的判断の提供が取消事由とされているのは、プロである事業者がアマチュアである消費者に対し、断定的判断の提供をすることが消費者の誤認を招くためであり、そのことは財産上の利得に限られるわけではないし、条文の文言上も「その他の将来における変動が不確実な事項」とあり「不確実な財産的事項」などの限定もないことからして、「その他の将来における変動が不確実な事項」は、財産上の利得に限られないというべきである。

5　不利益事実の不告知——法4条2項

　事業者が、消費者に対し、重要事項ないし同事項に関連する事項につき、一方で有利なことを告げ、他方で当該重要事項について不利益な事実を故意または重大な過失によって告げないために消費者が誤認した場合にも、消費

者は意思表示を取り消すことができる（法4条2項）。マンションの眺望の良さをアピールしつつ、業者が隣接土地に眺望を遮る建物の建設計画を知っていたような場合である（東京地判平18・8・30LLI判例検索、要旨のみ消費者法ニュース76号31頁）。

　ここでは、事業者の故意または重過失が要件とされている。この「故意」は、当該消費者に不利益な事実が存在することの認識で足り、当該消費者が不利益な事実の存在を知らないことの認識や当該消費者が不利益事実の存在を知らないことによって当該消費者に意思表示させようとする認識までは必要ないと解すべきである。法4条2項は詐欺の要件を緩和したものであり、法1条の精神からすれば、有利な事項を告げた事業者には不利益事項を告げる義務が認められてしかるべきであるから、「消費者が知っていると思っていた」といって免責される場合を認めるべきでないからである。

　なお、事業者が消費者に対し不利益事実を告げようとしたにもかかわらず、当該消費者がこれを拒否した場合には取消事由とならない（法4条2項但書）。

　法4条2項は、「重要事項」または「重要事項に関連する事項」について利益であることを告げ、併せて、当該「重要事項」について不利益になる事実を告げなかったことを要件としている。法4条2項の「重要事項」に金の先物取引における「将来における金の価格」が含まれるかについて争われた事件で、最高裁はこれを否定した（最判平22・3・30判時2075号32頁、判タ1321号88頁）。法4条2項・4項と法4条1項2号の条文の文言を比較して、商品先物取引の委託契約にかかる将来の商品価格など将来における変動の不確実な事項は不利益事実の不告知の重要事項には含まれず、断定的判断の提供の問題であるとした。しかし、法4条の各類型の不当行為については、重畳的に適用がありえるのであって、形式的な条文の解釈で、重要事項を狭めるのは不当である。

　不利益事実の不告知に関する裁判例として、①マンションの購入の際、ペットの飼育に関する販売業者の説明に関する福岡地判平16・9・22（最高裁ホームページ下級裁判所判例集）、②美容医療手術の方法が医学的に一般的承認をされた方法であるかに関する東京地判平21・6・19（判時2058号69頁）などがある。

6　重要事項——法4条5項

不実告知は重要事項に関するものでなければならず（法4条1項1号）、不利益事実の不告知では重要事項または当該重要事項に関する事項について利益になることを告げ、当該重要事項について不利益事実を告げることを要する（法4条2項）。

重要事項は、①当該消費者契約の目的になるものの質、用途その他の内容（法4条5項1号）、②当該消費者契約の目的となるものの取引条件（法4条5項2号）で「消費者が当該消費者契約を締結するか否かについての判断に通常影響を及ぼすべきもの」、および③2016年改正で法4条1項1号の不実告知に関してのみ「当該消費者契約の目的となるものが当該消費者の生命、身体、財産その他の重要な利益についての損害または危険を回避するために通常必要であると判断される事情」（法4条5項3号）が加わった。この改正によって、不実告知による取消しにおいて契約を必要とする事情が重要事項となるかの解釈上の争いが立法で重要事項となることで解決された。

3号は、たとえば、シロアリがいないにもかかわらず、シロアリがいるので駆除の必要があると言って、駆除作業の契約をさせる場合が該当する。シロアリがいることは建物という重要な財産について損害ないし危険があるといえ、その駆除は通常必要であると判断され重要事項となる。「損害又は危険」には、消費者がすでに保有している利益を失うこと（いわゆる積極損害）のみならず、消費者が利益を得られないこと（いわゆる消極損害）も含まれると解されている。たとえば、売却が困難な山林の所有者が、測量会社から真実に反して「山林の近くに道路ができている。家も建ち始めている。」と告げられた結果、当該山林を売却できると誤信して測量契約と広告掲載契約を締結した場合について、回避する損害または危険は売却による利益を得られないことと解され、本号に該当することとなる。

7　因果関係

事業者が契約締結を勧誘するに際して、①不実告知、②断定的判断の提供、③不利益事実の不告知のいずれかを行った結果、消費者が誤認して意思表示したという、因果関係がなければならない。

第5　困惑による意思表示の取消し

　民法の強迫（民法96条）には当たらないが、事業者の不適切な交渉態様と考えられる、①不退去、②退去妨害の2類型（法4条3項1号、2号）に加えて、2018年改正で③願望の実現への不安をあおる勧誘行為、④好意の感情に乗じる勧誘行為、⑤判断力の低下による生活の維持への不安をあおる勧誘行為、⑥霊感等により不安をあおる勧誘行為、⑦契約締結前に義務の内容を実施する勧誘行為、⑧契約締結前に契約締結を目指した事業活動の実施による損失補償を請求する勧誘行為の6類型の合計8類型について、消費者が困惑して意思表示をした場合に取消しができることを定め（法4条3項5号から10号）、さらに2022年改正で、⑨勧誘目的を告げずに退去困難な場所に同行する勧誘行為、⑩威迫する言動を交えて相談の連絡を妨害する勧誘行為を加え（法4条3項3号、4号）、さらに⑥と⑦について取消しができる範囲を広げた。

1　不退去──法4条3項1号

　消費者が事業者に対し、住居、業務を行っている場所から退去すべき旨の意思を示したにもかかわらず、当該事業者が退去しなかったことにより、消費者が困惑し、意思表示した場合には、消費者は当該意思表示を取り消すことができる（法4条3項1号）。

　「住居、業務を行っている場所」は、本条が平穏な消費者の生活、業務を確保する趣旨であることから、友人宅や宿泊しているホテル等も含まれると解すべきである。

　「退去すべき旨の意思を示した」は、「帰ってくれ」「お引き取り下さい」等明示的に告知した場合はもちろん、黙示的にでも、社会通念上退去して欲しいという意思が示された場合はこれに含まれるというべきである。たとえば、「時間がありません」「取り込み中です」と告げた場合や、身振りでいらない旨を示した場合等がこれに含まれる。消費者と事業者の交渉力の格差からすれば、消費者が明示的に告知できない心理的状態におかれる場合もあり

うるし、社会通念上退去して欲しいという意思が示されれば、事業者にも消費者の意思は伝わると解されるからである。

　裁判例として、①点検商法による床下換気システムの勧誘において、午前11時から午後6時30分まで勧誘を続けて契約に至った事例について、取消しを認めたもの（大分簡判平16・2・19判例集未登載、日弁連消費者問題対策委員会消費者問題ニュース100号11頁参照）、②訪問販売で、長時間にわたり購入を断り続けたことについて、退去の意思を黙示的に求めたと評価できるとして、法5条も適用して立替払契約の取消しを認めたもの（東京簡判平19・7・26最高裁ホームページ下級裁判所判例集）がある。

2　退去妨害——法4条3項2号

　消費者が事業者から勧誘を受けている場所から退去する旨の意思を示したにもかかわらず、事業者が、その場所から消費者を退去させないことも取消事由である（法4条3項2号）。退去する旨の意思を示す方法は、「帰りたい」「帰らせてくれ」等明示的に告知した場合はもちろん、黙示的にでも、社会通念上退去して欲しいという意思が示された場合がこれに含まれるのは不退去と同様である。退去をさせないことは物理的、心理的いずれの手段でもよい。

　「退去させない」とは、一定の場所からの脱出を不可能もしくは著しく困難にする行為と解する見解もあるが、これでは、刑法上の監禁と同程度の違法性を要求するに等しく、強迫と変わらなくなり本法の立法意義がない。「退去させない」とは、一定の場所から退去、脱出することを困難にする行為で十分であり、具体的には、消費者が立ち去ろうとしているのにさらに執拗に勧誘する行為も含まれるというべきである。

　裁判例においても、「法4条3項2号の『当該消費者を退去させないこと』とは、物理的なものであると、心理的なものであるとを問わず、当該消費者の退去を困難にさせた場合を意味すると解される」とし、消費者が帰ろうとしたところ、事業者が厳しい口調で引き止め、結局受講契約を締結した事例について、心理的に退去困難な状態とされて契約したとして、退去妨害による取消しを認めたものがある（神戸地尼崎支判平15・10・24LEX/DB文献番号25437488、大阪高判平16・7・30LEX/DB文献番号25437403）。

3　勧誘目的を告げずに退去困難な場所に同行する勧誘行為
　　——法4条3項3号

　2022年改正で加えられた行為態様である。勧誘目的を告げずに退去困難な場所に同行し勧誘して、消費者が困惑して意思表示をした時に取消し得るとした。展示会商法や無料旅行へ連れて行く商法で、勧誘されている消費者が退去意思を述べなかった、あるいは述べたが立証できなかったときには、退去妨害による取消ができないので意味がある。ただし、事業者から勧誘目的が告げられていないとの要件がある。退去困難な場所に連れて行かれれば、消費者が退去意思を示して困惑して契約させられるということが容易に推測され、そのような状況を間接事実として、従前の退去妨害を理由とした取消しは認められ得るので、退去妨害と重畳的に主張することとなろう。

4　威迫する言動を交えて相談の連絡を妨害する勧誘行為
　　——法4条3項4号

　2022年改正で加えられた行為態様である。消費者が契約するかどうかを電話などで誰かと相談をしたいと意思表示したのに、これを事業者が威迫した言動を加えて妨害し、消費者が困惑して意思表示をした場合に取消し得るとした。相談方法は内閣府令で、電話、電子メールなど「連絡する方法として通常想定されるもの」が広く対象とされている。高額なセミナーや結婚式場の契約において、消費者が「親と電話で相談したい」と言ったのに、店員から強い調子で「もう大人なんだから自分で判断できるはずだ。親に相談する必要はない。」などと言われた場合などである。勧誘されている消費者が退去意思を述べなかった、あるいは述べたが立証できなかったときには、退去妨害による取消ができないので意味がある。「威迫した言動」は、強い調子で述べることを含めて解釈されるべきである。

5　願望の実現への不安をあおる勧誘行為——法4条3項5号

　当該消費者が、社会生活上の経験が乏しいことから、①進学、就職、結婚、生計など社会生活上の重要な事項（法4条3項5号イ）、②容姿、体型などの身体の特徴、状況に関する重要な事項（法4条3項5号ロ）に対する願望の

第4章　消費者契約法　111

実現に過大な不安を抱いていることを知りながら、その不安をあおり、裏付けとなる合理的な根拠があるなどの正当な理由がある場合でないのに当該消費者契約の目的となるものが当該願望を実現するために必要である旨を告げる勧誘を、取り消しうる勧誘とした。不安をあおって、役に立たない就職セミナーに勧誘したり、根拠の薄弱な健康食品の購入を勧誘するなどが典型例である。「社会生活上の経験が乏しいことから」は、年齢ではなく、当該消費者契約の締結をするのに必要な社会的経験が積まれていたかで判断すべきである。

6　好意の感情に乗じる勧誘行為──法4条3項6号

いわゆる恋人商法を取消しの対象とした。当該消費者が、社会生活上の経験が乏しいことから、当該消費者契約の締結について勧誘を行う者に対して恋愛感情その他の好意の感情を抱き、かつ当該勧誘を行う者も当該消費者に対して同様の感情を抱いているものと誤信していることを知りながら、これに乗じて当該消費者契約を締結しなければ当該勧誘を行う者との関係が破綻することを告げる場合を取消しの対象とした。恋愛感情に限られず、友人関係や先輩後輩の関係などが「その他の好意の感情」に含まれる。「社会生活上の経験が乏しいことから」は、年齢ではなく、当該消費者契約の締結をするのに必要な社会的経験が積まれていたかで判断すべきであり、「関係が破綻することを告げる」は明示の場合だけでなく、黙示や動作でわかる場合も含まれると解すべきである。

7　判断力の低下による生活の維持への不安をあおる勧誘行為
　　　──法4条3項7号

判断能力が劣っている消費者に対する不安をあおる勧誘を取消しの対象とした。加齢や心身の故障で判断力が著しく低下していることから、生計や健康などに関して現在の生活の維持に過大な不安を抱いている消費者に対して、そのことを知りながら、その不安をあおり、裏付けとなる合理的根拠などがないのに、当該消費者契約の維持が困難となる旨を告げる勧誘を取消事由とした。

8　霊感等により不安をあおる勧誘行為——法4条3項8号

被害の多い霊感商法を取消しの対象とした。消費者に対して、霊感などの合理的に実証することが困難な特別な能力による知見として、そのままではその消費者に重大な不利益を与える事態が生じると不安をあおり、契約すると確実にその重大な不利益を回避することができると告げる勧誘を取消事由とした。

2022年改正で、不安をあおる不利益は勧誘されている消費者だけでなく、親族の重大な不利益に拡大された。また、不安をあおる行為だけでなく、すでに不安に陥っている状態を利用してこれに乗じて勧誘する場合も対象となった。

9　契約締結前に義務の内容を実施する勧誘行為——法4条3項9号

消費者が契約する意思表示をする前に、契約をしたら負う義務の内容の全部または一部を実施してしまい、原状回復を困難にしてしまって契約をさせる勧誘を取消事由とした。消費者が購入を決める前に、消費者が必要だと述べていた寸法にさお竹を切断してしまい、「もう切ってしまったから代金を払え」と言って代金を請求する場合が典型例である。

さらに、義務の履行ではないが、契約の目的物の現状を変更して原状回復を困難にした場合（例えば、包装を開けてしまった場合など）も対象となる。

10　契約締結前に契約締結を目指した事業活動の実施による損失補償を請求する勧誘行為——法4条3項10号

前記のほか、たとえば、時間を掛けて説明したのに契約しないならその時間を返してくれ、あるいは消費者の要望に合うものをいろいろ調べたのに契約しないなら調査費を負担してもらうと告げるなど、消費者が契約する意思表示をする前に、事業者が契約締結を目指した事業活動を実施した場合に、取引上の社会通念に照らして正当な理由がないにもかかわらず、その消費者のために特に実施したこと、およびこれによって生じた損失の補償を請求することを告げて契約させる勧誘を取消しの対象とした。

11　因果関係

各取消事由、その結果としての困惑、消費者の意思表示はそれぞれ因果関係がなければならない。事業者が契約締結を勧誘するに際して、法4条3項の困惑を惹起させる勧誘行為を行った結果、消費者が困惑して意思表示をしたことを要する。

第6　過量な内容の契約の取消し

高齢者などの次々販売の被害が増加したことにより、2016年改正で法4条4項として新設された。本項の規定は、事業者が、合理的な判断をすることができない事情がある消費者に対し、その事情につけ込んで不要な契約を締結させるような場合のうち、一つの類型について取消しを認めたものである。取消しが可能となる要件としては、①消費者契約の締結の勧誘に際し、②過量な内容の消費者契約であること、③事業者が過量であることを認識して勧誘すること、④消費者が消費者契約の申込みまたはその承諾の意思表示をしたこと、⑤③と④に因果関係があることである。

消費者が締結した消費者契約の目的となるものの分量等が、当該消費者にとっての通常の分量等を著しく超えるものであること、すなわち過量な内容の消費者契約であることが必要である。通常の分量かどうかは契約内容、取引条件、消費者の生活状況や認識などを総合考慮して判断される。

なお、消費者がすでに同種契約（当該消費者契約の目的となるものと同種のものを目的とする消費者契約）を締結していた場合には、当該同種契約の目的となるものの分量等と、新たに消費者が締結した消費者契約の目的となるものの分量等とを合算した分量等が、当該消費者にとっての通常の分量等を著しく超えるものであることが要件となる。

第7　取消しの効果

取消しの効果については法6条の2以外は、民法と異ならない。民法121条の遡及効を生じる。

各当事者は民法703条以下の不当利得法理に基づき、原状回復義務を負う。双方の給付が履行済みであれば、消費者は受領したものは現物で返還し、事業者は受領した金銭を全額返還する。消費者がサービスをすでに受けていたり、目的物を費消してしまったような場合（健康食品を一部すでに費消した場合等）には、消費者が利益とした客観的価値を不当利得として金銭に評価して返還することとなるが、法４条各項所定の事業者の不適切な勧誘によって契約を締結し、消費者がサービスをすでに受けていたり、目的物を費消あるいは使用してしまったような場合には、これらの消費者が受けた給付や利益はいわば押しつけられたものであって、そのような場合には、実質的に消費者の利得はなく、消費者が返還すべき客観的価値はなかったと評価され、信義則上返還させるべきではない。

　また、取消しの効果は善意無過失の第三者に対抗できない（法４条６項）。民法96条３項と同趣旨である。

　なお、2017年に改正された民法の121条の２では、無効な法律行為に基づく債務の履行として給付を受けた者は、その者が行為の時に制限行為能力者であった場合などの一定の例外を除いて、原則として原状回復義務を負うこととなると規定された。現存利益の返還で足りると解されてきた消費者の返還義務の範囲が広がり、改正前の民法より不利益となる可能性が生じた。そこで、従前どおり、消費者の返還義務の範囲を現存利益に限定するため、民法改正案に対応して、2016年改正において、新たに法６条の２が設けられた

第８　取消権の行使期間

　消契法による取消しは口頭ないし書面で行うことになるが、後日の紛争を避けるため、書面、できれば内容証明郵便を利用して証拠として利用できるようにすべきである。

　取消権の行使期間は追認をすることができるときから１年間である（法７条１項。2016年改正によって、６ヶ月から１年に延長された）。「追認することができるとき」とは、誤認の場合は、事業者の勧誘行為が①不実告知、②断定的判断の提供、③不利益事実の不告知のいずれかに当たることを知ったと

きであり、その該当性は法律判断であり、消費者相談等を受けてその指摘を受けたときが多くなろう。困惑の場合は、①不退去、②退去妨害などによる困惑状態から脱したときであるが、物理的に脱しただけでなく、心理的にも脱したことが必要である。

また、契約締結の時から5年を経過したときも取消権は消滅する（法7条1項）。

なお、2022年改正で、法4条3項8号で規定されている霊感等により不安をあおる、あるいはこれに乗じる勧誘行為については、マインドコントロールから脱する時間を考慮して、特に行使期間の短期を3年、長期を10年に延長された（法7条1項括弧書き）。

第9　媒介の委託を受けた第三者による勧誘

事業者が第三者に契約締結の媒介を委託した場合の第三者が誤認・困惑行為を行った場合にも消費者は意思表示を取り消すことができる（法5条）。

具体的には、立替払契約やリース契約につき実際の勧誘を行っている販売店、不動産の仲介や代理販売をする宅地建物取引業者、住宅ローンの設定に際し火災保険契約を媒介した銀行等がこれに当たると考えられる。

第10　不当条項の無効

1　不当条項の拘束力を否定する根拠

現在の消費者契約では、迅速な取引の要請などから、契約条項は事業者が一方的に作成した約款が使用されることがほとんどである。約款は事業者が一方的に作成するため、契約条項は消費者に一方的に不利になりやすい。情報に格差がありながら、その内容の説明も十分に行われないことが多い。また、消費者が交渉によってこれを変更させることは事実上できない。そのため、消費者は一方的に不利な契約条項を押しつけられることによって不当な不利益を被る場合が多くある。これらの理由から、消費者に不当な契約条項は、契約自由の原則を制限して、契約条項の拘束力を否定する必要がある。

これまでは、公序良俗（民法90条）による条項の無効が主張されてきたがそのハードルは高く、信義則（民法1条2項）では当該事案について限定解釈がなされるものの契約条項の無効を認めるまでには至っていなかった。

これに対して、消契法は法8条、8条の2、8条の3、9条で不当条項として無効となるものを列挙し、さらに法10条で信義則を根拠に契約条項の無効を主張できる一般条項を定めて、消費者契約における不当条項の拘束力を否定しやすくした。法10条の存在は我が国に約款規制法規がようやく制定されたと評価できるものである。

2 免責条項の無効

(1) 事業者の債務不履行・不法行為による損害賠償義務の全部ないし一部を免除する条項が無効となる場合が定められた（法8条1項1～4号）。事業者の責任の全部免責条項（同項1・3号）、事業者の故意または重過失による全部ないし一部免責条項（同項2・4号）は無効とされる。事業者の軽過失による一部免責条項については法8条では無効とはならないが、後述の法10条の一般条項によって無効とされる場合が考えられる。

本条により、使用されている全部免責条項の多くは無効となると考えられるが、未だ無効な免責条項が使用され続けているのは本法が周知されていないことの現れである（たとえば、駐車場契約やスポーツジム利用契約に見られる「当所で発生した事故等については一切責任を負いません」との免責条項）。

法8条3項が2022年改正で新設され、一部免責条項が軽過失行為のみに限定されて適用されることを明記しない条項は不明確な条項として無効となるとされた。「軽過失の場合は1万円を上限として賠償します。」とせずに、「法令の範囲で1万円を上限にして賠償します。」「1万円の範囲で賠償します。」との条項は無効となる。軽過失の範囲で有効との限定解釈は許されない。

(2) 有償契約において、引き渡した目的物の契約不適合責任の全部を免責する条項は無効であるが、目的物を修補する、ないし契約に適合した代物を交付するとされている場合、あるいは、他の事業者が代わって責任を負うとされている場合には無効とはならない（法8条2項）。

(3) 2018年改正で、当該事業者に、損害賠償責任の有無（同条1項1号・

3号）や限度（同項2号・4号）を決定する権限を付与する条項も無効となる条項に加えられた。

3　解除権を放棄させる条項等の無効

2016年改正で法8条の2が新設され、債務不履行に基づく消費者の解除権を放棄させる条項が無効とされた。さらに、2018年改正で、事業者に解除権の有無を決定する権限を付与する条項も無効となるとされた。

4　後見の開始の審判等に対して解除権を付与する条項

高齢化社会の進展の中で、建物賃貸借契約、インターネット契約など継続的サービス契約において、消費者が後見、保佐、補助開始の審判を受けたことを解除事由とする契約条項が見られるようになり、高齢者が不利益な取扱いを受けていた。そこで、2018年改正で、後見、保佐、補助開始の審判を受けたことのみを理由に事業者に解除権を付与する条項を無効とした（法8条の3）。審判を受けたことだけでなく、リスクの高い金融商品などで判断力低下による不利益回避など他の理由も合わせて解除権を付与する場合には無効とならない余地があるが、例外は厳格に解するべきである。

5　損害賠償額の予定条項等の無効

(1)　解除に伴う損害賠償の予定ないし違約金条項につき、当該消費者契約と同種の消費者契約の解除に伴い事業者に生ずべき平均的な損害を超えるものは当該超える部分につき無効となる（法9条1項1号）。いわゆるキャンセル料の定めなどがこれに当たる。高額なキャンセル料の定めや解約等しても既払金を返還しないというトラブルが多く発生していることと、事業者に実損害を上回る不当な利得を得させる必要はないとのことから民法420条にかかわらず平均的な損害を超える部分は無効としたものである。解除に伴う場合に限定されているため、レンタル商品の延滞料など、解除に伴わない損害金は法9条の適用はなく、法10条によって無効となるかの問題となる。

法9条1項2号は、事業者に実損害を上回る不当な利得を得させないことで1号とその趣旨を共通とし、金銭支払義務の不履行の損害賠償の予定につ

いて年14.6％を上限としたものである。法11条2項により、貸金などの金銭消費貸借契約の損害金は利息制限法が優先適用され、本条の適用はない。

(2) 本条1項1号では「平均的な損害の額」を超える部分が無効となるため、平均的損害の意義とその立証責任が訴訟上あるいは解釈上の争いとなっている。

平均的損害は、当該消費者契約の当事者たる個々の事業者に生じる損害の額について、契約の類型ごとに合理的な算出根拠に基づき、算出された平均値であり、解除の事由、時期のほか、当該契約の特殊性、得べかりし利益・準備費用・利益率等損害の内容、契約の代替可能性・変更ないし転用可能性等の損害の生じる蓋然性等の事情に照らし判断されると解される（東京地判平14・3・25金判1152号36頁）。

事業者の得べかりし利益が平均的損害に入るかどうかが問題になることがある。平均的損害は民法416条1項の要件とは異なっていることから同条と同様に解する必要はない。事業者は同種の契約を反復継続して行うのが常であり、当該消費者との契約が解除されても、当該契約の目的となるものについて他の消費者との間で同種の契約を締結することができるような場合、すなわち代替性が高い場合には、得べかりし利益は「平均的損害」に入らないというべきである。たとえば、中古車売買契約を解除された際、事業者が当該中古車を他に販売することが可能な場合には得べかりし利益は「平均的損害」とはならないというべきである。

平均的損害の立証責任が事業者にあるのか、消費者にあるのかが解釈上問題となっている。立証責任は、訴訟上一定の事実の存否が確定されないときに、不利な法律判断を受けるように定められている当事者の一方の危険ないし不利益である。平均的損害の立証が消費者はもちろん事業者にとっても容易でないため、訴訟においては勝敗を決するような重要な争点となっている。最高裁は学納金不返還特約の一部が無効であると判示した学納金判決において、平均的損害およびこれを超える部分についての立証責任は、事実上の推定が働く余地があるとしても、基本的には無効を主張する学生において負うべきであるとした（最判平18・11・27民集60巻9号3597頁・判時1958号12頁・判タ1232号97頁）。法9条1号の無効を主張するのは消費者であるが、損害に関

する証拠は事業者に偏在していること、消費者保護を目的とする本法1条の趣旨、消費者が当該事業者の平均的損害を立証することの困難性からすれば、平均的損害の額の立証責任は事業者に転換していると解すべきである。裁判例の中には、どちらに立証責任があるかを明らかにせず、民事訴訟法248条の趣旨にしたがって裁判所が損害を判断したものがある（東京地判平14・3・25金判1152号36頁）。

(3) 2022年改正で、事業者の消費者に対する解約料の算定根拠の概要の説明努力義務を新設した（法9条2項）。「算定の根拠」ではなく、「算定根拠の概要」となっているが、損害賠償額の要素だけではなく、損害賠償予定条項が妥当か否か判断できる程度の説明が必要である。

6 消費者の利益を一方的に害する条項の無効

(1) 法10条は、「法令中の公の秩序に関しない規定の適用による場合に比して消費者の権利を制限し又は消費者の義務を加重する消費者契約の条項」（前段要件）で、「民法第1条第2項に規定する基本原則に反して消費者の利益を一方的に害するもの」（後段要件）は、「無効とする」と規定する。

本条は当該不当条項の特約がなかった場合に比べ消費者利益が害されている場合に広く適用される規定であるというべきである。消費者契約は日々新しい契約条項が生まれて使用されており、事業者が作成することから消費者に一方的に不利益なものが後を絶たない。本条は、消費者契約条項の適正化にとって極めて重要な役割を果たしている。

なお、2016年改正で、前段要件について、「消費者の不作為をもって当該消費者が新たな消費者契約の申込み又はその承諾の意思表示をしたものとみなす条項」を例示として条文上示した。たとえば、目的物を無料で使用させて、期限までに返還しないと以後有料の使用契約になる契約条項がこれに当たる。ただし、前段要件の例示であり、後段要件に該当するかどうかは改めて検討されることになる。

(2) 法10条に関する裁判例

① 進学塾の受講契約等に関し申込者からの解除時期を問わずに、申込者からの解除を一切許さないとして実質的に受講料または受験料の全額を違約

金として没収するに等しいような解除制限約定を法10条により無効とした（東京地判平15・11・10判時1845号78頁）。

②　賃貸人から消費者に対して、賃貸借契約に付された自然損耗等について賃借人に原状回復義務を負担させるという原状回復特約は、賃借人は契約締結にあたって、明渡し時に負担する自然損耗等による原状回復費用を予想することが困難である点において十分な情報を有しておらず、また、集合住宅の入居申込者は、管理会社が作成した賃貸借契約書の契約条項の変更を求めるような交渉力を有していないこと等を考慮し、原状回復特約は、契約締結にあたっての情報力および交渉力に劣る賃借人の利益を一方的に害するものとして法10条により無効とした（京都地判平16・3・16最高裁ホームページ下級裁判所判例集、大阪高判平16・12・17判時1894号19頁）。

③　居住用建物の賃貸借契約に付された敷引特約は、信義則に反して賃借人の利益を一方的に害するものであると直ちにいうことはできないが、賃借人が社会通念上通常の使用をした場合に生ずる損耗や経年により自然に生ずる損耗の補修費用として通常想定される額、賃料の額、礼金等他の一時金の授受の有無およびその額等に照らし、敷引金の額が高額に過ぎると評価すべきものであるときは、当該賃料が近傍同種の建物の賃料相場に比して大幅に低額であるなど特段の事情のない限り、信義則に反して消費者である賃借人の利益を一方的に害するものであって、法10条により無効となる、と最高裁は判示した（最判平23・3・24判時2128号33頁・判タ1356号81頁）。

しかし、敷引特約は、賃貸借契約成立の謝礼（礼金）、自然損耗の修繕費用、更新料免除の対価、空室損料、賃料を低額にすることの代償、といった様々な要素が混然となった契約であり、いずれもその合理性はなく賃貸事業者が消費者である賃借人に敷引特約を一方的に押しつけている状況にあると考えられ、信義則に反し消費者の利益を一方的に害するものであると考えられる。

④　建物の賃貸借契約書に一義的かつ具体的に記載された更新料の支払を約する条項は、更新料の額が賃料の額、賃貸借契約が更新される期間等に照らし高額に過ぎるなどの特段の事情がない限り、法10条にいう「民法第1条第2項に規定する基本原則に反して消費者の利益を一方的に害するもの」には当たらない、と最高裁は判示した（最判平23・7・15判時2135号38頁・判タ

1361号89頁）。

　しかし、上記判決は、法10条後段の解釈において、事業者と消費者の格差の存在を過小評価しており、法１条の趣旨を十分斟酌しておらず、また、更新料の法的性格についても十分な検討をしていないと考えられる。

　⑤　生命保険約款中の保険料の払込みがされない場合に履行の催告なしに保険契約が失効する旨を定める条項は、保険料払込みの督促を行う実務上の運用を確実にしているときは、法10条にいう「民法第１条第２項に規定する基本原則に反して消費者の利益を一方的に害するもの」に当たらないとした（最判平24・３・16判時2149号135頁・判タ1370号115頁）。

　⑥　適格消費者団体の差し止め請求訴訟において、賃貸住宅に係る賃料債務等の保証委託及び連帯保証に関する契約書中の、「賃料債務等の連帯保証人は、賃借人が支払を怠った賃料等及び変動費の合計額が賃料３か月分以上に達したときは、無催告にて賃貸人と賃借人との間の賃貸借契約を解除することができる」旨を定める条項、及び、賃料債務等の連帯保証人は、賃借人が賃料等の支払を２か月以上怠り、連帯保証人が合理的な手段を尽くしても賃借人本人と連絡がとれない状況の下、電気・ガス・水道の利用状況や郵便物の状況等から当該賃貸住宅を相当期間利用していないものと認められ、かつ当該賃貸住宅を再び占有使用しない賃借人の意思が客観的に看取できる事情が存するときは、賃借人が明示的に異議を述べない限り、これをもって当該賃貸住宅の明渡しがあったものとみなすことができる」旨を定める条項は、消費者契約法10条に規定する消費者契約の条項に当たり、無効となると判断した（最判令４・12・12民集66巻５号2216頁、判時2558号16頁）。

第11　おわりに

　消費者契約法は、市場取引で多くの割合を占める消費者取引をカバーする重要な法律である。裁判例の蓄積も実体法、消費者団体訴訟のいずれについても徐々に行われてきており、その判断も立法者意思よりも消費者の利益に資する解釈が行われている。実務に携わるうえにおいては十分に理解しなければならない重要な法律として、今後の裁判例にも注意していく必要がある。

また、消費者団体訴訟制度の活用の状況についても注目していく必要がある。

《参考文献》
・日本弁護士連合会消費者問題対策委員会編『コンメンタール消費者契約法〔第2版増補版〕』（商事法務、2015年）
・日本弁護士連合会消費者問題対策委員会編『コンメンタール消費者契約法──2016年・2018年改正〔第2版増補版〕補巻』（商事法務、2019年）
　※なお、上記2冊はまもなく2022年改正を反映した第3版が出版される予定である。
・消費者庁消費者制度課『逐条解説 消費者契約法〔第5版〕』（商事法務、2024年）※なお、2022年改正を反映した消費者庁の解説はウェブサイト上で公表。http://www.caa.go.jp/policies/policy/consumer_system/consumer_contract_act/annotations/
・落合誠一『消費者契約法』（有斐閣、2001年）
・大村敦志『消費者法〔第4版〕』（有斐閣、2011年）
・後藤巻則ほか『条解消費者三法〔第2版〕』（弘文堂、2021年）
・四宮和夫・能見善久『民法総則〔第8版〕』（法律学講座双書、弘文堂、2010年）

〔野々山　宏〕

コラム　高齢者の消費者被害

　日本では急激に高齢化が進んでいて、2025年には総人口1億2326万人のうち65才以上の高齢者の占める割合が29.6％に達し（令和5年版高齢社会白書）、そのうち認知症の人の数は約700万人と推計されている（厚生労働省HP）。これに対して、成年後見制度の利用者数は2022年12月末時点で合計24万5000人程度にとどまる（最高裁判所事務総局家庭局）。

　高齢化するとともに、認知能力や判断力が低下し、不当な広告や勧誘による被害が生じやすくなる。とくに、訪問販売や金融取引では高齢者の被害が目立つ。そこで、高齢者の消費者取引にどう対応するのかが大きな問題となる。

　この点、消費者契約法は、民法の当事者対等原則を修正し、事業者と消費者の格差を前提とした。しかし、それは基本的には情報格差と交渉力格差で、想定されている人間像は民法と違わず、そこにも高齢者という人間像はない。

　もっとも、消費者契約法を始め消費者法には、部分的に高齢者等を念頭に置いた規定を設けている。主なものをあげるので、関連部分をこの視点から読み直してみよう。

①　消費者契約法による取消権⇒第4章　判断力低下による生活の維持への不安をあおる勧誘行為（4条3項7号）

②　特定商取引法による禁止行為⇒第6章　判断力不足便乗取引（7条1項5号、省令18条2号）、適合性原則（省令18条3号）

③　金融商品取引法による行為規制⇒第10章　適合性原則（40条1号）

　ところで高齢者の問題について、金融分野では、法律分野だけでなく金融や医療など多様な分野の学者・実務家が分野横断的に金融のあり方を考える金融ジェロントロジー研究会が活動している。そこでは、行動経済学で確認される逸脱行動・不合理な行動（アノマリー）が高齢化によって拍車がかかるという見解が提示されている。この考え方では、高齢者問題は決して高齢者だけの問題ではないということを意味している（⇒「第10章コラム・行動経済学と消費者被害」も参照）。こうした研究成果が、消費者政策にも活かされることが期待される（令和5年版消費者白書）。

[石戸谷　豊]

第5章
消費者取引と不法行為

第1 はじめに

1 検討の対象

本章では、消費者取引における不法行為責任の問題を扱う。**第2章**の冒頭の「被害救済の法理」との関係でいうと「損害賠償請求型」の手法ということになる。ここでは、①消費者取引の場面で不法行為法がどのように扱われているか（事故型の不法行為との違い）[1]、②不当な契約からの解放という観点から見た不法行為責任を追及することの機能や役割を検討する[2]。なお、金融サービスの取引における販売業者等の不法行為責任は、**第10章**で扱うので、そちらを参照されたい。

2 事例
第5章で検討の対象とするのは、次の事例（裁判例）である。
(1) マルチ商法（ベルギーダイヤモンド事件）
①大阪地判平4・3・27（判時1450号100頁）

---

[1] このような不法行為類型は「取引型不法行為」と呼ばれ、交通事故などの「事故型不法行為」と区別して特質を論じるものが増えてきている。
[2] 契約の解消による原状回復請求に代わる手段として取引型不法行為責任の追及が用いられることから、「原状回復型損害賠償請求」などと呼ばれることもある。

②大阪高判平5・6・29（判時1475号77頁、消費者取引判例百選〔47〕）
　③東京高判平5・3・29（判時1457号92頁）
　④広島地判平3・3・25（判タ858号202頁）、広島高判平5・7・16（判タ858号198頁）
　これらは、いずれも**第3章**で検討した【**事例4**】の判決と同じベルギーダイヤモンド事件（マルチ商法の被害）の裁判の判決である。

　(2)　**商品先物取引**
　①仙台高秋田支判平2・11・26の2件の判決（判タ751号152頁）
　②最判平7・7・4（先物取引裁判例集19号1頁：①の2件の判決のうち、原判決［秋田地裁］を取り消して委託者勝訴とした控訴審判決の上告審）
　③大阪地判昭62・2・27（先物取引裁判例集11号37頁）
　④大阪高判平3・9・24（判時1411号79頁：③の控訴審判決）
　これらは、商品取引員（現行の商先法では「商品先物取引業者」）の不法行為責任が認められた判決である。
　商品先物取引は、商品取引所に上場されている商品の将来の価格を予測し、商品先物取引業者に委託して取引を市場に取り次いでもらって行う売買である（「デリバティブ取引」の一つである）。
　商品先物取引では、将来の一定時期（「限月（げんげつ）」と呼ばれる）までに反対売買をすることにより決済ができ、売買の差金の授受のみによって取引から離脱できる取引である。取引の仕組みも複雑で専門的であるし、相場の予測には高度の知識、経験および情報が必要とされ、また、取引総代金の1割程度の証拠金を預託して取引を行うことができるが、取引する単位が莫大であるので、わずかな価格変動であっても預託した証拠金をすべて失うだけでなく、証拠金では賄いきれない取引上の損失の請求（「足（あし）」の請求）を受けることもあり、一般の委託者（消費者）にとっては極めて危険性の高い取引である[3]。商品先物取引にはこのような特質があるため、かなり厳しい規制の下に行われる取引であるにもかかわらず、歴史的にみて知識、経験のない委託者を取

---

[3]　この点は「商品」の先物取引に限らず、証券や指数等の先物取引でも共通する性質である。

引業者が不当な勧誘で取引に引き込むケースが非常に多いため、被害が多発していた[4]。

(3) 原野商法

①大阪地判昭63・2・24（判時1292号117頁、消費者取引判例百選〔32〕）

②大阪地判昭63・2・26（判時1292号113頁）

これらは原野商法において販売業者の不法行為責任が認められた判決である。原野商法は、鉄道や道路の開通、宅地や都市開発計画の決定などを口実に、値上がりが確実であるなどと勧誘して、ほとんど無価値の山林や原野を原価の数十倍から100倍を超える金額で売りつけ、暴利を得る商法である。

第2　事例の検討

1　事例の特徴

検討の前に各事例の特徴を確認しておく。まず、マルチ商法の事例は、商法の仕組みや取引実態からみて取引自体に反社会性があり、その存在が積極的には認められない取引について不法行為責任が問題となっている。商品先物取引では取引自体は社会的に存在は認知されているものの、取引の危険性が高く、仕組みも複雑で高度の専門的な知識や経験が必要とされるので、非常に厳しい規制の下でしか本来は行ってはならない取引における不法行為責任が問題となっている。これに対し、原野商法は、取引自体は不動産取引であるので、その仕組みや取引それ自体の不当性や反社会性は問題にならず、事業者の行う勧誘や取引の内容面での不公正さや不当性が問題とされる。

2　マルチ商法事例（ベルギーダイヤモンド事件）の検討

ベルギーダイヤモンド事件の①ないし④の判決は、結論的にはベルギーダイヤモンド（BD）社の行っていた営業は、取引の仕組みそれ自体の違法性が高い取引であることを前提として、勧誘行為の違法性と営業システム自体

---

[4]　商品先物取引の被害の実情と被害救済の歴史については浅井岩根「先物取引被害の実態と救済」判タ701号77頁参照。

の違法を捉えて不法行為責任を肯定している。しかし、これらの判決では、商法それ自体の違法性について判断が異なっている。

　すなわち、①判決（大阪地裁）は「本件営業は、……マルチ商法まがいの、著しく不健全な取引であって、公序良俗に反し、違法な」ので、被告BD社が行った営業は不法行為を構成するとしており、商法自体の違法性を前面に出して、そのような商法を行うこと自体が不法行為であるとする。これに対し、③判決（東京高裁）は「これ（無限連鎖講）と本質を同じくする本件組織についてみても、これを開設し、運営すること自体が社会的に違法な評価を免れ得ない」「以上の通り、本件組織を開設し、右組織が内蔵する矛盾を隠蔽するために必然的に欺瞞的な勧誘方法を用いてする本件商法は、全体として詐欺的な商法というほかなく、違法と評価すべきである。」としており、ここでは、商法それ自体ではなく、このような商法に必然的に用いられる欺瞞的勧誘と合わせて不法行為が成立するとする。また、④判決（広島高裁）も「その組織」「勧誘方法に照らし」BD社の商法が、詐欺的商法として違法とする。①判決（大阪地裁）は、組織自体が違法だから勧誘行為の内容に踏み込まずに勧誘すること自体で不法行為の成立を認め、③判決（東京高裁）は組織自体が違法だが、必然的に用いられる欺瞞的な勧誘方法を用いて商法を行ったことが違法とするので、勧誘行為の欺瞞性も考慮して全体の違法性を判断している。④判決（広島高裁）も、勧誘方法の不当性も違法性判断において重要なものと見ているといえる。

　これに対し、②判決（大阪高裁）は、マルチ商法は、違法な「リクルート利益配当組織」の部分と適法な「商品流通組織」の部分とからなり、その全体の違法性は「それぞれの部分の占める割合の大小によってこれを決する」としたうえで、BD社の商法はリクルート利益配当組織の部分が約43％程度であり、この部分は無限連鎖講防止法の禁止する金銭配当組織の要件を満たすと判示し、それを前提に本件商法は勧誘行為の違法性の有無にかかわらず「それ自体違法なものであった」とする。この②判決（大阪高裁）は、マルチ商法のシステムを適法、違法の2つの部分に分け、それぞれの比率で全体の違法性を判断するという方法をとっている。しかし、いずれにしても、この②判決も商法全体が違法とされると個別の勧誘行為の内容を考慮すること

なく、勧誘すること自体が不法行為となるとの判断である。

3 商品先物取引事例の検討

次に、裁判所が、商品先物取引の事例において不法行為上の違法性をどう捉えているかみてみよう。

①判決（仙台高裁秋田支部）は「業者には一般投資家の利益を不当に侵害しないように履践すべき諸種の準則とこれから導き出される手続や条件があるので、経験の浅い者を取引相手とした場合に、業者がこれら義務を怠り、それが社会通念上許容される限度を超えるに至ったときは、該取引は業者の違法行為となり不法行為を構成する」としている。そして、このような注意義務の前提として、商品取引所法等の法令だけでなく、商品先物取引業界における自主規制の趣旨の法規範性を指摘している[5]。この判決では、法令や自主規制が違法性判断の根拠や基準となるとしているが、単にこれに違反しただけではだめで、その違反の程度が社会通念上許容される限度を超えていることを必要とする。また、具体的な違法性判断では「本件取引過程におけるこれら一連の行為は、全体として違法なものというべきである。」としている[6]。②判決（最高裁）は、原審のこのような判断を追認した。

ところで、③判決（大阪地裁）は、商品取引員の外務員の勧誘行為は違法であるので不法行為が成立するとして、委託者から商品取引員に対する損害賠償請求権を認容したうえ、商品先物取引の受託契約も有効だとして、委託者に商品先物取引の結果生じた損失の支払義務があることを前提に、商品取引員の委託者に対する差損金（取引のために預託してある「委託証拠金」を充当しても不足する取引上の損失）の請求も認容している。民事訴訟における請求権競合論を前提にすれば、訴訟法的にはありうる結論であるが、違法な行為によって形成された契約に基づく履行請求を認めること（逆にいえば、適法な契約締結やその義務の履行であるにもかかわらず、それが不法行為上違法と

---

[5] 判タ751号154頁の3段目に詳しく認定されているので参照されたい。
[6] 取引型不法行為の特徴として、行為を連続した一体のものとして全体的に捉えることが多い。このような考え方は「一連一体の不法行為論」と呼ばれている。

評価されること）は、評価矛盾ではないかという批判がなされている[7]。

　④判決（大阪高裁）は、この③判決の控訴審であるが、④判決は商品取引員の取引勧誘から終了に至るまでの一連の行為が不法行為に該当するので、業者が委託契約に基づく請求権を行使するのは信義則に反して許されないとすることで評価矛盾を回避している（信義則を根拠に請求権行使を否定する考え方は第3章参照）。

4　原野商法事例の検討

　原野商法は、不動産取引の一つであるので、訴訟において取引の仕組自体の違法性が問題とされることはほとんどない。このような事案では、通常は、勧誘行為の違法性のみが問題となる。

　①判決では、1 m² 当たり200円から500円程度と極めて低価格の土地であり、将来価格を上昇させるような社会的、経済的要因は存在していなかったにもかかわらず、販売会社の従業員が、この事実を秘匿して、周辺地域の開発計画や新幹線の敷設などにより、近い将来の値上がりが確実であるかのように説明して、若年で不動産取引や利殖目的の投機的取引の経験がまったくない原告にその説明を信用させ実勢価格の15から35倍もの価格（5カ所の土地を合計267万円余り）で売りつけた行為を違法としている。

　②判決も、不動産取引の知識経験のない若年の独身男性に対し、販売会社の従業員が、土地の売買価格が時価の10倍余りであるのに、時価よりはるかに安価で売るかのように装い、値上がりは到底考えられなかったにもかかわらず、近隣の開発計画等により1、2年後に大幅に値上がりするかの如く断定的な説明をしたり、売れる見込みがないにもかかわらず、1年後の転売を確約するなどの虚偽の説明を信用させるような勧誘方法は、不動産業者とし

---

[7]　この問題は、1996年の私法学会シンポジウム「取引関係における違法行為とその法的処理――制度間競合論の視点から」の重要なテーマの一つとなっている。この点については、同シンポジウムの報告論文のうち、さしあたり道垣内弘人「取引的不法行為――評価矛盾との批判のある一つの局面に限定して」ジュリ1090号137頁、山本敬三「取引関係における違法行為をめぐる制度間競合論――総括」ジュリ1097号116頁の各論文とそこで引用されている文献を参照。

て許容される正常な宣伝、勧誘行為の範囲を著しく逸脱した違法なものと判示している。

　これらの判決では、不動産取引に知識、経験のない若年男性に対する、虚偽説明や値上がり確実であるという断定的判断の提供という、顧客の契約判断を阻害した（歪めた）ことが違法性の中心要素と考えられている。また、いずれの判決でも、実勢価格と販売価格との乖離が指摘されているが、この価格の乖離は「暴利行為論」的に、不当に儲けたことを違法性の要素としているというよりも、乖離を秘匿したり、積極的に価格についての虚偽情報を提供したことに着目して違法性の要素とみていると考えられる。

　なお、①判決では、上記のような違法要素を認定して直ちに不法行為に該当すると判示しているが、②判決では「不動産業者として許容される顧客獲得のための正常な宣伝、勧誘行為の範囲を著しく逸脱したものであ」り、違法なものと判示し、抽象的ではあるが、一定の違法性のハードルないし枠を超えたという判断を示している。

第3　消費者取引における不法行為責任

1　消費者取引における不法行為責任の機能

　消費者被害では、事業者の違法・不当な勧誘により、不当な内容の契約や不必要な契約を締結させられ、その結果、金員の支払を余儀なくされ、損害を蒙るというものが大多数である。

　第2章および**第3章**で検討してきたように、消費者の蒙るこのような被害の救済のためには、消費者を不当な契約や不必要な契約の拘束力から解放することで、その目的を達することができる。しかし、契約の拘束力からの解放は、それほど簡単ではない。裁判所も意思表示の無効や取消し、公序良俗違反などを理由に契約無効を認めることは消極的である[8]。このような現状を踏まえて、消費者被害の救済手段として、従前から不法行為責任を追及す

---

8)　廣谷章雄・山地修『現代型民事紛争に関する実証的研究——現代型契約紛争（1）消費者紛争』司法研究報告書63輯1号（司法研修所、2011年）51頁、61頁。

ることが広く行われている。消費者にとってみれば、契約の拘束力が否定され、一旦支払ったお金を不当利得として返還してもらえることと、不法行為に基づき損害賠償金として返還してもらうことは、実質的な意味では同等の被害救済になる[9]。

また、消費者取引の分野では、伝統的な意思表示理論や契約法理がうまく機能しないことや、不法行為では後述のような違法性の判断や過失相殺の法理を通じて柔軟で妥当な解決を図れること、判決で業者の「違法性」がはっきり認定されるので、悪徳商法の被害などでは商法や取引の実態に適合した責任追及の方法といえること、相手方が法人であっても、直接勧誘にあたったセールスマンや役員等の個人責任を追及できること、弁護士費用の賠償を求められること等の理由から、実際にも不法行為責任を追及する例が多い[10]。

2　不法行為責任の意義

民法の不法行為は、「過失責任主義」を前提にする「損害填補責任」であると説明されている[11]。過失責任主義は、社会において生じた損害が、その損害の発生について故意または過失がある者に負担させるのが公平で正義

---

[9]　松本恒雄「消費者取引における不当表示と情報提供者責任（上）」NBL229号3頁参照。

[10]　前掲のマルチ商法、商品先物取引および原野商法の各事例について挙げた10件の判例の他には、たとえば訪問販売の例では、高松簡判平1・5・24消費者法ニュース準備号14頁が、アルミ鍋はガンになる等としてステンレス鍋セットを販売した事案について不法行為を認めているし、大阪地判平2・9・19消費者法ニュース5号25頁は、学習教材の訪問販売について詐欺的な勧誘を理由に不法行為責任を認め、慰謝料と弁護士費用の支払いも命じている。また、大阪地判平3・2・14消費者法ニュース7号36頁は、会社ぐるみで旧訪販法違反の勧誘行為が行われたケースで、販売会社の取締役と実質的支配者の不法行為責任を認めている。先物取引の事件では、大阪高判平3・9・24判時1411号79頁、最判平6・1・31先物取引裁判例集15号77頁などが先物取引業者の不法行為責任を認めている（先物取引関係では、多数の不法行為責任を認めた判例があるが、これについては先物取引被害全国研究会編『先物取引裁判例集』が参考になる）。

[11]　不法行為責任の意義については、加藤一郎『不法行為〔増補版〕』（有斐閣、1974年）、幾代通『不法行為』（筑摩書房、1977年）、四宮和夫『不法行為』（青林書院、1992年〔初版5刷〕）、潮見佳男『不法行為法Ⅰ〔第2版〕』（信山社、2013年〔第3刷〕）、窪田充見『不法行為法〔第2版〕』（有斐閣、2018年）など参照。

に叶うとの考え方であり、損害填補責任は、実際に生じた損害（加害行為の前と後における利益状態の差）の填補をするのが不法行為責任の内容であるというものである。

過失責任主義の例外としては、自賠法に基づく運行供用者責任や製造物責任法に基づく責任（過失から欠陥へ）、原子力損害の賠償に関する法律に基づく原子力事故における無過失責任がある。金融サービスでは、金融サービス提供法が、金融商品の販売等の契約を締結する場合における説明義務や断定的判断等の提供の禁止を規定し、勧誘の有無を問わず金融商品の販売が行なわれるまでの間に説明義務等の違反があれば無過失の損害賠償責任を肯定し、損害額についての因果関係が推定されるという特例を定めている（同法4～7条）[12]。また、独占禁止法は、事業者が私的独占（同法3条）、不当な取引制限（同3条、6条）または不公正な取引法（同6条、19条）の禁止に違反して排除措置命令（同法49条）、課徴金納付命令（同62条1項）受け、それが確定した場合は、これらの違反行為により損害を受けた被害者に対する無過失損害賠償責任を規定している（同法25条・26条）。

しかしながら、消費者取引であることを理由にして、一般的に民法の不法行為責任の要件、効果について例外を定める法令はなく、消費者取引で被った損害賠償請求においても民法の過失責任主義を前提にした不法行為責任の成否が問題になる。

なお、損害填補責任の例外は、法律的な性質は異なるが労働基準法に基づく付加金（未払賃金に加え、これと同額の付加金の支払を請求できる：労働基準法114条）がある程度で、我が国にはアメリカのような懲罰的な損害賠償を認める「懲罰的損害賠償制度」や実損害の2倍ないし3倍の額の賠償を認める「二三倍賠償制度」は存在していない[13]。

3　不法行為の要件と取引型不法行為の特徴

消費者取引における不法行為の類型は「取引型不法行為」と呼ばれるが、

---

12) 大前恵一郎＝滝波泰『一問一答金融商品販売法』（商事法務、2001年）23頁以下、桜井健夫『金融商品取引法・金融サービス提供法』（民事法研究会、2023年）242頁以下。

取引型不法行為も不法行為であることには変わりないので、損害賠償請求が認められるためには、民法の不法行為の要件をみたす必要がある。民法の定める不法行為の要件は次のとおりであるが（民法709条）、これらの要件毎に取引型不法行為の特徴を検討してみよう。

①行為（責任能力ある人の行為によること）
②故意・過失
③権利または法律上保護された利益の侵害（違法性）
④損害
⑤因果関係（行為と発生した損害との間の相当因果関係）

(1) 行 為

事故型不法行為の場合には、行為が比較的短い時間内に一回完結で終わってしまうことが多いのに対し、取引型不法行為の場合は取引の勧誘段階、継続段階、終了段階の全体を通して、反復継続して行われることが多い。また、商品先物取引の事件などがそうであるが、一つの行為（勧誘ないし取引受託）がその後の新たな行為の前提となっていたり、個々の行為が相互に絡み合って、影響し合ったり、因果の連鎖で繋がっていることも少なくない。このような実態があることから、取引型不法行為の場合には、不法行為における違法性判断の対象である行為も個々の行為をバラバラに切り取って、それぞれについて違法性を判断するのではなく、全体を一連かつ一体の行為としてみ

---

13) 違法に行われた消費者取引によって事業者が得た不当な利益の吐き出しについては、「消費者取引分野の違法行為による利益の吐き出し法制に関する研究——損害賠償、不当利益吐き出し、金銭的制裁の日米比較」（国民生活センター、2004年3月）、消費者庁の「消費者の財産被害に係る行政手法研究会」の報告書「財産に対する重大な被害の発生・拡大防止のための行政措置について」（http://www.caa.go.jp/policies/policy/consumer_system/other/method_for_property_damege/study_group/pdf/gyousei-torimatome.pdf）および、内閣府消費者委員会の「集団的消費者被害救済制度専門調査会」報告書（http://www.cao.go.jp/consumer/history/01/kabusoshiki/shudan/）を参照。消費者庁・消費者委員会のこれら報告書を踏まえ、2012年に行政的手法としては消費者安全法に「多数消費者財産被害事態」に内閣総理大臣が勧告や命令を発せられる規定を盛り込む法改正がなされ、2013年には消費者裁判手続特例法により特定適格消費者団体（同法2条10号）に損害賠償請求訴訟の追行を認める集団的消費者被害の救済制度が新たに導入された。

て不法行為の成立要件の有無を判断すること（一連一体の不法行為論）が合理的である場合が少なくなく、また、このような判断により、取引の実態に即した違法判断が可能となる。前掲の最判平7・7・4はこのような判断を正面から肯定した判例である。

(2) **違法性**

ア　不法行為における「違法性」

取引型不法行為では交通事故のような事故型不法行為と異なり、取引当事者の行為が消費者の権利または法律上保護された利益の侵害といえるか否か、言い替えれば「違法性」の有無や内容が最大の争点となる[14]。「違法性」の判断については、通説は「被侵害利益の種類と侵害行為の態様との相関関係」で判断するとしている（相関関係説）。相関関係説において、違法性が認められる場合として通常あげられているのは、①他人の「権利」を侵害したこと、②他人を保護する法規（命令的法規）に違反していること、③公序良俗に反していることである[15]。

取引型不法行為における損害は財産的な損害であることが多いが、生命、

---

14) 取引型不法行為でも、不法行為の要件としては故意・過失が必要とされるが、実際の判断においては、行為に「違法性」が認められれば、故意、過失はあまり問題にならない。故意・過失の判断は、注意義務違反あるいは社会的相当性の逸脱の有無、程度の判断という形で違法性判断に取り込まれている。実際にも、先物取引の不当勧誘の例では故意、過失についての判断を明示しないで不法行為を認定しているものも少なくない。なお、故意、過失と違法性の関係については平井宜雄『損害賠償法の理論』（東京大学出版会、1971年）319頁以下参照。

15) 不法行為の要件である「違法性」の意義と相関関係説については、加藤・前掲注11)『不法行為〔増補版〕』36頁、幾代・前掲注11)『不法行為』（筑摩書房、1977年）61頁など参照。なお、公序良俗違反の行為であっても、たとえば賭博を勧誘して金銭を賭けさせた場合、それだけで賭博をした者が被った損の賠償を認める不法行為責任が成立するとはいえないように、法律行為を無効とする根拠が専ら「良俗」違反にある場合には、それだけでは直ちに不法行為上の違法性が認められるとは限らない場合もある（窪田充見「マルチ商法における違法性の分析——取引関係における不法行為法上の保護」ジュリ1154号30頁以下）。これは、他人を保護する法規違反の違法性の場合でも同様であり、法令上の禁止命令の趣旨が誰のどのような利益を保護するためのものであるかによって結論が異なり、法令の禁止命令違反が直ちに不法行為上も違法性が肯定されることにはならない。

身体やその他の人格的利益に比べれば、財産的損害は被侵害利益の種類の価値序列が低いものと見られる。そのため相関関係説からすると、取引型不法行為において違法性が認められるためには、侵害行為の態様の非難可能性がある程度高い場合であることが必要になる。

また、取引型不法行為では、違法性判断の対象である取引行為自体や取引行為に付随する行

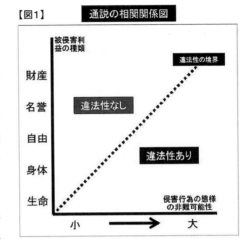

為は、本来は自由競争に任されるものであるし、損害を受けた者がそのような取引に応じるのか否かについては、その者の自由意思が介在している。この点からも、損害を受けた者の自由意思への不当な働きかけの程度がある程度高くないと（つまり侵害行為の態様の非難可能性が高くないと）、「違法性」は認められにくくなる（【図1】参照）。

イ　違法性判断の方法

取引型不法行為における違法性判断の特徴を踏まえ、不法行為の成立を認めた判例では、概ね次のような「違法性」の判断方法が採られている[16]。

すなわち、

（ア）　注意義務措定型

この判断方法では、当該取引における行為の違法性の判断基準としての注意義務を明示する判断方法である。この注意義務措定型には、さらに、注意義務の逸脱の程度によって、①加害者の行為が注意義務に違反するとそれだけで「違法性」ありと認定するもの[17] ②注意義務違反の行為は「社会的相当性」を逸脱し「違法性」があるとするもの[18] ③注意義務違反があり、か

---

16)　取引型不法行為における違法性の考え方については、齋藤雅弘「融資銀行の不法行為責任——違法性を中心に」長尾治助編『レンダー・ライアビリティ——金融業者の法的責任』（悠々社、1996年）91頁以下参照。

つ、その程度が著しい場合に「社会的相当性」を逸脱し「違法性」があるとするものがある[19]。

これらの注意義務措定型の判断は、違法要素について個別的・分析的に判断して違法性を認定する方法である。

措定される注意義務の内容については、取引型不法行為では説明義務や情報提供義務の存在を措定し、その違反をもって違法性を肯定する事例がよく見受けられる[20]。商品先物取引や証券取引被害に関する損害賠償請求の事案では、このような構成が頻用されている。

また、不動産取引の事案でも、購入したマンションを第三者に賃貸して得られる収入をもって、購入費用のために借り入れた住宅ローンの返済が可能としてマンション購入を勧誘する投資マンション事件では、商品先物取引や証券取引の事案と同様に、マンション販売業者や仲介業者にマンション投資に関する空室リスク、家賃滞納リスク、価格下落リスクや金利上昇リスク等についての説明義務を認め、その違反をもって不法行為責任を肯定している例もある[21]。これは不動産取引であっても投資ないし投機取引としての性質が見られる取引では、金融サービスにおける勧誘者の不法行為責任の場合

---

17)「注意義務措定型」の①の例としては、商品先物取引の不当勧誘に関する大阪高判平3・9・24判時1411号79頁、変額保険の勧誘に関する大阪地堺支判平7・9・8金判1432号35頁がある。また、原野商法に関する名古屋地判平6・9・26判時1523号114頁は、義務違反の認定を違法性の判断と理解すれば「注意義務措定型」の①の例であろう。
18)「注意義務措定型」の②の例としては、海外商品先物取引について業者の勧誘の違法性を認めた東京地判平4・11・10判時1479号32頁、変額保険において融資銀行の不法行為責任を認めた東京地判平7・2・23判タ891号208頁がある。
19)「注意義務措定型」の③の例としては、前掲の商品先物取引事例の①判決(仙台高秋田支判平2・11・26判タ751号152頁)がある。
20) 最判平23・4・22(事件番号:平成20年(受)第1940号、民集65巻3号1405頁・判例時報2116号53頁)は、「契約の一方当事者が、当該契約の締結に先立ち、信義則上の説明義務に違反して、当該契約を締結するか否かに関する判断に影響を及ぼすべき情報を相手方に提供しなかった場合には、上記一方当事者は、相手方が当該契約を締結したことにより被った損害につき、不法行為による賠償責任を負うことがあるのは格別」と判示しており、信義則が説明義務の根拠となることを認めているといえる。
21) 東京地判平31・4・17(先物取引裁判例集82巻165頁)。なお、控訴審の東京高判令元・9・26(先物取引裁判例集82巻178頁)も説明義務違反を肯定している。

と同様の判断枠組みが採用されていると言えよう。

　この他に取引型不法行為の事案でも、安全配慮義務や安全確保義務（具体的な義務内容としてはⓐ指導・助言義務、ⓑ手仕舞い〔仕切り〕義務、ⓒ損失回避義務など）があると判断され、その義務に違反して顧客の損失発生に対する適切な対処を怠ったことをもって違法要素の存在を認定（違法判断）をする例もある（後掲注38）の名古屋地判平7・3・24など）。

　また、行為者が不実告知や断定的判断の提供を行ったことを認定し、そのような行為は不法行為上も違法であると判断される場合が多いが、この判断枠組みは不実告知や断定的判断の提供という行為それ自体が違法と評価されるとみることもできるが、このような行為を行うことが禁止されている（＝しては行けない義務〔消極的義務〕）があり、その義務に違反して消費者に損害を生じさせたことをもって、違法性を肯定する判断方法とみることもできるので、注意義務措定型の一つと整理することも可能であろう。

（イ）　注意義務非措定型

　これに対し、違法性の判断基準としての注意義務を明示せずに、加害者による具体的な不当行為を認定し、それらの行為は「社会的相当性」に反し「違法性」があるとするものである[22]。このタイプは、違法要素を総合的・全体的に判断して違法性を認定する方法である。

　上記の先物取引、証券取引やその他の取引行為に起因する損害賠償請求事案では、「適合性の原則」に違反することをもって、不法行為の違法性を肯定する裁判例があるが[23]、適合性の原則の違反をもって違法性を肯定する判断枠組みも、注意義務非措定型に整理できる。この点「適合性の原則」に適う投資勧誘をすべき義務を観念することができるとすれば、注意義務措定型と捉えることも可能であるが、判断枠組みとしては総合的判断なり全体的判断と考えられるので、注意義務非措定型の判断と整理する方が適切と思われる。

---

22)　「注意義務非措定型」の例としては、マルチ商法であるベルギーダイヤ事件の判決の多くがこの例であり（前掲の大阪地判平4・3・27判時1450号100頁など）、先物取引の事件では京都地判平1・2・20先物取引被害全国研究会編『先物取引判例精選』17頁、名古屋地判平1・7・26先物取引裁判例集9号211頁などがある。

また、先物や証券取引の事件の裁判例で、しばしば見られる頻繁売買（「チャーニング」とか「ころがし」と呼ばれる）行為による手数料稼ぎの違法性も、誠実公正義務（金商法36条、商先法213条）の違反と観念することも可能ではあるが、注意義務非措定型の違法性判断であり、適正な取引通念からかけ離れた方法で顧客の財産を毀損させた（法律上保護された利益の侵害した）ことをもって、違法と判断されていると考えることができよう。
　さらに出会い系サイトや占いサイトに誘引されて損害を被った事案では、これらのサイト利用において、合理性に乏しい多数のメールの送信を意味なく行わせ、その結果、高額のメール送信手数料の負担をさせるという、結果と手段の不相当性をもって社会的相当性を逸脱した行為と評価できることをもって、不法行為の違法性を認める判断をした例が少なくない[24]。
　ウ　違法性の根拠と判断基準

---

[23]　最判平17・7・14（民集59巻6号1323頁）は、オプション取引の取引に関する事例において「証券会社の担当者が、顧客の意向と実情に反して、明らかに過大な危険を伴う取引を積極的に勧誘するなど、適合性の原則から著しく逸脱した証券取引の勧誘をしてこれを行わせたときは、当該行為は不法行為法上も違法となる」と判示している。最高裁が、適合性の原則違反の勧誘行為が不法行為法上も違法性を帯びることを肯定した初めての判例である。この判例では、不法行為法上違法となるには適合性の原則からの乖離の著しさが必要としている。この点は、同原則が民事上の規範として法令等により規定されているものではなく、行政規制あるいは自主規制上の規範であることから、これら行政規制等の違反行為が直ちに民事法上も違法とは判断できず、民事違法を導くためには違反の程度の著しさが求められることの現れと解されている（同判決の調査官解説である宮坂昌利「最高裁判所判例解説民事篇平成17年」361頁参照）。ちなみに、複雑でリスクの高い仕組債の勧誘事案で、適合性の原則違反を肯定した裁判例については齋藤雅弘「銀行員による仕組債の購入勧誘における適合性原則及び説明義務違反の有無」（私法判例リマークス46号：2013＜上＞62頁）参照されたい。

[24]　東京高判平25・6・19（フロンティア21事件）の判断が代表例である。この判決はサクラサイト被害の救済に当たる研究会、弁護団で構成されている「サクラサイト被害全国連絡協議会」（https://sakurahigai.kyogikai.org/）のWebページ中の「裁判事例」（https://sakurahigai.kyogikai.org/wp-content/uploads/2018/05/TokyoKousai_Judgement250619.pdf）に掲載されている。なお、この他にこれらサイトの被害についてサイト運営者の行為の違法性を認めた例には、いずれも判例集には未登載であるが、①東京地判平30・4・24（平成28年（ワ）第17429号）、②仙台地判平30・9・12（平成27年（ワ）第1364号）、③東京地判令元・12・2（平成29年（ワ）第27109号）などがある。

第5章 消費者取引と不法行為 139

　不法行為の違法性判断における「注意義務」、「社会的相当性」の根拠や内容は、「慣習」、「条理」、「社会通念」あるいは「信義則」から演繹される[25]。
　また、多く裁判例では、当該の取引行為を対象とする行政取締の法令や自主規制等による行為規制の内容や基準を、不法行為上の違法性の根拠や要素、そしてその判断基準として取り込んでいる[26]。行政取締法規違反があることをもって、直ちに不法行為上の違法性があるとするものもある[27]。
　第3章でも述べたが、各種の業法の多くは事業者に行政上の義務づけを行うことによって消費者の利益を保護することを立法目的に謳っており、このような業法が事業者に課す義務は行政上の義務ではあっても、消費者の権利や利益を直接保護するために課されているものが多い。その意味では、業法の定める義務に違反する行為は、法的には存在を許されないと評価されるべきものであるから、民事上もかかる行為の法的無価値判断（違法）を導き出す根拠となりうる[28]。この場合、業法や業界団体の自主規制ルールは、取

---

25) 判例も信義則が説明義務の根拠となると判断していることは、前掲注20)の最判平23・4・22の判示のとおり。
26) 取締法規の定める規範が、不法行為上の違法性判断の枠組みに取り込まれることについては、山本敬三「取引関係における公法的規制と私法の役割（2・完）——取締法規論の再検討」ジュリ1088号98頁、同『公序良俗論の再構成』（有斐閣、2000年）266頁以下参照。
27) 変額保険の勧誘について旧募取法違反行為の不法行為上の違法性を認めた富山地判平8・6・19金判1465号110頁参照。
28) 業法の規定に限らず、事業者団体の自主規制ルール違反も不法行為の違法性の根拠となることは、先物取引事件の①判決（仙台高秋田支判平2・11・26判タ751号152頁）も判示するとおりであるし、上告審の最判平7・7・4は原審の認定事実を前提とする不法行為上の違法性判断（規範のあてはめ）は「正当として是認するに足り、原判決に所論の違法があるとはいえない」と判示している（先物取引裁判例集19号1頁）。さらに最判平17・7・14（前掲注23)）は、平成10年改正前の証券取引法54条1項1号、健全性省令が適合性原則を規定していたこと、及び平成4年改正前の証券取引法の当時は明文では規定されていなかったが、大蔵省証券局長通達や証券業協会の公正慣習規則等においてこの原則が要請されていたことを指摘した上で、同注で引用したとおりの判断を示している。これらの点からすると、判例も行政上の取締法規（金商法等）だけでなく、主務官庁の通達や業界の自主規制が定める規範が、不法行為における違法性の基準となることを肯定していると考えられる。

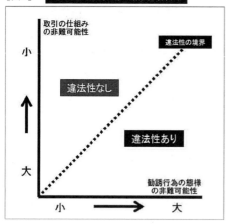

【図2】 取引型不法行為の相関関係図

引それ自体やその仕組みのもつ非難可能性（たとえば、破綻の確実性や射倖性、危険性の高さや内容の専門性や複雑さなど）に応じて規制の内容や程度が決められているので、取引自体やその仕組みの持つ非難可能性の程度に応じて、不法行為上の違法性判断の基準の高さが異なる。

そのため、取引自体やその仕組みの複雑性や危険性、ぎまん性や射倖性などの非難可能性が高ければ、その取引の勧誘行為の態様の非難可能性（虚偽勧誘、不実告知や断定的判断提供による適正な意思形成の阻害、威迫・困惑などの意思の抑圧、状況などのつけ込みの有無、程度など）は低くても取引勧誘行為全体の違法性は認められやすくなる。かかる意味において、取引型不法行為における違法性判断においては、不法行為法に共通して認められる相関関係に加え、取引自体あるいは取引の仕組みのもつ複雑さやリスクの高さ、あるいはその非難可能性と、そのような取引の勧誘行為自体の非難可能性との間でも相関関係が認められるといえそうである（【図2】参照)[29][30]。

(3) 損害（填補責任）

ア 取引型不法行為における「損害」

取引型不法行為では、通常であれば消費者が事業者に支払ったり、預託し

---

29) この【図2】は取引型不法行為の違法性に関する概念図であるから、被侵害利益は主に「財産」の場合を前提にしている。その意味では、通説の相関関係図である【図1】の被侵害利益の種類の「財産」のところに横に直線を引き、その直線に沿って【図1】に【図2】を垂直に立ち上げて三次元的に捉えると理解しやすい。

30) 松本恒雄「紹介型マルチ商法の違法性について」『民事責任の現代的課題　中川淳先生還暦記念』（世界思想社、1989年）244頁以下は、事例に挙げたような取引型の不法行為の違法性判断は、同じ相関関係でも「商法自体の実態や仕組みの違法性」と「勧誘方法、勧誘内容の不当性」との相関関係によって判断すべきとする。

た金員相当額が損害と評価されることが通例である。しかし、事案によっては損害をどう評価するのかが大きな問題となることがある。

証券取引の無断売買に関する最判平4・2・28（判時1417号64頁）は、証券取引の無断売買では証券会社の行った売買は、顧客に効果帰属しない以上、顧客は証券会社に対し、預託している金員（あるいは有価証券の場合もあろう）を契約に基づいて返還請求できるのであるから、「損害」は発生しておらず、不法行為や債務不履行にはならないと判断している。確かに、株式の無断売買の場合には、顧客に株式市場での取引の損益を帰属させられないことはその通りであるが、この場合に不法行為や債務不履行にならないというのはいかにも落ち着きが悪い[31]。

もう一つは、前述のマルチ商法事案（ベルギーダイヤモンド事件）の④判決（広島地裁）の損害論である。この判決は、ダイヤの価格の適正評価の基準がないことを理由に財産的損害は認めずに、選択の自由を奪われた状態でのダイヤを購入させられたことに対する慰藉料を損害として認めている。考え方としては、財産的損害は認められないが、勧誘の問題性に着目して契約締結時における消費者の自己決定権の侵害、つまり人格的利益の侵害と捉えて慰藉料を認めたものであろう[32]。

証券取引や先物取引、変額保険、不動産投資マンションなど、いわゆる「資産形成取引」と呼ばれる事件では、被害金額が大きいので、消費者も訴訟で争う経済的意義があるが、訪問販売や通信販売などの被害の場合には、被害金額が少ないので訴訟で紛争解決をするにはハードルが高い。その意味では、少額被害の場合に消費者の泣き寝入りを防ぐためには、損害填補責任を修正して「懲罰的損害賠償制度」や「二三倍賠償制度」の導入が検討されるべきであろう。

イ 損益相殺

---

[31] この点については、第30回先物取引被害全国研究会でのシンポジウム「無断売買と損害についての最高裁判決を考える」における、齋藤雅弘、松本恒雄教授、土橋正教授の発言（先物取引被害全国研究会編「先物取引被害研究」2号10頁以下）を参照。なお、証券取引の無断売買と商品先物取引の無断売買とは取引の性質が異なることから、違った結論になる可能性がある。

消費者が被害者となる取引型不法行為では、有利な投資や利殖を口実にした詐欺商法の被害が典型であるように、事業者から配当金や利益金名目で金員の支払がなされることも少なくない。この場合に、事業者から受領したこれらの金員を消費者が受けた損害（出捐した金員）との間で損益相殺すべきか否かが問題となることもある。

　しかし、これらの金員が「反倫理的行為に該当する不法行為の手段として交付された」ような場合には、これらの給付によって消費者が得た利益は不法原因給付に該当するので、損益相殺の対象とはならない[33]。

第4　過失相殺

1　取引型不法行為における過失相殺の現状

　実務の実際からみると、取引型不法行為の事案では、裁判所は責任は認めるが、他方で過失相殺を行うのが一般的である。

　しかし、取引型不法行為、特に悪徳商法による被害の場合などでは、被害者の落ち度を積極的に利用することで商売が成り立っている（言い換えれば、そこに違法性がある）のだから、違法性を認定して責任を認める以上は過失相殺をするのは評価矛盾ではないかという議論はもっともである。一般的に

---

[32]　サラ金の不当取立事案（村千鶴子「サラ金業者による不当取立」消費者取引判例百選〔82〕〔別冊ジュリ135号〕166頁参照）を除くと、一般的に取引型不法行為で慰謝料が認められるケースは少ない。それでも最近では取引型不法行為事案でも慰謝料を認定する判例もいくつか現れている。仙台地判平4・7・16先物取引裁判例集14号24頁、岡山地判平6・4・28同裁判例集16号43頁、仙台地加古川支判平7・11・20同裁判例集19号167頁、名古屋地一宮支判平10・5・8同裁判例集24号15頁、前橋地桐生支判平10・9・11同裁判例集25号64頁などの先物取引事件のケースがそれである。また、最近ではいわゆる「婚活マンション事件」でも被害者の恋愛感情や信頼関係等を弄び傷つける態様での勧誘がなされたことを理由に財産的損害のほかに慰謝料を認めた裁判例（東京地判令6・2・16判例集未登載同裁判所平27（ワ）第29244号・平28（ワ）第43768号）もある。なお、取引的不法行為における自己決定権侵害については、錦織成史「取引的不法行為における自己決定権侵害」ジュリ1086号86頁参照。

[33]　最判平20・6・10民集62巻6号1488頁・判時2011号3頁、同平20・6・24判時2014号68頁。

過失相殺を行う裁判所の姿勢をそのまま承認すると、たとえば大規模な悪徳商法の詐欺事件を起こして100億円儲けた場合、被害者も「だまされるのが悪い」という理屈で3割の過失相殺をすることは、詐欺師は犯罪を犯しても3割分は返さなくてもよいといっているのと同じことになってしまう。もしそうなら、10年くらい刑務所に行っても30億円儲けられた方がよいと考える者も出て来ないとも限らない[34]。にもかかわらず、裁判所が過失相殺を好んで用いるのは、違法性の認定は間口を少し広くする代わりに、過失相殺で損害賠償額を減ずることにより、柔軟な解決を考えているとみることも可能ではある。しかし、過失相殺のこのような用いられ方は、評価矛盾の解消にはならないし、被害救済の面では受け入れ難い。

2　取引型不法行為における過失相殺の可否

　取引型不法行為における過失相殺については、これを否定する説と肯定する説がある。否定説は、そもそも消費者の落ち度を逆に利用することに違法性の根拠があるのだから、それを結果的に加害者の責任を減ずる方向に利用するべきではないというものである[35]。この立場からは、もし賠償額を減額する必要があるのならば、過失相殺とは別な論理（割合的因果関係論、寄与度論など）や、別の事実を根拠とすべきということになろう。

---

[34]　我が国には、前述した消費者裁判手続特例法に基づく特定適格消費者団体の損害賠償請求訴訟や、犯罪被害回復給付金制度が導入されたとはいえ、加害者が違法に利得した利益を被害者に吐き出させる制度が充実しているとはいえない。そのため多くの場合、個々の被害者が自分で被害回復のために権利行使をしなければならないが、そうすると過失相殺をされてしまうというジレンマに陥る。もっとも、詐欺取消しや錯誤無効を主張することは可能であろうが、裁判所が詐欺や錯誤を認めることには消極的な実態もある。特に詐欺取消しについては、刑事事件で有罪でも確定しない限り、裁判所が取消しを認めることはほとんどなく、いずれにしても状況は同じである。

[35]　吉岡和弘「消費者被害と過失相殺理論の再構築――過失相殺の二元的適用（試論）」全国豊田商事被害者弁護団連絡会議編・発行『虚構と真実――豊田商事事件の記録』（1992年）361頁以下参照。なお、金融取引版の「信頼の原則」や金融商品販売法や消費者契約法の制定による金融業者の説明義務や情報提供（努力）義務の法定を理由に、消費者の金融取引においては過失相殺を否定する説もある（桜井健夫・上柳敏郎・石戸谷豊『金融商品取引法ハンドブック』（日本評論社、2002年）158頁以下）。

これに対し、取引型不法行為における過失相殺を肯定する説では、過失相殺における過失を「単なる不注意」で足りるとする。取引型不法行為で過失相殺を認める判例の多くが、このような事情を根拠に過失相殺を行っている。このような過失相殺論では、前提として被害者側には不法行為の成立要件と同程度の違法性は必要ないという考え方がある。

事故型の不法行為において被害者側の過失として問題とされる態様は、その結果として生命・身体が傷つけられたり、物が毀損するという意味で、それが他人によるものであれば「違法性」が認められるようなものである。したがって、事故型の不法行為では被害者側の過失も非難可能性の程度が高いものと評価されるから、被害者側の「単なる不注意」をもって賠償額の減額の要素とすることに合理性がある。しかし、取引型不法行為の場合には、被害者側の過失として考慮される事情のほとんどが、加害者によって惹起されている点で大きな違いがある。むしろ、事故型不法行為と同様に「不注意」の内容を相手方に対する関係でも違法性が認められる程度の不注意というところまで引き上げれば、通常では過失相殺はなくなるはずである[36]。

3　被害者の「不注意」の再検討

取引型不法行為において過失相殺を認めるとしても、安易な過失相殺はすべきではない。しかし、この場合、単純に割合的因果関係論や寄与度論を持ち出すと、単に「過失相殺」の言い換えに過ぎなくなるので、違法性の内容との比較で、どのような内容の「不注意」（というより被害者の事情）があれば賠償額を減額されても止むをえないのかを厳密に吟味する必要がある[37]。

取引型不法行為では、被害者と加害者が接触した当初から、お互いの関係が決裂して訴訟になる期間の全体を通じて違法性が判断されるが、その裏返しとして、このような全体を通じて損害の発生に被害者の行為が寄与している場合がある。それらの被害者の行為が介在するために加害者の行為と損害との因果関係が希薄になったり、遮断される場合も出てくるが、このような

---

36)　吉岡・前注「消費者被害と過失相殺理論の再構築——過失相殺の二元的適用（試論）」376頁以下参照。

事情は過失相殺として捉えるべきではなく、因果関係に影響を及ぼす事実として取り込むべきではないだろうか。たとえば、断定的判断を提供されて株を購入し、その事実をはっきり認識した後にその株がどんどん値下がりしていった場合に、最終的な口頭弁論終結時の株価を基準にして損害賠償を命じられるかという問題がある。この場合には、損害の拡大の蓋然性が高い事情があって、被害者がそのことを確実に認識していたなどの事情がある場合には、被害者にも損害の拡大を回避すべき信義則上の義務があったとみて、被害者が損害拡大回避の措置をとらなかった場合には、その後に拡大した損害と加害者との行為との間の因果関係を否定するという考え方もありうるであろう。

4　加害行為が反倫理性を帯びる場合の過失相殺の否定

前述したように、反倫理的行為に該当する不法行為の手段として交付された金員については、損益相殺を否定する法理が判例上も承認されていることを踏まえると（前掲注33）参照）、過失相殺の場面でも、同様に加害行為の反倫理性や反社会性を考慮して、過失相殺を否定する考え方が首肯されてしかるべきであろう。

37）　取引型不法行為における過失相殺については、窪田充見「取引関係における過失相殺」岡山大学法学会雑誌40巻3＝4号811頁以下、同『過失相殺の法理』（有斐閣、1994年）、橋本佳幸「取引的不法行為における過失相殺」ジュリ1094号147頁、第31回先物取引被害全国研究会でのシンポジウム「消費者被害と過失相殺」における、吉岡和弘弁護士、松本恒雄教授、河上正二教授、窪田充見教授の発言（先物取引被害全国研究会編「先物取引被害研究」3号13頁以下）、桜井ほか・前掲注35）の158頁以下およびそこに挙げられている論文、王冷然「投資取引換言賠償と過失相殺に関する一考察（1）～（4・完）」南山法学41巻3・4号（2018年）、同42巻2号、3・4号（2019年）、同45巻3・4号（2022年）を参照。先物取引被害における過失相殺については、平田元秀ほか『先物取引被害と過失相殺』（民事法研究会、2006年）を参照。

第5 消費者取引における不法行為訴訟の現状と課題

1 消費者取引と不法行為訴訟
(1) 不法行為訴訟の拡大とその原因

消費者取引の分野では、被害救済の方法として不法行為訴訟がよく用いられる。この傾向は、いわゆる資産形成取引では特に顕著である。

不法行為訴訟が多用される理由は、消費者取引における被害救済では不法行為訴訟のメリットが大きいからである。不法行為訴訟のメリットとして指摘されるのは、既に述べたように、①柔軟な適用による妥当な解決が図れる、別な言い方をすれば前掲注8）の「司法研究報告書」でも指摘されているように、契約法理では消費者の請求が認容されにくいのが現実であること[38]、②不法行為に基づく責任は、事業者の遂行する商法や取引の実態に適合した責任原理であり、事業者の営業や勧誘行為の違法性を宣言してくれるので、社会的なインパクトも強く、同種事案の抑止や解決水準の引き上げが図れること、③事業者が法人の場合、実際に勧誘を担当したセールスマン個人や取締役などの個人責任を追及できるので、法人が倒産したり破綻して被害回復の資力のない場合にもある程度の被害回復を図れること、④弁護士費用の賠償も求められること、さらには、⑤直接の契約関係を観念できない当事者間（たとえばメーカーと消費者間）の問題の処理へも応用がきくこと、などである。

(2) 不法行為訴訟の評価

消費者取引における被害救済において、不法行為訴訟を活用することは一定の成果を上げてきたといえる。不法行為による場合には、取引の最初の段

---

[38] 繰り返し指摘しているように、消費者取引の分野では意思表示理論、契約法理がうまく機能しないということである。一例を挙げれば、株の信用取引の事案で、追い証がかかった状態を証券会社が放置したことにより、委託者が多額の損失を蒙った事例では、受託契約上の義務の不履行（建玉処分義務）を主張しても認められないが（最判昭57・10・26判時1060号132頁）、証券会社の信義則上の手仕舞義務違反を主張すれば不法行為責任が認められるケースもある（名古屋地判平7・3・24証券取引被害判例セレクト（全国証券問題研究会編）4巻28頁）。

階から終了までの全過程を視野に入れて、違法要素を抽出し、組み合わせることが可能である。別な言い方をすれば、時間の経過全体を取り込んで総合的な判断ができると同時に、当該取引を取り巻く様々な環境や状況を社会的非難可能性の要素に取り込んだ判断が可能となり、柔軟な解決ができる。

このように不法行為訴訟は、一定の評価を得ているが、問題もない訳ではない。柔軟な解決ができるということは、反面では裁判官の裁量の幅が広く、場当たり的で予測可能性の低いものになりかねない。「過失相殺」の落ち着きの悪さ、特に詐欺的商法においては加害者が消費者の落ち度を利用したことが責任原因とされるのに、そのような消費者の落ち度を逆に取上げて過失相殺をするのは矛盾に見える。また、理論面でも、契約の効力の問題を棚上げにしたままで、不法行為責任だけを認めることの問題点が指摘されていることも既に指摘した。不法行為が成立する場合の契約の効力の問題を解決しないままに放っておくと、商品先物取引事案の④判決のように、契約は有効だとして業者から消費者が履行請求をされることも認めざるをえない。また、取引型不法行為では金銭賠償しか認められないので、現金ではなく預託した株券などの有価証券の返還を求めたり、不動産につけられた抵当権の抹消を請求することはできず、被害の救済が不十分となる[39]。

(3) 不法行為責任と契約責任

取引における行為が不法行為になるということは、契約法のレベルで考えると、契約に基づく債務の履行行為そのものあるいはその履行の過程における行為が不法行為であるということになり、そうなると一方では契約に基づき履行を強制されている行為が他方では不法行為になってしまい、評価矛盾ではないかとの批判がなされていることは指摘した。

この矛盾を解消するには、次の4通りの方向がある。第一は、不法行為が成立する場合には、契約に基づく請求権の行使を否定していくというやり方である。商品先物取引事案の④判決とその上告審判決（最判平6・1・31先

---

39) 東京地判平4・11・10判時1479号32頁の事件において、先物取引受託契約の公序良俗違反が主張されたのも、すでに倒産状態であった海外商品先物取引業者から被害回復が困難であったので、委託者が預託した委託保証金代用有価証券を担保に取っていた貸金業者から返還を求める必要があったからであった。

物取引裁判例集15号77頁）の考え方がそれである。これらの判例は「信義則」を根拠にしているが、一般条項を媒介にしないで契約や請求権の効力が否定できれば、それに越したことはない。第二は、一般条項を使わずに意思表示理論の再構成によるもの（この中には、詐欺・錯誤や強迫の拡張や意思表示理論そのものの見直しによる詐欺・錯誤などの要件の再構成によるものがある）と「公序」からのアプローチ（社会的適正基準からの逸脱の有無・程度を勘案して契約の効力を否定していく（民法90条の拡張〔大村説〕[40]、「消費者取引公序」の設定〔長尾説〕[41]など）という方法である。第三は、消契法や特商法、割販法などの民事規定を活用することである。不法行為が成立する場合には、消契法や特商法、割販法に規定する不実告知や不利益事実の不告知、重要事項の不告知あるいは断定的判断の提供が認められる場合が多いといえよう。その意味では、これらの法律の規定に基づき、契約の意思表示を取消すことにより、前述のような矛盾を回避することも可能である。第四は、債務不履行責任を追及する方法である。この方法では、債務の存在と内容を具体的に主張、立証していく必要があり、このハードルもかなり高い[42]。

2 不法行為訴訟の課題

最後に、消費者取引における不法行為訴訟の課題を少し整理しておく[43]。

(1) 少額訴訟

民事訴訟法は、60万円以下の金銭の支払いを目的とする訴訟については「少額訴訟に関する特則（少額訴訟手続）」を規定している（民訴法368～381条）。

少額訴訟手続は、簡易迅速な手続で判決まで至ることができるので、少額

---

[40] 大村敦志「取引と公序——法令違反行為効力論の再検討（上）（下）」ジュリ1023号・1025号（同『契約法から消費者法へ』（東京大学出版会、1999年）所収〔第2章第2節 取引と公序〕）。

[41] 長尾治助「消費者取引と公序良俗則（上）（中）（下）」NBL457号・459号・460号。

[42] このような考え方を展開するものとしては、松岡久和「商品先物取引と不法行為責任」ジュリ1154号10頁がある。

[43] 契約の不成立、無効、取消しを争う場合など、他の形態の消費者訴訟にも関連することであるが、不法行為訴訟を中心に、ここで消費者訴訟の課題について簡単に触れておく。

被害の救済に役立つ。他方、この手続では被告の同意がないと通常手続に移行されてしまうので（同法373条）、違法な事業活動を行う事業者を相手に少額訴訟を提起しても、事業者から手続自体を争われれば、結局、通常訴訟で解決するしか方法がない。

また、口頭弁論や証拠調べの手続が簡略化されているということは、それだけ微妙な立証や難しい立証では、立証方法や立証手段に制約を受けるということであり、事業者の行為の違法性を立証する場合のように困難な立証を簡易な手続で行うことは、なおさら難しい。その意味では、少額訴訟手続を消費者取引における不法行為訴訟として活用するには限界がある。

(2) **立証責任**

不法行為訴訟では、不法行為の要件の主張、立証は原告側（つまり消費者側）が負っている。勧誘の経過や勧誘文言などでは、法廷での証言や供述が水掛け論的になって、裁判官の心証を得られるに至らないことも少なくない。

これを克服するには、文書提出命令や証拠保全を積極的に活用して尋問を行うなどの工夫が必要である。調査嘱託により、国民生活センターのPIO-NET情報を取り寄せて、事実認定の資料として用いるなどの工夫も考える必要もあろう（さいたま地越谷支判平23・8・8消費者法ニュース89号231頁）[44]。

(3) **賠償額**

賠償実額を引き下げているのは、既に指摘した過失相殺であるが、消費者取引の被害救済ではそもそも請求額自体が少額となる場合も多く、訴訟による解決へのインセンティブが働きにくい。

また、我が国の裁判所は、取引型不法行為における慰謝料についての理解がない。財産上の損害は、失われた財産が戻れば、それで精神的なダメージは回復されると単純に考えられている。ほとんど理由らしい理由もなく、正面からそのような判断をする裁判例も少なくない[45]。しかし、たとえば、詐欺の被害者は二度被害に遭うといわれるように、取引型不法行為では財産的な被害のみならず、極めて深刻な心のダメージを受ける場合も少なくない。このような問題の認識や理解および対応が必要である[46]。

---

44) 前掲・注8）の司法研究報告書10〜12、68頁でも、同様の指摘がある。

このような問題への対応としては、制度的には少額損害の場合にも訴訟による不法行為責任の追及に対するインセンティブになりうる程度の賠償額を予め法定しておくような法定賠償（前述の「二三倍賠償」もこの例）や懲罰的賠償の導入の必要性が高い。

3 集団的な被害回復制度
(1) 集団訴訟

広く薄い消費者被害は、被害者が多数となる場合が多い。このように被害者が多数の場合、集団的な訴訟により解決することが、迅速かつ妥当な被害回復につながる。集団的な消費者被害の場合には、複数の弁護士が弁護団を結成し、共同して多数の被害者の訴訟代理人として集団訴訟を提起して被害救済に取り組む例が多く見受けられる。その嚆矢は、コラムで取り上げた「豊田商事事件」である。

このような集団訴訟では、①社会的に注目されるので情報や証拠が集まりやすい、②勧誘や取引の手口の共通性が明確になり、被害者がそれぞれ個別に訴訟提起するよりも、事業者の行為の違法性の立証がやりやすくなる、③結果的に個別の被害者がそれぞれ訴訟提起するよりも解決水準が上がる傾向がある、④学説や判例に与える影響も高く、同種の他事件の解決水準も押し

---

45) たとえば、東京高判平26・7・17先物取引裁判例集71号192頁は「不法行為による財産的損害については本判決により回復するはずであり」などとして慰謝料請求を否定しているし、東京地判平26・12・26LEX/DB 文献番号25523552も「財産的損害が生じた場合には特段の事情のない限り財産的損害の回復によりそれに伴う賠償すべき精神的損害を観念することができないことが通常であるから、特段の事情を認めるに足りる証拠はない本件においては反訴原告の慰謝料請求は認めることができない」とし、また、福岡高判平26・1・30先物取引裁判例集70号134頁も「本件取引によって生じた控訴人の精神的苦痛は、取引自体による損害が回復されれば、慰謝されると解すべきであるから、これを認めるに足りない」など、最近の裁判例をいくつか上げるだけでも、裁判所は取引型不法行為において取引過程でなされる加害者の行為によって生じ得る損害について、財産的損害以外の精神的苦痛に関わる損害を認めることには非常に消極的であるが、再考が必要である。

46) 恋人商法の被害者の心情については、**第1章**でも挙げた、宮部みゆき『魔術はささやく』（新潮文庫、1993年）を一読するとよい。

上げる、⑤集団事件の場合、訴訟追行をすることが消費者への啓発になったり、立法運動にもつながりやすく、個別の被害救済に止まらず、同種の被害の予防にも役立つ、⑥集団和解などを通じ、基金の設立、加害者に公益的な団体や活動を援助をさせるなど、被害者への直接的な金銭賠償以外の被害救済や不当利益の吐き出しなどを図りやすい、⑦訴訟追行ための共通の実費などの節約が可能となるなどが挙げられる。　アメリカでは「Parens patriae（パレンス・パトリーイ：父権訴訟）」と呼ばれるような行政の長が消費者に代わって加害者に対する損害賠償請求を行い、回収した賠償金を被害者に分配するような制度や「クラスアクション制度」が存在するので[47]、このような多数の被害者が出る事件の場合には集団的な訴訟は、日本より遙かにやりやすくなっている。　我が国でも、2013年に消費者裁判手続特例法が制定され、2016年10月1日から施行されたが、請求できる損害賠償にはいわゆる拡大損害、逸失利益、人身損害および慰謝料が除外されていたり（同法3条2項1～6号）、簡易確定手続に消費者の加入を促す仕組みも手続的に重たいし、事務処理費用も嵩むなどの実情もあって、2018年3月現在、同法に基づく提訴例はないことに象徴されるように、使いやすい制度とはいえない。

(2) **大規模訴訟**

被害が広範囲に広がる消費者被害の救済には、集団訴訟による解決が必要であることが多い。多数の当事者が関わる訴訟手続としては、民事訴訟法が大規模訴訟の特例および選定当事者制度を規定している。この手続を利用することも可能であるが、これらの手続も基本的には通常の訴訟手続である。

民事訴訟法は訴訟の大規模化や集団化に対応するために「大規模訴訟に関する特則」を置いている（同法268条・269条）。しかし、民事訴訟法が規定しているのは大規模訴訟（当事者が著しく多数で、かつ、尋問すべき証人または当事者本人が著しく多数である訴訟）における受命裁判官による証拠調べの規定（同法368条）および大規模訴訟では5人の合議体で審理を行えるとする規定

---

[47]　父権訴訟については田中英夫・竹内昭夫『法の実現における私人の役割』（東京大学出版会、1987年）、ドン R. サンペン・細川幸一「米国における消費者法のエンフォースメントと日本への示唆」国民生活研究43巻1号参照。

(同法269条)のわずか二つである。この特則が使える以外は、被害を受けた多数の消費者が集団として提起した大規模訴訟であっても、すべて通常訴訟と同様に扱われることになる。

そのため、この特則を活用することで、大規模訴訟では複数の受命裁判官による並行した証拠調べが可能となり、審理期間の節約にはなるが、他方、個々の証拠調べにおいては通常の訴訟と同様の手続を遂行して行かなければならないので、消費者の負担はそれほど変わらないと考えられる。

(3) **選定当事者制度**

当事者が多数にわたる訴訟の場合には、選定当事者制度(民事訴訟法30条)を活用することが可能である。選定当事者制度は、共同の利益を有する多数の者の中から全員のために原告または被告となるべき者を1人ないし数人選定し、それによって選定された者(選定当事者)が訴訟当事者として選定当事者を選んだ多数の者(選定者)のために訴訟を遂行する制度である。

しかし、選定当事者制度を利用するには、選定者による個別の授権が必要であり、多数の地域に拡散した大量の同種被害を巡る紛争には、個々の被害者の授権を受けるのは事実上困難であるため、ほとんど機能していない[48]。むしろ、後述の消費者裁判手続特例法に基づく特定適格消費者団体による集団的損害賠償請求制度の方が活用しやすいのではないだろうか。

(4) **集団的損害賠償請求訴訟制度(消費者裁判手続特例法)**

既述のとおり、消費者裁判手続特例法により、新たに特定適格消費者団体(同法2条10号)に訴訟追行を認める集団的消費者被害の救済制度も導入された。この制度については、第16章(第5、4)を参照されたい。

4 違法利益の吐き出し制度

(1) **違法利益の吐き出し**

加害者が利得した被害者の財産的利益を不法行為を理由とする損害賠償として返還させるものではないが、違法行為を行って利得を得た事業者に不当

---

[48] 中野貞一郎・松浦馨・鈴木正裕編『新民事訴訟法講義〔補訂版〕』(有斐閣、2000年)459頁。

な利得を吐き出させる制度も被害の予防と救済には有効である。

　我が国でも、次のような利得の剥奪ないし吐き出しと分配のための制度があり、これらも違法利益の吐き出し制度の一つとみることも可能であろう。

(2) **犯罪被害者への被害金分配手続**

　組織的犯罪処罰法および犯罪被害回復給付金法が2006年に改正され、刑事事件で裁判所から没収・追徴を言い渡された財産について、裁判確定後に検察官が被害回復事務管理人を選任して、被害者にこれを分配する手続が定められた[49]。これによって犯罪被害者の被害回復が図られるとともに、違法行為によって事業者が得た利益が吐き出されることが期待される[50]。

　しかし、この制度は刑事事件として起訴され、判決が確定しなければ被害金の分配手続は進行しないものであるし、分配の対象となる被害者財産も刑事事件の判決で没収・追徴されたものに限定されるという限界がある。

(3) **振込利用犯罪行為利用口座の凍結と被害者への分配手続**

　2007年に振り込め詐欺救済法（犯罪利用預金口座等に係る資金による被害回復分配金の支払等に関する法律）が制定され、「振込利用犯罪行為」（詐欺その他の人の財産を害する罪の犯罪行為であって、財産を得る方法としてその被害を受けた者からの預金口座等への振込みが利用されたものをいう：振り込め詐欺救済法2条3項）によって犯罪利用の疑いがある預金口座等が発覚した場合には、被害者など一定の者の通知によりその預金口座等の凍結が可能である。その後、公告等を経て口座名義人の権利の失権手続を行い、失権後の口座の残高を分配を請求した被害者に分配する手続がとれるようになっている[51]。

---

[49] たとえば、東京地方検察庁は2017年9月20日付で、社債詐欺の刑事判決で没収または追徴された金額について、同法18条に基づき「特別支給手続開始決定公告」を行い（http://www.kensatsu.go.jp/content/001236370.pdf を参照）、その後、犯罪被害財産特別支給手続を実施している（http://www.kensatsu.go.jp/kakuchou/tokyo/page1000115.html）。全国の検察庁が取り扱っている支給手続開始事件の一覧は、検察庁のHP（http://www.kensatsu.go.jp/higaikaihuku/index.htm）で確認できる。

[50] 被害回復給付金制度については法務省のHP（https://www.moj.go.jp/keiji1/keiji_keiji36.html）参照。

[51] この手続による預金の凍結と分配については、サクラサイト被害全国連絡協議会編『サクラサイト被害救済の実務』（民事法研究会、2017年）参照。

(4) 景表法の課徴金制度における実施予定返金措置計画の作成・認定と返金

　景表法に違反した事業者が、所定の手続に沿って得た利益を消費者に対し自主的に返金を行った場合（返金措置を実施した場合）は、課徴金を命じないか、または減額することが認められている（景表法10・11条）。

　この制度も、景表法違反業者が得た不当な利益を、消費者に返還することで吐き出させる機能を有しているとみることができる。この点は、**第9章**の「表示・広告と消費者」も参照されたい。

《参考文献》
- 國井和郎「詐欺的商法の不法行為処理と理論構成」判例タイムズ667号
- 奥田昌道編『取引関係における違法行為とその法的処理——制度間競合論の視点から』ジュリスト合本（ジュリスト1079～1097号連載分）（有斐閣、1996年）
- 今西康人「契約の不当勧誘の私法的効果について——国内公設商品先物取引被害を中心として」『民事責任の現代的課題　中川淳先生還暦記念』（世界思想社、1989年）
- 織田博子「公序良俗と不法行為」法律時報66巻1号
- 松本恒雄「投資被害における契約と不法行為」法学セミナー476号
- 松岡久和「商品先物取引と不法行為責任」ジュリスト1154号
- 長尾治助編『レンダー・ライアビリティ——金融業者の法的責任』（悠々社、1996年）
- 桜井健夫＝上柳敏郎＝石戸谷豊『金融商品取引法ハンドブック』（日本評論社、2002年）、同『新・金融商品取引法ハンドブック〔第4版〕』（同、2018年）
- 桜井健夫『金融商品取引法・金融サービス提供法』（民事法研究会、2023年）
- 潮見佳男「第一部　契約法と損害賠償法の交錯——制度間競合論の視点から見た損害論の現状と課題」「第二部　投資取引・消費者契約に見る民法法理の現代化」『契約法理の現代化』（有斐閣、2004年）所収、同「第三章　消費者契約における不当条項の内容規制」『契約法理の現代化』（有斐閣、2004年）所収
- 王冷然『適合性原則と私法秩序』（信山社、2010年）
- 角田美穂子『適合性原則と私法理論の交錯』（商事法務、2014年）

［齋藤雅弘］

コラム 豊田商事事件

　豊田商事は、4年余りにわたり「金の現物まがい商法」を展開し、1985年6月に破綻した悪質業者である。豊田商事は、値上がり確実、無税、換金自由を「金の三大利点」と称し、金の有利性を強調して金地金の購入契約を締結させると同時に、「持っていると盗難に遭うなどして危険」「金を預ければ当社で運用して5年で15％の賃借料を支払う」と勧誘して、金の現物は渡さずに「純金ファミリー証券」という紙切れと引き換えに金の購入代金を騙し取った。破綻時点では3万人余りの被害者が出たが、その6割が60歳以上のお年寄りに集中し、高齢者の貯蓄を根こそぎ収奪していったことが特徴であった。また、豊田商事の永野一男会長がマスコミ関係者が居ぶ前で刺殺され、一気に崩壊したことから社会問題としてもセンセーショナルな事件であった。この事件がきっかけとなって、現物まがい商法を規制する「特定商品等の預託等取引契約に関する法律」が制定された。しかし、近時のジャパンライフの被害を見ても、豊田商事と同様の被害が繰り返されている現実があり、改めて預託商法に対する法規制の整備が強く求められる。

　豊田商事事件では、被害者の損害賠償請求権を破産債権として破産申立てを行い、豊田商事を破産に追い込むことで新たな被害発生をくい止め、破産手続を通じて同社の商法の違法な実態を解明するとともに、全国的に結成された被害者弁護団も破産事件に協力して、可能な限り財団増殖につとめて被害回復を図った。また、破産事件とは別に、豊田商事の役員や従業員の個人責任を追及することで、被害救済を図るという手法がとられた。今でこそ、このような手法は被害者が多数の欺瞞的商法（特に自転車操業による破綻必至の悪質商法）への対応手法としては当たり前になっているが、これも豊田商事事件を契機として考え出されたものである。破綻必至の商法では、依頼者が受け取る損害賠償金も他の被害者から収奪された金員が充てられるので、業者を延命させる限り、損害賠償は常に新たな被害者の被害の上にしか成り立たないという現実がある。そのため被害救済のみを考えれば「早い者勝ち」にならざるをえず、個別の依頼者を抱える弁護士としては、依頼者の被害救済を優先すべきか、被害発生をくい止めるべきかのジレンマに立たされる。しかし、個別の依頼者の被害回復は多少犠牲にしても被害根絶と平等な救済を優先すべきとの考え方が広く受け入れられ、豊田商事事件では上記のような手法がとられた。［齋藤雅弘］

第6章
特定商取引法

第1 はじめに

　高度経済成長期を迎えた1960年代には、訪問販売、通信販売、マルチ商法などの特殊な取引方法が広く行われるようになり、消費者被害が多発した。訪問販売や連鎖販売取引では、不意打ち性が強いうえに事業者による執拗な勧誘が社会問題を引き起こした。通信販売では、消費者は広告情報のみで判断することになるが、不十分あるいは不適切な広告による被害が発生していた。

　そこで、1976年に「訪問販売等に関する法律」が制定された。立法時は、政令指定商品に関する訪問販売および通信販売、物品にかかる再販売型連鎖販売取引（いわゆるマルチ商法の一部）の3種類の取引形態とネガティブオプションを規制していた。その後、消費者被害が多発する取引類型を順次に追加し、現在では、訪問販売、通信販売、電話勧誘販売、連鎖販売取引、特定継続的役務提供、業務提供誘引販売、訪問購入の7種類の取引形態とネガティブオプションを規制対象としている[1]。2000年の改正で、「特定商取引に関する法律」（特商法）と改められ、2008年に政令指定商品・役務制度の廃止、訪問販売に過量販売解除制度の導入、通信販売の返品制度のデフォルトルー

---

1) 2012年に訪問購入の追加改正がなされたことは後述の通り（本章第4、7）。

ルの導入、電子メール広告のオプトアウトからオプトインへの変更などの改正が、2012年には訪問購入が第7の類型として規制に追加され、2016年に政令指定権利を株式や社債等も含む特定権利に拡大、ファクシミリ広告へのオプトイン規制、特定継続的提供への美容医療の追加、執行体制の強化などの改正がされた。2021年には、書面交付義務について消費者の承諾があれば電子書面でよいものとし（2023年6月施行）、クーリング・オフの行使を電磁的記録によるものも可とし、ネット通販を中心に特定申込画面の規制と違反があった場合の取消制度の導入（以上は2021年6月施行）、ネガティブオプションの改正（後述、2021年7月6日施行）などがされた。

本章では、特商法の規制内容のうち民事的規制を中心に取り上げる。

第2 紛争の実態と背景

1 被害の概況

国民生活センター編「2022年版消費生活年報」（出典 :https://www.kokusen.go.jp/pdf_dl/nenpou/2022_nenpou.pdf）によれば、相談全体842,664件のうち、56％を店舗外取引が占めている。店舗外取引のうち、もっとも相談件数が多いものは通信販売で324,885件で、全体の38.5％を占めている。ついで、訪問販売（77,877件で、9.2％）、電話勧誘販売（45,324件、5.4％）、マルチ取引（8,742件、1.0％）、訪問購入（6,872件、0.8％）となっている。

2 典型的な消費者被害事例とその特徴

通信販売のうち最も被害の多いインターネット通信販売（以下「ネット通販」という）、訪問販売、電話勧誘販売の典型的な被害事例は以下のようなものである。

〈ネット通販――定期購入の事例〉

SNSを見ていたら流れてきた広告で、「今ならしわ取りクリームが初回だけ500円のお試し価格で購入できる」という。以前から興味があったが、高価なのであきらめていたが、500円のお試し価格なら初回だけ試してみよう

と思い、リンクをたどり販売業者のHPに飛んだ。すぐに申込フォームが出てきたので入力して送信した。しばらくして商品が送られてきたので受け取り500円を支払った。一か月後にまた商品が送られてきて定価の請求書がはいっていた。初回だけのつもりで、二回目からは注文していないので、間違いを販売業者に連絡したところ、「初回だけお試し価格というのは。半年間定価で購入することが条件になっている。返品や中途解約はできない。」といわれた。広告に表示があるといわれたが、自分は見ていないので、知らない。定価で購入するつもりはない。

〈自宅訪問販売の事例〉

「近所で工事しているのでお宅の建物も無料で点検する。」と男性が訪問してきた。無料点検してもらえるならと依頼した。屋根に上り点検し、「屋根が相当傷んでおり、雨漏りするようになり家が傷む」という。非常に不安に思ったところ「今すぐに工事をすれば大丈夫だ」といわれ、急いで契約して工事してもらった。工事後「ほかにも傷んでいるところがあるから直したほうがよい。」といわれて、いわれるままに次々と工事をした。現金で支払えないので分割払いにしてもらったが、生活できなくなった。これ以上支払いたくない。知人の建築士にみてもらったら、必要のない工事だったといわれた。

〈電話勧誘販売の事例〉

SNSで儲け話の説明会に誘われ、オンライン説明会に参加した。説明会で「絶対もうかるノウハウ」「借金して契約しても儲けですぐ返済できる」と勧誘されて高額な情報商材を消費者金融から借金して購入した。契約後、情報商材は意味不明の無内容のものと分かり、儲けで返済すればよいといわれた消費者金融への返済ができず、困っている。

これらの取引で特徴的なことは、消費者にとって不意打ち性が高く情報や交渉力が非対等であること、消費者に接触した後は巧妙かつ執拗に勧誘を行うこと、勧誘時の説明内容に問題があることなどである。販売する商品やサービスの内容だけでなく、購入の必要性に関する動機付けについて事実と異なる説明をするもの[2]、説明すれば消費者の購入意思がなくなる可能性がある重要な事項を隠して説明しないもの、断っているのに執拗に契約の締結を

迫るもの、消費者の情緒面などに付け込むことなどの問題点が指摘できる。

3 消費者の立場

訪問販売や電話勧誘販売などの不意打ち的な販売方法の場合やマルチ商法や内職商法では儲け話という誘惑的な勧誘をする一方で契約内容は複雑でリスクがあり理解が難しく、いずれも消費者は受け身の弱い立場に立たされる。これらの特徴は次のように整理できる。

①事前に調べる余裕も予備知識もない。②特殊な商品・サービスや複雑な契約条件については、基礎知識も予備知識も十分でないため事業者主導になる。③熟慮し冷静に判断する機会を与えられない。その場で契約するよう迫られがち。④交渉力格差が大きい高齢者や若者などは断れない場合が少なくない。⑤説明内容や販売方法の問題点を巡って水掛け論に陥りがちで、消費者は泣き寝入りを強いられることがある、などである。

これらは、販売業者が「熱心に」販売活動をしているつもりでも消費者は結果的に不利な立場に置かれるもので、「構造的な」問題点として捉える必要がある。

第3 特定商取引法による規制と民事ルール

1 特商法による規制の基本構造

特商法は、監督官庁が事業者を行政的に規制するための根拠法「業法」（**第1章**25頁参照）である一方、民事ルールも充実している。消費者被害救済に有効な、クーリング・オフ制度、勧誘の際の説明に問題があった場合の取消制度、過量販売解除制度、中途解約制度、損害賠償の額の制限などの民事ルールも定められている点に特徴がある。

なお、通信販売については、広告表示を見た消費者が自発的に通信手段で申し込む取引方法であり、事業者による勧誘行為がないと整理されており、

---

2) 典型的なものとしては、「法律で消火器の設置義務ができた」「家庭用火災警報器が設置義務化され、設置していないと罰金を科される」「黒電話が使用できなくなる」「このままだとシロアリで家が倒れる」などのセールストークがある。

規制の概要は広告の表示義務や誇大広告の禁止などの広告規制が中心となっている。ただし、ネット通販では、インターネットの特殊性から、広告メールのオプトイン規制、最終確認画面（特商法では「特定申込画面」という）の表示義務と誤認を与える表示の禁止、違反により消費者が誤認して申込をした場合の取消制度などが導入されている。

特商法にはいずれの規制対象取引にも開業規制はなく、誰でも自由に事業活動を行うことができるが、行為規制の遵守が義務づけられる。その基本構造は、事業者に対し、消費者に対する正確な情報を開示させ（書面交付義務、広告規制など）、消費者の自主的な選択の機会を確保（クーリング・オフ、勧誘行為規制）することを目的とする。

特商法が定める行為規制に違反した事業者に対しては、内閣総理大臣（権限は消費者庁長官に委任）および経済産業大臣が行政処分権限を有する。具体的には、報告徴収・立入検査（法66条）、改善指示（法7条ほか）、業務停止命令（法8条ほか）・禁止命令（法8条の2ほか）である。都道府県知事にも同様の権限が付与されている（法68条）。

書面交付義務違反と禁止行為違反に対しては直接の罰則規定（法71条1号・70条）があるが、その他の行為規制については、改善指示や業務停止命令に違反した場合にのみ罰則の対象となる（法71条2号・70条2号など）。

2 クーリング・オフ制度

クーリング・オフ制度は、通信販売を除く6類型に導入されている制度である。通信販売には、後述のようにいわゆる「返品制度」に関する規律が設けられているが、これは強行規定であるクーリング・オフ制度とは異なる点に留意する必要がある。

(1) 定義

申込や契約締結後にも一定の熟慮期間を保障する制度である。所定の期間内であれば、消費者は何らの理由も必要とせず、かつ、無条件に契約を解除することができる。

なお、通信販売には、クーリング・オフ制度はない。事業者による勧誘行為がないためであるとされている。ただし、通信販売では、広告に契約の撤

回や解除に関することを表示することが義務付けられている。この趣旨は、現物がイメージと違った場合に返品できるかどうかを明示するためで、いわゆる「返品制度の有無、内容」などを広告表示事項とするものであり、クーリング・オフ制度とは異なる。返品制度については、事業者が決めることができるとし、ただし広告表示義務としている点など、クーリング・オフ制度が強行規定である点とは大きく異なる。

(2) **立法趣旨**

訪問販売や電話勧誘販売などの特殊販売は、民法が想定している対等な当事者間での契約締結の場面と比較すると、販売業者の攻撃的な勧誘方法により、消費者が不意打ち的な状況で契約を締結するため、契約意思が不確定な状態で契約を締結しがちとなる。また、連鎖販売取引や業務提供誘引販売取引や特定継続的役務提供は、契約内容が複雑で幻惑的であるため、消費者が正確な内容を把握しないで契約しがちである。また、勧誘や契約締結が閉鎖的な場所で行われることが多く、説明内容に問題があったり、強引な勧誘方法が行われる危険性が高い。しかも説明や勧誘内容の証明は容易でなく、民法の錯誤取消や詐欺取消による救済は困難な場合が多い。

そこで、消費者が頭を冷やして契約から容易に離脱する（cooling-off）ことができるよう、事業者に対して契約書面の交付義務を課し、契約書面の受領日を起算日として一定期間の無理由・無条件の解除権を付与した。

(3) **要件と行使方法**

ア　取引形態

クーリング・オフの対象となる取引形態は、訪問販売、電話勧誘販売、連鎖販売取引、特定継続的役務提供、業務提供誘引販売取引、訪問購入の6類型の取引である[3]。消費者から通信手段により契約の申込みを受けて行う形

---

3) クーリング・オフ制度は、特商法が定める6類型以外にも、割販法35条の3の10および11、宅建業法37条の2、特定商品預託取引法8条、金融商品取引法37条の6、ゴルフ場等会員権契約適正化法12条、不動産特定共同事業法26条、保険業法309条、特定債権等事業規制法59条、老人福祉法29条8項などに規定がある。現在では、必ずしも不意打ち型取引形態に限らず、複雑な契約やトラブルが多い取引形態についても規定されている。それぞれの法律で適用要件や行使期間が異なるので確認が必要である。

態である通信販売には適用がない。

　イ　対象商品等

　クーリング・オフが可能な取引対象商品等は、訪問販売と電話勧誘販売は、原則としてすべての商品・役務、権利のみ特定権利（政令3条、別表4）に限られる[4]。ただし、適用除外取引が法律と政令で指定されている（法26条1項6〜8号）。特定継続的役務提供は、政令指定された7業種（政令11条、別表第5）に限られる。これに対し、連鎖販売取引と業務提供誘引販売取引では、すべての商品、権利および役務が対象となる。

　ウ　行使期間

　クーリング・オフの行使期間は、訪問販売、電話勧誘販売、特定継続的役務提供、訪問購入では、法定の契約書面受領日から、または電磁的方法による契約条件の情報提供を受けた日から8日間である。高収益を誘引文句にするなど幻惑的な取引形態である連鎖販売取引と業務提供誘引販売取引は20日間である。

　契約書面等の交付がない場合、表示の内容が不備な場合および虚偽の場合は、法定書面を交付したことにはならないので、クーリング・オフ期間が進行しない。したがっていつまでもクーリング・オフができる[5]。

　業者が不実の告知や威迫行為によりクーリング・オフの行使を妨害したときもクーリング・オフ期間は延長される。この場合のクーリング・オフ期間は、契約解除ができることを記載した書面を改めて交付し（再交付書面）、かつ、クーリング・オフができることを消費者に説明した日から8日間または20日間である（法9条1項但書等）。

　エ　行使方法

　クーリング・オフは書面又は電磁的記録により通知する旨が定められている（法9条本文）。行使期間内に通知書を発信することにより解除の効力が発生する（発信主義：法9条2項）。なお、書面等によることが必要とされてい

---

4) 訪問販売、電話勧誘販売については、2008年改正により政令指定商品・役務制度が廃止され、原則すべての商品・役務取引に適用がある。権利については2016年改正で政令指定制度から特定権利に拡大された。

るのは、クーリング・オフ権の行使の有無をめぐっていたずらに紛争を招くことのないようにする趣旨であると解されている[6]。したがって、クーリング・オフをした事実が証拠上明白であれば口頭の通知でも有効である（福岡高判平6・8・31判時1530号64頁、判タ872号289頁）。

　オ　訪問販売、電話勧誘販売に関するクーリング・オフの適用除外

　①　自動車：自動車および自動車リースはクーリング・オフの適用除外である（法26条3項1号）。

　②　消耗品：政令で指定した消耗品（健康食品・化粧品・配置薬など）は、契約書面が完璧であり[7]、かつクーリング・オフ期間内に消費者の判断で使用・消費した商品については[8]、通常の小売最小単位について[9] クーリン

---

[5]　書面不備とクーリング・オフに関する裁判例は多数ある。たとえば、①アルミサイディングの購入設置契約につき、勧誘員の説明にも問題があり、契約書の商品名・数量・価格の記載にも不備があるとして、2カ月半後のクーリング・オフを認めた例（東京地判平5・8・30判タ844号252頁）、②屋根用パネルの販売設置契約につき、購入者の判断能力が劣っており、販売員の説明も不十分であるうえに、商品・役務の価格の内訳、支払時期、商品引渡時期、数量の記載に不備があるとして、契約から18日目のクーリング・オフを認めた例（東京地判平7・8・31判タ911号214頁）、③呉服と帯の訪問販売につき、商品の商標または製造者名、種類または型式、数量、販売担当者名の記載が欠け書面不備であるとして、契約から7カ月（5カ月）後のクーリング・オフを認めた例（東京地判平11・7・8国民生活2002年12月号46頁）、④ダイヤの訪問販売につき、商品の特定が不完全であり、その後保証書・鑑定書が交付されても書面不備が補完されないとした例（大阪地判平12・3・6消費者法ニュース45号69頁）、⑤クーリング・オフの記載が欠ける書面では不備であるとした例（神戸簡判平4・1・30判時1455号140頁、東京地判平8・4・18判時1594号118頁）、⑥連鎖販売取引について特定負担の記載がなく書面不備であるとした例（京都地判平17・5・16国民生活2006年2月号66頁）などがある。なお、契約書面の記載の不備だけに着目して判断した裁判例（③④⑤）が多いが、勧誘方法や契約者の認識を加味して判断した裁判例（①②⑥）もある。
　　裁判例の傾向としては、法定記載事項を厳格に解釈し、法定記載事項に不備がある場合にはクーリング・オフの起算日が到来していないと判断する傾向があるといえる。

[6]　法律上も書面によることが効力要件とは定めていない。

[7]　消耗品の場合にはクーリング・オフ期間内でも使用するとクーリング・オフできなくなる旨は、法定記載事項である。

[8]　事業者が指示して使用させた場合にはクーリング・オフできる。

表1

取引形態*1	商品・役務	書面交付義務	クーリング・オフ制度
訪問販売	商品・役務・特定権利	申込書・契約書	8日間
通信販売	商品・役務・特定権利	なし*2	なし*3
電話勧誘販売	商品・役務・特定権利	申込書・契約書	8日間
連鎖販売	限定なし	概要書面・契約書面	20日間
特定継続的役務提供	指定7業種	概要書面・契約書面	8日間
業務提供誘引販売取引	限定なし	概要書面・契約書面	20日間
訪問購入	原則、すべての物品	申込書・契約書	8日間

＊1 雑則に「ネガティブオプション」に関する規定あり。
＊2 前払式通信販売には、承諾通知義務がある。
＊3 原則8日間の返品制度がある。ただし、広告に異なる表示がなされている場合には表示による。
＊4 広告メールとファクシミリ広告の送信は原則消費者の事前同意が必要、同意による広告メール送信等にも再送信規制がある。ネット通販では消費者の意に反して申込みをさせる行為は禁止されている。
＊5 不招請勧誘の禁止が導入された。
＊6 特定申込の通販に限る。

グ・オフができなくなる（法26条4項）。

③ 3,000円未満の現金取引：契約締結時に代金支払いと商品引渡しを完了する3,000円未満の現金取引の場合は、クーリング・オフは適用されない（法26条4項3号）。

④ 葬式、居酒屋やマッサージなどの呼び込みもクーリング・オフの適用除外とされる（法26条3項2号）[10]。

⑤ 請求訪問販売：「その住居において契約の申込みをし又は契約を締結

---

9) 同種の商品の通常の小売りの単位である。当該事業者の通常の取扱い単位ではない。
10) 商品の引渡しを受けて使用した後にクーリング・オフを行使した場合、商品使用に伴う消費者の利得を返還する義務があるかという争点があったが、2008年改正により利用利益の請求は認められないことが明確化された（法9条5項）。

過料販売解除制度	勧誘行為規制	取消制度	広告規制	中途解約権
あり	あり	あり	なし	なし
なし	なし*4	あり*6	あり	なし
あり	あり	あり	なし	なし
なし	あり	あり	あり	あり
なし	あり	あり	あり	あり
なし	あり	あり	あり	なし
なし	あり*5	なし	なし	なし

することを請求した者に対して行う訪問販売」も不意打ち性がないことからクーリング・オフの適用はない。ただし、近年「暮らしのレスキュー」などといわれる鍵開けや水回りのトラブルなどで消費者がネット検索などで調べて業者に来訪を要請した場合でも、ネット上の表示と現実の契約の価格などが懸け離れている場合には、不意打ち性が高いことからクーリング・オフが可能である。（法26条6項1号）

(4) 効果

　クーリング・オフの効果は下記のとおりである。クーリング・オフの行使により、契約は遡って無かったものとして扱われる。販売業者は、受け取った代金全額をすみやかに返還する義務がある。販売業者は消費者に対し損害賠償または違約金を一切請求できず（法9条3項）、引渡し済みの商品の返還費用も販売業者の負担である（同条4項）。消費者は提供を受けた役務の対価を支払う必要はなく（同条5項）、販売業者は受領した対価を全額返還する義務がある（同条6項）。工作物の現状に変更を加える役務提供が行われた場合、販売業者の費用負担で原状回復を行うよう請求できる（同条7項）。引渡し済みの商品に関する返還までの使用利益についても一切請求できない（法9条5項）。

3 過量販売解除制度（法9条の2）

(1) 適用対象

　高齢者等を狙ってその生活を破壊する次々販売被害が多発し社会問題となったことから導入された。訪問販売および電話勧誘販売が対象となる。2016年改正により消費者契約法に過量販売が取消事由に追加された（消費者契約法4条4項）。これは、適合性原則のうち「分量」という客観的な指標を根拠に取消制度を導入したものと評価できる。

(2) 要件

　消費者にとって「その日常生活において通常必要とされる分量を著しく超える商品・権利・役務」に関する契約が対象となる（ただし、葬式の香典返しのようにその契約の締結を必要とする特別な事情がある場合は除外される。また、特定権利のうち、金銭債権と株式や社員権は対象外）。要件は「分量」で、高額である必要はない。1回の契約で過量の場合、次々販売で当該契約により過量になる場合、すでに従前の契約で過量となっている場合が該当する。また、同一業者による次々販売でなくとも、過量販売であることを業者が知りながら契約させた場合には、別業者による次々販売も対象とされる。

(3) 民事効果

　過量販売契約は、その契約についての申込みの撤回もしくは解除ができる。権利行使期間は契約締結から1年間である。解除した場合の清算は、クーリング・オフの規定が準用される。また、過量販売規制違反がある場合には行政監督の対象とされる。

4 通信販売の場合の民事ルール

(1) 返品制度

　事業者は、申込の撤回や契約解除（返品も含む）について自由に決めることができるが、広告に表示することが義務付けられている。広告に明確な表示がない場合には、消費者が商品を受け取ってから8日間は消費者の費用負担で返品できる（15条の3）。

(2) 取消制度

　特定申込画面の表示が12条の6に違反しているため消費者が誤認して申込

の意思表示をした場合には、消費者はその意思表示を取り消すことができる（15条の4）。取消期間や清算方法は訪問販売の規定が準用されている。

第4　各取引類型に対する特定商取引法による規制の概要

1　訪問販売
(1)　規制の趣旨
　訪問販売の規制は、不意打ち性の高い取引から消費者の保護を図る目的で規定されている。勧誘に際して消費者に不意打ちにならないよう「事業者名・契約の勧誘目的等の明示義務」「販売目的秘匿勧誘の禁止」を、契約締結にあたり適切な選択ができるよう「契約書面の交付」により必要な情報の開示を義務づけ、不適正な情報提供を防止するため「不当勧誘行為の規制」を定め、これらを担保するため「取消制度」を定めている。
(2)　適用対象（法2条1項、政令2条・2条・3条）
　「訪問販売」とは、次の要件を満たす取引である。
　①　「営業所、代理店、露店、屋台店、その他これに類する店以外の場所において」契約を締結する場合をいい（法2条1項1号）、「特定の誘引方法による顧客（特定顧客）については営業所等において」契約した場合を含む（法2条1項2号）。
　「特定顧客」とは、街頭で呼び止めて営業所等に同行するもの[11]、または販売目的を告げずにもしくは他より著しく有利な条件で契約できる旨を告げて営業所等に呼び出すもの（政令1条）[12]をいう。これらの取引方法は、契約する場所が営業所であっても、消費者にとって不意打ち性の高い取引形態であることから、「訪問販売」の定義に取り込んだ。
　②　商品・役務・特定権利に関する契約であること（政令3条、別表）[13]。
　③　規制を受ける「販売業者または役務提供事業者」とは、自ら契約当事

---

[11]　典型的なものが若者を狙うことが多いキャッチセールスである。
[12]　若者などを狙うアポイントメントセールス、高齢者を狙う催眠商法などが典型的なものである。

者となる場合に限らず訪問販売の方法で契約締結の媒介（取次ぎ）を行う業者や、他の業者に訪問販売活動を委託する場合を含む。したがって、リース会社と勧誘業者が提携して訪問販売方式で消費者リース契約を勧誘する場合は、リース会社と訪問勧誘業者の両方が特商法の規制を受ける。

(3) **適用除外（法26条）**

消費者にとって不意打ち性がないものは適用除外とされている。主な適用除外は次のとおりである。

① 購入者が営業のためにもしくは営業として締結する契約（法26条1項1号）

消費者保護の対象と営業行為との区別をする趣旨である。ただし、形式的に営利目的がある契約がすべて除外されるのでなく、取引の実態を考慮する必要がある。これについては、業務提供誘引販売取引における「業務を事業所等によらないで行う個人」（法55条等）という概念を参照されたい。また、購入者が自営業者でも、自営業者としての実態がほとんどない零細業者の場合や、購入した商品が主として個人用である場合は、適用除外とならないと解すべきである。

② 消費者がその住居において当該取引をするため来訪するよう請求した場合（法26条6項1号）

(4) **規制の概要**

ア　勧誘目的等の明示義務（法3条）・再勧誘の禁止（法3条の2）

販売業者は、勧誘に先立って、事業者名・商品等の種類・契約の勧誘目的であることを明示しなければならない。明示すべき事項に「販売目的」も加えられている。違反すると改善指示の対象となる。「点検のため」「見ていた

---

13) 特定権利は「一　保養のための施設またはスポーツ施設を利用する権利、二　映画、演劇、音楽、スポーツ、写真または絵画、彫刻その他の美術工芸品を鑑賞し、または観覧する権利、三　語学の教授を受ける権利」、社債等の金銭債権、未公開株などである。
　　高齢の個人事業者などを狙った電話機リース被害をめぐって、経済産業省は、平成17年12月6日通達を改正し、電話機リースなどに見られるリース提携販売については、特商法の適用対象であること、リース会社だけでなく販売業者にも規制が及ぶこと、事業者名で契約していても主として個人用・家庭用に使用するためのものである場合には適用が及ぶことを明確化した。

だくだけでよい」と称して消費者宅に上がり込む手口は、本条違反である。

イ　販売目的秘匿勧誘の禁止（法6条4項）

販売業者が契約の勧誘目的であることを秘匿して、営業所等以外の場所で呼び止めて同行させたり、電話や電子メール、ファックスなど省令で定める方法で目的を隠して呼び出して、消費者を公衆の出入りする場所以外の場所で勧誘することは禁止され、罰則規定がある（法6条4項・70条の3）。

ウ　契約書面の交付義務（法4条・5条、省令4条・5条・6条）

訪問販売により消費者が契約の申込みをし、販売員がその場で契約を承諾して契約を締結したときは直ちに「契約書面」を交付する義務があり（法4条但書・5条）、申込みを受けて会社に持ち帰り契約を承認して正式に契約が成立する場合は、まず、申込みを受けたときに直ちに「申込書面」を交付する義務があり、次に契約が成立したときに遅滞なく「契約書面」を交付する義務を負う。

契約書面・申込書面の記載事項は、法律および省令に具体的に規定されている。主な記載事項は、①事業者の名称、住所、代表者氏名、固定電話番号、②担当者名、③商品名・商標・製造者名、④型式・種類、⑤数量、⑥販売価格、⑦支払時期・方法、⑧商品の引渡時期、⑨クーリング・オフの事項、⑩契約日、⑪瑕疵担保責任、⑫契約解除事項、⑬その他の特約である

これらの書面（通信販売を除く6類型のすべてに導入された）は、2023年6月以降は、消費者の真意に基づく承諾があれば電磁的方法による情報提供でよいことになった。真意に基づく承諾を得るための手順などについては、政令と主務省令で詳細に定められている。この手続きを踏んでいない場合には、原則に戻り書面による交付が義務となる。この改正は、政府によるデジタル化の推進によるもので、高齢者などの保護の後退となることが懸念されている。

エ　クーリング・オフ（法9条）、過量販売解除（法9条の2）**第3**参照。

オ　不当勧誘行為の禁止（法6条・7条、省令7条）

不実の告知、故意の事実不告知および威迫・困惑行為（法6条）は、行政規制および罰則をもって禁止されている（法70条）。不実の告知と故意の事実不告知により誤認した場合は消費者は取り消すことができる（法9条の3）。

不実の告知の対象となる重要事項には「契約締結を必要とする事情に関する事項、その他の重要事項」（動機など）を含む旨が明記されているので（法6条6号・7号）、消費者契約法4条1項1号の不実の告知による取消よりも適用範囲が広い。故意の事実不告知は、消費者契約法4条2項の不利益事実の不告知に比べて先行要件[14]が不要、不利益事実に限定されないなど適用範囲が広くなっている。

その他、改善指示の対象となる行為として、法7条および省令7条に次のような行為が列挙されている。①契約の履行拒否・不当な履行遅延、②迷惑を覚えさせる勧誘、③判断力の不足に乗じた取引、④虚偽の事実を記載させる行為、⑤つきまとい行為、⑥消耗品のクーリング・オフ妨害、⑦顧客の知識、経験、財産の状況に照らし不適当と認められる勧誘を行うこと（いわゆる適合性原則）、⑥個別クレジット、借金、預金の引き出しの強要。

これらの違反行為には民事効果の定めはないが、公序良俗違反、信義則違反、不法行為責任などを基礎づける違法要素として考慮することができる。

カ　損害賠償額の制限（法10条）

消費者に債務不履行などがあって契約を解除する場合、事業者から請求できる損害賠償額の定めについての規制である。この規定に反して消費者側に不利な特約は無効である。

2　電話勧誘販売

(1)　規制の趣旨

電話勧誘販売は、勧誘手段が電話であるという点から、訪問販売以上に不意打ち性も攻撃性も強いうえ、通信手段だけで取引が行われる非対面取引で匿名性が強いという特徴もある。そこで、訪問販売とほぼ同様の規制が加えられている。

(2)　適用対象（法2条3項、政令2条・3条）

「電話勧誘販売」とは、次の要件を満たす取引である。

---

14)　消費者契約法では、重要事項に関して消費者にとって利益となることを告げている、という先行要件が必要とされている（消契法4条2項）。

① 事業者から電話をかけて契約の締結を勧誘すること、または、販売目的を告げないで消費者に電話をかけさせて勧誘することである。消費者から主体的に電話をかけて契約を申し込む場合は、通信販売に当たる。2023年6月からは、テレビ広告やウエブページなどで「当該契約の勧誘をする旨を隠して」電話を掛けさせる場合も、電話勧誘販売に該当することになる。(政令2条1項)　② 郵便その他の通信手段によって申込みをさせまたは契約を締結すること。事業者が電話で勧誘し、その電話で直ちに申し込む場合に限らない。
　③ 原則としてすべての商品・役務、特定権利にかかる取引であること。訪問販売と同じ特定権利である（政令3条、別表第1）。

(3)　**規制の概要**

　電話勧誘販売の規制の内容は、訪問販売の規制と同様に、事業者名・契約の勧誘目的等の明示義務（法16条）、再勧誘の禁止（法17条）、書面交付義務（法18・19条）、クーリング・オフ（法24条）、過量販売解除（法24条の2）、勧誘行為規制（法21・22条）、損害賠償額の制限（法25条）である。さらに、通信販売に類似した特質を考慮して、前払式電話勧誘販売における契約の承諾等の通知義務（法20条）が規定されている。

3　通信販売

(1)　**規制の趣旨**

　通信販売は、消費者の選択情報が広告だけに限られるため広告表示の適正化を確保する規制が中心となっていたが、2021年改正で主としてネット通販に取消制度が導入された。なお、広告には景表法による規制も同時に適用される。

　広告は、カタログ、新聞・雑誌、折込チラシ、投げ込みチラシ、DMなどの紙による広告、テレビ、ラジオ、インターネットのホームページ、電子メールなどもすべて対象となる。

　通信販売は、消費者が広告を見て自発的に申込みを行う取引であるとの観点に立ち、訪問販売の書面交付義務、クーリング・オフ制度、不当勧誘行為に対する規制は設けられていない。

この点については、ネット通販に関してSNSのチャット機能を利用する事例での被害が多いことから、内閣府消費者委員会では、SNSのチャット機能を利用した不意打ち的な勧誘による契約類型について、電話勧誘販売と同様の規制を加える方向で検討がなされている（2023年8月、デジタル化に伴う消費者問題ワーキング・グループ報告書（チャットを利用した勧誘の規制等の在り方について）。

(2) **適用対象（法2条2項、省令2条）**

通信販売とは、次の要件を満たす取引である。

① 消費者から「郵便その他の省令で定める方法」（郵便等）で申込みを受け付けて商品、権利を販売する取引または役務を提供する取引であること（ただし、電話勧誘販売に該当するものは除かれる。法2条2項）。

「郵便等」とは「郵便、信書便、電話機、ファクシミリ装置、その他の通信機器または情報処理の用に供する機器を利用する方法、電報、預金または貯金の口座に対する払い込み」と定めている（省令2条）。「通信機器または情報処理機器」は、携帯電話やパソコンを利用した電子商取引（インターネット通販）も含まれる。

② 取引対象は、原則としてすべての商品・役務、特定権利である（政令3条、別表第1）。

(3) **規制の要点**

ア 広告に記載すべき事項の規制（法11条、省令8条・9条・10条）

販売条件を広告する場合（単なる事業者のイメージ広告は含まない）、販売価格、支払方法、商品の引渡時期、返品特約に関する事項など、具体的な記載事項が義務づけられている。返品を認めないときはその旨を記載する必要がある。

なお、消費者の請求により別に書面や電子データを送付することを表示した場合には、広告事項の一部の表示を省略することが許されている（法11条1項但書）。

イ 誇大広告の禁止（法12条、省令11条）

事実と著しく異なる表示、実際よりも著しく有利・優良と誤認させる表示は禁止される。違反したときは、行政処分の対象となるとともに、罰則の対

象でもある（法72条3項）。

　ウ　顧客の意に反して申込みをさせる行為の禁止（法14条、省令16条）

　インターネット通信販売において、契約の申込みであることを容易に認識できるような画面の表示がないもの、および申込内容について確認・訂正できる画面を表示しないものは改善指示の対象とされている。紳士録商法や公営住宅申込代行なども対象となる[15][16]（法14条、省令16条1項3号）。

　エ　前払式通信販売の承諾書の交付義務（法13条、政令7条、省令12条・13条）

　売買代金等の全部または一部を商品の引渡し前に支払わせる場合は、受領した金銭の金額、受領日、契約を承諾するかどうか、商品等の引渡し期日を記載した書面又は電磁的方法による情報を、遅滞なく提供しなければならない。送金したのに何の連絡もないと消費者は不安である。こうした消費者の不安定な状態に配慮して、承諾書の交付義務や承諾通知の送付義務を課した。

　オ　電子メール広告およびファクシミリ広告の規制（法12条の3・同4および同5）

　消費者の承諾を得ないで電子メールおよびファクシミリで広告を送付する行為は原則として禁止される。規制対象業者は、通信販売業者だけでなく、業者から包括的に広告メール等を送信する業務を委託された業者も含まれる。携帯電話による広告メール、ショートメールも対象とされる。

　さらに、メールおよびファクシミリ送信を希望しない者への再送信も禁止されている。

　なお、同様の迷惑メールの規制は、連鎖販売取引、特定継続的役務提供、業務提供誘引販売取引にも定められている。また、特商法の規制対象でなくても、特定電子メール法（特定電子メールの送信の適正化に関する法律）は、

15）　紳士録商法とは、消費者に対して紳士録の購入のダイレクトメールを送付し、その際に申し込むかどうかの意思確認のための返信用ハガキを同封するものをいう。返信用ハガキには「申し込む・申し込まない」などと記載され、丸印をつけて返信するようになっている。ところが、隅に小さく「来年からは」などと記載されていることが多く、返送すると代金請求をしてくる。

16）　公営住宅申込代行とは、消費者の自宅などに一見公営住宅関係の資料請求のようなハガキを配布し、このハガキに書き込んで投函した消費者に対して、公営住宅の申込代行依頼をしたものとして代行手数料を請求する商法をいう。

すべての商業メールについて、同趣旨の規制を定めている。

　カ　事業者は、ネット通販などで申し込みを受ける際は、申込内容の最終確認画面に、当該契約で販売する商品などの分量、当該契約に係る第十一条第一号から第五号までに掲げる事項を表示することが義務付けられるとともに誇大広告などは禁止される（法12条の6）。

　キ　事業者が、消費者の契約の撤回や解除を妨げるために不実を告げる行為は禁止される（13条の2）。

カ及びキの規制は、定期購入やサブスクをめぐって多発している被害に対応するため導入された。

(4) 民事ルール

　ア　返品の可否は事業者による広告表示によるが、広告に明確な表示がない場合には消費者が商品を受け取ってから8日間は返品できる（法15条の2）。インターネット通販で、申込みの最終確認画面がない場合には、消費者が錯誤により申込みをしたときは、錯誤取消（民法95条）を主張することにつき、重過失の制限（民法95条但書）を受けない（電子契約法3条）。

　イ　事業者が12条の6に反する表示をしたことにより、消費者が誤認して申込の意思表示をした場合には取り消すことができる制度が、2022年6月から導入された（法15条の4）。取消期間、清算ルールは訪問販売の取消制度の規定が準用される。

　ウ　消費者が虚偽の広告により誤認して契約した場合には、消費者契約法4条1項1号により取消しできる可能性がある。この点については、最判平29・1・24（民集71巻1号1頁）（いわゆるサンクロレラ事件）において、事業者の不特定多数に対するはたらきかけであっても個別の消費者の意思形成に影響を与えることもありうるから差止めの対象となりうるとした判断が参考になる。

4　連鎖販売取引

(1) 規制の趣旨

　連鎖販売取引とは、販売員組織を拡大することにより利益が得られることを誘引文句にして商品を販売しようとするシステムである。マルチレベルマ

ーケッティング・プラン（MLM、マルチ商法、ネットワークビジネス）を規制する趣旨で定められた。

ただし、マルチ商法という用語は、「販売組織の仕組み」から捉えた通称であるが、本法で規定する「連鎖販売取引」は、個々の取引の特徴が要件を満たしているかどうかという観点から定めている点で、取引の捉え方の違いがある。

マルチ商法は、販売員を増やすことで下位の会員の活動収益を含めて大きな利益が得られるという幻惑的なシステムであるが、販売員が無限に増加し続けない限りすべての参加者が利益を得ることは不可能である。しかし、人口は有限であるから後順位の会員ほど利益を上げることは困難で、最終的には販売組織が破綻して大半の加入者は損失を被る。このように幻惑性が高いシステムであること、特定利益の仕組みが複雑で難解であること、組織の破綻必至性により損失を被る危険性が高いことなどの特徴を踏まえ、厳しい規制が定められている。なお、マルチ商法に類似した形態の金銭配当組織である無限連鎖講（ねずみ講）は、射幸心を煽って勤労意欲を喪失させ、破綻必至で被害の自然増殖を招くなど反社会性が高いことから、「無限連鎖講の防止に関する法律」により罰則をもって全面的に禁止されている。これに対し、連鎖販売取引は、本質的な危険性においては共通性があるものの、商品流通の側面を有し正常な経済活動との区別が難しい場合もあるとして全面禁止にはしていない。

近年、商品の流通実態のないいわゆる「モノなしマルチ」の横行やSNSを利用した事業者の実態が不明なマルチによる若者被害が広がっていることから社会問題となっており、法的規制の必要性が高まっている。

(2) **適用対象（法33条、政令24条）**

ア　事業主体

物品の販売・役務の提供を業とするものであること。訪問販売と異なり、物品・役務は政令指定商品制による限定がなく、権利の販売も含まれる。自ら販売する場合だけでなく、他の業者からの販売をあっせんする場合を含む。

イ　相手方（加入者）

取引の相手方（連鎖販売加入者）は、商品の「再販売」「受託販売」「販売

のあっせん」をする者であることが要件となる。連鎖販売組織に加入して販売活動を行う者を指す。

「再販売」とは、加入者が代金を支払って上位者から商品を仕入れ、これを転売（再販売）する形態、「受託販売」とは、入会者が業者から商品販売の委託を受けて販売するという形式をとる（売上に応じて代金を清算する）形態、「販売のあっせん」とは、商品の仕入れや販売委託はなく、他の顧客を勧誘・紹介して業者と顧客との契約締結をあっせん（仲介）する形態（紹介販売ともいう）である。

ウ　特定利益が得られることをもって誘引すること

特定利益とは、再販売・受託販売・あっせんをする者（連鎖販売加入者）を増やすことにより、その売上金や取引料を源泉として得られる利益をいう。たとえば、「下位の加入者を増やすと売上金の○○％を紹介料として支払う」とか、「下位の加入者を増やすと、その下位グループの売上金の合計ポイントに応じてボーナスを支払う」などのシステムがこれに当たる。販売活動をしない単なる購入者を勧誘して売上が生じる小売利益は、特定利益に当たらない（連鎖性がない）。

エ　特定負担を伴うこと

連鎖販売加入契約時または加入後のランクアップにあたり、商品代金、役務の対価、取引料（入会金等）などの経済的負担を伴うこと。金額は問わない。

契約書等に条件として明記していなくても、販売活動を行うにつき事実上特定負担が「伴って」いれば要件を満たすことになる。

オ　商品・役務の取引

契約対象となる商品・役務には限定がない。

商品等の販売の形式をとっていても、実質的にはその実体がなく単なる金銭配当の組織と評価される場合は、無限連鎖講（ねずみ講）に当たる[17]。

カ　契約者が販売活動を店舗等によらないで行う個人であること（法34条・37条・40条）

書面交付義務、勧誘行為規制、クーリング・オフおよび中途解約権およびそれに伴う返品に関する民事ルールは、販売活動を店舗等によらないで行う個人が契約当事者である場合に限り適用される。

連鎖販売取引は形式的には営利を目的とした契約のように見えるが、販売活動の規模に着目して消費者保護の範囲を明確にしたものである。広告規制は、こうした区別なく店舗を持った者や法人の連鎖販売取引にも適用される。

(3) 規制の要点

ア　広告規制（法35条・36条、省令25条・26条・26条の3）

広告に記載すべき事項として、取扱商品や役務の内容だけでなく、特定負担の内容も記載しなければならず、特定利益が得られる旨広告をする際はその計算方法も記載しなければならない（法35条）。

著しく事実に相違する表示、または実際のものよりも著しく優良・有利であると誤認させる表示（誇大広告）は禁止される（法36条）。これらに違反したときは行政処分および罰則の対象となる。規制される広告は、紙に書いた広告に限らず、インターネットによるホームページや電子メールや携帯電話のメールも対象になる。広告規制は一般の連鎖販売加入者が行う広告も規制対象とされる（法35条・36条）[18]。

イ　書面交付義務（法37条、省令28条・29条・30条）

書面交付の時期と交付すべき書面は、契約を締結しようとするとき取引の概要を記載した「概要書面」、契約を締結したとき遅滞なく契約内容を記載した「契約書面」、をそれぞれ交付する義務がある。概要書面は、契約を締結するかどうかを選択するにあたり判断するための情報として開示を義務づ

---

17) 販売業者貴晶から印鑑を18万円で購入して会員となり、3名の会員を増やし、その下にそれぞれ3名の会員を増やすことを繰り返すというシステムであるが、印鑑の通常の価格は5万円程度に過ぎず、取引の実体や取引当事者の認識は金銭配当システムにほかならないとして、無限連鎖講防止法違反で有罪判決を受けた例がある（福井地判昭60・10・30判例集未登載）。

2006年7月4日には、京都府警が、学生を対象にマルチ商法を行っていた通信販売会社アースウォーカーの幹部11名を無限連鎖講防止法違反で逮捕した（朝日新聞2006年7月5日朝刊など）。同社は、2005年6月20日に経済産業省により連鎖販売取引に関する特商法違反を理由に3カ月の業務停止命令を受けていた。

18) ネットワークビジネスの専門誌の投稿欄に、加入者が個人の立場で投稿する情報交流ページも広告規制の対象となる。なお、連鎖販売加入者の広告には、統括者の氏名、住所、電話番号の表示が必要である。

ける趣旨、契約書面は締結した契約内容を書面によって開示させる趣旨である。概要書面および契約書面の記載事項は、販売する商品・役務の内容だけでなく、特定負担の内容、特定利益の内容・条件などのほか、法34条の禁止行為の内容も記載する必要がある。書面の交付がない場合、法定記載事項に不備がある場合および虚偽の記載がある場合は、罰則の対象となるほか、クーリング・オフ期間も進行しない[19]。

2023年6月から消費者の真意に基づく承諾があれば書面交付にかえて電磁的方法による情報提供でよいことになった。

　ウ　クーリング・オフ（法40条）

店舗等によらない個人が契約した場合、契約書面交付の日から20日間のクーリング・オフ制度がある。契約書面の記載不備がある場合等は、クーリング・オフ期間の起算日が開始しない[20]。再販売方式の場合は、取扱商品が消費者に引き渡された日か契約書面の交付日のいずれか遅い日を起算日とする。

　エ　不当な勧誘行為の禁止（法34条・38条、省令31条）

不実の告知、故意の事実不告知、威迫困惑行為が罰則をもって禁止されている。統括者も連鎖販売加入者が他の顧客を勧誘する場合も（故意の事実不告知を除き）規制を受ける。

行政指示の対象となる行為も訪問販売と同様であるが、利益の見込みに関する断定的判断の提供も禁止されている（法38条2号）。

　オ　中途解約権・返品における損害賠償の制限（法40条の2）

連鎖販売組織の加入者は、クーリング・オフ期間の経過後も将来に向かって連鎖販売契約を解除（退会）できる。入会後1年以内の加入者は、連鎖販

---

[19]　連鎖販売取引ではないと主張している業者の中には、取引実態からして連鎖販売取引に該当すると判定される場合も少なくない。これらの業者は、通常の商品販売の契約書面や訪問販売として必要とされる法定書面しか交付していない場合がほとんどで、その場合には連鎖販売取引としては法定書面の記載事項に不備があることになる。前掲注6）⑥の判決参照。

[20]　実態が連鎖販売取引や業務提供誘引販売取引であるときは、個別クレジット契約書にも20日のクーリング・オフを記載すべきであり、通常の商品売買契約として8日間のクーリング・オフしか記載していないときは書面不備であり、いつまでもクーリング・オフが可能である（経済産業省平成14年5月15日文書通知）。

売契約の解除に伴って、①商品引渡日から90日以内のもの、②その商品を転売していないこと、③その商品を使用・消費していないこと、の条件を満たす商品購入契約を解除できる。連鎖販売契約を解除（退会）したときは、契約中に受領した特定利益のうち商品購入契約を解除したものによる利益部分を清算する義務を負う。商品購入契約が解除された場合の違約金の上限は、商品価格の10％相当額（商品が返還された場合）か販売価格（商品が返還されない場合）のいずれかに法定利率の遅延損害金を加算した限度に制限されている（法40条の2第4項）。支払済みの場合の返還義務は、販売業者とともに統括者も連帯債務を負う。

5 特定継続的役務提供
(1) 規制の趣旨
　教育や美容サービスなどの継続的サービスは、サービスを受けてみなければ分からないが、長期間にわたる高額契約を締結させ中途解約を制限したり高額の違約金特約を定めるケースが多くトラブルが多発した。事業者の倒産も多発した。そこで規制対象とされた。

　教育や美容サービスなどは、提供者、受け手により、質のばらつきや満足度が異なる。そのため、中途解約ができないことは不合理である。民法651条は、委任契約は中途解約権を認めているが、任意規定のため事業者が作成する契約書では制限されていることが多かった。そこで、特定継続的役務提供について、事業者に書面交付義務を課し、クーリング・オフ制度、広告規制や勧誘行為規制のほか、中途契約権と違約金の制限条項を設けた。

(2) 適用対象（法41条、政令11条・12条）
　目的の実現が不確実な役務を指定し、これを継続的に提供する契約は、店舗に出向いて契約した場合を含めて規制対象とした。特定継続的役務提供として規制対象としているのは、政令で指定された次の7種類の取引である。

(3) 関連商品の取扱い（法48条、政令14条）
　特定継続的役務提供の契約に関連づけて購入する必要があると説明して商品を販売するケースが多い。たとえば、学習指導に使用すると説明して教材を販売する例、エステティックサービスや美容医療では効果をあげたり持続

させるためと説明して化粧品や健康食品を購入させる例、教材を購入した顧客には個別指導を行うと説明する例などがある。特定継続的役務提供に関連づけて販売することが多い商品を事業ごとに「関連商品」として政令で指定し、契約書面にも記載させ、クーリング・オフや中途解除の際に、役務契約と関連商品の売買契約とを一体のものとして取り扱うこととした[21][22]。

(4) 規制の概要

ア　書面交付義務（法42条、省令32～36条）

契約を締結しようとするとき「概要書面」を、契約を締結したときは遅滞なく「契約書面」を、それぞれ交付しなければならない。いずれの書面についても、記載すべき事項が法律および省令で定められており、中途契約権の記載も必要である。関連商品を販売したときは、役務と商品を一緒に記載しなければならない。2023年6月からは、いずれも消費者の真意に基づく承諾があれば電磁的方法でもよい。

イ　クーリング・オフ（法48条、政令14条）

契約書面の交付日から8日間のクーリング・オフ制度がある。消費者が自分から店舗等に出向いて契約した場合も適用される。クーリング・オフにより、役務契約だけでなく関連商品の売買契約についても一括して無条件解除できる。ただし、関連商品のうち政令で指定した消耗品（エステティックにおける化粧品・健康食品・浴用剤、美容医療の関連商品すべて）については、使用・消費した商品につきクーリング・オフができなくなる。

ウ　広告規制（法43条、省令37条）

誇大広告が禁止されており、違反に対しては罰則がある。

エ　不当な勧誘行為の禁止（法44条・46条、省令39条）

罰則の対象となる禁止行為と、指示処分の対象となる行為の規制がある。

オ　中途解約権と損害賠償額の規制（法49条）

---

21) 政令指定の関連商品は、①エステティックの場合は、健康食品・化粧品・下着・美顔器等、②語学指導・学習塾・家庭教師等の場合は、書籍・ビデオ・CD・FAX装置等、③パソコン教室の場合は、パソコン・書籍・CD等、④結婚相手紹介サービスの場合は、宝石・アクセサリー等である。

22) 販売業者が役務提供事業者とは別業者の場合でも、一体として扱われる。

表2

種類	期間	金額	解約料の上限	
			役務提供開始前	役務提供開始後（いずれか低い額）
エステティックサロン	1カ月を超えるもの	5万円を超えるもの	2万円	2万円または契約残額の1割
美容医療				5万円または契約残額の2割
外国語会話教室	2カ月を超えるもの		1万5000円	5万円または契約残額の2割
学習塾			1万1000円	2万円または1カ月分の授業料額
家庭教師			2万円	5万円または1カ月分の授業料額
パソコン教室			1万5000円	5万円または契約残額の2割
結婚相手紹介サービス			3万円	2万円または契約残額の2割

＊金額は関連商品の価格も含む合計金額である。

　特定継続的役務提供は、クーリング・オフ期間を経過した場合でも、理由を問わずに中途解約ができる。中途解約をしたときは、損害賠償額の上限が役務の種類毎に具体的に定められており（**表2**）、これに反して消費者に不利な特約は無効である。提供済みの役務については対価を支払う必要があるが、その清算方法については概要書面および契約書面の記載事項とされている。ただし、契約時単価が上限で、これを超える特約は無効とされる。
　関連商品についても役務契約とともに解約できる。ただし、販売価格と返還時の価格（中古品）との差額を損害金として負担する必要があるため、使用を開始した商品についてはかなりの負担が生じる。
　カ　帳簿の閲覧権（法45条）
　代金前払いで契約を締結した消費者は、事業者の財務や事業に関する帳簿

等の閲覧および謄本を請求することができる。事業者の実情を確認したうえで、契約を続行するかどうかを判断できるための制度である。

6 業務提供誘引販売取引
(1) 規制の趣旨
業者が仕事を提供するから収入が得られると誘引して、その仕事をするために必要だと説明して商品や役務を販売する取引を指す。内職商法・モニター商法が典型例である[23]。

事業者は、仕事の提供がない、事業者が倒産したなどのケースでも、仕事の提供契約と商品・役務の契約とは別個の契約であるから商品・役務の購入契約は有効であると主張していた。そのため、消費者は仕事に釣られて不必要な商品などを購入させられる被害を受けた。そこで、仕事の提供契約と商品・役務の契約とを一体の取引として扱い、広告規制、概要書面、契約書面、クーリング・オフなどの規制を定めた。商品・役務の代金支払方法として個別クレジット契約を利用した場合は、業務の提供に関する債務不履行を理由にクレジット会社への支払拒絶の抗弁が主張できる（割販法35条の3の19）。

(2) 適用対象（法51条）
業務提供誘引販売取引とは、次の要件を満たす取引である。
① 業務提供誘引販売業者
物品の販売、役務の提供またはこれらのあっせんを業とすること。事業者が取り扱う商品・サービス等の種類についての限定はない。
② 業務提供利益を収受しうることをもって誘引すること
「購入する商品や役務を利用する業務」を提供するので収入になると誘引することである。提供業務は販売する商品・役務を利用するものであること必要である。業務の提供は、販売業者自身が提供する場合だけでなく、別業者をあっせんする場合も含む。業務の提供は「誘引」で足りる。契約書に業

---

[23] たとえば、①パソコンと教材ソフトを購入すれば、在宅ワークの入力業務を提供すると勧誘して商品を販売する例、②浄水器を購入してモニターレポートを提出すればモニター料を毎月支払うとの説明で浄水器を販売する、など。

務の提供の表示が無くても誘引があれば要件を満たす[24]。

　③　特定負担を伴うこと

　業務の提供を受けるために、商品代金や加盟金などの経済的負担を必要とすること。

　④　商品・役務にかかる取引

　すべての商品・サービス等が対象となる。

　⑤　業務を事業所等によらないで行う個人（法55条・58条）

　営利を目的として契約を行う点で商行為（開業準備行為）と見る余地もあるため、消費者保護の観点から、書面交付義務、勧誘行為規制およびクーリング・オフの適用については、事業所や従業員などの企業的設備を設けて業務を行う場合を除き、個人的労務の範囲内で行う契約者を特商法の規制対象とした。ただし、広告規制にはこうした区別はない。

　(3)　**規制の要点**

　ア　広告規制（法53条・54条、省令40〜42条）

　広告記載事項として、業務提供の条件（収入を表示するときはその計算根拠）、特定負担の内容、販売する商品等の記載を義務づけている。たとえば、高収入が得られるとの広告で、仕事を開始するために必要な商品購入等の負担が記載されていないものは違反となる。また、誇大広告も禁止されている。

　イ　書面交付義務（法55条、省令43条・44条・45条）

　契約を締結しようとするときは締結前に「概要書面」を、契約を締結したときは遅滞なく「契約書面」を、それぞれ交付しなければならない。書面には、販売する商品・役務の内容だけでなく、業務の提供条件、特定負担の内容なども記載する義務がある。商品売買契約書と業務委託契約書を別個独立

---

24)　適用対象をめぐる裁判例として次の事例がある。行政書士の資格取得教材を販売し、資格取得者には「顧問行政書士」として登録して、教材の問題の作成や添削の業務を提供すると勧誘していたが、業者は、①公的資格を取得することが条件であり、資格試験の合格率は低いので教材で勉強しても合格できる可能性は低いこと、②提供する業務が行政書士資格プロパーの業務ではないこと、などから業務提供誘引販売取引ではないとして争った。判決は、業務提供誘引販売取引の要件を満たすとして書面交付から20日以内に行使されたクーリング・オフを有効とした（名古屋地判平14・6・14国民生活2002年11月号50頁）。

のものとして2通交付したのでは、法定書面を交付したことにはならない。代金支払いに個別クレジット契約を利用したときは、割賦販売法による支払停止の抗弁制度についても記載する義務がある。2023年6月から、電磁的方法でもよいことは、他の取引と同様である。

ウ　クーリング・オフ（法58条）

法定の契約書面の交付日から20日間のクーリング・オフ制度がある[25]。

エ　不当な勧誘行為の禁止（法52条・56条、省令46条）

不実の告知、故意の事実不告知、威迫困惑行為の禁止のほか、断定的判断の提供の禁止等の規制がある。

7　訪問購入

(1) 規制の趣旨

2010年から貴金属等の押し買いの消費者被害が爆発的に増加したため[26][27]、2012年に導入された。

(2) 適用対象（法58条の4、政令16条の2）

原則すべての物品についての訪問購入を規制対象としている。ただし、政令で書籍や乗用自動車等一部の物品は適用除外とされている。

---

[25] よく見受けられる違反形態として、業務提供のセールストークを個別クレジット契約書面には記載せず、通常の訪問販売契約として8日間のクーリング・オフとの記載をしている例がある。これは書面の記載不備であり、いつまでもクーリング・オフが行使できる（経済産業省平成14年5月15日文書通知）。

[26] 事業者が、消費者に対して不要な呉服の買い取りや、ペースメーカーに必要なのに不足しているなどと述べて、消費者の自宅において貴金属の買い取りについて強引な勧誘をするなどの消費者被害が多発した。2012年3月には貴金属の売却を拒絶した高齢の女性が殺され買取業者の従業員が強盗殺人で逮捕される事件も起こった。被害者の約60％が高齢の女性である。消費生活相談の内容は、「売るつもりはなかったので取り戻したいが、業者がわからない」というものが大半であった。被害が多発する背景事情としては、国際的な貴金属価格の暴騰、一世帯に平均15～16個の貴金属や宝飾品類が死蔵されている（業界による調査）といった時代状況の変化がある。

[27] 消費者庁「貴金属等の訪問買取に関する研究会」での検討の概要については、村千鶴子「貴金属等の訪問買取被害の実情と被害防止等に向けた対策のあり方——貴金属等の訪問買取りに関する研究会中間取りまとめ」現代消費者法14号82頁参照。

(3) 規制の要点

ア　不招請勧誘の禁止（法58条の6第1項）

イ　訪問目的の明示義務、勧誘についての同意を得ることを義務づけ、再勧誘を禁止している（法58条の5・同6第2項・3項）。

ウ　書面交付義務（法58条の7、省令47条・49条・50条、法58条の8、省令48～50条）

訪問販売と同様に申込書面と契約書面の交付を義務づけている。

エ　クーリング・オフ制度（法58条の14・同15・同9・同11・同11の2、省令53条）

8日間のクーリング・オフ制度がある[28]。クーリング・オフ期間は消費者は売却した物品の引渡しを拒絶する権利がある。クーリング・オフ期間内に物品の引渡しを受けた事業者が転売する場合には、転売先にクーリング・オフされる可能性があることを書面により告げる義務があり、消費者には転売したことと転売先を通知する義務がある。

オ　不当な勧誘の禁止（法58条の10・同12、省令51条）

不実の告知、故意の事実不告知、威迫困惑行為などを禁止している。

8　ネガティブオプション（法59条）

(1) ネガティブオプションとは

消費者から注文がないのに一方的に商品を送りつけて売買を申し込む商法のことで、「送り付け商法」ともいう。消費者が承諾しなければ契約は成立せず、購入義務も返品義務も生じないが、消費者は受け取った商品の扱いに困るし誤解して支払う場合も少なくない。

(2) 規制内容

そこで、2021年改正により、事業者は送り付けた商品の返還請求権はないとする改正がなされた。これにより、消費者は受け取った商品を保管する義務を負わないこととなり、ただちに処分しても何ら責任は生じないこととな

28）　ただし、消費者から契約締結の申込み、あるいは契約の締結について請求した場合には、氏名等の明示義務・再勧誘禁止等以外は適用除外とされている。

った。

9　行政規制権限と申出制度

(1)　規制権限の内容

　事業者が本法に違反するときは、主務大臣＝内閣総理大臣（消費者庁長官に委任）および経済産業大臣は、改善の指示（法7条ほか各章に規定）、業務停止命令及び禁止命令（法8条ほか）を行うことができる。主務大臣は、違反の事実を調査するため必要があるときは、事業者に対し、報告を求めること、立ち入り調査をすることができる（法66条）。都道府県知事にもこれらの権限が付与されている（法68条、政令18条）。

(2)　立証責任の転換

　行政規制権限の行使に際し、不実の告知および誇大広告の有無を判断するため必要があるときは、事業者に対し、期間を定めて、裏付けとなる合理的根拠資料の提出を求めることができる。事業者がこの資料を提出しないときは、不実の告知または誇大広告であるとみなされる（法6条の2・12条の2等）。

(3)　申出制度

　何人も、事業者が本法に違反している疑いがあるときは、主務大臣に対し、調査・措置を行うよう申し出ることができる（法60条）。申出制度のための指定法人として、（財）日本産業協会が指定されている（法61条）。

第5　救済の実務

1　相談処理の手順

　特商法の適用対象のうち、訪問販売、電話勧誘販売、連鎖販売取引、特定継続的役務提供、業務提供誘引販売取引および訪問購入の6形態については、まずはクーリング・オフの行使の可否を検討する。微妙な場合でも、とりあえずクーリング・オフの通知書をすみやかに発するとともに、クーリング・オフの適用の可否、その他の解除・取消事由を吟味するとよい。

2　適用対象の把握

　適用対象取引かを把握するためには各規定の要件を押さえつつ契約締結の状況を聴取する。連鎖販売取引と業務提供誘引販売取引は、契約締結の際の誘引が特定利益か業務提供利益かによって区別されるので、慎重に聴取する。特定継続的役務の関連商品販売も勧誘方法によって適用の有無が左右されるので、注意を要する。

　訪問販売や電話勧誘販売では、次々販売や二次被害[29]の場合には、信頼関係の基礎となる円満な取引とはいえないので注意が必要である。次々販売は、過量販売解除制度の適用の余地がある。一連の販売行為全体が不適正な勧誘方法であればすべての契約を取消・解除を求める必要がある。

　指定権利の該当性は、法の趣旨に照らしできるだけ広く解釈する姿勢が望まれる[30]。

　クーリング・オフしても既払代金が返金されないときは、少額訴訟の利用も考えられる。

3　書面の記載不備とクーリング・オフ

　クーリング・オフ期間は法定の契約書面の交付日から起算するため、契約から経過していても、契約書面の記載事項に不備があればクーリング・オフが可能なケースがある。法定記載事項にどの程度の不備事項があればクーリング・オフが可能かは、立法趣旨に基づき厳格に解釈すべきであり、判例も同様の傾向にある。

---

[29]　次々販売とは、一旦消費者被害にあった消費者を次々と狙って契約させる被害のこと。二次被害とは、一旦消費者被害にあった消費者を狙い、「被害を回復するために」とか「次の被害を防止するために」というセールストークを用いて消費者にとっては意味のない契約をさせるもの。典型的なセールストークとしては「勧誘電話がかからないようにする」「顧客名簿から削除して、勧誘がなくなるようにする」などがある。国民生活センターによる問題商法の分類による。　次々販売については、平成17年8月10日通達がある。

[30]　鳥取地判平7・9・5消費者法ニュース29号57頁参照。

4　クーリング・オフが利用できない場合

クーリング・オフ期間が経過している場合は、契約経過と内容・締結に至る勧誘の実情を丁寧に聴取し、過量販売解除、特商法による取消し、消費者契約法4条の取消し、民法上の無効・取消事由などを検討する。勧誘手法に特徴があるときは、同種被害が多発している可能性が高いので、弁護士相互の情報交換や消費生活センターに対する照会（弁護士法23条の2）を活用する。集団事件として取り組む視点も有用である。

特定継続的役務提供と連鎖販売取引の場合には、特商法による中途解約権の活用も考えられる。いずれにしても、多角的な検討が必要である。

さらに、契約書面などの契約条項が民法の任意規定に比して消費者の責任を著しく加重、あるいは事業者の責任を免責するものである場合には、消費者契約法8条、8条の2、8条の3、9条、10条の不当条項の該当可能性を検討する。消費者契約法については本書**第4章**を参照されたい。

5　割賦販売法の活用

特商法に関する取引の中でも契約金額が高額なものは個別クレジット契約を利用しているケースがある。その場合は、クレジット会社への個別クレジット債務の支払いの停止や既払金の返還の可能性などを併せて検討しなければならない。割賦販売法については本書**第7章**参照。

《参考文献》
・消費者庁取引対策課編『特定商取引に関する法律の解説〈平成28年版〉』（商事法務、2018年）
・齋藤雅弘・池本誠司・石戸谷豊『特定商取引法ハンドブック〔第6版〕』（日本評論社、2019年）
・圓山茂夫『詳解　特定商取引法の理論と実務〔第4版〕』（民事法研究会、2018年）
・後藤巻則ほか『条解消費者三法〔第2版〕』（弘文堂、2021年）

［村　千鶴子］

コラム　不当な架空請求と闘う

1　**事案**　架空請求が世間を賑わしていた頃、弁護士会の消費者相談に、都内在住の22歳の男性（以下「A」という）と母親から、Aが、B社から登録も利用もした覚えがない出会い系サイトの登録料等を請求され、しかもAの生年月日、自宅の住所・電話番号、勤務先の名称や住所などの個人情報も把握されたうえ、大阪簡易裁判所に少額訴訟を起こされたとの相談があった。訴状の請求額は14万3000円（未払い登録料3万円、違約金5万円、調査料6万3000円）であった。

2　**弁護団結成**　東京弁護士会では、毎月、消費者相談案件を検討しているが、本件は重要であるから弁護士が依頼を受けて対応すべきだということになり、弁護団が結成された。

3　**裁判**　東京簡易裁判所への移送申立が認められ、第1回期日には、傍聴席が消費生活相談員で溢れた。弁護団は、通常訴訟での審理を求め、裁判官は、注目されている事案だとして、職権で東京地方裁判所への移送決定をした。

B社は、東京地方裁判所に訴えの取下書を提出したが、弁護団はこれに同意せず、却って、Aに対する不当請求、プライバシー侵害を理由に、B社及びAの調査をしたとする調査会社Cに対し、損害賠償請求を提起した。

Cの所在は判明せず、その後の期日にB社が出席しなかったことから、Aの本人尋問をして結審となった。事実関係は判明しなかったが、B社の訴訟前の請求額（25万9395円、内調査料は21万円）と訴状での請求額との違いの不自然性、AがB社の請求を拒否した後にもAが出会い系サイトを利用していたなどとする主張の不合理性は明らかとなっていた。

4　**判決**　判決は、Aが出会い系サイトを利用したことのないこと、B社がAのプライバシー情報を不正に入手したこと、B社の行為がAを畏怖させ、金銭を支払わせるための恐喝にあたるものであること、さらに、Aに対する詐欺行為とも評価できる上、裁判制度等を悪用する極めて悪質ないわゆる訴訟詐欺に該当する可能性が高いことなどを認定し、Bの請求を棄却し、AのBに対する請求を認め、慰謝料30万円、弁護士費用10万円の支払いを命じた。

［瀬戸和宏］

コラム　不招請勧誘──訪問販売お断りステッカーと Do-Not-Call 制度

　不招請勧誘（要請・同意のない勧誘）は、それ自体が迷惑であり、不当あるいは不本意な契約につながりやすい。1976年の訪問販売法（現特定商取引法）の制定も、悪質訪問販売への対応がその主眼であった。今でも、訪問販売や電話勧誘販売をめぐるトラブルは、高齢者を中心に多数存在する。不招請勧誘対策は消費者法の重要課題の1つである。

　不招請勧誘の規制には、要請・同意のない勧誘を禁ずるオプトイン方式と、拒絶後の勧誘を禁ずるオプトアウト方式の2種類がある。前者がより厳しい規制である。特定商取引法は、後者の方式を採用する（特商法3条の2第2項・17条。なお、訪問購入等については前者の方式が採用されている。）。

　訪問による不招請勧誘に対抗するツールの1つとして、訪問販売お断りステッカーがある。玄関口等に貼って訪問勧誘を予め拒絶しようとするものである。オプトアウト方式の一種であるが、勧誘者と対話することなく未然に勧誘を防げるというメリットがある。米（自治体）、加（自治体）、独、豪、ルクセンブルク、ニュージーランド等は、このステッカーに法的効力を認めている。日本でも、北海道、京都府、大阪府、兵庫県、奈良県などが条例で法的効力を認めている。もっとも、消費者庁は、拒絶意思の表示主体や時期等が明瞭でないとして、このステッカーを無視しても、特商法3条の2第2項の違反にならないとしている。このような解釈については批判も根強い。

　電話による不招請勧誘に対抗する仕組みとして、Do-Not-Call 制度（電話勧誘拒否登録制度）がある。これは、電話勧誘を受けたくない人がその電話番号を登録し、登録された番号への電話勧誘を禁止するものである。これもオプトアウト方式の一種であるが、事前に包括的に拒絶表明できるというメリットがある。英、米、加、伊、豪、ブラジル（州）、シンガポール、韓国、イスラエル、UAE など多くの国がこの制度を採用する（なお、独、蘭、スイス、トルコなどは、より厳しいオプトイン方式を採用している。）。

　日本の対応は、立ち後れている感が否めない。世界で最も高齢化が進む日本において、不招請勧誘規制の見直し・強化には一刻の猶予もない。

［薬袋真司］

第7章
販売信用・資金決済と消費者

第1 キャッシュレス決済の拡大と多様化

1 キャッシュレス決済の利用拡大
　商品購入に伴う代金の決済方法は、近年のインターネット取引・テレビショッピング等の拡大や電子マネー・コード決済等のデジタル決済手段の急速な普及により、通信販売と店舗取引を通じてキャッシュレス決済が大幅に増加している。特に、2018年から店舗におけるコード決済が導入されたこと、2019年10月から2020年6月まで消費税率引き上げ対策として政府がキャッシュレス決済のポイント還元事業を展開したこと、2020年4月から約3年間コロナ禍によりインターネット取引が拡大したことなどの要因により、キャッシュレス決済の比率が大きく上昇している。もっとも、欧米では50～60％台の国が多く、中国は80％台、韓国は90％台であり、日本政府は2025年までに40％台に乗せ、将来は80％台に引き上げることを目標としている。
　キャッシュレス決済の類型には、①後払い方式（クレジット決済）、②前払い方式（プリペイド決済＝電子マネー）、③即時払い方式（デビット決済）がある。わが国では、クレジット決済は、分割後払いを中心に1960年代から利用されてきたことや、高額商品の決済に利用される傾向があることから、決済額でみると圧倒的に大きな割合を占めている。
　もっとも、日常生活における利用頻度からすると、電車賃等は電子マネー、

【図表1】 民間最終消費支出に占めるキャッシュレス決済額の比率の推移[1]

		2010年	2015年	2019年	2020年	2021年	2022年	2023年
キャッシュレス合計	比率	13.2%	18.2%	26.8%	29.7%	32.5%	36.0%	39.3%

【図表2】 2023年におけるキャッシュレス決済額の内訳[2]

	クレジット	デビット	電子マネー	コード決済	キャッシュレス合計	民間最終消費支出
決済額	105.7兆円	3.7兆円	6.4兆円	10.9兆円	126.7兆円	322.4兆円
比率	83.5%	2.9%	5.1%	8.6%	100%	—

コンビニではコード決済などキャッシュレス決済の利用が多いなど、消費者の利用実態調査によれば、7～8割程度以上にキャッシュレスを利用すると回答した人が54％を占め、月々の支出金額に占めるキャッシュレス決済比率は47％という回答である[3]。

2 キャッシュレス決済の類型と特徴

(1) クレジット決済

商品代金を後払いとする決済方法を広義のクレジット決済という。割賦販売法は、クレジット決済のうち、2月超後払いおよびリボルビング払いを対象としており、取引高では大半を占める2月内払い（マンスリークリア払いまたは翌月一括払いともいう）は適用対象でないので注意を要する。割賦販売法は、販売業者自身が分割後払いを認める自社方式の「割賦販売」（割販法2条1項）と、販売業者とは別の与信業者（クレジット会社）が購入者の代金を立替払いして信用供与を行う3者型の「信用購入あっせん」（同法2条3項、4項）がある[4]。両者は、2月以上かつ3回以上の分割払いが対象である。

---

1) 経済産業省2022年のキャッシュレス決済比率の算出（2024年3月29日公表）より。
2) 前掲注1）。
3) 経済産業省キャッシュレス推進室「消費者実態調査の分析結果」（2023年3月）（https://www.meti.go.jp/shingikai/mono_info_service/cashless_future/pdf/005_05_00.pdf）。
4) ほかに、与信業者から購入者に供与する代金相当額の債権を販売業者が連帯保証して分割後払いを設定する「ローン提携販売」（割販法2条2項）があるが、近年の利用実績はごくわずかである。

クレジット決済の契約方式にはカード方式と個別方式がある。カード方式は、あらかじめクレジットカードを交付またはカード番号・記号を付与し、加盟店でこれを提示・照合して利用する方式（クレジットカードショッピング）がある。クレジットカード基本契約件数が、プラスチックカードの発行方式とインターネット取引で与信枠や利用条件を設定するカードレスのクレジット基本契約方式を含めて2億7973万件、その年間信用供与額が93.7兆円（2022年）に上る[5]。近年のクレジットカード決済は、国際的なカード会社のネットワーク（VISA、Master、JCB等）により相互に加盟店の利用を認める国際提携カード方式（オフアス取引）が大半であり、取引に応じてカード発行会社（イシュアー）と加盟店契約会社（アクワイアラー）の役割を分担する仕組みである。さらに、アクワイアラーと加盟店の間に決済代行業者が介在することにより、アクワイアラーが認めた手堅いカード加盟店だけでなく、中小零細業者もクレジット決済が利用できるようになった一方で、悪質サイト業者がクレジット決済を利用して被害を発生させている実情がある。

個別方式は、事前の与信枠等の設定等の基本契約はなく、商品等販売の都度クレジット申込み手続を行い、与信審査のうえクレジット契約を締結する方式（ショッピングクレジット）であり、自動車、リフォーム工事、家電製品等の高額商品の販売において利用され、その信用供与額が9兆1926億円である[6]。

割賦販売法は、カード方式を包括信用購入あっせん（2条3項）、個別方式を個別信用購入あっせん（2条4項）と呼び、与信業者の登録制、書面交付義務等の行政規制のほか、原因関係の事由をもってクレジット会社の支払い請求を拒絶できる抗弁対抗規定がある（有因性）。国際ブランドの業界内自主ルールとして、マンスリークリア払いについても、原因関係に一定の事由があるときはクレジット決済をキャンセル処理するチャージバック制度がある。原因関係が決済の効力に影響する点で、抗弁対抗制度ほど徹底されていないが、一定の有因性が認められる。

5） 日本クレジット協会「日本のクレジット統計2022年版」6〜7頁。
6） 前掲注5）15頁。

(2) プリペイド（電子マネー）決済

　一定金額を事前にチャージしたカードを保有し、これを利用して小口の代金を支払う方法である。過去には磁気方式で公衆電話料金を支払うテレホンカードや電車料金を支払うオレンジカードなどがあったが、2001年頃からICチップ搭載のカードによる交通系のSuicaに始まり、流通系のEdyやnanacoやWAON、電話会社系のDocomo・iDなど多様な発行主体が登場しており、そのほとんどが多数の提携加盟店で利用できる第三者型決済機能を有している。カードの発行はなく一定金額をサーバにチャージしてコード番号を購入し、オンライン上でコード番号を伝えることで第三者に譲渡する方式（サーバ型電子マネー）もある。

　プリペイド決済は、前受金を預かった状態で倒産すると多数の消費者に被害が及ぶことから、「前払式支払手段発行事業者」として資金決済業3条以下に、自家型は届出制、第三者型は登録制を定め、いずれについても前受金保全措置等が規定されている。プリペイド決済は、原因関係の事由が決済の効力に影響しない取り扱い（無因性）である。また、前払式支払手段の発行には本人確認義務がないため、消費者にサーバ型電子マネーを購入させてID番号をサイト業者に通知させて詐取し、すぐに商品券等を購入し換金業者に転売して現金化するという詐欺的手口が発生している。さらに、決済代行業者の介在によりプリペイド決済を利用した悪質サイト業者のトラブルが増加している。

　これに対し、第三者型発行者の登録拒否事由（同法10条1項3号）として、加盟店が公序良俗に反する商品・役務を提供することがないように適切な措置を講じることのほか、2016年改正により、苦情の適切処理義務（同法21条の2）が規定された。決済手段と原因関係が有因か無因かという2分類というよりも、トラブル防止のための監視義務を課す構造だと言える。

(3) デビット決済

　商品代金の決済を預金口座の振替機能により即時払いする方式であり、銀行系のジェイデビットと国際ブランド系のブランドデビットがある。日本では、ジェイデビットの加盟店拡大が進まず利用率は高くない状態で推移してきた。近年広がっているブランドデビットは、クレジットカードの決済シス

テムを利用していることから、世界中の加盟店で利用可能であり、発行枚数、利用高ともに急速に拡大している。デビット決済も銀行振込と同様に原因関係の事由が決済の効力に影響しない取り扱いである（無因性）。

(4) その他の決済方法[7]

「キャリア決済」とは、携帯電話等の通信キャリアが毎月の通信料金の引き落としに際し、そのスマートフォン上の各種アプリの利用代金もまとめて回収を代行する方式である。後払い決済の一態様であるが、キャリアへの支払い（引落し）が行われた時点で代金債務が消滅する収納代行方式とされているので、資金移動業者とは区別される、また、割賦販売法の規制を受けない翌月一括払い方式であるため、信用購入あっせんとも区別して論じられている。

「コンビニ決済」とは、コンビニエンスストアが公共料金や通信販売等の事業者から代金の代理受領の委託を受け、顧客から代金を受領すると販売業者等にコンピュータ処理で通知して代金決済の効果が発生する仕組みであり、「収納代行」ともいう。商品を受け取る前に代金を支払う前払い決済のケースと、公共料金等原債権が後払い決済のケースがある。

「代金引換」とは、宅配便等の運送業者が、通信販売業者から商品配達と代金代理受領の委託を受け、商品引き渡しと代金決済を同時に行う仕組みであり、収納代行の一形態だと言える。現金支払いのほかクレジット決済による代金受け入れもある。

コンビニ決済や代金引換は、コンビニや運送業者が受領した代金は定期的に販売業者等にまとめて銀行振込で送金処理する取り決めにより、送金事務手数料を安く抑えている。消費者がコンビニに支払った時点で代金債務消滅の効力が発生する点で消費者には不払いリスクが発生しないことなどから、現行法上の法規制の対象ではなく、業界団体の自主規制により運営している。もっとも、決済代行業者の介在により、悪質サイト業者がコンビニ決済や代

---

7) クレジット決済、プリペイド決済を含む各種キャッシュレス決済の仕組みについては、山本正行「多様化・重層化するキャッシュレス決済（第1回～第14回）」（Web版国民生活2022年6月～2023年7月）。

金引換を利用しトラブルを発生させている実情があり、苦情の適切処理義務等の必要性が課題となっている。

「後払い方式」（BNPL：Buy Now Pay Later）とは、BNPL業者が購入者の代金を立替払いまたは債権買取を行い、14日以内または1か月以内に購入者から支払いを受ける仕組みである。仕組みとしては個別式のクレジット契約と共通であるが、2月内払いを条件としているため割賦販売法の適用を受けない。しかし、悪質サイト業者のトラブルについて、苦情の適切処置や加盟店調査等の法的責任がない点が課題である。

「資金移動業」とは、銀行等の金融機関でない事業者が業として為替取引を行うことをいい、資金移動業者として登録することが必要である[8]。資金決済法2条2項に規定があり、遠隔地に現金を直接輸送することなく財産価値を移動する点で銀行振込と同様の為替取引であり、銀行業の一態様であることを踏まえて、登録制（同法37条）、受入資金の履行保証金制度、本人確認義務等が規定されている。

「ポイント」とは、売上金額の1％や0.5％を購入者にポイントして付与し、ポイントカードに蓄積して後日商品代金の一部に充当できる仕組みである。航空会社のマイレージカードや各種販売店の自社ポイントカード（ハウスカード）が知られているが、利用できる加盟店を拡大して共通ポイントカード（楽天ポイント、dポイントなど）方式が広がっている。ポイントカードは金銭をチャージするのではなく代金の値引き分の登録であるので前払式支払手段発行業とは区別され、法規制の対象となっておらず、有効期限や各種契約条件は各発行業者の自主規制に委ねられている。もっとも、多数の加盟店で利用できる共通ポイントの中には、電子マネーにチャージできる機能を有しているものもあり、自主規制だけで足りるのかという課題がある。

(5) **複合カード・スマホ決済・コード決済**

「複合カード」とは、前払い・後払い・即時払い等の決済機能が一枚のカードに登録されているものをいう。例えば、ポイントカード・プリペイドカ

---

[8] 2020年改正（2021年5月施行）により、100万円以下の類型に加えて、100万円を超える類型と、5万円以下の少額類型が追加された

ード・クレジットカードの機能が併存するカードが多数見受けられる。プリペイド決済の残高が一定金額を下回るとクレジットカードにより自動的にチャージされる機能付きもある。この場合、代金決済をした販売業者との取引について債務不履行等のトラブルが発生したとき、決済手段のどの事業者と協議をするとよいのか判別しにくいケースがある。

「スマホ決済」とは、スマートフォンに前払い・後払い・即時払い等の複数の決済アプリを搭載する方式であり（グーグルペイ、アップルペイ、PayPay等）、急速に広がっている。電子マネーへのチャージをクレジット決済、預金口座支払、資金移動などと紐づけてオートチャージを設定することで、残高を気にせずに利用できるメリットと使い過ぎリスクがある。

「コード決済」とは、商品にQRコードやバーコードを表示し、購入者がスマホでこれを読み取る方法または店員が購入者のスマホ上のコードを読み取ることにより、代金決済を簡便に実行する方式である。PayPay、d払いなどが2018年頃から本格的にサービスを展開し、メルペイ、楽天ペイ、auペイ、銀行系のBankPay、J-CoinPayなど次々と参入している。2022年度の決済額は、電子マネーの6.1兆円を超え、コード決済が7.9兆円に達している。コード決済の支払方法は、コード決済アプリに現金・預金口座・クレジットカードで事前にチャージするプリペイド方式と、コード決済アプリにクレジットカード決済や口座引落（スマホデビット）を紐づける方式がある。

「エスクローサービス」とは、取引デジタルプラットフォーム（インターネット上のモール等）上の売主と買主の商品売買について、①注文をした買主が代金を運営業者に支払い（クレジット決済、プリペイド決済等）、②運営業者が売主に代金受領を通知し、③売主が買主に商品を発送し、④買主が商品の受領と不適合がないことを確認して運営業者に通知し、⑤運営業者が代金を売主に送金する、という仕組みである。商品引渡しの不履行、代金支払いの不履行というトラブルを回避する仕組みであるが、巧妙な偽ブランド品の売買など梱包を開いて確認しただけでは不適合品であることの判別が困難なケースでは、被害防止に限界がある。

(6) **プラットフォームによるキャッシュレス決済**

Amazon、楽天、yahoo! などインターネット上の大手プラットフォーム

（取引デジタルプラットフォーム）が、出店者と購入者との間の代金についてキャッシュレス決済を提供する仕組みがある。また、Apple、Googleなどスマホのプラットフォームが、そのスマホ上のアプリを利用した商品や有料サービス代金についてキャッシュレス決済（ApplePay、GooglePay）を提供する仕組みである。提供するキャッシュレス決済の種類は、クレジット・プリペイド・資金移動などであるが、キャッシュレス決済を提供することにより集客効果が上がり、ひいては出店者が増加する経済効果があるため、キャッシュレス決済による手数料利益を抑えても有利に展開できる。

(7) キャッシュレス決済と消費者トラブル

　キャッシュレス決済は、消費者にとっても販売業者にとっても便利な決済方法である一方で、消費者は代金支払いの負担感が低いまま簡単な操作で取引を行いがちとなるデメリットがあり、悪質業者がキャッシュレス決済を利用して代金を回収するケースが増えている。また、決済手段の複合方式の場合、商品販売等の契約について不履行等の事態が発生したとき誰とどのような法律関係になるのか分からず不利益を被るケースが増えている。キャッシュレス決済業者が自ら加盟店を審査して利用を認めるのでなく、決済代行業者が零細業者にキャッシュレス決済を取り次ぐ仕組みで介在するケースが増え、悪質サイト業者も各種キャッシュレス決済の利用ができる状態となっているため、責任の所在があいまいな点がある。

　全国の消費生活センターに寄せられた相談件数のうち「販売信用」利用合計が226,755件、このうち包括信用購入あっせん（二月超後払い）が19,740件、二月内払い（マンスリークリア）が169,440件、個別信用購入あっせんが23,429件である[9]。このデータは割賦販売法の取引類型を中心に分類しているため、プリペイド決済、デビット決済、資金移動の相談件数は明確ではないが、「他の前払式」28,231件が概ねプリペイド決済に当たると思われる。

　以下に、キャッシュレス決済の主なトラブル場面を挙げる。

　【事例1】（クレジットカード取引に関するトラブル）
　インターネット検索で高収入になる情報提供という広告を見つけ、クレジ

---

9) 国民生活センター「2022年度全国の消費生活相談の状況」11頁。

ットカードを利用して契約したが、ほとんど内容のない情報だった。カード会社に連絡したら、「そのサイト業者は当社の直接の加盟店ではないので詳細は分からない、決済代行業者が介在しているので、そちらに連絡してみてほしい。マンスリークリア払いだから割販法の適用がない。」といわれた。支払条件による割販法適用の可否、提携カードにおける抗弁対抗の可否や加盟店調査義務はどうか。

【事例2】（クレジット不正利用と消費者の責任）

知り合いの呉服販売業者から、「高齢のお客さんが呉服を買うのにクレジットを組めないので代わりに名義を貸してほしい。支払い能力はしっかりしたお客さんで、当店も責任を持つので心配ない。」と頼まれたので名義を貸すことを承諾し、電話確認にはいはいと答えた。しかし、実際は、資金繰りに窮した販売業者が架空のクレジット契約書を作成して立替金を不正取得していたもので、数カ月後に倒産した。クレジット会社は、消費者が実態のないクレジット契約にはいはいと答えたのだから責任があると主張する。個別信用購入あっせん契約を販売業者が悪用して名義人を騙して立替金を不正取得する名義貸しの手口において、名義を貸した消費者とクレジット会社の責任関係はどうか。

【事例3】（カード番号等の漏えい・不正利用とカード会員の責任）

自分のクレジットカード番号がどこかのカード加盟店への不正アクセスで情報漏えいしたらしく、カードは手元にあるのに第三者にカード番号が不正利用されて4か月間に合計30万円利用された。カード会社に、自分のカードは紛失しておらず支払い義務はないと主張したところ、カード会社は、警察に紛失盗難届を提出して受理して貰ったら、過去2か月分の不正利用代金はカード保険で補填するが、それ以前の損害はカード会員の負担であると言われた。

【事例4】（サクラサイトへ電子マネーで代金を支払った損害の賠償責任）

出会い系サイトで芸能人へアドバイスしてほしいという話に騙され、電子マネーで約30万円支払ったが、虚偽の話だった（いわゆるサクラサイト被害）。コンビニでクレジットカードを使ってサーバ型電子マネーを購入し、相手方にコード番号を知らせて支払った。クレジット会社は電子マネーの購入であ

り不当な取引代金の決済ではないと主張する。電子マネー発行業者は、中間に決済代行業者が介在しているのでサクラサイトの取引かどうかは直接確認できないと主張する。決済代行業者は出会い系サイトが詐欺サイトかどうか分からなかったと主張する。悪質加盟店の調査排除をする責任は誰が負うのか。

第2 クレジット取引と割賦販売法の概要

キャッシュレス決済の中で最も歴史が古く、取引高もトラブルも多く法制度も比較的整備されている信用購入あっせんと翌月一括払いを含むクレジット決済について、割賦販売法の規制の概要と課題を検討する。

1 割賦販売法の制定・改正の経緯等

(1) 割販法は、当初は、割賦販売等の取引を公正にし事業の健全な発展を図る、という産業育成を主な目的（法1条）として1961年に制定された。

その後、1972年にクーリング・オフ制度が導入され、1984年に抗弁対抗規定が導入されるなど、次第に消費者保護規定が追加された。2008年改正により、主に個別信用購入あっせんの規制強化として、書面交付義務、クーリング・オフ、不実告知等取消、過量販売解除、適正与信調査義務、登録制等が導入された。また、個別式と包括式について、具体的基準による支払可能見込額調査義務と過剰与信防止義務が導入され、割賦払要件および指定商品制が廃止された。2016年改正（2018年6月施行）により、国際提携カードにおけるカード発行会社（イシュアー）と加盟店契約会社（アクワイアラー）の役割の分離と決済代行業者が登場する契約形態の増加に対し、クレジットカード番号等取扱契約締結事業者の登録制および加盟店調査措置義務の導入による悪質加盟店排除並びにカード番号等のセキュリティ対策強化が規定された。

2020年6月改正（2021年4月施行）は、決済テクノロジーの進展に対応する法改正として、極度額10万円以下の少額包括信用購入あっせん業者の登録制と規制緩和、AI・ビッグデータを利用した柔軟な利用者支払可能見込額調査の手法の導入、決済代行業者やQRコード決済業者等のセキュリティ対策強化、書面交付義務の電子化促進などが規定された。もっとも、その後も

カード番号等の漏えい・不正利用被害は増加の一途を辿っているため、セキュリティ対策のさらなる強化が検討されている。

(2) 割販法は、代金後払いのクレジット契約として、信用購入あっせんのほかに「割賦販売」（法2条1項）、「ローン提携販売」（法2条2項）を規定するほか、代金前払いの「前払式割賦販売」（法11条）、「前払式特定取引」（法2条6項）を規定している。割販法は、クレジット契約を規制する法律ではなく、前払いと後払いを通じた「割賦払取引」を規制する法律としてスタートした。割賦払でない前払式支払手段（プリペイド決済）は資金決済法が規定している。

(3) 割販法の下位の法令として政令（施行令）と省令（施行規則）があり、行政解釈として「割賦販売法（後払分野）に基づく監督の基本方針」がある。

2　適用対象

(1) 包括信用購入あっせんの定義（法2条3項）

①あらかじめカードを交付しまたは番号もしくは記号を付与して、販売業者・役務提供事業者にこれを提示または照合することにより、②特定の販売業者等が行う購入者等への商品・役務・指定権利の販売を条件として、③代金の全部または一部に相当する額を当該販売業者等に交付し、④購入者等から2月超後払いまたはリボルビング払いにより支払いを受ける取引。

①のカードの交付または番号・記号の付与によって与信枠を設定する基本契約を示す。

②の特定の販売業者等とは、包括信用購入あっせん業者（イシュアー）の直接の加盟店（オンアス取引。図表㋐）に限らず、国際ブランドを通じて立替払取次業者（アクワイアラー＝加盟店契約会社）との間で加盟店契約を締結する加盟店（オフアス取引。図表㋑）を含む。さらに、決済代行業者の介在によりアクワイアラーと販売業者との間も間接的になっているケース（図表㋒）も増えている。

②加盟店が行う商品等の販売を条件として、③代金相当額を当該販売業者に交付するという要件により、商品等販売契約と代金相当額の信用供与契約との不可分一体性を示す。代金相当額を「交付し」という規定により、信用

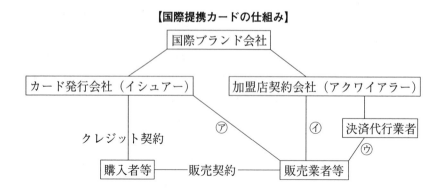

供与の契約形式が貸金契約か立替払契約か債権譲渡契約かの形式を問わないことを示す。代金相当額の「交付」は、「当該販売業者等以外の者を通じた当該販売業者等への交付を含む」(法2条3項)という規定により、オフアス取引も含まれることを示している。④の支払い条件の規定により、翌月一括払いが適用対象から除外されている。

【論点】「後からリボ払い」は割賦販売法の適用を受けるか

加盟店での代金決済時には、マンスリークリア払いで書面交付義務等の規制を受けずに決済を行い、支払期日までに電話やメール等によりリボ払いに変更できる方式や、事前の設定により自動的にリボ払いに変更される機能を有する方式(後からリボ払い)がある。この場合、クレジットカードの機能としてリボ払いに変更できる特約が付与されたカード決済であるから、所定の手続によりリボ払いに変更されたときは割販法の抗弁対抗等の適用を受けるものと解される[10]。

(2) **個別信用購入あっせんの定義（法2条4項）**

①カード等を利用しないで、②特定の販売業者等が行う購入者等への商品・役務・指定権利の販売を条件として、③代金の全部または一部に相当する額を当該販売業者等に交付し、④購入者等から2月超後払いにより支払いを受ける取引。

---

[10] 経済産業省商務情報政策局取引信用課「令和2年版・割賦販売法の解説」55頁。

①の「カード等を利用しないで」という規定により、与信枠設定の基本契約が存在しないで、商品等購入の都度その代金の支払い方法を定めて契約する方式を示す。その他の要件は、基本的に包括信用購入あっせんと共通である。店舗取引や訪問販売においてクレジット申込書面を作成する方式が従来の主流であったが、インターネット上の商品等購入代金について2か月を超える後払いで個別的に支払い条件を設定して契約する場合は、個別信用購入あっせんに当たる。

③の代金相当額を「交付し」により、貸金業者が代金相当額を金銭消費貸借契約により貸し付けた場合でも、商品販売に伴って予め提携した与信業者の貸付契約書の作成・提出を販売業者が取り次ぐような実態がある場合は、契約形式を問わず個別信用購入あっせんに該当する。

【論点】 自社割賦販売方式＋債権譲渡契約

販売業者が自社式割賦販売契約を締結するとともに、割賦販売債権の譲渡につき異議なき承諾の特約を付しておき、契約締結後直ちに、あらかじめ提携した債権譲受業者に債権譲渡する方式が一部に見受けられる。債権譲渡の異議なき承諾によって割賦販売業者に対して有する抗弁が切断される（旧民法468条1項）とすると、割販法35条の3の19の抗弁対抗規定が脱法されるおそれがある。債権譲渡契約方式であっても、あらかじめ提携関係にある債権譲受業者に割賦販売債権を譲渡するしくみの下で割賦販売契約を締結する場合は、個別信用購入あっせんに該当するものと解すべきものと考える[11]。

(3) 適用除外

信用購入あっせんに関する各規制は、購入者が営業のためにもしくは営業として締結する場合、事業者が従業者に対して行う場合、不動産の販売に関する契約の場合等は、適用除外とされる（法30条の3の60）。

---

11) 東京高判令元・11・14（LEX/DB25564995）は、民法468条の異議をとどめない承諾によって譲受人の抗弁事由が対抗できないという効力は、「譲受人を保護しなければならない必要性が低いと言える場合にまで、抗弁切断という重大な効果を生じさせることは、債務者と譲受人との間の衡平を欠く」として、抗弁切断の効力を否定した。改正民法により旧民法468条が廃止されたこともあり、今後は登場しにくい規定だと思われるが、むしろ個別信用購入あっせんの定義に当たることを明確化すべきであろう。

3 割賦販売法の規制の概要

以下では、割賦販売法のうち包括信用購入あっせん[12]と個別信用購入あっせんについて法規制の概要を解説する。

(1) 開業規制

ア 包括信用購入あっせん業者

登録制度（法31条）、登録拒否要件（33条の2）などのほか、カード加盟店保護のための営業保証金供託義務（旧法35条の3、16条）が定められていた。2016年改正により、アクワイアラーが併存する実態とクレジットカード番号等取扱契約締結事業者を規定したこと踏まえ、営業保証金供託義務は削除された。

2020年改正により、「少額包括信用購入あっせん業者」という新たな登録制度（法35条の2の3）を設け、極度額10万円以下の少額与信のみを行い、かつAI・ビッグデータによる与信審査方法（利用者支払可能見込額調査）を採用する事業者について、登録要件の一部（純資産要件）の緩和（法35条の2の11）と契約解除等の催告期間を20日以上から7日以上に短縮した（法35条の2の6、政令25条）。

また、2020年改正により、包括信用購入あっせん業者のうちAI・ビッグデータによる利用者支払可能見込額調査を採用しようとする事業者については、「認定包括信用購入あっせん業者」（法35条の5の4）として経産省による事前審査制度を設けた。

イ 個別信用購入あっせん業者

以前は登録制も行政規制もなかったが、悪質業者との提携を続ける実態や多重債務問題が社会問題化したことを踏まえ、2008年改正により、登録制（法35条の3の23以下）、個別支払可能見込額調査義務（法35条の3の3）、適正与信調査義務（法35条の3の5）等の行政規制と改善命令権限（法35条の3

---

[12] 後述するように、カード番号等の適切管理義務（法35条の16）は、カード方式の二月払購入あっせん業者を含む「クレジットカード等購入あっせん業者」や決済代行業者等にも広く適用があり、アクワイアラー等の登録制（法35条の17の2）及び加盟店調査措置義務（法35条の17の8）等は二月内払いを含む「クレジットカード番号等取扱契約締結事業者」に適用がある。

の21、31）を規定した。登録拒否要件（法35条の3の26）として、公正かつ適確な業務実施の体制整備が要件とされている（省令101条）。
　ウ　クレジットカード番号等取扱契約締結事業者
　国際ブランド会社を通じたオフアス取引の拡大により、カード発行会社（イシュアー）と加盟店契約会社（アクワイアラー）の役割分担が広がり、さらに決済代行業者の登場により、イシュアーがオフアス取引の間接的な加盟店を調査・対処できない実態が生じた。そこで、2016年改正により、「クレジットカード番号等取扱契約締結事業者」（法35条の17の2。以下「アクワイアラー等」という）の登録制を設け、販売業者との間でクレジットカード番号等取扱契約（カード加盟店契約）を締結する権限を有する者を登録義務対象事業者と定めた。通常は立替払取次業者（アクワイアラー）が加盟店契約締結権限を有するが、海外アクワイアラーを経由する事案等で決済代行業者が加盟店の選定・審査等の実質的な決定権限を有している場合は、その決済代行業者が登録義務対象事業者となる。
　アクワイアラー等の登録制および加盟店調査措置義務（法35条の17の8）は、マンスリークリア払いを行う事業者も規制対象とした。ただし、イシュアーについてはマンスリークリア払いが含まれていないため、法制度としての整合性が欠けた状態である。

(2) **取引条件表示義務**
　2月超後払いのクレジットは契約期間が長期化し支払い条件も複雑となるため、包括信用購入あっせんは、あっせん業者が、手数料率、支払回数、利用限度額等の取引条件を（法30条）、個別信用購入あっせんは、販売業者が、現金販売価格、支払総額、支払回数、手数料率等の取引条件を（法35条の3の2）、それぞれ記載した書面の交付義務を負う。

(3) **過剰与信防止義務**
　クレジット契約は、販売業者が購入者の支払い能力を考慮せずに販売するおそれがあり、購入者も当面の負担感が低いまま多額の契約を繰り返すおそれがあるなど、多重債務発生の危険性があるため、包括信用購入あっせん業者も個別信用購入あっせん業者も購入者の支払能力を調査し、支払い能力を超える与信を禁止するものとした。

ア　包括信用購入あっせん業者・個別信用購入あっせん業者

包括式の場合はカード発行時または極度額増額時に、個別式の場合は個々のクレジット契約を締結しようとするときに、「年収（自己申告）－クレジット債務年間支払額－生活維持費年額（政令で定める）」等の事項により算定される支払可能見込額（年額）の調査義務（法30条の2、省令39・40条、法35条の3の3、省令71条・72条）を負う。クレジット債務額は個人信用情報機関を調査しなければならない（法30条の5の5第2項、35条の2第3項）。支払可能見込額（年額）を超える与信は禁止される（法30条の2の2、35条の5の6）。ただし、利用限度額30万円以下のカード発行（省令43条）、10万円以下の生活必需品の購入（省令73条・74条）など適用除外がある。高額商品でも複数年の分割払いであれば年間支払可能見込額の範囲に収めることができる。店舗取引についても適用がある。

イ　認定包括信用購入あっせん業者・少額包括信用購入あっせん業者の特例

インターネット上の取引履歴など多様な個人情報（ビッグデータ）とAIを活用してきめ細かな与信審査を行うとする業界の要望により、2020年改正において、独自に収集した情報を分析して審査する「利用者支払可能見込額調査」（法30条の5の5）の採用が認められた。ただし、適正な情報と技術による与信審査であることを行政庁が事前に審査する認定包括信用購入あっせん業者の制度（法35条の5の4）が設けられたほか、個人信用情報機関の信用情報の利用義務（法30条の5の5第2項）は維持された。

(4) **加盟店調査措置義務**

ア　趣旨

クレジットを利用した悪質商法の被害を防止するため、2008年改正により、個別信用購入あっせん業者に対し、加盟店調査義務（法35条の3の5）不適正与信契約禁止（法35条の3の7）、苦情発生時の適切処理義務を定めた（法35条の3の20）。これらに違反したときは行政処分の対象となる（法35条の3の21）。

包括信用購入あっせんの場合は、2008年改正により、購入者の苦情発生時の苦情の適切処理義務（法30条の5の2）が定められていたが、2016年改正により、包括信用購入あっせん業者は苦情の伝達義務に変更し（法30条の5の2、省令60条）、アクワイアラー等に対して加盟店調査措置義務（法35条の17の

8）を定めた。

　イ　個別信用購入あっせん業者

　訪問販売、電話勧誘販売、連鎖販売取引、特定継続的役務提供および業務提供誘引販売取引の特定商取引5類型で利用する場合は特にトラブルが発生しやすいため、次の3段階の各場面で調査義務を負う（法35条の3の5）。

　①加盟店契約締結時：販売業者の商品役務の内容や履行体制等を調査（省令75条1号・76条3項～9項）。

　②個別契約審査時：契約書の確認や購入者への電話確認により勧誘方法等を調査（省令75条2号・76条11項・12項）。

　③購入者の苦情発生時：特定商取引5類型で不実告知等の取消事由や禁止行為に当たる重大な苦情（省令77条1項2号）のときは1件でも、その他の苦情が多発して購入者の利益保護に欠けるとき（省令77条1項3号）に、加盟店の再調査等を行うこと。

　店舗取引・通信販売取引で利用する場合は（法35条の3の20）、苦情発生時の調査義務だけが課されている（省令94条2号イ・3号）。

　ウ　包括信用購入あっせん業者

　包括信用購入あっせん業者は、2016年改正により、イシュアーが行うべき苦情の処理とは購入者から受け付けた苦情をアクワイアラー等に伝達する役割として整理した、すなわち、不実告知等の取消し事由や禁止行為に該当する重大な苦情の場合（省令60条1号）には1件でも、その他の苦情は多発時（省令60条2号）に、アクワイアラー等に苦情を伝達する義務を負う。

　エ　クレジットカード番号等取扱契約締結事業者（アクワイアラー等）

　アクワイアラー等は、①加盟店契約を締結しようとするときは、販売業者について、取扱商品等のほか、カード利用販売契約に関して禁止行為等の防止体制および苦情処理体制等の調査義務（法35条の17の8第1項、省令133条の5・133条の6）、②加盟店契約後は、定期的に（ガイドラインにより年1回程度）、取扱商品、加盟店情報の調査義務を負い（法35条の17の8第3項、省令133条の7）、③購入者からイシュアーまたは加盟店情報交換制度を通じて苦情が寄せられた場合は、禁止行為・取消事由に当たる重大な苦情の場合は1件でも、その他の販売方法については苦情が多発して購入者の保護に欠け

るとき、加盟店調査措置義務を負う（省令133条の8）。

　調査の結果法令不適合が認められるときは、加盟店に対し是正指導等の必要な措置を講ずる（法35条の17の8第4項、省令133条の9）。包括信用購入あっせん業者から苦情の伝達を受けたときは調査結果の情報を提供し（省令133条の9第5号）、イシュアーとアクワイアラーの連携による苦情処理をすることが求められる。

　オ　マンスリークリア方式のイシュアー

　アクワイアラー等の加盟店調査措置義務はマンスリークリア払いも適用対象とされているのに対し、イシュアーの苦情伝達義務は包括信用購入あっせん業者のみであり（法30条の5の2）、マンスリークリア払いは適用対象とされていない。購入者からイシュアーに寄せられた苦情がアクワイアラー等に迅速に伝達され、アクワイアラー等が加盟店調査措置を効果的に講じてこそ、悪質加盟店排除が可能となる（衆議院経済産業委員会平成28年11月16日割賦販売法改正に関する附帯決議第1項）。そこで、業界団体（日本クレジット協会）の「包括信用購入あっせんに係る自主規制規則」60条の2第2項は、マンスリークリア払いのイシュアーも苦情の伝達に努めることとする旨定めた。自主規制によって消費者保護の実効性が確保されるか否か注視する必要がある。

　カ　加盟店情報交換制度

　包括信用購入あっせん業者は、購入者から苦情を受け付けたときは、アクワイアラー等に対し苦情を伝達する義務のほかに、認定割賦販売協会の加盟店情報交換制度に苦情情報を登録する義務を負う（法35条の20第1項）。アクワイアラー等は、加盟店調査を行った場合または加盟店に対する措置を行った場合、加盟店情報交換制度にその旨を登録する義務を負う（法35条の20第2項）。個別信用購入あっせん業者も、購入者の苦情に基づき加盟店調査を行った場合または加盟店契約解除等の措置を講じた場合、その情報を登録する義務を負う（法35条の20第1項）。

　問題のある加盟店の情報をクレジット業界全体で共有し、他のクレジット会社は加盟店契約締結時および定期的に加盟店情報を確認することにより、悪質加盟店を早期に排除することを目指すものである。

(5) カード番号等の安全管理義務、不正利用防止義務

ア　義務主体の拡大

クレジットカード番号情報が漏えいすると、不正利用による経済的損害につながるおそれがある。2008年改正により、カード発行会社（マンスリークリア払いを含む）と立替払取次業者（アクワイアラー）に対し、カード番号等の安全管理義務（法35条の16）を規定した。

近年は、セキュリティ対策が不十分なカード加盟店のコンピュータに不正アクセスしてカード番号等の大量漏えい事故が発生し、海外の加盟店で不正利用されるという事故が発生している。そこで、2016年改正により、カード加盟店に対するカード番号安全管理義務（法35条の16第1項3号）を追加したほか、不正利用防止義務（35条の17の15）を規定した。この義務違反の場合、行政庁が行政処分を行う対象ではなく、アクワイアラー等がカード加盟店のセキュリティ対策について調査措置を講ずる義務（法35条の17の8）を負う。

その後も、不正アクセスの手口がますます巧妙化してカード番号等不正利用被害が増加しており、アクワイアラー等とカード加盟店との間に介在する決済代行業者、ECモール運営事業者、コード決済事業者等からの漏えい事故も増加している。そこで、2020年改正により、これらの中間のカード番号等保有事業者も安全管理義務の対象に追加した。しかし、その後もカード番号等の漏えい・不正利用被害は増加の一途を辿っており、セキュリティ対策の技術的な向上と各義務主体に対する行政庁の監督の強化が議論されている[13]。ほかに、偽サイトに誘導してカード番号等を詐取するフィッシング[14]の手口が急増しており、消費者への啓発も重要な課題となっている。

イ　不正利用被害の負担ルール

無権限の第三者がカード番号等を不正利用して損害が発生した場合、誰が

---

[13] クレジットカード番号等の不正利用被害は、2008年が約100億円であったところ、2012年には約70億円にまで減少したが、2016年には約140億円、2021年には約330億円、2022年には約436億円に増加している（日本クレジット協会HP「クレジットカード不正利用被害額の発生状況」2023年6月30日）。

[14] フィッシング情報の届出件数は、2019年下半期以降急増し、2022年は年間96万件に達している（フィッシング対策協議会「フィッシングレポート2023」6頁）。

これを負担するのか。割賦販売法には特に規定はなく、これまでのカード会員規約は、クレジットカードを第三者が不正利用した場合、カード会員がそのカードの管理を怠ったと捉え、原則としてカード会員が損害を負担するものと定め、例外的に、カードの紛失・盗難により不正利用された場合は、警察に被害届を提出したうえでカード会社に届出すると、届出前60日間の不正利用被害はカード保険で補償する、という規定である。しかし、カード決済の関連事業者からカード番号等が漏えいして不正利用された場合、カード会員にはカード管理の過失がないだけに、公正な損害負担のルールを再検討する必要がある。

(6) 契約書面交付義務

信用購入あっせん契約は、契約内容が複雑であり、契約期間も長期に及ぶため、店舗販売を含めて書面交付義務を負うものとされている。

ア　義務発生時期と記載事項

㋐　個別信用購入あっせん

販売業者は、個別信用購入あっせんを利用して販売契約を締結したときは、遅滞なく、法定事項を記載した契約書面の交付義務を負う（法35条の3の8）。個別信用購入あっせん業者は、特定商取引5類型について個別信用購入あっせん契約の申込みを受けたときは、遅滞なく申込書面を（35条の3の9第1項）、契約を締結したときは契約書面を（同条3項）、交付する義務を負う。交付する書面の記載事項は法35条の3の9第2項および省令81条に規定されている。ただし、販売業者も個別信用購入あっせん業者も、購入者等の承諾を得て、電磁的方法により提供することができる（法35条の3の22）。

書面交付義務に違反したときは、罰則（法53条3号）および行政処分の対象となるほか、特定商取引5類型の場合はクーリング・オフの起算日に連動する。特定商取引法は、2021年改正（2023年6月施行）により、特定商取引5類型について承諾による書面の電子化を定めた（特商法4条等）。ただし、割販法は承諾取得の方法について厳格な義務規定がないのに対し、特商法は承諾取得の方法を厳格に定めているため、訪問販売等の書面に代わる電子データの提供が不適法で、クーリング・オフの適用が可能であれば、これに利用された個別信用購入あっせん契約の効力にも影響が生じる。

④　包括信用購入あっせん

　販売業者は、包括信用購入あっせんによる販売契約締結後遅滞なく、契約内容の情報提供義務を負う（法30条の2の3第4項）。従来は「書面」の交付義務であったが、インターネット取引における包括信用購入あっせんの利用で対応できるように、2016年改正により、販売業者については電子データによる情報提供を原則として認めた。ただし、購入者から書面の交付を求められたときは、書面交付義務を負う（法30条の2の3第5項）。

　包括信用購入あっせん業者は、包括信用購入あっせんによる販売契約締結後遅滞なく、従来は、契約書面交付義務を負い、購入者の承諾を得て電磁的方法による提供が認められていたが、2020年改正により、原則として電磁的方法による情報提供が認められ、購入者が請求したときは書面交付義務を負うものとされた（法30条の2の3第1項・2項）。ただし、スマホ・パソコンにより与信枠付与時、代金決済時、請求時のすべてがカードレスで完結する決済の場合は、請求による書面交付義務を負わない（法30条の2の3第4項但書）。

(7)　**抗弁の対抗**

　ア　意義

　抗弁の対抗（抗弁接続または支払い停止の抗弁ともいう）とは、購入者が信用購入あっせんを利用して商品等を購入した場合、購入者は当該商品購入契約につき販売業者に対して生じている抗弁事由（無効・取消・解除等）をもってクレジット会社の支払請求に対抗（支払拒絶）することができる、とする規定である（法30条の4・35条の3の19）。

　販売契約とクレジット契約は、形式的には別当事者間の別個の契約であることから、一方の効力が消滅しても他方の効力は必ずしも連動しない。しかし、クレジット会社と販売業者との間には商品販売とクレジット契約の利用に関してあらかじめ提携関係（加盟店契約）が結ばれ、クレジット契約と販売契約の締結について不可分一体の手続が行われていること、購入者の意思としては販売業者の債務が履行されないときは代金の支払いを拒み得るものと期待しているのが通常であること、クレジット会社は継続的な取引関係の中で販売業者を監督できる立場にあり、損失を分散する経済的能力を有していること、購入者は販売業者の実態を把握することは困難であり、万一の損

失を負担する経済的能力に乏しいのが通常であること、などの特徴がある。こうした取引実態を踏まえ、消費者保護の観点から1984年改正により導入された。

　イ　要件

　㋐　個別信用購入あっせんと包括信用購入あっせんを含み店舗取引か訪問販売等かを問わない。

　㋑　「商品等の販売につき生じた事由」とは、商品の販売とは無関係にたまたま生じた反対債権は抗弁事由に該当しないが、商品等販売契約について販売業者に対して生じている事由であれば、契約締結過程の意思表示の瑕疵に限らず、債務不履行解除等の後発的事由や中途解約権や特約による約定解除権なども広く含む。同時履行の抗弁のように、一時的に支払いを停止する抗弁事由も含む。

　抗弁事由は、売買契約の内容となる事項あるいはクレジット契約書面等に記載された事項に限定されず、口頭のセールストークや付随的特約による抗弁など商品の販売について販売業者に対して生じた事由は原則としてすべて含む（無制限説）。クレジット会社の予測可能性（過失）に起因する制度ではなく、クレジット契約と販売契約の不可分一体の仕組みに由来する制度であり、文言上は抗弁事由の範囲を限定していないこと、販売業者の不履行や不当行為から消費者を保護する趣旨に区別はないことなどに鑑み、無制限であると解される。

　たとえば、ダイヤネックレスの販売に付随する5年後買取特約の不履行（ココ山岡事件）や、学習指導付教材販売における付帯役務の不履行や、モニター商法における業務提供の不履行（ダンシング事件）なども、「商品の販売につき生じた事由」に当たる。

　抗弁対抗制度は消費者保護のための制度であるから、抗弁対抗の主張をすることが信義則に反すると認められる場合は抗弁主張が制限されるものと解されている。問題はどのような場合に信義則に反するものと解するか、個別信用購入あっせん契約における加盟店の法的地位をどう評価するかによって見解が分かれる（後述第5、2で論じる）。

　㋒　支払総額の下限

支払総額が4万円に満たない少額の取引は、抗弁の対抗を認めると事実関係の調査にコストがかかり円滑な取引が阻害されるおそれがあるという理由から、抗弁対抗の下限を定めた（法30条の4第4項・35条の3の19第4項、政令21条・24条）。

　ウ　法的性質と適用外事案の取扱い

　抗弁の対抗規定の法的性質については、販売契約とクレジット契約は実質的に密接な関係があるとしても、民法法理としては別個の契約関係であり、原則として抗弁が接続されないところを、消費者保護のために設けた「創設的規定」と解されている（最判平2・2・20判時1354号76頁、最判平13・11・22判時1811号76頁など）。

　もっとも、創設的規定説を前提としつつも、一律に抗弁の対抗を否定するのでなく、「あっせん業者において販売業者の不履行に至るべき事情を知りもしくは知り得べきでありながら立替払を実行した」ような場合は、「販売業者の不履行の結果をあっせん業者に帰せしめるのを相当とする特段の事情」があるとして、民法の信義則に基づく支払拒絶や不法行為損害賠償請求を認める余地があると解される（前掲判決）。したがって、割販法の直接適用がない事案（商行為事案、既払金返還請求事案等）については、クレジット会社が購入者の苦情や加盟店調査を通じて販売契約に関して抗弁事由が生じる事情を認識しえたかどうか、つまり、適正与信調査義務（法35条の3の5・35条の3の20・30条の5の2）の履行状況を検討することがポイントとなる。

　エ　行使方法と効果

　抗弁対抗の行使方法は、購入者がクレジット会社に対し、販売契約につき抗弁事由があることを主張し、支払いを拒絶することである。書面の提出は努力規定である（法30条の4第3項・35条の3の19第3項）。

　抗弁対抗の効果は、未払金の支払拒絶である。抗弁事由の内容が、同時履行の抗弁や瑕疵修補請求のように代金支払いを一時的に停止する抗弁事由であれば、その抗弁事由が解消された時点から支払いを再開することとなり（支払い停止中の遅延損害金は生じない）、契約の解除・無効・取消など債務が確定的に消滅したことが抗弁事由となる場合は、将来にわたって確定的に支払いを拒絶できる。

抗弁対抗規定に基づいて購入者が原告となって訴訟を提起する場合は、請求の趣旨として、「債務不存在を確認する」とすべきか、「支払拒絶の抗弁の存在を確認する」という形式をとるべきか、争いがある。

オ　マンスリークリア払いと抗弁対抗

マンスリークリア払いの場合、抗弁対抗規定の適用はないが、国際ブランド会社による自主ルールとして「チャージバックルール」が設けられている。債務不履行等の一定の外形的な事由があるときは、イシュアーが利用者の申出を踏まえて一定期間内にアクワイアラーに対し立替金返還請求（チャージバック）通知を行い、アクワイアラーが一定期間内に加盟店の事情を調査して解約事由がないことを回答しないときは、立替払いはキャンセル処理となる。業界内自主ルールであり、消費者の権利としての抗弁対抗制度ではないが、イシュアーとアクワイアラーの連携による苦情伝達・加盟店調査措置と併用することにより、マンスリークリア払いのカード決済について事実上抗弁対抗に近い救済が得られる可能性がある。

(8)　**クーリング・オフ**

ア　趣旨

わが国で最初にクーリング・オフが規定されたのは割販法であるが、その後特商法に訪問販売等の契約につきクーリング・オフが導入されたため、割販法のクーリング・オフが適用される場面はほとんどなくなった。

2008年改正により、販売契約のクーリング・オフは特商法に委ねることとして削除し、特定商取引5類型に利用した個別信用購入あっせん契約について、特商法と連動する位置付けでクーリング・オフ（法35条の3の10）を設けた。これにより、販売業者に作成を委ねた個別信用購入あっせん契約書面の不交付や記載不備があれば、個別信用購入あっせん契約もいつまでもクーリング・オフが可能となり、個別信用購入あっせん業者が既払金返還責任を負うこととなる。

イ　起算日と日数

起算日は、個別信用購入あっせん契約の契約書面または申込書面の受領日のいずれか早い方である（法35条の3の10第1項本文）。

日数は、特商法と同じく8日間（法35条の3の10・35条の3の11第1項2

号）または20日間である（法35条の3の11第1項1号および3号）。クーリング・オフ妨害行為があった場合の取扱いも同じである（各条項の但書）。

　　ウ　行使方法と効果

　購入者は、個別信用購入あっせん業者に対し解除通知を行えば、販売契約も連動して解除の効力が生じる（法35条の3の10第5項）。実務的には、販売業者にも同時に通知することが円滑である。

　効果は、三者間の給付関係を巻き戻す形で返還義務を負い、個別信用購入あっせん業者は購入者から受領した既払金を購入者に返還する義務を負う（同条9項）。

(9) 過量販売解除

　　ア　趣旨

　個別信用購入あっせん契約を利用する訪問販売において、購入者の必要性を無視した過量販売・次々販売の被害が多発したことから、2008年改正により、勧誘行為の不当性を要件としない過量販売解除権が導入された。2016年改正により、電話勧誘販売にも過量販売解除（特商法24条の2）が導入され、個別信用購入あっせん契約にも追加された。

　　イ　要件

　①訪問販売または電話勧誘販売の方法により、通常必要とされる分量を著しく超える数量の商品・役務の販売契約であり（特商法9条の2）、②その販売契約について個別信用購入あっせん契約を利用したこと（法35条の3の12）である。複数の契約により過量販売契約となる場合は、販売業者が既存の契約を含めて過量となることを認識していることが必要であるが、個別信用購入あっせん業者には過量性の認識は要件とされない。個別信用購入あっせん業者は個人信用情報機関の調査により過量性を把握することが義務を負うからである。

　行使期間は、契約締結の日から1年以内である（同条2項）。

　　ウ　行使方法と効果

　購入者は、販売業者と個別信用購入あっせん業者の両者に対し、解除通知を同時に行うことを要する。

　両契約の解除により、三者間の給付関係を巻き戻す形で清算する義務を負

う（法35条の3の12第3項、5項、6項）。

  (10) **不実の告知等取消し**
　ア　趣旨

　抗弁対抗制度は、販売契約について抗弁事由が存在するとき、購入者はクレジット会社に対し未払金の支払いを拒絶できるが（法30条の4）、既払金の返還に及ばない。そのため、クレジット会社は既存契約の債権回収を考慮して、悪質加盟店を早期に排除する動機付けが弱いことが指摘されてきた。

　そこで、2008年改正により、個別信用購入あっせん契約を利用した特定商取引5類型の契約について不実告知・不告知があるときは、販売契約とともに個別信用購入あっせん契約を取り消すことができる規定を導入した（法35条の3の13～16）。

　イ　法的性質

　既払金返還責任は、個別信用購入あっせん契約について媒介者の法理（消契法5条）を根拠とする考え方に基づく。

　媒介者の法理とは、消費者契約の締結の媒介を委託された第三者（媒介者）が消契法4条に該当する不当勧誘行為を行ったとき、報償責任の考え方により消費者は委託元事業者に対し当該契約を取り消すことができる（消契法5条）というものである。個別信用購入あっせんは、加盟店が個別信用購入あっせん契約の契約条件の交渉や契約書の作成・提出の業務をクレジット会社から委託されて実行しており、媒介者に当たると解されることから、過失を要件としない取消権による既払金（不法利得）返還義務を定めた（割販法35条の3の13等）。

　ウ　要件

　第1に、個別信用購入あっせん契約を利用した販売契約であること。包括信用購入あっせんは、クレジット会社と消費者との間に予めカード発行契約があり、契約締結過程が異なる。

　第2に、特定商取引5類型による販売契約であること。もっとも、消契法5条の媒介者の法理は店舗取引・通信販売も含む考え方であり、理論的には消契法5条を直接適用できる余地がある。たとえば、販売業者が不退去・退去妨害（消契法4条3項）により購入者を困惑させて販売契約と個別信用購

入あっせん契約を締結させた場合、消契法5条の直接適用により個別信用購入あっせん契約を取り消し既払金返還義務が成立するものと解される。

第3に、販売契約または個別信用購入あっせん契約のいずれかに係る重要事項につき不実の告知または不告知があるとき。

販売契約が債務不履行解除など後発的な事由の場合、媒介者による個別信用購入あっせん契約の締結過程の瑕疵ではないので、個別信用購入あっせん契約の取消事由とならない。

エ 行使方法と効果

購入者は、販売業者と個別信用購入あっせん業者の両者に対し、取消通知を同時に行うことが必要である。

両契約の取消しにより、三者間の給付関係の巻き戻しの精算関係として、購入者は個別信用購入あっせん業者に対し既払金の返還請求ができる（法35条3の13第4項）。

(11) **契約条件の規制**

ア 契約解除・期限の利益喪失の制限

信用購入あっせんおよび割賦販売の契約において、割賦金支払いの不履行があった場合、信用購入あっせん業者は、20日以上の相当期間を定めて書面による催告をし、その期間内に支払いがないときでなければ、契約の解除または期限の利益喪失による一括払い請求ができない（法30条の2の4・35条の3の17・5条）。割賦金の支払いを1回でも遅滞したとき直ちに期限の利益を喪失または契約を解除すると、購入者に苛酷な結果となるからである。2020年改正により、催告書面については、書面による催告の原則は維持されたが、承諾による電磁的方法の通知が認められ（省令55条の3第1項1号）、カードレス完結型決済の場合は電磁的方法による通知のみでよいとされた。

極度額10万円以下の少額与信カードの場合は、2020年改正により、7日以上の催告期間の設定でよいものとされた。

イ 遅延損害金の規制

信用購入あっせんおよび割賦販売の契約が解除または期限の利益喪失となったとき、残債務額に対する遅延損害金は法定利率を超えてはならない（法30条の3・35条の3の18・6条）。改正民法により年3％である。

第3 プリペイド決済・資金移動業・その他の支払方法に関する法規制の概要

1 資金決済法の概要

　資金決済法は、前払式支払手段発行者に関する規律（旧・前払い式商標の規制等に関する法律）と為替取引のうち一定範囲を銀行等以外の事業者に認める資金移動業の創設を主な内容として、2010年に制定（2011年施行）された。その後、2016年改正（2017年施行）により仮想通貨交換業を創設し、2019年改正（2020年施行）により「暗号資産」に名称変更して規律の一部を改正し、2020年改正（2021年施行）により資金移動業に高額と少額を含む3類型を規定し、2022年改正（2023年施行）により電子決済手段等取引業を創設するなど、送金・決済手段のデジタル化・多様化が進む中でその制度整備を図ってきた。金融庁の所管である。

2 プリペイド（前払式支払手段）決済と資金決済法

(1) 登録制・前受金保全措置

　プリペイド決済は、前払式支払手段発行者が不特定多数の消費者から前受金を預かった状態で倒産すると深刻な被害が発生することから、販売業者自身が発行する場合（自家発行型）は届出制（資金決済法5条）、第三者が発行する場合（利用できる販売業者が複数となる方式）は登録制（法7条）とされ、いずれも前受金の2分の1相当額の発行保証金の保全義務（法14条・15条）が規定されている。

(2) 悪質販売業者排除・加盟店調査

　プリペイド決済は、銀行振込送金等と同様に原因関係の瑕疵が決済の効力に影響しない（無因性）とされているところ、プリペイド決済を利用する悪質サイト業者等のトラブルが近年増加している。そこで、登録拒否要件の中に、公序良俗違反のおそれがある商品・役務の販売を防止する措置を講じていない法人を拒否事由として、監督対象としている（法10条1項3号）。ここでいう公序良俗違反のおそれとは、犯罪行為に該当するような悪質性が高い

場合に限らず、社会的妥当性を欠くまたは欠くおそれのある場合を広く含むものであり、こうしたものが含まれないように加盟店管理を適切に行う必要がある。こうした管理は、加盟店契約時の確認と加盟店契約締結後の業務内容の変化を把握できる態勢整備を含む（金融庁・事務ガイドライン第三分冊、前払式支払手段関係Ⅱ－3－5）。

さらに、2016年改正により、前払式支払手段発行者に対し苦情の適切処理義務（同法21条の3）が規定された。加盟店におけるプリペイド決済の利用に係る利用者からの苦情を直接受け付ける態勢の整備や、苦情の対応状況についてフォローアップすることや、業務を第三者に委託（再委託を含む）した場合であっても発行者自身が業務を行っていたものと同様の権利の確保や、これらの対応は当該外部委託が海外で行われる場合を含むことなどが求められている（同事務ガイドラインⅡ－2－4、同Ⅱ－3－3）。これは、国際ブランドを経由してアクワイアラーや決済代行業者が介在する包括クレジットカード決済の場合と同様の苦情の受付・伝達・調査・措置・回答の措置が求められる趣旨であると解される。

近年はクレジット決済機能とプリペイド決済機能を併存させたスマートフォンやカードも登場しており、消費者がどの事業者と交渉すべきかを見極めることが必要である。

3 資金移動業

銀行以外の事業者が「資金移動業者」（資金決済法2条2項）として登録（同法37条）することにより、100万円以下の少額送金（資金移動業務）を行うことが認められる。2020年改正により、100万円以上の高額資金の即時送金を取り扱う高額資金移動業者と5万円以下の少額送金の資金移動業者の類型を設け、資産保全の要件を緩和した。

資金移動業者は、資金移動業務を適正に遂行できる財産的基礎と運営体制を備えて登録する義務（法37条、40条）があり、送金途中の資金額以上の履行保証金の供託または保全契約の義務（法43条以下）を負う。

原因関係の瑕疵は資金移動の効力に影響しない（無因）が、資金移動業者は原因関係に起因する紛争を適切に解決するための措置として、指定資金移

動業務紛争解決機関に加盟して公正な解決を促進する措置を講ずる義務を負う（法51条の4第1項）。また、10万円を超える資金移動は、犯罪収益移転防止法により本人確認義務を負う。

4 デビットカード決済その他の決済手段の法規制

(1) デビットカード決済

デビットカード決済は、即時払いの決済方法であり、Jデビットやブランドデビットなどのデビットカードシステム運営業者は販売業者にキャッシュカード読みとりの端末機を配備して加盟店契約を締結するアクワイアラーの立場にあるため、銀行以外の事業者による独自の資金移動業とは区別される。

(2) キャリア決済

携帯電話会社等のキャリア決済も、委託を受けた他社のサイト料金の決済を毎月の通信料金自動引き落としとともに回収する方法であり、決済手段は銀行送金システムを利用していることから、独自の資金移動業とは区別されるとして、法規制の対象とされていない。しかし、消費者からすると、通信料金と一括して支払いを求められるため、委託元事業者の原因取引が不適正であった場合にキャリアが何ら関知しないことには批判がある。

(3) 収納代行・代金引換

収納代行や代金引換も、独自の資金移動システムではなく、販売業者の代金を代理受領し銀行の送金システムを利用するに過ぎないから資金移動業に当たらないと解し、何ら法規制がなく、業界団体の自主規制により運営している。しかし、近年は、決済代行業者の介在により悪質サイト業者の利用が増えていることや、自称収納代行業者が悪質サイト業者の代金回収業務を行うなど、弊害が顕在化している。

(4) 銀行送金

銀行による送受金や決済は古くから為替取引として発展してきた。銀行は厳格なセキュリティシステムと財務基盤の確保により安全・確実な資金決済を実行し、円滑な経済活動を支えてきた。原因取引の瑕疵は資金移動の効力に影響しないこととして（無因性）、あらゆる取引に公平に決済手段を提供してきた。他方で、振り込め詐欺やヤミ金融業者などが犯罪行為の資金移動

手段として架空名義や他人名義の預金口座に資金を振り込ませる手法が横行しているため、犯罪収益移転防止法により、預金口座開設時の本人確認義務（同法3条・5条）、不正利用の疑いがある取引の届出（同法8条）、本人確認に応じない場合の利用停止（同法11条）などの法規制がある。

(5) 暗号資産交換業

暗号資産（仮想通貨）とは、ビットコインやイーサリアムなどインターネット上でやり取りできる財産的価値であって、ブロックチェーン技術によって管理し、代金の支払い等に使用でき、法定通貨と相互に交換できるものをいう。暗号資産を法定通貨と交換する事業者に対しては、資金決済法2016年改正により登録制（同法63条の22）、情報の安全管理義務（同法63条の8）、利用者の財産の分別管理義務（同法63条の11）、指定紛争解決機関への加盟または苦情の処理義務（同法63条の12）などの規定が設けられた。しかし、暗号資産交換業者への不正アクセスにより多額の漏えい事故が発生したり、暗号資産自体が投資対象商品として利用されるトラブルが発生したり、暗号資産の授受における匿名性を悪用した資金隠しが行われるなど、課題山積である。

(6) 電子決済手段等交換業

電子決済手段とは、ドルなどの法定通貨と連動するように設計された電子的財産的価値であり、ステーブルコインという。暗号資産は法定通貨の裏付けがなく流通するため価格変動が不安定であるのに対し、ステーブルコインは法定通貨に連動させることで価値が安定した電子決済手段といえる。

電子決済手段の発行は銀行等が行うが、その交換業者の存在も必要と考えられるため、資金決済法2022年改正により、登録制（法62条の3）、取引適正化等の体制整備（法62条の6）、利用者財産の分別管理（法62条の14）、紛争解決機関の加盟または紛争解決措置の整備（法62条の16）などの規制をいわば先取りして制度化した。

第4　キャッシュレス決済被害への実務対応

キャッシュレス決済を利用した消費者被害事件に対応する場合、次のような視点で論点を整理する必要がある。

1　クレジットカード決済に関する論点

①　クレジットカード決済の場合、割販法の適用対象となる包括信用購入あっせんか否かをまず確認する。2月超後払い・リボ払いの包括信用購入あっせんであれば、アクワイアラーや決済代行業者を経由したオフアス取引のカード加盟店での決済も適用対象となる。マンスリークリア払いは割販法の適用対象でないが、後からリボ特約を利用した場合は適用対象となる【事例1】。

②　未払金の支払い拒絶による抗弁対抗は、個別信用購入あっせん契約と包括信用購入あっせん契約について、販売契約の取引形態を問わず適用がある。販売契約に関する抗弁事由は、契約締結過程の瑕疵に限らず、債務不履行解除等の後発的事由も広く対象とされ、かつ、付帯的な特約や契約書面に記載のないセールストークに起因するものも含まれる。抗弁事由の存在についてクレジット会社の認識の有無を問わない。

③　既払金返還請求ができるクーリング・オフ、過量販売解除および不実の告知取消しは、個別信用購入あっせん契約を特定商取引5類型で利用した場合であり、かつ不実告知等取消し等の契約締結時の意思表示の瑕疵に限られる。

④　包括信用購入あっせんを利用したクレジットカード決済の場合、利用者からイシュアーに寄せられた苦情がアクワイアラーに適切に伝達され、アクワイアラー等が加盟店調査措置を講じているか、トラブルが多発している加盟店につきイシュアーとアクワイアラー等との連携による苦情の適切処理とトラブル防止の措置が取られているかを検討する。マンスリークリア払いの場合、アクワイアラー等は加盟店調査措置義務が適用されるが、イシュアーの苦情の適切処理（伝達）義務の手協がない。日本クレジット協会の自主規制規則による苦情伝達努力規定があるので、これを活用することも必要である。

2　個別信用購入あっせんに関する論点

①　個別信用購入あっせんにおける抗弁対抗の主張に関して、消費者に信義則違反の事情がある場合は主張が制限されると解されている。ただし、販

売業者の巧妙な説明を信じて、商品販売に付帯役務や特約があるのに契約書や電話応答には単なる商品販売のみであるかのように応答した場合など、販売業者の巧妙な説明を信じた不注意一般が信義則違反とされるものではなく、クレジット契約締結業務の媒介受託者である加盟店の不正行為について委託元クレジット会社の責任を踏まえた判定が求められる[15]。

② 販売業者（加盟店）が、資金繰りのために空売り名義借りを行ったような事案についても、媒介者による不実告知取消しに当たるような事案か否かを検討する必要がある【事例2】[16]。

3 カード番号不正利用被害

① 消費者がクレジットカードの管理を怠って紛失・盗難が発生した事案か、第三者に貸与したことによる損害の事案か、カード会員からの情報漏洩ではなくカード加盟店や関係事業者からの漏えい事案かによって、消費者の責任の在り方が異なる。

② カード会員規約に、カードの紛失・盗難による責任の規定だけか、カード番号情報の漏えい・不正利用に関する規定があるか、カード利用者が利用明細を確認しないで長期間経過した場合など、利用者側の落ち度と責任の範囲のあり方を検討する必要がある【事例3】。

4 前払い等のキャッシュレス決済のトラブル

① プリペイド決済、デビット決済、資金移動業等は、原因取引と決済との無因性を基本としている。その中で、悪質販売業者のトラブルの苦情申出情報を、決済手段提供者や決済代行業者において販売業者の調査措置を講じ

---

[15] ダンシング事件に関する大阪高判平16・4・16消費者法ニュース60号137頁・兵庫県弁護士会ホームページ消費者判例。
[16] 最判平29・2・21（判タ1437号70頁）は、【事例2】のような名義貸し事案について、立替払い契約の媒介行為を委託された販売業者が、消費者が実質的に負担するリスクの有無について誤認させた場合は、立替払契約の締結の判断に影響を及ぼす重要事項の不実告知に当たるものであれば、クレジット会社の認識の有無を問わず不実告知取消しを認めることができるとした。

ているかを検討する。

　②　プリペイド決済の財源をクレジットカードでチャージするなど、複数のキャッシュレス決済業者が関与するケースがあるので、加盟店との提携関係を結び販売方法を調査措置すべき決済手段提供者は誰かを検討する**【事例4】**。

《参考文献》
・桜井健夫『キャッシュレス支払いの構造・法制度と消費者問題』東京経済大学『現代法学』43号77頁。
・経済産業省『令和2年版・割賦販売法の解説』(日本クレジット協会、2021年9月)

[池本誠司]

コラム 消費者被害の国際化

　消費者庁は2011年に越境型取引に関する相談窓口を設置した。国民生活センターは2015年6月から「越境消費者センター（CCJ）」を設け、2022年度の相談件数は5006件である。トラブルの内訳は、解約（47％）、詐欺疑い（17％）、商品未到着（10％）相談が大半を占める［国民生活センター、2023］。国際ロマンス詐欺は、オンラインデート・出会い系サイトを通じて接触した消費者に対し、恋人関係や偽の結婚約束をして相手の好意につけ込み、金銭を送金させたり海外取引所での暗号資産の購入を促すなどの被害例である［金融庁、消費者庁、警察庁、2021］。加害者の居住国の多くはアフリカ、東南アジアである［小山悟郎、2021］。国際ロマンス詐欺は、刑事領域では振り込め詐欺、預貯金詐欺、架空料金請求詐欺、還付金詐欺、キャッシュ振り込み詐欺等などの特殊詐欺の領域に分類される［警察庁、2023］。特殊詐欺の2023年11月現在の被害は17,254件であるが、国際ロマンス詐欺に関連する件数は明らかではない。CCJへのロマンス詐欺関連の相談件数は187件で、うち投資に関わるものが170件を占める［国民生活センター、2022］。海外の被害状況と比較すれば、わが国での認知・申告件数が氷山の一角であることが容易に見て取れる。国際ロマンス詐欺は、「romance scam（fraud）」と呼ばれる。米国の2022年の被害者数が7万人（被害額：US$1.3 billion［1905億円］）［FTC、2023］。英国の2022年の被害者数は8036人（被害額：£92m.［171億円］）［Gurdian、2023］、豪州の2021年の被害者数は3699人（被害額：AUS $142m.［136億円］）とされる［Field、2023］。わが国の消費者は、従来、加害者からの勧誘に対しては、「日本語」という言語障壁で守られてきた。しかし、ネット上で無償で提供されるGoogleやDeepLなどの無償翻訳ツール、ChatGTPなどのAIが急速に普及することで、いわば越境型消費者トラブルの「鎖国」状態にあったわが国が開国を迫られ、わが国の消費者も海外の被害者と同様の越境型取引被害に晒される事態が現実のものとなる。

　行政は、国際ロマンス詐欺について、消費者に「出会い系サイトやマッチングアプリで出会った加害者からの指示で投資しない」などの警告・助言を行う［国民生活センター、2020］。しかし、これはほとんど意味をなさない。国際ロマンス詐欺は、広告・勧誘から金銭の出損に至るまで、外的な詐欺、強迫というよりは、消費者が自らが持つ希少性、好意性、親近性、心理財布、一貫性、

返報性など心理バイアスを利用するマインドコンロールにより自縛させ、自らの意思による金銭の出損に誘導する。被害者は被害を「加害」ではなく、「自己責任」と自認することで、自ら行政や弁護士への相談の道を閉し、被害は潜在化することになる。

　海外では、より具体的な対応例が助言される。例えば、オンライン検索で相手の写真やプロフィールを調べ、画像、名前などが他の場所で使用されていないかの確認を求める。出会い系サービスやソーシャルメディアサイトから退会して直接コミュニケーションを取ろうとしたり友人や家族から引き離し、不適切な写真や金銭的な情報を要求したり、直接の面談を避けるネットや電話のやりとりしかない相手には送金しないなどが助言される［FBI］。しかし、国際ロマンス詐欺の実態が、被害者のバイアス利用のマインドコントロールにあるとすれば、消費者のバイアスの回避・解除方法（デバイアス）が助言されてよい。

　消費者が、行政や弁護士会などの相談窓口にたどり着けても、被害救済を得るためには多くの障壁が立ちはだかる。CCJは、海外消費者相談機関として計15機関、26の国・地域の消費者相談機関と提携するが、個別の被害に関する調査・救済業務を行うわけではない。被害回復は消費者個人の責任と負担となるが、加害者の特定、資産調査、資産への執行は多くの困難がある。加害者の特定にはWebサイトやブログのドメイン、IPアドレスを手がかりとして登録者の調査が必要となる。しかし、サーバが海外にあればその作業は容易ではない。加害者がVPN等を使用し、米国や英国のIPアドレスを偽装する例が多いことは加害者の特定をより困難にする。不動産登記の信用度は各国で異なることは資産調査を困難とする［法務省］。加害者資産が判明しても、その執行には債務名義が必要となるほか、海外資産への執行には加害者居住国の執行判決を得る必要がある。消費者敗訴の場合に、加害者側の弁護士費用の負担が求められる国もある（英国など）。国際ロマンス詐欺トラブルについて、「国際詐欺事件に強く、経験と実績による自信がある」「返金の可能性は必ずあります」など標榜するネット広告があふれる。これは誤導・誇大広告として消費者契約法違反、説明義務違反の債務不履行、契約不適合となる。弁護士会も被害予防の警告・啓発を行うが［東京弁護士会、2023］、その実態は被害回復名目での着手金・費用を巻き上げる「二次加害」にほかならない。　　　［村本武志］

第8章
公正かつ自由な競争と消費者
―― 独占禁止法

第1　はじめに

　独占禁止法の正式名称は、「私的独占の禁止および公正取引の確保に関する法律」（以下「独禁法」または「法」という）である。独禁法1条は独禁法の目的を「公正且つ自由な競争を促進」すると定めている。「公正且つ自由な競争」とは、市場メカニズムに基づく競争であり、需要と供給の変化に応じて価格が変動し、どのような財やサービスをどれだけ供給するか、どのような価格が設定されるかが、最終的な需要者である消費者の選択が、生産や流通に的確に反映されフィードバックされていき、消費者の選択によって経済運営の在り方が決定されていく、という消費者主権に基づく市場メカニズムの機能を維持・発展させることを目的とする法律である[1]。上記のような目的を達成するため、独禁法は母法である米国の反トラスト法に倣って、市場支配力の維持・形成・強化に着目して、不当な取引制限（カルテル）、私的独占の禁止を中核に置いている[2]。独禁法は、自由市場経済の下における経済活動の基本原理を定める法律という意味で「経済憲法」とも呼ばれている。

　また、独禁法1条は「一般消費者の利益を確保するとともに、国民経済の民主的で健全な発達を促進する」ことを目的と定める。独禁法は、企業結合

1）　岸井大太郎・大槻文俊ほか『経済法〔第9版〕』（有斐閣アルマ、2020年）7頁。

や入札談合等について公正取引委員会（以下「公取委」という）が大企業を規制する行政取締法規のように理解されていた時期があった。しかし、価格カルテル等により、消費者はより安い価格で購入できたという利益を害され、高い購入価格という不利益を負うが、独禁法はこのような効率性に基づく消費者の利益を、究極的には保護している[3]。また、「不公正な取引方法」には、能率競争に反する手段による顧客勧誘の規制など、消費者に対する事業者の違法・不当な行為の禁止類型が含まれており、平成21年（2009年）に消費者庁が設置され、景品表示法の所管が公取委から消費者庁に移った後も、消費者保護が独禁法の主要な目的であることは変わらない。

　さらに「優越的地位の濫用」（法2条9項5号、19条）は、大規模小売業者、大手メーカー、フランチャイズチェーン等の取引上の地位が優越する事業者の行為により、中小事業者である納入業者、製造業者、小売店、個人事業主または加盟店等が、不当な不利益を受けた場合の救済手段として、重要性が増している。最近では、公取委は、令和元年に、いわゆるGAFAM（Google、Amazon、Facebook、Apple、Microsoft）等と呼ばれるデジタル・プラットフォーム[4]を運営する事業者（デジタル・プラットフォーマー）により、消費者

---

2) アメリカのシャーマン法の目的について、連邦最高裁判所は次のように述べる。「シャーマン法は、自由かつ拘束のない競争を維持するための包括的な経済的自由の憲章として制定された。同法は、競争的な力が無限に相互に作用することにより、米国経済資源の最適配分、最も安い価格、最高の品質、最大の物質的進歩が達成され、同時に民主的な政治的、社会的制度の維持へ導く環境が整備される、という考えに依拠している」（Northern Pacific R. Co. v. United States, 356 U.S. 1 (1958)）。
3) 旧消費者保護基本法の立法者は、同法11条は「私企業ベースで形成される価格については、公正自由な競争原理による形成を、政府ベースで決定される価格については公共料金決定に際し、消費者への影響を十分配慮すべきことを規定」したものであり、独禁法は消費者の利益の確保、増進に当って今後とも重要な役割を果たすべき法律である旨を述べる。黒田武（経済企画庁消費者行政課）「消費者保護基本法制定の背景と内容」公正取引214号（1968年）7頁。
4) 後掲注5) 参照。公取委は、デジタル・プラットフォームとは「情報通信技術やデータを活用して第三者にオンラインのサービスの「場」を提供し、そこに異なる複数の利用者層が存在する多面市場を形成し、いわゆる間接ネットワーク効果が働くという特徴を有するものをいう」とする。

が個人情報を不正に取得・利用された場合、優越的地位の濫用が適用される可能性がある旨の考え方[5]を公表している。消費者は、事業者による独禁法違反行為に対して差止請求（法24条）や損害賠償請求訴訟（法25条または民法709条）を行うための根拠として、独禁法に加えて公取委のガイドラインを援用することが可能である。

本章では、独禁法の基本について理解するとともに、消費者または中小事業者がどのように独禁法を活用すればよいか、実践的に理解することを学習目標とする[6]。

第2　独禁法違反行為の実態と背景

独禁法は「事業者」（商業、工業、金融業その他の事業を行う者をいう、法2条）の行為を規制対象とする。事業者による独禁法違反行為は、現代社会に広く存在する。例えばカルテル、すなわち複数の事業者が相互に連絡を取り合い、本来、各事業者が自主的に決めるべき商品の価格や販売・生産数量などを共同で取り決めて拘束し合う行為がその典型例である。カルテルは、独禁法では「不当な取引制限」（法2条6項）として3条後段により禁止される。鶴岡灯油訴訟事件[7]は、石油元売各社が協定により価格カルテルを行い一斉に価格引上げをした独禁法違反行為により、消費者が損害を被ったとして、損害賠償請求訴訟（民法709条）を提起した例である。

タクシー会社が価格改定に際して一斉に値上げした事業者団体による不当

5）公取委「デジタル・プラットフォーム事業者と個人情報等を提供する消費者との取引における優越的地位の濫用に関する独占禁止法上の考え方」（令和元年12月17日）。

6）消費者、中小企業の立場からの独禁法の活用については本章第4、および、日本弁護士連合会消費者問題対策委員会編『消費者・中小事業者のための独禁法活用の手引』（民事法研究会、2002年）を参照。

7）最判平元・12・8民集43巻11号1259頁。控訴審（仙台高裁秋田支部昭60・3・26）は、カルテルによる値上げについて不法行為の成立を認め、価格協定直前の小売価格に基づき損害を算定した。しかし最高裁は、違反行為と損害との因果関係を認めず逆転敗訴となった。その後、民訴法248条が新設されて、原告側の損害額の立証の証明度が軽減され、損害賠償訴訟は活発化しつつある。前掲注6）32頁参照。

な取引制限(法8条1号)に関して、消費者が損害賠償請求した事件もある[8]。日本では、事業者が同業種の事業者間で協定を締結し、または事業者団体を構成して事業者団体が構成員である事業者の価格、数量、活動エリアなどの事業活動の根幹を取り決める土壌があり、産業育成官庁(旧大蔵、通産、建設など各省庁)の行政指導が主導するカルテルも公然と行なわれてきた[9]。このため、独禁法によるカルテル規制は十分に機能しない面があったが、1960年代以降は消費者問題の高まりにより景表法が制定され、物価対策としてカルテルや再販売価格維持の規制が機能し、1980年代以降は規制緩和により独禁法の運用強化が進められている。しかしそれでも後を絶たない入札談合は、我が国の根深いカルテル体質の現れである[10]。

カルテルにより、消費者は違反行為がない場合に比べて高価格で商品・役務を購入せざるを得ず、企業は消費者の利益の犠牲の下に、極めて容易に多大な利益を上げられる。また、カルテルによる販売価格の値上がりにより購入を思いとどまる需要者が増えることは、生産・販売量を減少させ、資源配分上の非効率が生じる。さらに、競争関係にある企業がカルテルにより競争を回避すれば、企業が技術革新により製品や役務の品質を向上させるインセンティブが失われ、究極的には消費者の利益に反することになる。それゆえに、カルテル(不当な取引制限)により市場支配力を維持・形成・強化することは、独禁法上重大な違法行為とされている。

また、消費者に身近な独禁法違反として「不公正な取引方法」の禁止類型(法2条9項1号ないし5号、同項6号、一般指定)がある。例えば「再販売価格の拘束」(法2条9項4号)は、メーカーや卸売業者が直接の取引相手(小売業者等)に対して、消費者への販売価格を一定以上にするよう拘束する行為であり、松下カラーテレビ事件[11]などが著名である。また輸入代理店が

---

8) 京都地和解昭59・11・30判タ545号100頁。
9) 岩本章吾「事業者団体の活動に関する新・独禁法ガイドライン」別冊NBL34号(1996年)を参照。
10) シール談合事件では、直接の被害者である社会保険庁が、談合による各契約は無効であるとして不当利得返還請求訴訟を提起し、受注3業者に合計14億6000万円余の支払が命じられた(東京地判平12・3・31判時1734号28頁)。

輸入品の卸し先である小売店に対して、並行輸入品の取扱いを禁じる行為は、並行輸入業者との価格競争を制限すると共に、消費者が安価な並行輸入品を入手する利益を侵害する効果を生じ、「拘束条件付取引」（一般指定12項）となりうる。

また、実際の商品サービスの品質、性能より、有利、有用と誤認させる「ぎまん的顧客誘引」（一般指定8項）は、マルチ商法等の規制に用いられてきた。ただし現在は、行為要件がより明確な景品表示法上の不当表示規制が適用されるようになっている。

「抱き合わせ販売」は、例えば、マイクロソフト社が市場においてシェアの大きい表計算ソフト「Excel」に、ワープロソフト「Word」をセットにした例がある[12]。

第3以降では、独禁法が中核とする「不当な取引制限」、「私的独占」、「不公正な取引方法」の各実体規定について、事例と共に説明する。

第3　独占禁止法の実体規定

1　総論

(1) 独禁法の概要

独禁法は、市場における事業者または事業者団体の行動のルールとして、以下の3つの禁止対象類型を中心に据える。その第1は「不当な取引制限」（法2条6項、3条後段）である。事業者間の協調的行動等の禁止であり、カルテルと呼ばれる。第2は「私的独占」（法2条5項、3条前段）であり、市場支配的地位にある事業者の競争制限行為の規制である。第3は「不公正な取引方法」に該当する複数の行為類型（法2条9項5号および6号、法19条）である。独禁法の執行（エンフォースメントとも呼ばれる）の第一義的な主体は公取委であり、公取委は、事業者の独禁法違反行為に対して排除措置命令

---

11) 東京高判昭52・9・19高民集30巻3号247頁。消費者の原告適格は認めたものの適正価格の立証が不十分のため原告が敗訴している。

12) 後掲注34) を参照。

や課徴金納付命令を行う。他方で、独禁法違反行為によって損害を被った、または被るおそれのある事業者または消費者は、民事訴訟によって、損害賠償（法25条または民法709条）または差止請求（法24条）が可能であり、もしくは公序良俗違反（民法90条）等を媒介として、契約や解除の無効を前提とする給付または不当利得返還請求等を主張することができる。さらに、公取委の専属告発（法96条）に基づく刑事罰が設けられている（法89条）。

なお、上記3つの類型以外にも企業結合規制（合併や持株会社などに対する法規制）があるが（第4章　法9条ないし18条）、消費者法としての独禁法とは関連が薄いので、本章では基本的には触れない。

(2) 独禁法の目的と規制対象類型

ア　法1条は、「公正且つ自由な競争を促進すること」が「事業者の創意を発揮させ、事業活動を盛んにし、雇傭および国民実所得の水準を高め」、それにり「一般消費者の利益を確保する」ことを目的とする。すなわち、公正かつ自由な競争が促進されることによって、企業には競争に勝つための努力が要請され、その結果、商品の価格やサービスの料金がより低廉になり、品質が向上し、消費者の受け取る商品やサービスの選択の範囲が拡大していく。その意味で、同条は「一般消費者の利益を確保するとともに、国民経済の民主的で健全な発達を促進する」ことを究極的な目的として定めているのである。

イ　独禁法の直接的な目的は、公正な競争を阻害するおそれのある行為を禁止し、そのような行為を排除することによって、市場における競争秩序を維持・回復することである。同法は、公正で自由な競争を促進するために、以下のような禁止行為の類型を通じて、事業者が遵守すべきルールを定めている。

市場における公正で自由な競争の促進を直接の趣旨とする実体規定として、①不当な取引制限（カルテル）（法2条6項、3条後段）、②私的独占（法2条5項、3条前段）、③不公正な取引方法のうち、後述する自由競争減殺型の行為、例えば、共同の取引拒絶（法2条9項1号）、再販売価格拘束（法2条9項4号）の各禁止規定がある。

また、能率競争に反する競争手段を禁止する類型として、不公正な取引方

法のうち、ぎまん的顧客誘引（一般指定8項）、不当利益による顧客誘引（一般指定9項）の禁止がある。

　さらに、市場における自由な競争および能率競争の基盤となる、自由かつ自主的な意思により事業活動が行われることを保障する類型として、優越的地位の濫用（法2条9項5号）の禁止がある。

(3)　市場メカニズム──独禁法の経済思想

　独禁法にいう「公正かつ自由な競争」とは、より廉価な価格またはより良質な品質をめぐる競争（能率競争）を意味する。資源の適正配分と消費者利益をもたらす市場メカニズムへの信頼とその回復を目指す考え方が、独禁法の背後にある理念である。アダム・スミスは市場メカニズムに基づく価格の動きを「見えざる手」と呼び、国家による統制ではなく市場メカニズムこそが資源を有効に配分する働きをすることを明確にした。「完全競争でない現実の下では修正を加えることが必要になるとしても、市場経済の価格メカニズムはあくまでも現代資本主義経済の母胎であり、核心である」[13]とされる。すなわち独禁法は、公正で自由な競争に反する行為を禁止することによって市場経済の価格メカニズムを正しく維持・回復し、資源の適正配分と消費者利益の向上を実現する法律といえる。

2　三つの規制対象類型の概説

(1)　不当な取引制限

　不当な取引制限（カルテル）とは、「①事業者が、契約、協定その他何らの名義をもってするかを問わず、他の事業者と共同して対価を決定し、維持し、若しくは引き上げ、または数量、技術、製品、設備若しくは取引の相手方を制限する等相互にその事業活動を拘束し、または遂行することにより、②公共の利益に反して、③一定の取引分野における④競争を実質的に制限することをいう。」（法2条6項、①～④は筆者による）。すなわち、不当な取引制限（カルテル）とは、他の事業者と共同して、競争を回避する協定や合意をする等、互いの事業活動の拘束・遂行をすることである。例えば、競争関

---

13)　斎藤謹造編『近代経済学』（有斐閣新書、1976年）46頁。

係にある複数の事業者が互いに通謀して商品・サービスの価格、生産数量、技術、公共工事の受注者・受注価格[14]等の重要な競争手段を直接に制限する取り決め（協定等）をする行為は「ハードコア・カルテル」と呼ばれ、公正かつ自由な競争を前提とする市場メカニズムを人為的に排除しようとするものであり、社会全体に重大な弊害をもたらすこととなるため原則として違法であり、3条後段により禁止される。これに対してハードコア・カルテル以外の目的（環境保護、法遵守、技術標準の作成等）のために共同行為が行われる場合を「非ハードコア・カルテル」と言い、当然違法とはならず、以下の①から④の「不当な取引制限」の要件（法2条6項）のうち、④の「競争の実質的制限」の要件を慎重に検討した上で違法性が判断される。

以下、法2条6項の各要件の解釈論を説明する。

①「共同行為」要件及び「相互拘束」要件

「共同行為」要件（「他の事業者と共同して」）は、明示または黙示の「意思の連絡」を意味し、会合、文書、電話その他手段を問わず、同内容の行動をとることを相互に認識し認容して歩調をそろえることを意味し、意識的並行行為や一方的な追随行為では足りないと解されている。話し合いや合意は秘密裏に行なわれることが多いので、合意がなされたことの直接証拠は作成されないか、隠匿されることが多いため、間接事実からの立証が重要となる。この点、東芝ケミカル事件高裁判決[15]は、（ⅰ）事前の連絡・交渉、（ⅱ）連絡・交渉の内容、（ⅲ）行為の外形的一致を間接事実として「意思の連絡」を認定している。

「相互拘束」要件（「相互にその事業活動を拘束し、または遂行」）は、共同行為によって、事業者が本来自由に決定することのできるはずの価格等が、合意に制約されつつ意思決定されることになり、事業活動が事実上拘束されることを意味する（多摩談合事件最高裁判決）[16]。また、事業者団体で組織的に

---

[14] 公共工事の入札参加者の間で受注予定者や受注価格を取り決めて相互に協力する行為を「入札談合」と言い、ハードコア・カルテルとされる。発注者である自治体やその職員が入札談合に関与する場合を「官製談合」と言う。

[15] 東京高判平7・9・25審決集42巻393頁。

[16] 最判平24・2・20民集66巻2号796頁。

決定され、加盟事業者に決定事項を守らせる形式をとる場合は、法8条1項1号により規制される。
　②　「公共の利益に反して」の要件
　2条6項の「公共の利益に反して」とは、法の直接の保護法益である自由競争経済秩序に反することを指すと解釈されている[17]。
　③　「一定の取引分野」の要件
　この要件は、事業者間の競争の場すなわち市場の意味である。取引分野は取引対象（商品・役務の範囲）、取引の地域（地理的範囲）、取引段階、取引の相手方等の観点から判断される。日本全国のような広い市場もあれば、「特定の自治体の下水道に関する公共工事の入札」（入札談合事件）のような狭い市場が画定される場合もある。シール談合事件高裁判決[18]によれば、市場の範囲は「取引の対象・地域・態様等に応じて、違反者のした共同行為が対象としている取引およびそれにより影響を受ける範囲を検討し、その競争が実質的に制限される範囲」であるとされる。
　なお、「一定の取引分野」（市場）の確定が重要となるのは企業結合規制（法第4章）であるが、一般的には需要代替性、すなわち需要者からみて取引対象商品と機能効用が同種であるか否か、機能効用が同種かは当該商品の価格引き上げに対して代替性があることによって牽制力となるか否かにより判断される（公取委「企業結合ガイドライン」）[19]。また、後述する「不公正な取引方法」の類型では「一定の取引分野」が条文上の要件ではないが、自由競争減殺型と呼ばれる類型では、公正競争阻害性を認定するに際して、市場確定が問題となる。
　④　「競争を実質的に制限する」（「競争の実質的制限」）の要件
　東宝・新東宝事件高裁判決[20]は、「競争を実質的に制限するとは、……価格、品質、数量、その他各般の条件を左右することによって、市場を支配す

---

[17]　最判昭59・2・24判時1108号3頁。
[18]　東京高判平5・12・14高刑集46巻3号322頁、審決集40巻776頁。
[19]　公取委「企業結合審査に関する独占禁止法の運用指針」（平成16年制定、令和元年最終改定）。
[20]　東京高判昭28・12・7高民集6巻13号868頁。

ることができる状態をもたらすことをいう」と述べる。この「価格、品質、数量、その他各般の条件を左右することによって、市場を支配することができる」力は「市場支配力」と呼ばれ、前記高裁判決は「競争の実質的制限」とは、市場支配力の維持、形成、強化であるという立場を示したものと解されている。「競争の実質的制限」は、不当な取引制限のみならず、私的独占（法2条5項）、企業結合規制（第4章）、事業者団体の行為規制（法8条1号）の効果要件とされている。最高裁は、後述する私的独占に関するNTT東日本事件、JASRAC事件において、「競争の実質的制限」が「市場支配力の形成、維持ないし強化」を意味するという見解を採用する。

(2) **私的独占**

私的独占とは「事業者が、単独に、または他の事業者と結合し、若しくは通謀し、その他いかなる方法を以てするかを問わず、①他の事業者の事業活動を排除し、または支配することにより、②公共の利益に反して、③一定の取引分野における競争を実質的に制限」する行為である（法2条5項、①～③は筆者による）。②および③の要件は「不当な取引制限」で述べた通りであり、以下では①の要件について述べる。

上記①の行為要件のうち「排除」とは、他の事業者の事業活動を継続困難にし、または新規参入を困難にする何らかの人為的行為のことである（「排除型私的独占」）。人為的行為とは、独禁法の目的に反し能率競争に反する行為とされ[21]、不当廉売や地域的差別対価、排他条件的取引など不公正な取引方法の一般指定で違法とされている行為はもとより、それに限定されるものではない。事業者を市場から退出せる場合と、市場への新規参入を阻止する場合がある。

次の【事例1】および【事例2】は、排除型私的独占の例である。

【事例1】 NTT東日本事件[22]では、NTTが設置する光ファイバー設備を、競争者である他の電気通信事業者に接続させて利用させる電気通信事業法上の義務を負っているところ、NTTが接続には応じる姿勢を取りつつ、

---

21) 今村成和『独占禁止法〔新版〕』（有斐閣、1978年）72頁参照。
22) 最判平22・12・17民集64巻8号2067頁、判タ1339号55頁。

競争者が到底受け入れられない接続料金を提示した行為は、その単独かつ一方的な取引拒絶ないし廉売としての側面において正常な競争手段の範囲を逸脱する人為性を有し、競争業者の市場への参入を著しく困難にする効果を持つから、排除型私的独占に該当するとされた。なお、この事件では独禁法と電気通信事業法との関係についても争点となり、NTT は、電気通信事業法により認可された料金の設定は、特段の事情がない限り、独禁法に違反しない旨を主張した。これに対して、最高裁は「総務大臣が…電気通信事業法に基づく変更認可申請命令や料金変更命令を発出していなかったことは、独禁法上本件行為を適法なものと判断していたことを示すものではない」と判示し、事業法は競争法を促進する相互補完的な位置付けにあることを肯定した。

　【事例2】　JASRAC 事件[23]では、日本音楽著作権協会（JASRAC）は著作権者から音楽著作権の管理委託を受け、ほぼ全ての放送事業者と契約し、放送事業者に楽曲の使用許諾をして使用料を徴収し、著作権者に分配する事業を営んでいた。JASRAC に支払う使用料は楽曲の使用数とは無関係に放送料収入の一定割合という定額制であったため、放送事業者が他の管理事業者（JASRAC の競争者）の楽曲を使用した場合、使用料の負担が増加することになり、そのため放送事業者が、JASRAC 以外の管理事業者が管理する楽曲の利用を抑制する効果が生じた。利用の抑制が惹起される仕組みには「人為性」があり、他の事業者が音楽著作権管理委託業に参入することを著しく困難にする効果を生じさせるから、排除型私的独占に該当するとされた。

　前記①の行為要件のうち、「支配」とは何らかの意味で他の事業者に対して制約を加え、自己の意思に従って事業活動を行わせることである（「支配型私的独占」）。市場支配的な地位を有する事業者が、他の事業者の株式取得、役員兼任をして事業活動を限定する行為や、競争者ではない複数の事業者に、カルテルや入札談合をさせて、事業活動を制限する場合がこれに当る。

　次の【事例3】および【事例4】は、支配型私的独占の例である。

　【事例3】　東洋製罐事件[24]では、東洋製罐は市場シェア56％、4つの子

---

[23]　最判平27・4・28民集69巻3号518頁。
[24]　公取委勧告審決昭47・9・18審決集19巻87頁。

会社である製缶会社を含めると市場シェア約74％を占めていたが、4社の株式を取得して役員を兼任し、そのうちの約29％の株式を取得した1社に対して、製造地域を北海道に限定し、飲料缶の製造を阻止する等した行為が、4社の事業活動の「支配」とされた。なお取引先の缶詰製造業者が自ら缶を製造することを阻止した行為は、缶詰製造業者に対する「排除」とされた。

【事例4】 パラマウントベッド事件[25]では、パラマウント社が、同社のベッドを取り扱う入札参加者（販売業者）の中から、落札予定者を決めるとともに落札予定価格を決めた行為に関して、公取委は、同社が「落札予定者および落札予定価格を決定するとともに、当該落札予定者が当該落札予定価格で落札できるように入札に参加する販売業者に対して入札価格を指示し、当該価格で入札させて、これらの販売業者の事業活動を支配することにより、……公共の利益に反して、財務局発注の特定医療用ベッドの取引分野における競争を実質的に制限している」と判断した。

(3) 不公正な取引方法

ア 「不公正な取引方法」は、「不当な取引制限」および「私的独占」と並んで、独禁法の主要な規制対象類型である。法2条9項各号が定める行為であり、法19条により禁止される。法定の不公正な取引方法（法2条9項1号ないし5号）と、一般指定による不公正な取引方法（6号）の類型がある[26]。一般指定は公取委が指定する15項からなる「不公正な取引方法」（昭和57年公取委告示第15号）を参照することとなる。法定の不公正な取引方法にのみ課徴金が課せられる（法20条の2ないし20条の6）。

イ 「公正競争阻害性」の判断基準

2条9項1号ないし5号、一般指定の各類型には「正当な理由がないのに」、「不当に」、「正常な商慣習に照らして不当に」の要件があり、これらは公正な競争を阻害するおそれ（公正競争阻害性）の要件を意味すると解されている。「正当な理由がないのに」と規定されている場合は、公正競争阻害

---

[25] 公取委勧告審決平成10・3・31審決集44巻362頁。
[26] 平成21年（2009年）改正により、旧一般指定の行為類型のうち、共同の取引拒絶、差別対価、不当廉売、再販売価格の拘束および優越的地位の濫用の5つの類型の全部または一部が現行の2条9項1号ないし5号に法定された。

性が事実上推定され、特段の事情がない限り原則として公正競争阻害性が認められる類型である。例えば共同の供給拒絶（2条9項1号、一般指定1項）、再販売価格の拘束は、原則違法類型（「正当な理由がないのに」）とされている。これに対して「不当に」・「正常な商慣習に照らして不当に」と規定されている場合は事実上の推定がされず、公正競争阻害性を個別に立証することが必要な類型であると解されている。

　ウ　公正競争阻害性の3類型

公取委実務および学説の通説的見解によれば、公正競争阻害性は以下の3つの類型に分類される。

（ⅰ）自由競争減殺型

事業者間の自由な競争を妨げる類型、および事業者が競争に参加することを妨げる類型である。不当な取引制限（カルテル）の要件である「競争の実質的制限」、すなわち市場支配力の形成、維持、強化に至らない程度の競争の制限または減殺効果をもたらすものであり、市場支配力よりは低い程度の力、またはその前段階の力を「形成、維持、強化」することで足りると解されている[27]。共同の供給拒絶（2条9項1号）、差別対価（同項2号）、不当廉売（同項3号）、再販売価格の拘束（同項4号）、共同の供給拒絶（一般指定1項）、その他の供給拒絶（同2項）、取引条件等の差別取扱い（同4項）、事業者団体による差別取扱い等（同5項）、2条9項3号以外の不当廉売（同6項）、競争者排除型の抱き合わせ販売（同10項）、排他条件付取引（同11項）、拘束条件付取引（同12項）等が該当する。

（ⅱ）競争手段の不公正型

自由な競争が価格・品質・サービスを中心とした競争（能率競争）であることを侵害する類型である。

ぎまん的顧客誘引（一般指定8項）、不当な利益による顧客誘引（同9項）、不要品強要型の抱き合わせ販売（同10項）が該当する。

（ⅲ）自由競争基盤の侵害型

取引主体が取引の諾否・取引条件について自由かつ自主的に判断すること

---

[27]　泉水文雄『経済法入門』（有斐閣、2018年）、175頁以下。

によって取引が行われていること（自由競争の基盤）は、上記（ⅰ）および（ⅱ）の類型による保護前提条件であり、自由競争基盤を侵害する類型として、優越的地位の濫用（2条9項5号）、取引相手方の役員選任への不当干渉（一般指定13項）がある。

　エ　各行為類型の分類および実例

　①　「不当に他の事業者を差別的に取り扱うこと」（2条9項6号イ）に関する類型

　①—1　供給拒絶に関する類型として、共同の供給拒絶（2条9項1号、一般指定1項）とその他の供給拒絶（一般指定2項）があり、それぞれ直接型と間接型に分類される。

　例えば、新潟タクシー共通乗車券事件[28]は、新潟市内のタクシー会社21社が、同21社を含む23社が株主であるA社にタクシー共通乗車券事業を行わせていたところ、低額なタクシー運賃のタクシー会社3社（うち2社は上記23社に含まれる）に同事業を利用させないようにするため、A社を解散するとともに、同21社が共通乗車券事業を営む三つの会社を設立し、21社は新会社のタクシー共通乗車券事業を利用できるようにする一方、低額運賃3社には新会社との契約を拒絶させたことが、間接かつ共同の取引拒絶に該当するとされ、排除措置命令がとられた。

　①—2　差別的取扱いに関する類型として、差別対価（2条9項2号、一般指定3項）、取引条件等の差別的取扱い（一般指定4項）、事業者団体による差別的取扱い（一般指定5項）がある。なお地域や需要者に応じた需給バランス・費用が異なることにより価格や取引条件を変動させることは差別とは言えない。独禁法上違法な行為の実効性を確保するための手段、または、独禁法上不当な目的を達成するための手段としての差別対価等は、「不当に」（公正競争阻害性）を満たすことになる。

　例えば、オートグラス東日本事件[29]では、国産自動車向け補修用ガラスのメーカーが、積極的に輸入補修用ガラスを取り扱う取引先の販売業者に対

---

28)　公取委排除措置命令平19・6・25審決集54巻485頁。
29)　公取委勧告審決平成12年2月2日・平成11年（勧）第30号、審決集46巻394頁。

し、不当に、国産補修用ガラスの卸売価格を引き上げ、配送回数を減らす不利な取扱いをしたことが、取引条件の差別的取扱い（一般指定4項）に該当するとされた。

② 「不当な対価」（2条9項6号ロ）に関する類型

不当廉売（2条9項3号）、その他の不当廉売（一般指定6項）、不当高価格購入（同7項）がある。

不当廉売は「正当な理由がないのに」が要件となる。不当廉売ガイドラインは、「廉売を正当化する特段の事情があれば、公正な競争を阻害するおそれがあるものとはいえず、不当廉売とはならない」とする。例えば、生鮮食品が品質低下するおそれがある場合の特売、季節商品のセール等は「正当な理由」を満たす。また、「供給に要する費用を著しく下回る対価」である必要があり、これは平均可変費用を下回る対価と考えられている[30]。

③ 「不当に競争者の顧客を……取引するように誘引し、または強制」（2条9項6号ハ）に関する類型

ぎまん的顧客誘引（一般指定8項）、不当な利益による顧客誘引（同9項）、抱き合わせ販売（同10項）がある。8項および9項の行為のうち、不当表示と不当な景品類の提供を規制する特例法である景表法は、平成21年（2009年）以降、消費者庁の管轄となった。

ホリデイ・マジック事件[31]は、ぎまん的顧客誘引の例であり、化粧品の販売に際して行なわれたマルチ商法[32]について、公取委が独禁法を消費者保護法として活用した先駆的事例である。同社がピラミッド型販売組織において、下位の販売員の販売実績に応じて上位の販売員がもらえる報奨金、新規販売員を獲得すれば入るリクルート料等の利益をもって、一般の人に販売員となるよう誘引していることは、正常な商慣習に照らして不当な利益をもって、競争者の顧客を自己と取り引きするよう誘引しているものであり、一

---

30) 公取委「不当廉売に関する独占禁止法上の考え方」（不当廉売ガイドライン）を参照。
31) 公取委勧告審決昭50・6・13審決集22巻11頁、1982年の改正前の旧一般指定6項の事案である。
32) マルチ商法の実態については、堺次夫『マルチ商法とネズミ講』（三一書房、1979年）が詳しい。

般指定8項に該当するとされた。

ベルギーダイヤモンド事件[33]は、勧誘方法の特徴として、「①被勧誘者に勧誘の目的を一切告げずにBC会場に同行し、その場で40万円前後の高額なダイヤを購入させること、②右勧誘に当たり、被勧誘者に前叙のような本件組織の問題点や事後の新規勧誘における現実の困難性については一切告知がなされておらず、特異な成功例のみを用いて、努力次第で誰でもが高額の収入を得られるかのように誤信させるような方法が講ぜられていること」等により、一般指定8項に違反するとされた。

マイクロソフト事件[34]では、平成6年までは表計算ソフト市場ではマイクロソフト社の「Excel」が圧倒的1位、ワープロソフト市場では1位がジャストシステム社の「一太郎」、スケジュール管理ソフト市場では1位がロータス社の「オーガナイザー」であったが、マイクロソフト社が、富士通、日本電気等のパソコンメーカー各社との間で、平成7年以降に「Excel」と「Word」を、平成9年以降は「Outlook」を、プレインストールまたは同梱させる契約を締結したところ、平成9年度には「Word」および「Outlook」のシェアが1位となった。このような行為は、表計算ソフト市場の圧倒的シェアに基づき、ワープロソフト市場、スケジュール管理ソフト市場の競争者を排除する効力（自由競争減殺型）が認められ、抱き合わせ販売（一般指定10項）に該当する。

また、藤田屋（ドラゴンクエスト）事件[35]では、玩具卸売業者が、人気のある商品（「ドラゴンクエストⅣ」）に不要な在庫商品を抱き合わせる行為が、競争手段の不公正型の抱き合わせ販売とされた。

④ 「相手方の事業活動を不当に拘束する条件」（2条9項6号ニ）に関する類型

再販売価格の拘束（2条9項4号）、排他条件付取引（一般指定11項）、拘束条件付取引（一般指定12項）が該当する。

---

33) 東京高判平5・3・29判時1457号92頁。
34) 公取委勧告審決平成10・12・14審決集45巻153頁。
35) 公取委審判審決平成4・2・28審決集38巻41頁。

再販売価格の拘束（2条9項4号）は、製造業者等が、自己の供給する商品を購入する相手方（卸売業者または小売業者）に、正当な理由がないのに、当該商品の再販売価格（第三者への販売価格）を定めて維持すること（同号イ）等であり、事業活動の本質である販売価格決定を拘束することにより、事業者間の価格競争を減少・消滅させることになるため、原則として違法な類型とされる[36]。

　排他条件付取引（一般指定11項）は、不当に、相手方が行為者の競争者と取引しないことを条件として取引し、競争者の取引の機会を減少させることであり、売主（製造業者等）によって行われる場合（排他的供給取引）を専売店制といい、東洋精米機事件[37]では競争者の流通経路を閉鎖するかが問題となった。

　拘束条件付取引（一般指定12項）は、販売地域の制限（有力な事業者による厳格な地域制限は価格維持効果を有する場合は違法とされる）、取引の相手方の拘束（安売業者への横流し禁止等に排除措置が命じられたエーザイ事件)[38]、販売方法の拘束（対面カウンセリング販売を義務付けた資生堂東京販売事件[39]は、同項に違反しないとされた）、広告・表示の拘束等の様々な類型があり、自由競争減殺型の公正競争阻害性の有無を個別に判断することとなる。

　⑤　「自己の取引上の地位を不当に利用して相手方と取引すること」（法2条9項6号ホ）に関する類型

　優越的地位の濫用（法2条9項5号）、取引相手方の役員選任への不当干渉（一般指定13項）がある。

　優越的地位の濫用は、「自己の取引上の地位が相手方に優越していることを利用して、正常な商慣習に照らして不当に」同号イないしハの行為を行うことである。優越的地位濫用ガイドライン[40]によれば、「優越的地位」とは、市場支配力は必要なく、取引相手方との関係で相対的優越性があれば足りる。

---

36)　流通・取引慣行ガイドライン（2017年改正後）の第1部第1の1参照。
37)　公取委審判審決昭和56・7・1審決集28巻38頁。
38)　公取委勧告審決平成3・8・5・平成3年（勧）第7号、審決集38巻70頁。
39)　東京地判平成5・9・27・平成3年（ワ）第15347号〔資生堂東京販売〕、審決集40巻683頁、判時1474号25頁。

また「正常な商慣習に照らして不当に」（公正競争阻害性）とは、取引主体が取引の諾否・取引条件について自由かつ自主的に判断することによって取引が行われている、という自由競争基盤を侵害すると共に、行為者はその競争者との関係において競争上有利となり、相手方はその競争者との関係において競争上不利になるという競争への影響（間接的競争侵害）を意味すると解されている。同ガイドラインは、あらかじめ計算・予測できないような不利益を与える場合、および、著しい不利益を与える場合に「不当に不利益」を与え、公正競争阻害性が認められるとする。

製造事業者等が主体となり、下請事業者に対して不当な受領拒否、下請代金の支払遅延等をする類型については、特別法である下請法の適用を受ける。

また、金融機関が主体となり金融商品の押付販売をした事例として三井住友銀行事件[41]がある。

大規模小売事業者が主体となり、納入業者に対して、従業員の派遣、協力金の支払い、納品価格の値引き、一方的な返品等を要求する行為も問題となり、三越事件[42]、ローソン事件[43]、トイザらス事件[44]、ラルズ事件[45]等、活発に適用されている。また、セブン－イレブン・ジャパン事件（後記第4の2参照）のようなフランチャイズ加盟店に対する濫用行為が社会問題化する中で、日弁連は2021年10月19日付けで「フランチャイズ取引の適正化に関する法律（フランチャイズ取引適正化法）の制定を求める意見書」を発出している。

またデジタル時代においては、GAFAM（Google、Amazon、Facebook、Apple、Microsoft）等と呼ばれるデジタル・プラットフォーマー（以下「DPF」と言う）のプラットフォーム（検索エンジンやEコマースサイト、SNS、

---

40) 優越的地位の濫用に関する独占禁止法上の考え方（平成22年公取委、最終改正平成29年）。
41) 公取委勧告審決平17・12・26審決集52巻436頁。
42) 公取委同意審決昭57・6・17審決集29巻31頁。
43) 公取委勧告審決平10・7・30審決集45巻136頁。
44) 公取委審判審決平27・6・4審決集62巻119頁。
45) 東京高判令3・3・3 LEX/DB 文献番号25569362。

アプリストア等）は、消費者と商品やサービス、広告等の複数の市場を結びつけ、消費者の生活にとって不可欠な基盤となっている。その一方で、DPF はサービス利用のいわば対価として、消費者の個人情報を取得している点が問題となる。このことから、公取委が令和元年に公表した「消費者優越ガイドライン」[46]では、DPF と消費者との取引において、消費者の個人データを同意なく取得し、不正に利用する行為等に対して、優越的地位の濫用が適用されることを明らかにしており、独禁法を消費者法として活用する上で、極めて重要である。

さらに令和2年に成立した、経済産業省（以下「経産省」という）が管轄する「特定デジタルプラットフォームの透明性及び公正性の向上に関する法律」（以下「透明化法」という）は、DPF と取引先事業者との間の取引の透明性・公正性を図るため、取引条件変更時の事前通知義務や、苦情処理等に関する自主的な体制整備を要請することで、独禁法違反行為の未然抑止を図っており、独禁法の補完法とされる。透明化法に基づき、特に取引の透明性・公正性を高める必要性の高い事業者が「特定デジタルプラットフォーム提供者」として指定されている[47]。透明化法は、共同規制の手法をとっており、特定プラットフォーム提供者は、取引条件等の情報の開示及び自主的な手続・体制の整備を行い、実施した措置や事業の概要について、毎年度、自己評価を付した報告書を提出すること、利用者に対する取引条件変更時の事前通知や苦情・紛争処理のための自主的な体制整備などを義務付けられる。他方で、経産省は、報告書等をもとにプラットフォームの運営状況のレビューを行い、報告書の概要とともに評価の結果を公表する。その際、経産省は、取引先事業者や消費者、学識者等の意見も聴取し、関係者間での課題共有や相互理解を促し、独占禁止法違反のおそれがある事案を把握した場合、公取

---

46) 「デジタル・プラットフォーム事業者と個人情報等を提供する消費者との取引における優越的地位の濫用に関する独占禁止法上の考え方（令和元年公取委）」。
47) 令和4年時点において、総合物販のオンラインモール運営、アプリストア運営、メディア一体型広告デジタルプラットフォームの運営、広告仲介型デジタルプラットフォームの運営を行なう各事業者が指定されている。https://www.meti.go.jp/policy/mono_info_service/digitalplatform/provider.html

委に対して同法に基づく対処を要請する。

透明化法は、特定プラットフォーム提供者が、消費者に対しても、商品等のランキング・検索の表示順位の決定に用いられる主要な事項（直近の販売数、購入者からの評価、広告費の支払いの有無等）、消費者が商品等を検索・閲覧・購入した際の履歴等のデータが取得・使用される場合、そのデータの内容や取得・使用の条件を開示することを義務付けている（同法5条2項2号）。この点において同法は、「取引デジタルプラットフォームを利用する消費者の利益の保護に関する法律」（特定デジタルプラットフォーム消費者保護法）と共に、消費者がDPFを利用する上での透明性・公正性確保に資するものである。

⑥　競争会社に対する内部干渉（2条9項6号ヘ）に関する類型

競争者に対する取引妨害（一般指定14項）、競争会社に対する内部干渉（同15項）がある。

3　公正取引委員会による独禁法の執行
(1)　公取委による行政上の措置
ア　公取委の組織

独禁法の執行（エンフォースメント）を行う内閣総理大臣所轄の独立行政委員会として、公正取引委員会（公取委）が設置されている（法27条）。公取委は委員長と4人の委員で構成され、委員長および委員は内閣総理大臣が両院の同意を得て任命する（法29条）。

イ　公取委の行う措置命令

公取委は、違反事業者に対して「違反行為を排除するために必要な措置」、すなわち排除措置命令（法7条、8条の2、17条の2、20条）を行うことにより、違反・違法状態を除去し、公正かつ自由な競争を回復する。また公取委は、不当な取引制限（7条の2第1項）、事業者団体の行為（8条の3）、私的独占（7条の2第2項および第4項）、および2条9項5号に規定された不公正な取引方法（20条の2ないし20条の6）の違反行為者から一定額の金銭を徴収する制度である課徴金納付命令を行う（法49条、50条）。課徴金は、違反行為の抑止を求める行政上の措置であり、刑事罰、損害賠償、不当利得と異なる性

質であり、これらの制度とは独立に課することができる。

　カルテルは秘密裏に行われるため、証拠収集が困難であり、立証を間接証拠に頼らざるを得ないことから、違反行為の発見ならびに抑止を図るために、他の事業者に先駆けて、違反行為に係る事実を申告して公取委の調査に協力した違反事業者に対して、申告の順位に応じて課徴金を免除・減額する、課徴金減免制度（リニエンシー）が、平成17年（2005年）改正により設けられた（法7条の2第10項から18項）。2019年の法改正により、調査開始前の申請順位1位の申請者は全額免除、2位は20％、3位から5位は10％免除、6位以下（申請者数の上限は撤廃された）は5％の減額が適用され、2位以降の者には、協力度合い（提出を約束できる証拠の評価）に応じた減算率等、柔軟な適用が可能となった。

　ウ　公取委の審査権限

　公取委は違反行為について審査官を指定して、必要な調査を行わせる（47条）。審査官には強制調査権限が与えられ、事件関係人および参考人の審尋または意見もしくは報告の徴収、鑑定人による鑑定、帳簿書類その他の物件の提出と留置、事件関係人の営業所その他必要な場所への立入検査などの処分を行うことができる（同条1項）。また、排除措置命令および課徴金納付命令をするにあたり、公取委は事前手続として「意見聴取手続」（法49条から60条）を行う権限があり、適正手続を確保している。

　独禁法の違反事件への不服審査は、従前は、公取委の準司法的手続（審判手続）によって行われていたが、平成25年（2013年）改正により、抗告訴訟である処分の取消しの訴えにより行われることとなった。

　また、平成30年（2018年）施行の改正法により、確約手続、すなわち独禁法違反の疑いについて公取委と事業者との間の合意により自主的に解決する仕組み（法48条の2から48条の9）が導入された。確約手続は、排除措置または課徴金納付命令と比べ、競争上の問題をより早期に是正し、公取委と事業者が協調的に問題解決を行う領域を拡大し、独禁法の効率的かつ効果的な執行に資するとされる。令和4年3月までに、アマゾンジャパンの納入業者に対する値引分補填・協賛金請求等の優越的地位の濫用行為の取りやめおよび金銭的価値の回復[48]、Booking.com B.V.による旅行予約サイトに宿泊施設

運営業者が掲載する宿泊施設の宿泊料金・部屋数について、他の販売経路と同等またはより有利なものとする条件（最恵国条項、MFN条項）の撤廃[49]を含む確約計画の認定が公表されている。

エ　公取委の準立法的権限

公取委は、事件処理手続等に関する規則制定権（法76条）および告示の形式により、法2条9項6号の不公正な取引方法の行為類型を定める権限（一般指定、特定の事業分野に関する特殊指定）を有している（法72条）。

(2)　**刑事手続**

ア　罰則

不当な取引制限または私的独占に違反した事業者（法3条）、もしくは事業者団体として実質的競争制限に至った事業者団体（法8条1号）に対しては、5年以下の懲役または500万円以下の罰金（法89条）その他の罰則（法90条以下）があり、行為者（代表者、代理人、使用者その他の従業者）のみならず、その事業者（法人または個人事業者）にも罰則を科す両罰規定とされている（法95条）。

イ　犯則調査手続

従前は行政処分に向けられた任意調査のみが認められていたが、独禁法違反行為には、法89条、法90条および法91条の罪に係る事件に該当するものがあり、その証拠収集には裁判官の発する許可状に基づく臨検、捜索または差押えなど直接強制が必要であると考えられ、また行政調査で収集した証拠が刑事手続で利用されることには適正手続上の問題もあったため、平成17年（2005年）改正により犯則調査手続が設けられた（法101条以下）[50]。

ウ　公取委の専属告発制度

独禁法違反の罪は、公取委の告発を公訴提起の要件とする専属告発制度が

---

48)　公取委「（令和2年9月10日）アマゾンジャパン合同会社から申請があった確約計画の認定について」

49)　公取委「（令和4年3月16日）Booking.com B.V.から申請があった確約計画の認定等について」

50)　公取委「独占禁止法違反に対する刑事告発および犯則事件の調査に関する公正取引委員会の方針」（平成17年10月7日、令和2年12月16日改訂）。

とられる（法96条1項）。公取委は犯則調査手続により「犯則の心証を得たときは、検事総長に告発しなければならない」（法74条）とされ、告発基準を策定し、違反を繰り返す悪質事業者に対する告発を積極化している[51]。

第4　独禁法の活用方法

1　公取委に対する違反申告

　消費者を含む何人も、違反の事実があると思料するときには、公取委に対して、その事実を報告し、適当な措置をとるべきことを求めることができる（法45条1項）。公取委は必要な調査を行い（同条2項）、措置請求が具体的事実を摘示して書面でなされたときは、適当な措置を行いまたは行わない場合には通知しなければならない（同条3項）。これまでに、ビール会社の一斉値上げ等について、私人が公取委に対し措置請求を行った結果、公取委が措置をとった事例がある[52]。

2　民事裁判手続等における独禁法の活用

(1)　損害賠償請求

　私的独占、不当な取引制限または不公正な取引方法に違反した事業者、もしくは事業者団体は、被害者に対し損害を賠償する義務があり、故意または過失がなかったことを証明してその責任を免れることはできないという、独禁法上の無過失損害賠償責任が規定されている（法25条）。ただし法25条訴訟は、公取委による排除措置命令または課徴金納付命令の確定を条件とする（法26条）。同条の訴訟では、裁判所は公取委に損害額の算定について意見を求めることができる（法84条）。

　近時、法25条の無過失損害賠償責任を認めた重要な裁判例として、セブン-

---

[51]　公取委は、令和5年2月28日付けで、東京2020オリンピック・パラリンピック競技大会に関するテストイベント計画立案等業務委託契約等の入札談合に係る告発を、検事総長に対して行った。
[52]　日本弁護士連合会消費者問題対策委員会編『消費者・中小事業者のための独禁法活用の手引き』（民事法研究会、2002年）、327頁以下。

イレブン・ジャパン見切り品販売妨害損害賠償事件[53]）がある。本件は、コンビニエンス・ストアチェーンが、加盟店に対して、デイリー商品に係る見切り販売の取りやめを余儀なくさせることにより、廃棄商品の原価相当額の負担を軽減する機会を加盟店から失わせる等の行為が、優越的地位の濫用に当たるとして、公取委が排除措置命令を行い確定したため、損害を被ったとする加盟店が、法25条に基づく無過失損害賠償請求をした事案である。判決では、組織的な見切り販売妨害行為は認められないが、個別的な妨害行為は認められるから、本件違反行為は、正常な商慣習に照らして不当に加盟店に不利益を与えたものであり、法19条に違反するとして、加盟店側の請求を一部認容した。

　法25条の要件を満たさない場合、独禁法違反行為の被害者は、通常の不法行為責任（民法709条）に基づき損害賠償請求を行うことも可能である。ただし、違反行為、故意、過失、因果関係、損害額等について原告側に立証責任があり、証拠収集及び証明が課題となる。そこで原告側は、公取委への文書送付嘱託（民訴法226条）、調査嘱託（同法186条）、損害額の証明度の軽減（同法248条）等の制度を、積極的に活用すべきである[54]）。

(2) **差止請求**

　ア　損害賠償請求等の事後的な救済手段では、被害発生を止めることができないため、平成12年（2000年）改正により、差止請求制度（法24条）が導入され、不公正な取引方法によってその利益を侵害され、または侵害されるおそれがある消費者・事業者等は、著しい損害を生じ、または生じるおそれがある場合は、侵害の停止または予防を請求することができる。

　イ　公取委への求意見制度の活用

　差止請求の認容例は乏しく[55]）、「著しい損害」の要件が、裁判所の姿勢を慎重にしていると思われる。また、民事訴訟の裁判官が独禁法の解釈に精通しているとは限らず、公取委のガイドライン等と異なる解釈論に基づく判決

---

53) 東京高判平25・8・30判時2209号10頁。
54) 公取委における資料提供等の要領は「独占禁止法違反行為に係る損害賠償請求訴訟に関する資料の提供等について」（平成3年5月15日事務局長通達第6号、改正平成27年3月31日事務総長通達第7号）を参照。

も多く、原告側の主張・立証のハードルは高いものであった。しかし、令和4年の「食べログ」事件第一審判決[56]では、飲食店ポータルサイトである「食べログ」のアルゴリズムの変更により、チェーン店の評点が下げられたため、売上げ減少により不利益を被ったチェーン店が、優越的地位の濫用違反等に基づく損害賠償および差止請求訴訟を提起したところ、係属裁判所が公取委への求意見制度を活用し（法79条2項）、公取委が優越的地位の濫用の法解釈について意見書を提出し、この意見書を参照した判決において、原告側の損害賠償請求が一部認容された[57]。

公取委は、最も事情を知る被害者が、民事訴訟を通じて自ら競争環境を整備する可能性を強調しており[58]、差止請求訴訟における裁判所の通知・求意見制度（法79条）は、私的エンフォースメントに資する重要な制度として、今後一層、活用されるべきであろう[59]。

(3) 契約、解除の無効原因としての活用

独禁法違反行為の私法上の効力について、最高裁は岐阜商工信用組合事件[60]において、拘束された即時両建預金契約（融資にあたり定期預金を条件とする契約）が優越的地位の濫用（旧一般指定14項）に該当し、法19条に違反するとしても、独禁法違反の契約は、民法90条にいう公序良俗に反するような場合を除き、直ちに無効と解することはできないと判示した。他方で、セコマ事件[61]では、コンビニエンスストアが米の納入業者との間で行った期

---

55) 認容例として、東京地決平23・3・30LEX/DB 文献番号25480106（ドライアイス仮処分事件）、宇都宮地大田原支判平23・11・8公取委審決集58巻第二分冊248頁（矢板無料バス事件）。
56) 東京地判令4・6・16LEX/DB 文献番号25593696。
57) 長尾愛女「『食べログ』ポータルサイトのアルゴリズム変更と優越的地位の濫用」新・判例解説 Watch 経済法 No.86。
58) 公取委「令和3年委員長と記者との懇談会概要（令和3年10月）」、「令和3年11月10日付事務総長定例会見記録」。
59) 原告側から、裁判所に公取委への求意見（法79条）を上申することも有用であろう。ただし、不正の目的による差止請求の提訴が疎明された場合は、原告側は担保を求められる可能性がある（法78条）。
60) 最判昭52・6・20民集31巻4号449頁。
61) 札幌高裁判平31・3・7公取委 WEB。

限切れ商品の返品および代金減額合意について、下請法4条1項4号違反により公取委の指導が行われていたケースで、札幌高裁判決は、優越的地位ガイドラインと類似する規範を挙げて、返品合意の公序良俗違反無効および不当利得返還請求に基づき、被告側に一部返金を命じた。

このように独禁法違反は、損害賠償請求（法25条、民法709条）のみならず、公序良俗違反（同法90条）、権利濫用（同法1条3項）または信義則違反（同条2項）に基づく法律行為の無効およびそれを前提とする不当利得返還請求（同法703条）、解除無効およびそれを前提とする契約上の給付請求、地位確認等の訴訟物として、あるいは権利行使に対する抗弁としても主張可能であり、消費者側としては幅広い場面において活用を検討すべきである。

(4) 住民訴訟における活用

入札談合等により損害を被った地方公共団体等が自ら損害賠償請求又は不当利得返還請求を行わない場合は、住民が地方公共団体に同請求を行うことを求める履行請求訴訟を提起することができる（地方自治法242条の2第1項4号)[62]。

(5) 公取委のガイドライン、審決例等の活用

民事訴訟では、(2)及び(3)で述べた証拠収集手続を活用するほか、主張・立証の際に、公取委のガイドライン、審決例、裁判例を援用することで、行為の違法性およびそれに基づく請求が認定されやすくなる。

過去の審決等は公取委の「審決データベース」[63]で調べることが可能である。公取委の各実態調査報告書も参照すべきである。また研究者、実務家による著作・論文やホームページの情報も参考になる[64]。

以下のガイドラインは、消費者・中小事業者において活用頻度の高いもの

---

[62] 町田市公共下水道入札談合事件は、平成14年改正前の地方自治法242条の2第1項4号の住民訴訟（代位訴訟）であり、民訴法248条により契約金額の約5％相当の損害賠償が認められた。東京高判平成21年5月21日（LEX/DB 文献番号25441483）。

[63] https://www.jftc.go.jp/shinketsu/ （最終閲覧令和5年3月31日）。

[64] 舟田正之名誉教授のホームページ http://www.pluto.dti.ne.jp/~funada/、白石忠志教授のホームページ https://shiraishitadashi.jp/ などを参照（いずれも最終閲覧令和5年3月31日）。

であり、民事訴訟において効果的に援用していくべきである。

① 「流通・取引慣行ガイドライン」：流通取引慣行に関する独占禁止法上の指針（平成3年公取委事務局、最終改正平成29年）。

② 「優越的地位ガイドライン」：優越的地位の濫用に関する独占禁止法上の考え方（平成22年公取委、最終改正平成29年）。

③ 「フランチャイズガイドライン」：フランチャイズ・システムに関する独占禁止法上の考え方について（平成14年公取委、最終改正平成23年）。

④ 「役務の委託取引ガイドライン」：役務の委託取引における優越的地位の濫用に関する独占禁止法上の指針（平成10年公取委、最終改正平成23年）。

⑤ 「消費者優越ガイドライン」：デジタル・プラットフォーム事業者と個人情報等を提供する消費者との取引における優越的地位の濫用に関する独占禁止法上の考え方（令和元年公取委）。

《参考文献》
・公正取引委員会事務総局編『独占禁止法関係法令集』（公正取引協会、毎年刊行）
・金井貴嗣＝川濵昇＝泉水文雄編著『独占禁止法〔第6版〕』（弘文堂、2018年）
・泉水文雄『経済法入門』（有斐閣、2018年）
・泉水文雄『独占禁止法』（有斐閣、2022年）
・岸井大太郎＝大槻文俊ほか『経済法〔第9版〕』（有斐閣アルマ、2020年）
・川濵昇＝瀬領真悟ほか『ベーシック経済——独占禁止法入門〔第5版〕』（2020年）
・根岸哲＝舟田正之『独占禁止法概説〔第5版〕』（有斐閣、2015年）
・白石忠志『独禁法事例集』（有斐閣、2017年）
・日本弁護士連合会消費者問題対策委員会編『消費者・中小事業者のための独禁法活用の手引き』（民事法研究会、2002年）
・厚谷襄児ほか編『条解独占禁止法』（弘文堂、1997年）

［長尾愛女］

第9章
表示・広告と消費者

第1　はじめに

1　問題の所在と検討の対象

　本章では、表示と広告の問題を扱う。表示と広告の問題には、大きく分けて次の二つの側面がある。第一は、商品やサービスの安全性や品質に関わる表示を問題とするものであり、主として消費者の生命、身体や財産等を危険から保護したり、消費者の安全を積極的に確保する目的でなされる表示の適正を問題にするものである。第二は、商品・サービス自体の種類・内容や質、用途およびこれらを取引する場合の取引や契約の条件に関する表示や広告に関するものであり、主として消費者取引において消費者が契約判断を適正に行えるようにするための情報提供としての表示、広告の適正を問題とするものである。

　前者の側面では、①安全表示・品質表示に対する規制、②製造物責任（PL）、③保証責任（保証書によるメーカー等の修理、補修などの責任）などが問題となり、後者では、④取引上の表示や広告の規制（景表法や各種業法による表示・広告規制）などが問題となる。

　また、いずれの場合も、行政規制のみならず、これらの表示や広告が消費者と事業者間の民事上の法律関係（契約や不法行為など）にどう影響するのかが問題となる。この場合、表示や広告が意思表示の瑕疵を惹起させたり、

表示・広告事項が契約内容に取り込まれたりすることにより、契約の効力に影響を与えることも少なくない。また、表示や広告主体自身の契約上または不法行為上の責任に止まらず、これら表示や宣伝・広告の媒体（メディア）の責任や宣伝・広告中で商品やサービスを推奨した者（推奨者）の責任が問題とされることがある。

　本章では、このような問題について、まず、安全や品質の表示および取引上の表示・広告に関する法制度の概要を紹介し、次にこれらの表示や広告が消費者との契約にどのような影響を及ぼすのかを検討する。また、表示・広告主体、広告媒体及び推奨者の責任についても検討する[1]。

2　事例

　本章で、検討する事例は次のとおりである。
(1)　安全表示・品質表示
　安全表示については、製造物責任における表示上の欠陥を巡ってしばしば争われるが、この点は製造物責任の解説（**第11章**）に譲る。本章では、品質表示に関する事例として、**第1章**で【**事例4**】として掲載した「コンビーフ偽装表示事件」（本章ではこの事例を【**事例1**】と表記する）を取り上げる。
(2)　商品・サービスの取引条件等の表示・広告
　商品・サービスの取引条件等の表示・広告についての事例としては、南側に高層の建物が建たないという説明を受けてマンションを購入したが、説明に反して南側に高層の建物が建築されたため、日照等が妨害されたことを理由にマンションの購入者が売り主を相手どって損害賠償請求等を行った下記の①および②の各判決の事例（本章では合わせて【**事例2**】とする）を取り上げる。

　①東京地判昭49・1・25（判タ307号246頁）

---

[1]　表示や広告が消費者法においてどのように取り扱われているかについては、日本消費者法学会第9回大会のシンポジウムにおいて「広告と消費者法」とのテーマで報告と議論がされた。報告の内容は「〈特集〉広告と消費者（日本消費者法学会第9回大会資料）」現代消費者法32号（2016年）4頁、シンポジウムの議論については『消費者法』9号（日本消費者法学会、2017年）を参照。

②大阪地判昭61・12・12（判タ668号178頁、消費者法判例百選〔11〕）

(3) 広告媒体の責任

広告媒体の責任としては、全国紙に掲載された広告を見て分譲マンションを購入した消費者が、広告主である販売業者が倒産したためマンションの引渡しを受けられなかったことから、新聞社および広告代理店に対し、売買代金相当額の損害賠償請求をした事例（日本コーポ分譲マンション広告事件）に関する次の①から③の判決（同じく【事例3】とする）、および、官公庁の共済組合関係の記事を掲載し、共済組合員に無料配布する月刊誌（ニュー共済ファミリー）に掲載された共済組合とは無関係の不動産業者の広告を見て、分譲地を購入したが、その不動産業者から売買代金名下に金員を詐取された被害者が、月刊誌の発行元に対し、損害賠償請求をした④の判決の事例（ニュー共済ファミリー事件〔同じく【事例4】とする〕）を取り上げる。

①東京地判昭53・5・29（日本コーポ分譲マンション広告事件〔一審〕：判時909号13頁）

②東京高判昭59・5・31（同控訴審：判時1125号113頁）

③最判平1・9・19（同上告審：裁判集民事157号601頁、インデックス〔123〕）

④東京地判昭60・6・27（ニュー共済ファミリー事件：判時1199号94頁）

(4) 推奨者の責任

推奨者の責任としては悪徳土地取引業者の宣伝パンフレットに推奨文を掲載したタレントの責任が問われた事例（次の①の判決〔高田浩吉事件、同じく【事例5】とする〕）および、抵当証券の多重販売などを行って多数の被害者を出し、倒産した抵当証券業者（第一抵当証券）のテレビコマーシャルに出演した力士の責任が問われた②の判決の事例（琴風事件〔同じく【事例6】とする〕）を取り上げる。

①大阪地判昭62・3・30（高田浩吉事件：判時1240号35頁、消費者取引判例百選〔36〕）

②東京地判平6・7・25（琴風事件：判時1509号31頁、消費者法判例百選〔13〕）

第2　安全表示・品質表示

1　安全・品質の表示に関する法制度
(1) 消費者基本法
　消費者基本法は、消費者に関わる施策につき基本理念（同法2条）と国の基本的な責務（同法3条・9～10条の2）を定めている。同法の規定する施策のうち、安全や品質表示に関わる規定としては、①安全の確保（消費者基本法11条）、②計量の適正化（同法13条）、③規格の適正化（同法14条）および④広告その他の表示の適正化等（同法15条）がある。⑤公正自由な競争の促進等（同法16条）も表示・広告に関係する規定といえる（消費者基本法については第17章の解説を参照）。
　国は、消費者基本法が規定するところにより、商品やサービスの安全・品質に係る表示および広告に関する施策を実現する必要があり、個別法によってその具体的な施策の内容を規定し、実現することになる。

(2) 個別法による表示規制
　消費者基本法に基づき国に求められる施策を実現するため、消費生活に密接に関わる商品やサービス（役務）などに関し、事業者に安全や品質の確保を目的として表示や広告についての具体的対応を求めたり、表示規制をしている法律が多数ある。その主なものは次のとおりである。
　ア　食品に関する表示
　①　食品表示制度
　食品表示については食品安全基本法、食品表示法、食品衛生法および健康増進法による表示に関する制度や規制が重要である。
　食品表示は、私たちが日常的に摂取する食物の内容、品質および機能に関わる表示であるので、人の身体の安全に直結する表示であると同時に、消費者が日常生活において購入する食品を選択する際の取引目的物の情報に関する表示でもあるので、安全確保と取引の適正確保の両面において重要な役割を果たしている。
　従前、食品表示は、①食品衛生法、②JAS法および③健康増進法の3つの

法律によって、それぞれ表示規制がなされており、非常に複雑な規制構造と規制内容となっていた。そのため、食品表示制度は事業者にとっても消費者にとっても非常に分かりづらいものであったことから、これら3つの法律における食品表示に係る規制を統合し、一本化した食品表示法（平成25年法律第70号）が2015年4月から施行され、食品表示に関するルールが統一された。

② 食品安全基本法

この法律は、消費者の保護を基本とする包括的な食品の安全確保のため、食品安全に係わる国の基本施策の内容を規定しているが、海綿状脳症（BSE）感染牛の問題や外国産野菜の残留農薬問題、無登録農薬が使用された野菜の流通などを契機に制定された。

同法では、食品安全に係る施策の策定に係る基本的な方針として、国が食品の表示制度の適切な運用の確保や正確な情報伝達のための必要な措置を講じることが責務であると規定されている（同法6条・18条）。地方公共団体も食品の安全性の確保に関し、国との適切な役割分担を踏まえて、その区域の自然的経済的社会的諸条件に応じた施策を策定し、及び実施する責務を有する（同法7条）。

また、内閣府に食品のリスク評価を行う「食品安全委員会」を設置し（同法22条）、同委員会は食品安全に関し内閣総理大臣に意見を述べ（同法23条1項1号）、食品健康影響評価を行い（同項2号）、その結果を踏まえて内閣総理大臣を通じて関係各大臣に具体的な施策を勧告すること（同項3号）などの事務をつかさどるものとされている。

他方、同法は、食品関連事業者に対しては「その事業活動に係る食品その他の物に関する正確かつ適切な情報の提供」をすべき義務（努力義務）を課している（同法8条2項）。

③ 食品表示法

食品表示法は、前記のとおり、食品衛生法、農林物資の規格化及び品質表示の適正化に関する法律（旧JAS法）および健康増進法の3つの法律に分かれて規定されていた食品表示に関する基準を統一し、これらの法律の措置と相まって、国民の健康の保護及び増進並びに食品の生産及び流通の円滑化並びに消費者の需要に即した食品の生産の振興に寄与することを目的として制

【図1】

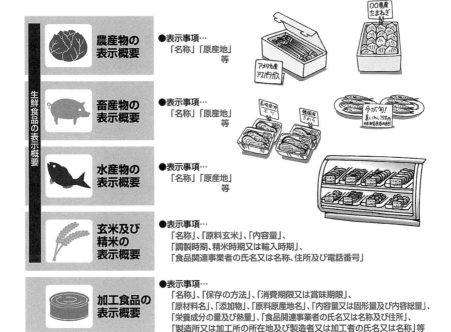

(出典：消費者庁「早わかり食品表示ガイド」1頁)

定された（食品表示法1条）。

具体的には、食品衛生法において販売の用に供する食品および添加物に関する表示の基準については、食品表示法で定めることとされ（食品衛生法19条3項）、農林物資については食品表示基準に定められていない事項等を除き、農林水産大臣は基準を定めないこととした（JAS法3条3項）。

そして食品表示法において、食品表示の全体を通じた基準である「食品表示基準」を内閣総理大臣が定めなければならないとし（同法4条1項）、食品の製造、加工、輸入および販売業者等（食品関連事業者等：同法2条3項）に対し、この基準に従った食品表示がなされていない食品の販売を禁止した（同法5条）。

「食品表示基準」が規定する表示事項の概要は【図1】のとおりであり[2]、

【表1】

種別			表示規制	表示ができる要件・手続
食品	一般食品	一般食品	機能性表示は不可	許可・届出等は不要
		いわゆる健康食品（例：栄養補助食品・健康補助食品・栄養調整食品等の表示で販売されている食品）		
	保健機能食品	特定保健用食品	機能性表示は可	個別申請を受け消費者庁長官が許可
		栄養機能食品		規格基準に定められている栄養成分の機能性表示が可能
		機能性表示食品		届　出　制（消費者庁長官宛）
医薬品	医薬部外品		効能・効果の表示可	個別申請を受け厚生労働大臣が承認
	医薬品			

　食品の種類毎に表示事項が異なっている。従前は任意であった加工食品の栄養成分表示が義務付けられたり、アレルゲン表示について変更がなされ（食品表示基準3条2項など）、さらに食品添加物は別の項目を設けて表示することなどが義務付けられている。原料原産地表示についても、輸入品以外の加工食品について22食品群と個別5品目の食品の原料原産地表示が義務付けられている（食品表示基準3条2項）[3]。

　また、一般の食品とは別に、特別の用途に適する旨の表示（特別用途表示）ができる食品として、「食品表示基準」は【表1】のとおり、ⓐ特定保健用食品（トクホ）、ⓑ栄養機能食品およびⓒ機能性表示食品を規定し（同基準2条1項9〜11号）、それぞれの食品において表示できる機能等についての

---

2) 「食品表示基準」に基づき表示すべき事項の詳細は、消費者庁編「早わかり食品表示ガイド」（https://www.caa.go.jp/policies/policy/food_labeling/information/pamphlets/assets/food_labeling_cms202_230324_02.pdf）が比較的わかり易く解説しているので参照されたい。

3) 原料原産地表示の義務づけの実施は2022年4月1日からである。

基準を定めている（同基準3条2項）。
ⓐの特定保健用食品（トクホ）は、申請に基づき食品の持つ機能性について内閣総理大臣（消費者庁長官に権限委任）が個別に審査し、許可・承認（健康増進法43条1項、健康増進法に規定する特別用途表示の許可等に関する内閣府令1条）を与えることで機能性表示が可能な食品である（【図2】が許可・承認を受けていることを示すマークである）[4]。
ⓑの栄養機能食品は、消費者庁長官が規格基準を定め、それに適合していれば届出をすることなく、国の定めた基準に従った機能性表示が可能な食品である。これに対し、ⓒの機能性表示食品は科学的根拠に基づく機能性があることを事業者が自ら確認し、その根拠に関する情報などを消費者庁長官に対し届出することで機能性の表示ができる食品である[5]。

【図2】

食品関連事業者等が「食品表示基準」を遵守しない食品の販売を行った場合には、内閣総理大臣（消費者庁長官）または農林水産大臣により、表示事項の表示または遵守事項を遵守をすべき旨の指示がなされる（食品表示法6条1項）。指示に従わない場合は、措置命令（同条5項・8項）や業務停止命令（アレルゲン等食品の安全性に係る表示の場合：同条8項）がなされ、これらの命令に違反すると刑事罰の制裁がある（同法17条・18条・20条）。

また、「食品表示基準」が表示を義務づけている原産地（原材料を含む）に

---

4) 国内において販売する食品に特別用途表示をする場合には内閣総理大臣（消費者庁長官）の「許可」が必要であり（健康増進法43条）、そのような食品について外国において特別用途表示をしようとする場合は「承認」が必要とされている（同法63条1項）。
5) 食品表示制度については消費者庁が各種のパンフレットを作成しているので、これらのパンフレットは同庁のサイト（https://www.caa.go.jp/policies/policy/food_labeling/information/pamphlets/）を参照されたい。

ついて、虚偽の表示がされた食品の販売をした者にも罰則が規定されている（同法19条）。

本章の冒頭の【**事例1**】（コンビーフ偽装表示事件）は、食品表示基準7条（特色のある原材料等に関する事項）につき同基準9条1号で禁止する優良誤認表示に該当すると考えられる。この場合、事業者は消費者庁長官から食品表示法に基づき、優良誤認の禁止を遵守すべき旨の指示（同法6条3項）を受けることがある。

④　食品衛生法

食品衛生法は、表示の面では、一般消費者に対する食品[6]、添加物[7]、器具または容器包装に関する公衆衛生上必要な情報の正確な伝達の見地から、食品や添加物または器具、容器包装に関する表示について規格や表示の基準を定めると同時に（同法19条）、食品・添加物・器具または容器包装に関して、公衆衛生に危害を及ぼすおそれのある虚偽・誇大広告を禁止している（同法20条）。

同法は、この他に飲食に起因する衛生上の危害の発生を防止し、それにより国民の健康の保護を図るため（同法1条）、まず、腐敗、変敗または未熟なもの、有毒や有害物質を含んだり付着したり、その疑いがあるもの、病原微生物により汚染されまたはその疑いのあるもの、不潔、異物混入や添加等の事由により、人の結構を損なうおそれがある食品または添加物の販売または販売の用に供するために、採取し、製造し、輸入し、加工し、使用し、調理し、貯蔵し、もしくは陳列することを禁止している（同法6条）。

また、器具および容器包装についても、有毒物質や有害物質が含まれたり、付着して人の健康を損なうおそれがあるものの販売、販売の用に供する製造、輸入や営業上使用することを禁止している（同法16条）。

⑤　健康増進法

---

[6]　食品衛生法では、「食品」とは、薬機法に規定する医薬品、医薬部外品および再生医療等製品を除く全ての飲食物を意味する（食品衛生法4条1項）。
[7]　同法の「添加物」とは、食品の製造の過程においてまたは食品の加工もしくは保存の目的で、食品に添加、混和、浸潤その他の方法によって使用する物をいうとされている（同法4条2項）。

健康増進法は、国民の健康増進の総合的な推進に関し基本的な事項を定めたり、栄養の改善その他の国民の健康の増進を図るための措置を講じることを目的としている（同法1条）。

【図3】

備考：区分欄には、乳児用食品にあっては「乳児用食品」と、幼児用食品にあっては「幼児用食品」と、妊産婦用食品にあっては「妊産婦用食品」と、病者用食品にあっては「病者用食品」と、その他の特別の用途に適する食品にあっては、当該特別の用途を記載すること。

　従前、健康増進法が規定していた栄養表示の基準やいわゆる「トクホ」などの機能性表示の基準は、前述のとおり、食品表示法が統一して規定することとなったため、健康増進法から削除された。

　その結果、健康増進法では食品表示に関しては「特別用途表示」についてのみ規定しており、販売に供する食品につき、乳児用、幼児用、妊産婦用、病者用その他内閣府令で定める特別の用途に適する旨の表示（特別用途表示）をする場合（特別用途食品）には、内閣総理大臣（消費者庁長官に権限委任）の許可（外国で表示する場合は承認）が必要とされている（同法43条1項、63条1項）。【図3】はこの許可（承認）を受けていることを示すマークである。

　また、健康増進法は、食品として販売に供する物に関して広告その他の表示をするときは、ⓐ含有する食品または成分の量、ⓑ特定の食品または成分を含有する旨、ⓒ熱量、ⓓ人の身体を美化し、魅力を増し、容ぼうを変え、または皮膚もしくは毛髪を健やかに保つことに資する効果（同法施行規則19条）など健康の保持増進の効果について、著しく事実に相違する表示をし、または著しく人を誤認させるような表示を禁止し（同法31条）、これに違反した者に対しては、内閣総理大臣（消費者庁長官）が当該表示に関し必要な措置をとるべき旨の勧告をすることができる（同法32条1項）。また、この勧告に従わない場合には、是正命令を受け（同条2項）、同命令に違反すると50万円以下の罰金に処せられる（同法37条1号）。

　この誇大広告等についての規制は、消費者の商品購入時における適正な選択を確保するためである。

　⑥　日本農林規格等に関する法律（JAS法）

JAS法は、農林水産分野の適正かつ合理的な規格を制定し、適正な認証及び試験等の実施を確保するとともに、飲食料品以外の農林物資[8]の品質表示の適正化の措置を講ずることにより、農林物資の品質の改善並びに生産、販売その他の取扱いの合理化及び高度化並びに農林物資に関する国内外における取引の円滑化及び一般消費者の合理的な選択の機会の拡大を図り、もって農林水産業及びその関連産業の健全な発展と一般消費者の利益の保護に寄与することを目的としている（JAS法1条）。

　従前、農林物資については、一般消費者向けの飲食料品について名称や原材料の表示などの表示事項に関する基準（品質表示基準制度）を設け、同表示基準の遵守を義務付けていた（旧JAS法19条の8など）。しかし、食品表示法の制定により、飲食料品の表示については同法が統一的ルールを定めたことから、JAS法が規定する農林物資の品質表示制度は、飲食料品以外の農林物資に限ることとした（同法3条3項、59条）。

　そのうえで、JAS法は、農林物資の種類又はその取扱い等の方法、試験等の方法若しくはこれらに関する用語（JAS法施行規則1条）の区分を指定して、主務大臣がこれらについての規格（日本農林規格）を制定するとしている（JAS法3条1項）。そして、JAS規格で定める基準は、①農林物資については、ⓐ品位、成分、性能その他の品質（その形状、寸法、量目又は荷造り、包装その他の条件を含む）、ⓑ生産行程（酒類では環境への負荷を可能な限り低減して生産された農産物又は環境への負荷を可能な限り低減し及び家畜に苦痛を可能な限り与えない方法で生産された畜産物〔いずれも政令の要件を満たすもの〕を専ら原料又は材料として製造し、又は加工したもの限る）及びⓒ流通行程について、②農林物資の生産、販売その他の取扱い又はこれを業とする者の経営管理について、③農林物資に関する試験、分析、測定、鑑定、検査又は検定について、及びこれらに準じるものとして省令で定める事項についての基準及び当該事項に関する表示（名称及び原産地表示を含む）に関する表示である

---

[8]　農林物資とは、医薬品、医薬部外品、化粧品および再生医療等製品を除いた、飲食料品、油脂、農産物、林産物、畜産物および水産物並びにこれらを原材料として製造・加工した物資のうち政令指定したものをいう（JAS法2条1項）。酒類については JAS 規格の上では農林物資と異なる限定等がある（JAS法2条2項、3条3項、75条など）。

(JAS法2条2項)。

　日本農林規格(JAS規格)の認証は、農林水産大臣の登録を受けた登録認証機関が行うこととなっており(JAS法10条)、同認証機関から製造施設、品質管理、製品検査、生産行程管理などの体制が十分であると認定された事業者(認証事業者)が、JAS規格を満たしている農林物資であると確認した製品にJASマークを付けることができる(JAS法13条)。

　JAS規格の制度は、このように任意の制度であるが、他方、JAS規格の格付けを受けるには認証事業者でなくてはならず、認証事業者はJAS法に基づいて登録された登録認定機関(JAS法16条)の定期的な監査を受けている必要がある。

　JAS規格がこのような制度であることから、同マークがついている製品は、同規格の基準により決められている一定の品質や特色をもっていることが認証されているので、消費者が商品を選択する際に、適切かつ安心して契約判断をすることを可能としている。

　現在、JAS規格には、品位、成分、性能等の品質についての規格(一般JAS規格)を満たす農林物資に付される一般の「JASマーク」、有機JAS規格に適合した生産が行われていることを登録認定機関が検査し、認定された事業者が表示できる「有機JASマーク」、相当程度明確な特色のある規格に適合している事業者が表示できる「特色JASマーク」、基準を満たした登録試験機関(業者)が定量試験のJASの基準に基づいて試験を行った結果であることを証明する「試験方法JASマーク」がある(これらのマークの例は【図4】参照)[9]。

　特色JASマークは、日本の伝統的な方法で生産された製品や付加価値のある製品などに表示され、他の製品との差別化を行うことができるマークとされている[12]。

　　イ　医療・医薬品に係る表示
　　①　医療法

---

9) JAS規格については、農林水産省のホームページ(http://www.maff.go.jp/j/jas/jas_kikaku/index.html)参照。

【図4】

JASマーク[11]　　有機JASマーク　　特色JASマーク[10]　　試験方法JASマーク

　医療法は、医療提供体制の確保および国民の健康維持の目的から、国民が医療機関へのアクセスが容易になるようにするために、医療に関する一定の事項（医療法施行規則1条の2の2第2項・別表第一）を記載した書面を当該病院等において閲覧に供しなければならないとして、積極的な情報提供を病院、診療所または助産所の管理者に義務付ける一方（医療法6条の3第1項）、原則として同法6条の5第3項1号から15号に規定する法定事項のみ医療広告を行うことを認め、それ以外の事項の広告は禁止している。ただし、患者による医療に関する適切な選択が阻害されるおそれが少ない場合は、省令で限定列挙規制の例外を定めることが可能とされている（同法6条3項柱書）。

　医療法の2017年改正（2018年6月施行）により、規制対象となる「広告」が「広告その他の医療を受ける者を誘引するための手段としての表示」に拡大され、従前、規制対象ではなかった医療機関のホームページも規制対象に

---

10) 熟成ハム類、熟成ソーセージ類、熟成ベーコン類、地鶏肉、手延べ干しめん、りんごストレートピュアジュース、生産情報公表牛肉、生産情報公表豚肉、生産情報公表農産物、生産情報公表養殖魚、人工種苗生産技術による水産養殖産品、青果市場の低温管理、人工光型植物工場における葉菜類の栽培環境管理、障害者が生産行程に携わった食品、持続可能性に配慮した鶏卵・鶏肉、ノングルテン米粉の製造工程管理、大豆ミート食品類、プロバイオポニックス技術による養液栽培の農産物、みそが対象となっている。特色JASマークは、日本産品・サービスのさらなる差別化やブランド化に向けて、消費者に高付加価値性やこだわり、すぐれた品質や技術等を分かり易くアピールする効果が期待されている（https://www.maff.go.jp/j/jas/jas_kikaku/new_jaslogo.html）。

11) https://www.maff.go.jp/j/jas/jas_system/attach/pdf/index-28.pdf

12) https://www.maff.go.jp/j/jas/jas_system/attach/pdf/index-44.pdf

含める改正がなされた[13]）。また、法定事項について広告する場合でも、①他の医療機関と比較して優良である旨の広告、②誇大広告、③客観的事実であることを証明することができない内容の広告、④公序良俗に反する内容の広告及び⑤省令で定める基準に適合しない広告が禁止されている（医療法6条の5第2項）。

具体的な広告事項や広告方法については、厚生労働省が広告についての基本的考え方、規制対象範囲、禁止される広告事項などに関する考え方をまとめた「医療広告ガイドライン」（令和5年10月12日最終改正）を策定している[14]）。

② 医薬品医療機器等法（薬機法）

薬機法は、医薬品、医薬部外品、化粧品、医療機器または再生医療等製品の名称、製造方法、効能、効果または性能に関して、明示的であると暗示的であるとを問わず、虚偽または誇大な記事を広告し、記述し、または流布してはならないと規定して、これら医薬品等に関する誇大広告等を禁止している（同法66条1項）。

また、これら医薬品等の効能、効果または性能について、医師その他の者がこれを保証したものと誤解されるおそれがある記事を広告し、記述し、または流布することも誇大広告等の禁止に違反するものとされている（同条2項）。

さらに、特定疾病用医薬品や再生医療等製品であって医師または歯科医師の指導の下に使用されるのでなければ危害を生ずるおそれが特に大きいものについての広告制限（同法67条）、承認前の医薬品等の広告の禁止（同法68条）を定めている。

ウ 電気・ガス・消費生活用品（製品安全4法）

電気用品については電安法、ガス用品についてはガス事業法、液化石油ガス器具については液石法、その他の消費生活用品については消安法が、それ

---

13) 2017年医療法改正は、増加していた美容医療等のトラブルへの対策として内閣府消費者委員会の「建議」（2015年7月7日）を踏まえてなされたものであり、ホームページも医療広告として規制対象となるよう、表示の機能として、①患者の受診等を誘引する機能（誘引性）と、②医療機関や医師等の名称の特定が可能（特定性）であれば「広告」と扱われることとなった。

14) https://www.mhlw.go.jp/content/10800000/001155411.pdf

【図 5-1】（電安法）

【図 5-2】（ガス事業法）

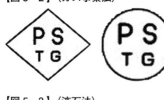

【図 5-3】（液石法）

【図 5-4】（消安法）

それ製品の技術基準を定め、その技術基準に適合していることを示す表示（【図 5-1】から【図 5-4】）のある商品以外の販売を規制している（消安法 4 条、電安法27条、ガス事業法39条の 3 、液石法39条）[15]。

製品安全 4 法の対象となる製品は、現在、電安法は LED ランプ、延長コード、エアコン、冷蔵庫、電子レンジ等の457品目、ガス事業法はガス瞬間湯沸器、ガスコンロ、ガス風呂釜等の 8 品目、液石法がカートリッジガスこんろ等の16品目、そして消安法ではライター、レーザーポインター、乳幼児用ベッド、石油ストーブ等の12品目となっている[16]。

エ　消防用機械器具等

消防法では、消火器、火災報知設備、金属製避難はしご等の12品目を対象にして（消防法施行令37条）、消防用機械器具等の形状、材質、成分および性能等に関し、国が規格を定め、消防法に基づく検定機関による型式承認を受け、製造されたものについて検定機関の型式適合検定に合格したものにはその旨を示す合格表示（登録機関による検定：【図 6-1】）を貼付することができるとされている（同法21条の 2 第 4 項）。また、自主表示対象機械器具等（同施行令41条で 6 品目指定）では、国の定めた規格

---

15) インターネット取引の拡大に対応するため、安全 4 法の対象製品についての製品安全の現状と課題（越境取引や DPF 取引の拡大）を踏まえて、産業構造審議会の保安・消費生活用製品安全分科会製品安全小委員会において法律改正も含めて制度の改革の議論が始まっている（https://www.meti.go.jp/shingikai/sankoshin/hoan_shohi/seihin_anzen/index.html）。

第9章 表示・広告と消費者 269

に適合するか否かについて自主検査を行い、事業者が適合すると判断した場合にその旨の表示（：【図6-2】）を付すことができるとされている。これらの合格表示や自己検査表示がない消防用機械器具等は、販売や陳列、工事使用等が禁止されている（同条同項・同法21条の16の2）。

【図6-1】　【図6-2】

オ　家庭用品

家庭用品の品質表示については、家庭用品品質表示法による規制がある。

家庭用品品質表示法は、日常生活に使用されている繊維製品、合成樹脂加工品、電気機械器具および雑貨工業品のうち、その購入に際し消費者が品質の識別が困難で、かつ、特に品質の識別の必要性の高いものを政令により「品質表示の必要な家庭用品」と指定したうえで（同法2条1項）、指定されたものについては、成分、性能、用途、取扱い上の注意など品質に関して表示すべき事項（表示事項）とその表示事項を表示する上で表示を行う者が守らなければならない事項（遵守事項）を品目ごとに定めている（同法3条）[17]。

製造業者、販売業者またはこれらから表示の委託を受けて行う表示業者が、これらの表示を行わない場合には、内閣総理大臣（この権限は消費者庁長官に委任されている：同法23条1項）または経済産業大臣が表示を指示することが

---

16)　消安法では、全ての消費生活用品を規制対象とはしておらず、消費生活用製品のうち、構造、材質、使用状況等からみて一般消費者の生命または身体に対して特に危害を及ぼすおそれが多いと認められる製品で政令1条（別表第一）で定める「特定製品」のみを対象としている（同法2条2項・4条）。特定製品には、後記の「特別特定製品」のほかに、①家庭用の圧力なべ・圧力がま、②オートバイ用ヘルメット、③登山用ロープ、④石油給湯機、⑤石油ふろがま、⑥石油ストーブ、⑦磁石製娯楽用品、⑧吸水性合成樹脂製玩具が指定されている。また、政令2条（別表第二）により、特定製品のうち、製造または輸入業者のうちに、一般消費者の生命または身体に対する危害の発生を防止するため必要な品質の確保が十分でない者がいると認められる製品を「特別特定製品」として指定し、事業者自身の検査による安全確保に加え、第三者検査機関による適合性検査が義務付けられている。特別特定製品には、①乳幼児用ベッド、②レーザーポインター、③浴室用温水循環器（ジェットバス噴流バス等）、④ライターが指定されている。

【図7】

鉱工業品　加工技術　特定側面
　　　　　　　　　　環境、高齢者・障害者配慮等

できる（同法4条）。

カ　日本産業規格（JIS）

　鉱工業品等の形状、品質、性能、生産方法、試験方法などの規格や規準については産業標準化法（JIS法）に基づき「日本産業規格（JIS）」として規格が制定されている（同法11～17条）。同法では、国に登録された民間の第三者機関（登録認証機関）の認証を受けることによって、事業者がJISマーク（【図7】）を表示することができるとしている（同法19条1項）。

　JISに適合している商品やサービスであれば、消費者にとってもその規格どおりの品質のものを選択することができる。最近では製品の規格というハード面だけでなく、「個人情報保護に関するコンプライアンス・プログラムの要求事項」（JIS Q 15001：1999年3月20日制定）のように、企業対応の基準や遂行の手順などを定めたマネージメントシステムの規格もJIS化されている。

2　品質・安全表示と民事規制

　この問題は、製造物責任法（PL法）における安全表示の問題である。製

---

17)　表示事項が定められている品目と表示事項は、①繊維製品（表示事項：繊維の組成、家庭洗濯等取扱い方法、はっ水性、表示者名および連絡先）、②合成樹脂加工品（表示事項：原料樹脂、耐熱温度、耐冷温度、容量、寸法、枚数、取扱い上の注意、表示者名、住所または電話番号）、③電気機械器具（17品目が指定されており、品目毎に容量や寸法、大きさ、稼働能力や使用上の注意などの表示が必要）、④雑貨工業品（30品目指定されており、品目毎に表示事項が異なるが、品名、実容量、保温効力、材料の種類、使用上の注意、表示者名、住所または電話番号などの表示が必要）となっている（品目は政令1条〔別表〕、品目毎の表示事項は経済産業省告示で規定されている）。なお、2016年12月以降洗濯表示が改正され、海外の洗濯表示と平仄を合わせるためにJISの規格（L0001）が改訂されたのに伴い、家庭用品品質表示法の繊維製品品質表示規定が改正され、従前の表示から新たな表示に変更された（https://www.caa.go.jp/policies/policy/representation/household_goods/guide/wash_01.html）。

造物責任法の解説（第11章）を参照。

3 保証表示
(1) 保証書と保証責任

保証表示の問題は、家電製品などの商品を購入すると、一緒についてくる製造業者などの「保証書」による修理・交換等の責任の問題である。

通常、保証書には、取扱説明書に従った通常の使用により商品が故障した場合には、保証書に記載された期間内であれば、無料で商品の修理や交換をしてもらえることが記載されている。このような製造業者の責任は「保証責任」と呼ばれている。最近では、製造業者ではなく家電量販店等の小売業者が独自に保証書を発行して、購入した消費者に売り主として保証責任を負うことを明らかにしている場合も増えている。保証責任は、製造業者等が、「保証書」という表示書面を商品に添付することによって、その商品が本来備えているべき品質を保証したものであることから、品質に関する表示とその民事上の責任の問題である[18]。

保証責任が認められなくても、消費者は販売店に対して契約不適合責任（債務不履行責任）を追及できるし（民法562条）[19]、製造業者に対しては製造物責任や不法行為責任を追及できる。しかし、製造物責任や不法行為責任では製造業者に請求できるのは損害賠償のみであり、修理・補修を請求する権利はない。製造物責任法では、購入した商品それ自体にしか損害が発生していない場合には賠償請求はできない（製造物責任法3条但書）。不法行為に基づく損害賠償請求では、製造業者の故意・過失を立証する必要がある。日常生活に使用する商品であっても、現代では複雑で技術的に高度なものがほとんどであるので、製造業者の故意・過失の立証は困難を極める。購入した商

---

18) 保証書に関する法律上の規制はないが、条例レベルでは東京都消費生活条例17条、川崎市消費者の利益の擁護および増進に関する条例12条、神戸市民のくらしをまもる条例20条が保証書に対する規制を行っている。
19) 2017年改正民法では、従来の瑕疵担保責任の性質を法定責任から契約不適合に基づく債務不履行責任に変更したことから、売買目的物の種類、品質または数量が契約に適合しない場合には、その追完が請求できることとなった（民法562条1項本文）。

品の修理や交換を求める場合、これらの法理では消費者が期待する結論を実現することはできない。販売店に対しては売買契約に基づき追完請求権があるので（民法562条1項）、補修を求めたり、交換を求めることが可能であるが、販売店に修理を求めても実際には販売店がこれに応じられる技術や態勢もない。故障した商品を実際に修理するのは製造業者であるので、民法上の請求権と実際の補修にあたるべき主体が一致しない。

購入した商品に付いている「保証書」では、一方で保証期間が限定されており、また、交換・補修の内容や条件が限定されているが、他方、保証期間内であって保証書の規定する条件を満たす場合であれば、製造業者が無償で補修・交換を行うと記載されているのが通例である。保証書のこのような記載内容からみると、第一に、商品の購入後における無償で修理・交換を行うサービス（アフターサービス）である点、第二に、消費者の側が製造業者の故意・過失や欠陥の立証をするまでもなく修理や交換を受けられる点で、商品の製造業者等が民法の一般的な法律関係以上の責任を負担していることになる。

(2) 保証責任の法的性質

保証書を発行した製造業者や販売業者が消費者に負う保証責任の法的性質は、消費者が商品を購入することを条件に、製造業者等が一方的な修理・交換等を約束する意思表示（品質や修理・交換の保証）をしていると解されている[20]。

この考え方からすると製造業者等が一方的な債務負担行為をしていることになるが、このような債務負担行為（保証）を単独行為とみるのは困難であろう。そのため、この考え方では、製造業者等の保証責任が発生するためには、製造業者等が保証書によって品質保証に関する契約の申込みを行い、そ

---

20) 安永正昭「保証書——メーカーと売主の責任」『消費者法講座　第2巻　商品の欠陥』（日本評論社、1985年）83頁。保証責任の性質についてはこの他に、①メーカーとの関係では買い主である販売店が有するメーカーに対する瑕疵担保責任が、目的物の売却に伴って移転していくとの説（浜上則雄「品質保証の法的性質」ジュリ494号15頁）、②同様の関係における販売店の有する売買契約上の品質に関する履行責任をメーカーが販売店に代わって負担しているとの説（北川善太郎『現代契約法Ⅱ』（商事法務研究会、1976年）142頁、210頁）などがある。

れに対して何らかの消費者の承諾の意思表示がなされること（つまり保証の合意）により、具体的な保証責任が発生すると考えることになる。販売業者の保証書であれば、商品の販売に際して直接消費者との間で契約が締結がされるので、上記の保証合意も同時になされたと解することは難しくないが、製造業者の保証書の場合には、直接消費者と取引をしているのではないことから難しい問題がある。しかし、保証書に基づく保証の合意については承諾の意思表示は必要なく、保証書の受領により契約が成立したと解したり[21]、保証書に基づき製造業者等に修理や交換の請求をしたことをもって、消費者の承諾の意思表示と考えることもできる。さらに進んで、そもそも保証責任を果たすためのコストは、初めから商品の原価に組み入れられているのだから、そのような商品を購入することで、消費者は保証責任を製造業者等が負担してくれることを黙示で承諾していると見ることも可能である。

　以上のとおり、保証責任は民法上の責任とは別に製造業者等の意思表示に基づき発生する責任であるので、民法上の契約不適合責任（債務不履行責任）、不法行為責任の要件を満たす場合には、保証書の記載内容には左右されず、民法に基づき無償で修理や交換、損害賠償請求ができることは当然である。なお、保証書に記載されている製造業者等の免責条項については、製造業者等との間の製造物責任や不法行為責任を免責させる合意が成立しているとみられるかどうかは問題である。また、損害賠償責任や契約不適合責任を全面的に免除するような契約条項など、免責条項の内容によっては消費者契約法8条から10条によって無効とされることもあろう。

　また、製造業者等が保証責任を負っている場合には、消費者は保証書がない場合でも、その商品を購入した事実を領収書等により立証することで、保証責任を果たすよう請求できると解される[22]。

---

21)　安永・前注の4頁参照。
22)　松本恒雄「品質保証書と瑕疵担保責任〈トピックス消費者法〔連載・3〕〉」法セ463号88頁、安永・前掲注14) 93頁。

第3　取引条件や契約内容に関する表示・広告規制
（適正な選択の確保）

1　我が国の表示・広告規制

　我が国の表示や広告についての法規制は、既に指摘したとおり、まず、消費者基本法10条が「表示の適正化」を国の責務として定め、さらに個別の法令によって表示や広告の規制がなされている。そのうち、取引における適正な選択を確保することを目的とする取引条件や契約内容に関する表示、広告については、公正競争の確保等の観点から独禁法、景表法、不正競争防止法が横断的な規制を行っている他は、統一的な規制法はなく、各種業法等によって個別に表示や広告・宣伝行為の規制がなされている。
　また、事業者による自主規制としては、後述のとおり、業界毎に宣伝・広告に関する自主規制を定めているものも少なくないし、テレビ局、新聞社、出版社等の広告・宣伝媒体（メディア）はそれぞれ広告掲載基準を定めている。この他、公益社団法人日本広告審査機構（JARO）が行う裁定による自主規制もなされている[23]。

2　各種法令による表示・広告規制の概要

　各種の法令による表示・広告の規制の概要は次のとおりである。
(1)　業種や取引形態を特定しないもの
①　独禁法　独禁法は、不公正な取引方法（不当な顧客誘引）としての「ぎまん的顧客誘引」の禁止（同法2条9項・19条、公正取引委員会指定告示「不公正な取引方法」第8項）を規定している。独禁法については第8章の解説を参照されたい。
②　景表法　景表法は、景品による不当な顧客誘引の規制（同法4条）および不当表示の禁止（同法5条）を規定している。後記の(2)で解説する。
③　不正競争防止法　不正競争防止法は、不正競争行為（商品等主体混同

---

[23]　JAROの組織と活動については、https://www.jaro.or.jp/ を参照。

惹起行為、著名表示冒用行為、商品形態模倣行為、商品等の原産地・質量等誤認惹起行為など：同法2条1項1～22号）を行った事業者に対する営業上の利益を侵害された事業者からの差止請求（同法3条）および損害賠償請求（同法4条）が認められている。

また、同法には不正目的による商品等主体混同惹起行為、商品等の原産地・質量等誤認惹起行為および商品等の原産地・質量等の虚偽表示行為の処罰が規定されている（同法19条）。

不正競争防止法は、競争事業者の営業上の利益保護を直接の目的とする法律であり、同法によって消費者が受ける利益は間接的あるいは反射的なものと考えられている。しかし、価格の安い豚肉や鶏肉や廃棄される予定の肉などを混ぜて製造した挽肉を「牛100％」と偽って加工食品メーカーに出荷し、仕入れたメーカーがそれを原材料にしてハンバーグ等の加工食品を製造して消費者に販売した牛肉偽装事件（ミートホープ事件）では、偽装挽肉の製造業者が不正競争防止法違反で刑事摘発された実例からも分かるとおり、同法も消費者の利益保護については重要な機能や役割がある。

④　軽犯罪法　軽犯罪法は、広告に関して、公衆に対して物を販売し、もしくは頒布し、または役務を提供させるにあたり、人を欺きまたは誤解をさせるような事実を挙げて広告をした者の処罰を規定している（同法1条34号）。

(2)　**景表法**

ア　趣旨と規制対象

（ア）　趣旨

景表法は、ニセ牛缶事件が契機となって制定された法律である（**第1章末尾【消費者問題の歴史と立法の経緯】**を参照）。景表法は、制定当時、独禁法の禁止する「不当な顧客誘引」のうち景品および表示に関して特例を定めるものとされ、競争法の一つと位置づけられていた。

しかし、2009年に消費者庁および消費者委員会が発足し、景表法の所管が公正取引委員会から消費者庁に移管されたことに伴い、同法の目的規定中の独占禁止法の「特例を定めることにより、公正な競争を確保し」との文言が削除され、「一般消費者による自主的かつ合理的な選択を阻害するおそれのある行為の制限および禁止について定めることにより、一般消費者の利益を

保護することを目的とする」と改正された（景表法1条）。このことから、景表法の位置づけは競争法プロパーの法律から、主として一般消費者保護のための取引における自主的、合理的な選択を確保するための法律（消費者取引の適正を図る法律）に変容したということができる。景表法に定める権限は内閣総理大臣が行使するとされていたが、この改正に伴い景表法33条1項により消費者庁長官に権限が委任され、同庁長官が行使できるものとされた。

（イ）　規制対象

景表法の、規制対象は「景品類」と「表示」である。

「景品類」とは、顧客誘引の手段として事業者が自己の供給する商品、役務の提供に付随して相手方に提供する物品、金銭等の経済的利益であって内閣総理大臣が指定するものである。誘引手段が直接、間接あるいはくじによるか否かは問わない（景表法2条3項）。

「表示」とは、顧客誘引のための手段として、事業者が自己の供給する商品または役務の内容または取引条件その他これらの取引に関する事項について行う広告その他の表示であって内閣総理大臣が指定するものである（同法2条4項）。景表法が規制対象とするのは事業者が「自己の供給する」商品、役務の表示とされているので、商品等を自らは供給しない者が他の事業者の供給する商品等について不当表示を行ったとしても、景表法の規制は受けないこととなる。

この点が問題となるものとして、アフィリエイト広告がある。アフィリエイト広告とは、インターネット上で広告主（通信販売業者）が第三者（アフィリエイター）に広告の掲出を依頼し、アフィリエイターが独自に作成・掲出した広告を経由してリンク先の通信販売業者のサイトで売り上げが上がると、その実績に応じて成果報酬を支払うという仕組みである。アフィリエイターは、商品等の供給者でないため売上報酬の獲得を狙って虚偽誇大な広告表示を行いがちであり、広告主は自社が作成した広告ではないとして責任を回避するなどの問題が広がっている。近年は、広告主がネット広告代理店に委託して、検索サイトや動画サイト等の広告枠に掲出するバナー広告や、利用者の検索履歴等によって自動的に選定して掲出するターゲティング広告など、申込画面につながる公式サイトではないネット広告について、自社広告

ではないから責任を負わないなどと虚偽の主張をする悪質業者も少なくない。

　これに対し、消費者庁は、アフィリエイターやアフィリエイトサービスプロバイダーは「自己の供給する商品または役務の内容又は取引条件」等の事項について行う広告等（景表法5条柱書き）ではないので、景表法の責任主体ではないとした。しかし、商品・役務の供給者が景表法の責任を負うことを前提として、自ら広告表示の内容を決定した場合のみならず、他の事業者にその決定を委ねた場合も含むという解釈を明示し、アフィリエイトの場合でも商品・役務の供給者が景表法上の責任を負うとした[24]。さらに、アフィリエイト広告による不当表示を防止するため、後述の景表法第26条に基づく措置の指針においてアフィリエイト広告におけるチェック事項を具体的に追加規定した。

　景表法の規制対象となる「景品類」と「表示」は、公正取引委員会告示「不当景品類及び不当表示防止法第2条の規定により景品類及び表示を指定する件」（以下、本章では「定義告示」という）により具体的に指定されている[25]。また、同告示の運用基準として「景品類等の指定の告示の運用基準について」（平成26年12月1日消費者庁長官決定）[26] が定められている。

　イ　規制内容（景品類に対する規制）

　景表法は、内閣総理大臣が、不当な顧客誘引の防止、消費者による自主的かつ合理的な選択確保のために必要と認める場合は「景品類の価額の最高額若しくは総額、種類若しくは提供の方法その他景品類の提供に関する事項を

---

24)　消費者庁がガイドライン「インターネット消費者取引に係る広告表示に関する景品表示法上の問題点及び留意事項」（2011年10月28日・2022年6月29日最終改定）を公表している（https://www.caa.go.jp/policies/policy/representation/fair_labeling/guideline/assets/representation_cms216_220629_07.pdf）。

25)　定義告示は、昭和37年6月30日公正取引委員会告示第3号として制定され、その後、平成10年12月25日同公告第20号、平成21年8月28日同告示第13号により改正がされている。制定・改正の経緯から分かるとおり、この告示は公正取引委員会が定めたものであり、消費者庁の設置後に内閣総理大臣が新たに定めた告示ではないが、従前の公正取引委員会の告示は内閣総理大臣の告示とみなされている（消費者庁及び消費者委員会設置法の施行に伴う関係法律の整備に関する法律附則第4条1項および6条2項）。

26)　https://www.caa.go.jp/policies/policy/representation/fair_labeling/guideline/pdf/100121premiums_20.pdf

制限し、または景品類の提供を禁止することができる」と規定している（景表法4条）。同条で制限や禁止の対象となる「景品類」について定義告示をもってその内容や制限の上限、禁止の内容を定めている。

具体的には「景品類」とは、顧客を誘引するための手段として、方法のいかんを問わず、事業者が自己の供給する商品または役務の取引に附随して相手方に提供する物品、金銭その他の経済上の利益であって、①物品および土地、建物その他の工作物、②金銭、金券、預金証書、当せん金附証票および公社債、株券、商品券その他の有価証券、③きよう応（映画、演劇、スポーツ、旅行その他の催物等への招待または優待を含む。）、④便益、労務その他の役務に該当するものである（定義告示1項）。ただし、正常な商慣習に照らして値引きまたはアフターサービスと認められる経済上の利益および正常な商慣習に照らして当該取引に係る商品または役務に附属すると認められる経済上の利益は、含まないとされている（同項）。

そして、「一般消費者に対する景品類の提供に関する事項の制限」（平成28年4月1日内閣府告示第123号）は、懸賞によらないで提供される景品類（こうして提供されるものは「総付」と呼ばれる）の価額を、景品類提供に係る取引価額の2割の金額（当該金額が200円未満の場合には200円）の範囲内であって、正常な商慣習に照らし適当と認められる限度内に制限し（同告示第1項）、懸賞（①くじその他偶然性を利用して定める方法または②特定の行為の優劣または正誤によって定める方法により景品類の提供の相手方または提供する景品類の価額を定めること）によって景品類を提供する場合の上限は、懸賞による取引価額の20倍（上限は10万円）を超えてはならず、懸賞により提供する景品類の総額は、懸賞により取引する予定総額の2％を超えてはならないとしている（同告示2・3項）[27]。

なお、これらの制限内であってもいわゆる「カード合わせ」の方法を用いる懸賞による景品類の提供は禁止されている（同告示5項）[28]。

---

[27] ただし、中元や歳末セールなどのように、一定の地域や一つの商店街の店舗が共同して行う売り出しに伴う景品類や懸賞については、他の事業者の参加を不当に制限しない限り、景品類の最高額の上限は30万円とされ、景品類の総額は懸賞による取引予定額の3％を超えない範囲とされている（同告示4項）。

この他に、次の各業種については、業種別に景品類および懸賞の上限について個別の制限が定められている。

　ⓐ　新聞業における景品類の提供に関する事項の制限（平成10年4月10日公正取引委員会告示第5号・平成12年8月15日同告示第29号）

　ⓑ　雑誌業における景品類の提供に関する事項の制限（平成4年2月12日公正取引委員会告示第3号・平成8年12月10日同告示第34号告示）

　ⓒ　不動産業における一般消費者に対する景品類の提供に関する事項の制限（平成9年4月25日公正取引委員会告示第37号）

　ⓓ　医療用医薬品業、医療機器業および衛生検査所業における景品類の提供に関する事項の制限（平成28年4月1日内閣府告示第124号）

　ウ　規制内容（表示に対する規制）

（ア）　景表法が規制する不当表示

　景表法は、「表示」について「不当表示」の禁止を定めている。何が不当表示に該当するかについては、景表法5条1号から3号が次の①～③の表示を「不当表示」としている。

　①　商品または役務の品質、規格等に関する不当誘引表示（優良誤認表示：同条1号）

　「優良誤認表示」と呼ばれる表示であり、品質、規格その他の内容について、一般消費者に対し、実際のものより著しく優良であるとの表示、または、事実に相違して同種もしくは類似の商品もしくは役務を供給している他の事業者のものより著しく優良であるとの表示であって、一般消費者による自主的かつ合理的な選択を阻害するおそれがあると認められるものがこれに該当する。

　②　商品または役務の価格、その他の取引条件の誤認表示（有利誤認表

28）　この点に関し、オンラインゲームにおける「コンプガチャ」と呼ばれる方式で有料アイテムを購入させるゲーム会社の営業方法について苦情が多発し、2012年5月18日付で消費者庁は「コンプガチャ」が同告示第5項に該当し、禁止されているとの見解を出している（「オンラインゲームの『コンプガチャ』と景品表示法の景品規制について」https://www.caa.go.jp/policies/policy/representation/fair_labeling/pdf/120518premiums_1.pdf）。

示：同条2号）

「有利誤認表示」と呼ばれる表示であり、価格その他の取引条件について、実際のものまたは、同種もしくは類似の商品もしくは役務を供給している他の事業者のものより取引の相手方に著しく有利であると一般消費者に誤認される表示であって、不当に顧客を誘引し、一般消費者による自主的かつ合理的な選択を阻害するおそれがあると認められるものが該当する。

優良誤認表示または有利誤認表示に該当するためには、それぞれ優良性や有利性の程度がいずれも「著しく」優良・有利であることが必要である。この「著しく」の該当性は、顧客が通常その誤認がなければ誘引されることはないと認められる程度の表示の誇大性があるか否かで判断されると解される[29]。

③ その他内閣総理大臣が指定する誤認表示（同条3号）

上記①および②以外の表示であって、商品、役務の取引に関する事項について一般消費者に誤認されるおそれがある表示であって、不当に顧客を誘引し、一般消費者による自主的かつ合理的な選択を阻害するおそれがあるものとして内閣総理大臣が指定する表示も不当表示に該当する[30]。

現在、内閣総理大臣が指定している不当表示としては、次のものがある[31]。

ⓐ「商品の原産国に関する不当な表示」（昭和48年10月16日公正取引委員会告示第34号）

---

29) 東京高判平14・6・7判タ1099号88頁が旧景表法4条1項1号におけるこの文言について、「誇張・誇大の程度が社会一般に許容されている程度を超えていることを指しているものであり、誇張・誇大が社会一般に許容される程度を超えるものであるかどうかは、当該表示を誤認して顧客が誘引されるかどうかで判断され、その誤認がなければ顧客が誘引されることは通常ないであろうと認められる程度に達する誇大表示であれば『著しく優良であると一般消費者に誤認される』表示に当たると解される」と判示していることからしても、本文のように解すべきであろう。

30) 我が国の景表法では、著名人による推奨や体験談を利用した広告、宣伝について直接これを規制するルールはないが、アメリカでは、連邦取引委員会（FTC）が、2009年10月に「推奨及び体験談の広告への使用に関する指針」（Guides Concerning the Use of Endorsements and Testimonials in Advertising：FEDERAL TRADE COMMISSION 16 CFR Part 255）を策定し、推奨表現と体験談の使用が、このガイドラインに反するとFTC法のSection 5により是正措置の対象とされた（http://www.ftc.gov/opa/2009/10/endortest.shtm）。

ⓑ「無果汁の清涼飲料水等についての表示」（昭和48年3月20日公正取引委員会告示第4号）
　ⓒ「消費者信用の融資費用に関する不当な表示」（昭和55年4月12日公正取引委員会告示第13号）
　ⓓ「おとり広告に関する表示」（平成5年4月28日公正取引委員会告示第17号）
　ⓔ「不動産のおとり広告に関する表示」（昭和55年4月12日公正取引委員会告示第14号）
　ⓕ「有料老人ホームに関する不当な表示」（平成16年4月2日公正取引委員会告示第3号・平成18年11月1日同告示第35号）
　ⓖ「一般消費者が事業者の表示であることを判別することが困難である表示」（令和5年3月28日内閣府告示第19号）。
　以上のうち、ⓖはいわゆる「ステルスマーケティング」と呼ばれる広告手法に関する規律である。一般消費者は、事業者の広告であると認識すれば、表示内容にある程度の誇張が含まれることを考慮して受け止めるが、第三者による表示であると誤認している場合は合理的な選択が阻害される。そこで、インフルエンサー等の第三者に委託して表示を行う場合や体験談等において、事業者の表示であることの判別が困難な表示については、「広告」である旨を明示するなどして、判別が困難な表示を防止することが求められる。
　これらについては、それぞれ運用基準が定められている[32]。
　（イ）　不実証広告規制

---

31)　ステルスマーケティング（ステマ）と呼ばれている広告手法については、アメリカでは、前注で解説したFTCによるガイドラインの改定等により規制対象となりうるが、景表法では規制対象とはなっていない。日弁連は、ステマを景表法5条3号に基づく内閣総理大臣の告示で指定して同法の規制対象とすべきであるとの意見（「ステルスマーケティングの規制に関する意見書」2017年2月16日）を公表している（https://www.nichibenren.or.jp/library/ja/opinion/report/data/2017/opinion_170216_02.pdf）。この点については、齋藤雅弘『電気通信・放送サービスと法』（弘文堂、2017年）290頁参照。
32)　ステマについては「一般消費者が事業者の表示であることを判別することが困難である表示」の運用基準が制定されている（https://www.caa.go.jp/policies/policy/representation/fair_labeling/guideline/assets/representation_cms216_230328_03.pdf）。

以上の不当表示のうち、①の優良誤認表示については、事業者が表示の裏付けとなる合理的な根拠を内閣総理大臣が定めた期間内（15日）に提出できない場合には、そのような表示は「不当表示」とみなされることになっている（景表法7条2項）。
　このように合理的根拠の提出がされないことをもって表示の不当性を擬制することは「不実証広告規制」と呼ばれている。
　エ　規制方法
　（ア）　措置命令
　内閣総理大臣（景表法33条1項で消費者庁長官に委任）は、景表法違反行為を行った事業者（合併・事業譲渡による事業承継を受けた法人事業者を含む）に対し、措置命令を発令することができる（景表法7条）。措置命令は、対象事業者の問題となった違反行為がすでになくなっている場合でも行うことができる（同条1項後段）。
　措置命令の内容は、その行為の差止めもしくはその行為が再び行われることを防止するために必要な事項またはこれらの実施に関連する公示その他必要な事項であり、具体的には①不当表示を行っていたことの公示（新聞・テレビ等の広告媒体による違反事実の公表等の広告）を命じたり、②再発防止措置（法令遵守に係る内部規定の改定・整備、役員・従業員の研修教育など）を行うよう命じたり、③違反行為をしないよう不作為を命令することである。不当表示を行っていたことの公示を命ずることには、不当表示によって誤認した消費者に対し誤認を解消するための情報を提供する趣旨を含む。
　措置命令に違反すると、2年以下の懲役または300万円以下の罰金に処せられ、これらの併科もある（景表法36条1項・2項）。また、法人の場合は3億円以下の罰金に処せられる（景表法38条1号）。
　措置命令は、消費者庁長官だけでなく都道府県知事も措置命令を発することができる（景表法7条1項・33条11項）。
　コンビーフ偽装表示事件（【事例1】）の事例では、製造業者がコンビーフの原材料を偽って表示して出荷したものであり、景表法5条1号の「品質、規格に関する誤認表示」に該当する。したがって、この事例のような場合、内閣総理大臣（消費者庁長官）から適正な表示への訂正や表示の変更などを

命じられると同時に、一般消費者に向けてその誤認を排除するために、新聞紙上等に訂正広告を掲載することなどを命じられることが多い[33]。

不当表示の規制は、表示を信頼して判断するしかない一般消費者を保護する制度であるから、事業者に故意または過失が存在しない場合であっても措置命令を発することができる。

（イ）課徴金

① 課徴金制度の導入

従前、景表法に違反する行為を行った事業者に対する行政上の措置としては前述の措置命令があるのみであったが、2014年の景表法改正（2016年4月1日施行）において新たに課徴金制度（課徴金納付命令）が導入された。

課徴金納付命令の対象となる行為は、優良誤認表示（景表法5条1号）と有利誤認表示（同法5条2号）の2つである（同8条1項本文）。

② 課徴金制度における不実証広告規制

課徴金納付命令においても、不実証広告規制が導入されたが、合理的根拠の提出を求められた事項について事業者が不実証の場合の効果は、措置命令では「みなす」とされているのと異なり、課徴金納付命令においては「推定」にとどめられた（景表法8条3項）。したがって、課徴金納付命令の場合は、事業者が合理的根拠を提出できなかった場合でも、後に課徴金納付命令を行政訴訟で争った場合に、反証を提出できれば違反の認定を免れることができる。

③ 課徴金の算定および違反行為の対象期間

景表法が規定する課徴金額の算定については、課徴金対象期間における課徴金対象行為に係る商品または役務の政令で定める方法で算定した売上額の3％（景表法8条1項）が課徴金の金額とさている。金額算定において消費者庁長官の裁量はない。また、この基準によって算定された課徴金の金額が

---

[33] この事例について公正取引委員会が行った排除命令（2002年9月12日・事件番号平成14年(H)第21号）については、公正取引委員会事務総局東北事務所「東北地区における景表法事件の処理状況（概要）」（2003年6月5日）参照。一般社団法人全国公正取引協議会連合会の「違反事件データベース」（https://www.jfftc.org/ihanDB/ihan-sochi.html）で検索可能。

150万円未満の場合は、納付を命じられない（景表法8条1項但書）。

課徴金の対象となる違反行為の期間については、課徴金対象行為をした期間を通じた売上高に基づいて算定するが、その期間が3年を超えるときは、当該期間の末日から遡って3年間が対象となる（景表法8条2項）。

なお、課徴金納付命令の除斥期間は、事業者が課徴金対象行為をやめた日から5年間である（景表法12条7項）。

④　事業者の違反行為についての認識

次に、課徴金納付を命じられる場合の主観的要件については、事業者が、課徴金対象行為をした期間を通じ、自ら行った表示が不当表示（景表法8条1項1号または2号のいずれかに該当する表示）であることを知らず、かつ、知らないことについて相当の注意を怠ったものではない場合は納付を命ずることができないとされている（景表法8条1項但書）。したがって、課徴金対象行為の期間を通じ、事業者が相当の注意をもってしても違反行為があることを知り得なかった場合には、課徴金は課されない。これは、事業者が講ずべき表示の管理措置を主体的に講じていた場合は免責される可能性を残して、自主的法令遵守を促す趣旨である。

⑤　リニエンシーと返金措置

景表法の課徴金納付命令においても、いわゆる「リニエンシー」制度が認められており、事業者が課徴金対象行為に該当する事実を調査が開始される前に主体的に消費者庁長官に報告した場合には、算定された課徴金の50％相当額を減額することが認められている（景表法9条）。

さらに、事業者が課徴金納付命令の対象となる行為によって得た売上について、自主返金（返金措置）を実施した場合にも課徴金の減額等が認められている（景表法10条・11条）。

この場合、事業者は返金措置についてその内容、実施期間、対象となる者が返金措置の内容を把握するための周知方法、必要な資金の額およびその調達方法等についてまとめた「実施予定返金措置計画」を作成し、消費者庁長官に報告した上で、同長官の認定を受ける必要がある（同法11条1項・2項）。

その後、認定を受けた実施予定返金措置計画に従って返金を実施したうえ、その結果を消費者庁長官に報告し、同長官から実施した結果が計画と適合し

ていることが認められる場合には、返金措置によって返金された金額が課徴金から減額される（景表法11条2項）。

　違反事業者が自主的に違反行為によって得た利益を吐き出せば、それに対応する課徴金の支払いを免除する制度であり、不当利益の吐き出し制度の一種とみることが可能である。

　（ウ）　事業者が講ずべき景品類の提供、表示の管理上の措置
　景表法は、間接的な規制手法として、事業者のコンプライアンス意識の確立と景品表示法の周知徹底等の趣旨から、事業者に対し、自己の供給する商品・役務の取引について、景品類の提供または表示により不当に顧客を誘引し、一般消費者による自主的かつ合理的な選択を阻害することのないよう、景品類の価額の最高額、総額その他の景品類の提供に関する事項および商品または役務の品質、規格その他の内容に係る表示に関する事項を適正に管理するために必要な体制の整備その他の必要な措置を講じなければならないことを定めている（景表法26条1項）。

　そして、事業者がこのような体制整備や必要な措置を講じるための指針を、内閣総理大臣がその事業を所管する大臣および公正取引委員会と協議して定めるものとしている（同条2項）。これに基づき、「事業者が講ずべき景品類及び表示の管理上の措置についての指針」（令和4年6月29日内閣府告示）が定められている。この指針には、広告表示の内容を事前に確認する措置、表示管理の担当者を定める措置、表示の根拠情報を事後的に確認するため一定期間保管する等の措置等を定めており、広告内容の決定を第三者に委託した場合の措置も盛り込んでいる。

　内閣総理大臣は、上記の事業者の講ずべき措置が適正かつ有効に実施されるようにするために必要と認めるときは、事業者に対する必要な指導、助言をすることができるとしているし（景表法27条）、景表法26条1項の措置を講じていないと認められる場合には、同項の措置を講ずべき旨の勧告ができ（同法28条1項）、その勧告に事業者が従わない場合にはその旨の公表ができることとされている（同条2項）。これは、義務違反に対し措置命令を科す方式ではなく、事業者の自主的な対応を行政庁が促す仕組みであり、いわゆる共同規制の手法の一例である。

(エ)　公正競争協定・公正競争規約

　景表法は、間接的な規制手法として上記の（ウ）に加え、事業者または事業者団体が、一般消費者による自主的かつ合理的な選択および事業者間の公正な競争を確保するための協定や規約を締結したり、設定することができるとしている（景表法31条）。この協定や規約は、2009年改正前は「公正競争規約」（旧景表法12条）と呼ばれており、事業者間の公正競争確保の目的のために締結等されるものとされていた[34]。しかし、2009年改正により景表法が競争法から消費者取引の適正を図る法律に変容したことから、景表法31条に規定する規約や協定は、事業者や事業者団体によって公正競争を確保する趣旨というより、消費者の自主的かつ合理的な選択を確保するための事業者側の自主ルールの制定という趣旨に変わったものと理解される。

　この規約や協定を締結、設定または変更するには、内閣総理大臣（消費者庁長官）および公正取引委員会の認定が必要である（景表法31条1項）。また、景表法31条に基づいて締結、設定された規約や協定は、事業者または事業者団体が、景品類または表示に関する事項について不当な顧客の誘引を防止し、消費者の自主的かつ合理的な選択の確保のためのものであるから、この協定または規約およびこれらに基づいて行われる事業者や事業者団体の行為は、私的独占、不当な取引制限および不公正な取引の禁止に違反した場合の独禁法による排除措置（独禁法7条1項・2項、8条の2第1項・3項、20条2項）や裁判所による緊急停止命令（独禁法70条の13第1項）、公正取引委員会による告発義務（独禁法74条）の規定は適用しないこととしている（景表法31条5項）。

　この規約、協定は、内閣総理大臣（消費者庁長官）および公正取引委員会の認定（景表法31条1項）が必要だが、基本的には事業者側が作るものであるし、その運用も事業者または事業者団体により自主的になされる。規約や協定の制定、改変やその運用が、このような仕組みになっているのは、事業者の規約、協定の制定意欲を削がないためであると考えられる。しかし、不

---

[34]　主婦連ジュース訴訟（最判昭53・3・14判時880号3頁）では、景表法の旧10条6項（2009年改正前の景表法12条6項）について、消費者は反射的利益を受けるだけであり、訴えの利益がないとされた。

当表示や不当景品類により被害を受けるのは競争事業者だけではなく、むしろ消費者の利益こそ大きく損なわれるものである。この規約や協定の制定、改変や運用においては、消費者の参加やチェックが必要であり、事業者や事業者団体は規約等の制定、改正および運用に関し、消費者や消費者団体の意見と積極的に取り入れる仕組みや制度の構築や努力が求められる。

（オ）　適格消費者団体による差止訴訟

適格消費者団体（消契法２条４項）は、景表法違反行為（品質、規格など商品・役務の内容についての優良誤認惹起行為および価格その他の取引条件についての有利誤認惹起行為）について差止請求訴訟を提起して、差止めを求めることができる（景表法30条）。

（カ）　2023（令和５）年５月改正（公布から１年６月以内に施行）

2003（令和５）年５月の景表法改正により、事業者の自主的な取り組みの促進と違反行為に対する抑止力の強化等を講ずる規定が導入された。主な規定は次のとおりである（引用条文は、改正法により条項数の変更があるので留意されたい）。

①　確約手続の導入

内閣総理大臣は、調査により優良誤認表示・有利誤認表示等の違反行為があると疑うに足る事実がある場合において、措置命令の弁明機会付与手続をする前の段階に、一般消費者の合理的選択を確保する上で必要があると認めるときは、対象事業者に対し、自主的な是正措置計画の認定申請を促す通知をすることができる（改正景表法26条）。通知を受けた対象事業者は、違反の疑いがある行為及びその影響を是正する措置計画を策定し提出することができる（同27条１項）。内閣総理大臣は、是正措置計画が是正措置として十分なものであり、確実に実施されると見込まれるときは、認定を行う（同27条２項）。この場合は、措置命令及び課徴金納付命令が適用しない（同28条）。その後、是正措置計画が実施されていないときは、認定を取り消す（同29条）。

違反の疑いがある行為が既になくなっている場合においても、一般消費者の合理的な選択を確保する上で必要があると認めるときは、違反の疑いがある行為による影響を是正する措置の認定申請を促すことができ（同30条）、対象事業者は影響是正措置計画を策定して申請することができる（同31条）。

その取扱いは是正措置計画と同じである（同31条～33条）。

② 課徴金計算の基礎となる売上額の推計

対象事業者が課徴金の計算の基礎となるべき事実（売上額等）の報告に応じないときは、対象事業に係る商品・役務を供給する他の事業者等から入手した資料を用いて、合理的な方法により推計して課徴金の納付を命ずることができる（同8条4項）。

③ 課徴金の再犯加算

違反行為から遡り10年以内に課徴金納付命令を受けたことがある事業者に対し、課徴金の額を1.5倍に加算することができる（同8条5項及び6項）。

④ 罰則規定の拡充

優良誤認表示・有利誤認表示に対し、直罰（100万円以下の罰金）を新設（同48条）。

⑤ 適格消費者団体による資料開示要請規定の導入

適格消費者団体が、商品・役務に関する優良誤認表示に該当すると疑うに足りる相当な理由があるときは、事業者に対し、その理由を示して、表示の裏付けとなる合理的な根拠を示す資料の開示を要請することができ、事業者は、その資料に営業秘密が含まれる場合その他正当な理由がある場合を除き、要請に応ずる努力義務を負う（同35条）。

(3) 業法によるもの

ア 業法による表示規制の方法

いわゆる業法による表示規制には、①一定の事項、内容、水準の表示を積極的に義務付けるもの（表示をする場合には○○という表示をしなさいというもの：表示の義務付け型）と、②虚偽や誇大な表示や広告の禁止（ミスリードするような表示をしてはいけないというもの：消極的表示規制（不当表示の禁止）型）がある。これ以外に、③一定の基準や規格を決めてそれに適合しているものには、その事実を示す一定の表示（マーク）を付することを認めるという方法もある（規格表示型）。

① 表示の義務付け型

一定の事項の積極的な表示の義務づけをする例としては、特商法の通信販売、連鎖販売取引、特定継続的役務提供、業務提供誘引販売取引における表

示・広告の義務づけ（特商法11条・35条・53条）、割販法の割賦販売条件の表示義務（割販法3条・29条の2・30条）、貸金業法の貸付条件の掲示義務や貸付条件の広告規制（貸金業法14条・15条）、旅行業法の料金の掲示・広告表示事項の規制（旅行業法12条、12条の7）、金商法の広告等の規制（金商法37条）、不動産特定共同事業法の広告の規制（不動産特定共同事業法18条）、食品の器具または容器包装の表示に関する規制（食品衛生法19条）などがある。

② 消極的表示規制（不当表示の禁止）型

誇大広告などの禁止を定めるものとしては、特商法の通信販売、連鎖販売取引、特定継続的役務提供、業務提供誘引販売取引における誇大広告等の禁止（特商法12条・36条・43条・54条）、貸金業法の誇大広告の禁止（貸金業法16条）、旅行業法の誇大広告の禁止（旅行業法12条の8）、宅建業法の誇大広告等の禁止（宅建業法32条）、金商法の有利買付け等の表示の禁止、一定配当等の表示の禁止（金商法170条・171条）、商先法の重要事項の虚偽表示または誤解を生じさせる表示を故意に行うことの禁止（商先法116条8号）、商品ファンド法の誤認表示の禁止（商品ファンド法15条2項）、不動産特定共同事業法の不実、誤認表示規制（不動産特定共同事業法18条3項）、農薬取締法の虚偽の宣伝等の禁止（農薬取締法10条の2）、前述した健康増進法の不実・誇大表示の禁止（健康増進法31条1項）、薬機法の誇大広告等の禁止（薬機法66条）等がある。

なお、医療法では医師、歯科医師および病院ならびに助産師および助産所の行う広告については、広告すべき事項を義務づけるのではなく、法律が定める事項以外の事項を広告することを禁止するという手法をとっているが（医療法6条の5～同7）、この手法も広い意味では消極的な広告規制の一つである。

③ 規格表示型

規格表示型の例としては、前述のJIS法やJAS法が挙げられる。

イ　表示規制の目的の重複

薬機法や医療法、食品衛生法による広告の規制等は、その主たる目的は安全の確保や優良な保健医療サービス提供のためであるが、消費者からみれば取引における適正な選択を確保する機能もある。

(4) 自主規制

ア　業界の自主規制（広告主の側の自主規制）

公正競争協定・公正競争規約がその例であるが、これ以外にも各業界ごとに作る自主規制規範の中に表示や広告の基準を定めるものがある[35]。

イ　広告媒体の掲載基準

新聞社、出版社、テレビ局等毎に、それぞれの媒体が個別に広告掲載基準を設けているし、これらの業界団体も基準を制定しているところがある[36]。

ウ　公益社団法人日本広告審査機構（JARO）

公益社団法人日本広告審査機構（JARO）の事業目的は、「公正な広告活動の推進を通じて、広告・表示の質的向上を図ることで、正しい企業活動の推進と消費者保護の役割を果たし」とされ、表示や広告について消費者からの苦情の申立てを受け付けている。

苦情は、まず、事務局で受け付け、苦情を述べられた企業に照会して、その回答を苦情を申し立てた消費者に回答する。この回答に申立人が納得しない場合には、業務委員会において審議する。業務委員会の結論を、申立人あるいは被申立人が納得しない場合には、審査委員会において裁定が行われ、その裁定結果に基づき、広告主に修正の要求を求めたり、関係機関への連絡、広告媒体（新聞社、放送局など）に掲載や放送についての検討を求めることなどがなされる（前掲注23）参照）。

3　表示規制と契約

法令に定める表示・広告規制に違反する表示、広告を信頼して取引した商品の購入契約やサービス提供契約の効力が問題となる。これは取締法規違反

---

[35] たとえば、公益社団法人日本通信販売協会（JADMA）の「通信販売業における電子商取引のガイドライン」「通信販売取引条件の表示に関するマニュアル」「テレビショッピングに関するガイドライン」には、表示・広告基準も定められている（https://www.jadma.org/ 参照）。

[36] 業界団体の定める基準としては、たとえば一般社団法人日本新聞協会の「新聞広告掲載基準」（1976年5月19日制定、1991年3月20日一部改正）、一般社団法人日本広告業協会「広告倫理綱領」（1971年5月25日制定）などがある。

の私法上の効力の問題である（この点は、**第3章**を参照のこと）。また、これらの表示や広告が契約内容となったり、意思表示の効力に影響を与えることは次の**第4**のとおりである。

第4　表示・広告と契約

1　表示・広告と契約

　表示・広告の法規制を概観して来たが、次には事業者が消費者との取引において契約の誘引段階で行った宣伝・広告や契約締結段階において行った口頭や資料、パンフレットなどを用いた説明や表示が契約の効力や内容にどのように影響するのかを検討する。

2　安全・品質表示に関する検討

　コンビーフ偽装表示事件【**事例1**】は、すでに指摘したとおり景表法で禁止されている不当表示に該当するし、食品表示法上も食品表示基準に違反する。このような不当表示を行ったのは、コンビーフの製造業者であるので、本来、消費者に対する責任を負うべき当事者は製造業者である。しかし、コンビーフの売買契約は販売店と消費者との間で締結されるので、消費者は製造業者に対して製造物責任（拡大損害のある場合）あるいは不法行為責任を追及することはできるとしても、契約上の責任を追及することは難しい。
　他方、販売店は商品自体の製造に関わっている場合（自社ブランドなど）は別にして、通常は商品の原材料が表示と異なっていることを認識していない場合がほとんどであろう。売買契約に基づく契約不適合責任のうち追完請求権、代金減額請求権及び契約の解除については無過失責任と考えられているので、商品に表示された原材料とは異なる材料を使用していることが「契約不適合」といえれば、消費者は販売店に対して代金減額請求等の契約不適合責任を追及できる[37]。しかし、一口にコンビーフといっても、その原材料や製造方法などによって商品名で区別される商品ごとに品質は異なっており、それに応じて値段も違ってくるので、その種の商品（つまりコンビーフ）が通常備えているべき品質・性能を欠いていることという一般的な瑕疵概念

では、安価な原材料が使用されていることだけから「契約不適合」ということは難しい。しかし、この場合でも表示されている品質の基準が契約内容に取り込まれていると解されれば、その表示された基準を下回るものは「契約不適合」があるということも可能になる[38]。

また、表示が虚偽であることを販売店が認識していることはまれであるので、通常は販売店に詐欺が成立することはない。消費者の錯誤が成立する余地はあるが、この場合には品質についての勘違いであるので、いわゆる「性状の錯誤」である。性状ではあってもその品質が商品に表示されていた以上は、その表示と実際の不一致が大きくて購入意思の形成に大きく影響するような場合には「要素の錯誤」になることもある。錯誤が認められれば、売買契約の意思表示は取消せるので代金の返還請求ができる。この場合、商品が残っていれば、それを返還して代金全額の返還を求められるが、すでに食べてしまった場合には、消費者の利得の有無が問題となり、返還すべき利得をどう評価すべきかは難しい問題である。

ところで、被害者が不法行為あるいは契約不適合を理由に損害賠償請求をする場合、消費者が受けた損害をどうみるかもかなり難しい問題である。通常は、代金額を損害として主張することが多いであろうが、たとえば【事例1】でいえば高くて千数百円止まりである。むしろ、表示どおりの原材料は使用していなかったとしても、他の原材料を使用して取り敢えず通常の飲食に供することには問題のないコンビーフである以上は、そのような原材料を使用した商品として価値は最低限有していたのであるから、損害は表示通りの原材料を使用した場合との差額に過ぎないという主張もありうるが、それが認められる場合にはさらに損害額は少額になる。消費者が製造業者の不法

---

[37] 前掲注19）のとおり、2017年改正民法が瑕疵担保責任について債務不履行責任と整理したことから、コンビーフのような種類物（不特定物）売買についても品質が契約に適合しない場合には、債務不履行の責任が追及できることとなった（民法562条１項）。

[38] なお、2017年改正民法では、品質が優良でそのため高額な原材料が使われていることが表示され、それを前提にして販売価格も高額となっている商品の場合であれば、表示されている品質の原材料が使用されていないことは、契約不適合として債務不履行責任が認められることも多くなると考えられる。

行為責任を追及した場合、消費者側が表示が不実あるいは虚偽、誇大であることを主張、立証しなければならない。製造業者がこの点を争わなければ、責任の有無はそれほど問題ないが、それでも損害の立証は簡単ではないし、そもそも金額が少ないので、訴訟手続ではまったくペイしない。このような被害の回復には、消費者裁判特例法による特定適格消費者団体による集団的な消費者被害救済制度が使える場合もあろう。しかし、この制度を利用したとしても、【事例1】のコンビーフ偽装表示事件のように1人当たりの請求額が少額の場合、訴訟を追行するための事務処理費用だけで赤字になってしまい、実質的な意味で被害救済の実効性が確保できない場合も少なくないと思われる。

　これに対し、不特定多数に向けた広告による不当表示について、消費者契約法4条の勧誘と評価できる余地がある。すなわち、最判平成29年1月24日判決は、「事業者が、その記載内容全体から判断して消費者が当該事業者の商品等の内容や取引条件その他これらの取引に関する事項を具体的に認識し得るような新聞広告により不特定多数の消費者に向けて働きかけを行うときは、当該働きかけが個別の消費者の意思形成に直接影響を与えることもあり得るから、事業者等が不特定多数の消費者に向けて働きかけを行う場合を上記各規定にいう「勧誘」に当たらないとしてその適用対象から一律に除外することは、上記の法の趣旨目的に照らし相当とはいい難い。」という判断を示した。これを踏まえれば、商品・役務の品質・効能だけでなく取引条件に関しても、個々の消費者の契約締結の判断に直接影響を与えるような具体的な内容である場合は、その表示内容が優良誤認または有利誤認に当たる場合は、「不実告知」（消費者契約法4条1項1号）に当たる勧誘があったとして契約の申込み等の意思表示を取消せることとなる。

　なお、商品の安全性についての表示や危険性についての警告表示が不十分であったことによって発生した人身傷害の問題については、**第11章の第3**参照。

3　商品・役務について取引上の表示と瑕疵

　本章の【事例2】の①東京地判は、売り主が隣地所有者に支配権を及ぼすことはできないので、マンションの南側隣地にどのような建物が築造されう

るのか、その構築物がマンションにいかなる影響を与えるかなどについて調査し、その結果を買受人側に誤りなく告知説明すべき信義則上の義務が一般的に課せられているとはいえないとして損害賠償責任を否定している。これに対し、【事例2】の②大阪地判は、販売業者の従業員が買い主に対し、マンションの専用庭の南側隣地には木造2階建の建物が建つことによる日照阻害のほかは日照が確保される旨説明していること、買い主がそれを信用したこと、南側隣地所有者との間で木造2階建の建物しか建てない合意が売り主との間であったとしても、その合意の効力は第三者には引き継がれないので、第三者により高層建物が建てられる可能性が十分存在したことを理由に、日照阻害はマンションの隠れたる瑕疵にあたるとして損害賠償責任を肯定した[39]。

いずれのケースも、購入した消費者にとっては、日照が確保できるマンションであることが前提になっていたとみられる。もし、このような契約締結段階で売り主から表示された事項が、契約内容になるとすると、売り主は日照の良好なマンションを引き渡す義務（つまり南側隣地に高層建物を建てさせない義務）を負うことになるが、【事例2】の①は、このような義務はマンションの売買契約上の売り主の義務にはならないことを前提に判断がなされているのに対し、【事例2】の②では、本来あるべき給付は日照のよいマンションであるのに、実際に給付されたものは日照が阻害されたマンションであったことが瑕疵に当たるとしているので、日照が良好であるということが契約内容となっていたことを認めていることになる。

売買目的物の「瑕疵」は、従前は物質的な欠陥であると考えられており、瑕疵か否かの判断は、その種のものとして通常有すべき品質・性能を欠いているか否かで判断されるとされていた[40]。その意味では、当事者の意思とは離れた売買目的物それ自体の性質によって瑕疵の有無が判断されていたといえる。このように考えると、【事例2】の①や②のようなケースでは、日

---

[39] このような事案の場合、日照を阻害する事情を売主が認識していながら、それを強いて告げなかった場合には、不利益事実の不告知に該当し、消費者契約法により意思表示の取消しが認められることもある（第4章参照）。

[40] 我妻栄『債権各論中巻一』（岩波書店、1957年）288頁、広中俊雄『債権各論講義〔第4版〕』（有斐閣、1972年）71頁。

照が良好であるということは居住環境の欠陥ではあっても、マンション自体の物質的な欠陥とはいえないということになる。しかし、他方では、2017年改正前の民法570条の「瑕疵」は物質的な瑕疵としながら、瑕疵の有無はその目的物が保有すべきことを取引上一般に期待される品質・性能を標準として判断され、特に売主が見本や広告によって目的物が特殊な品質・性能を有することを示したときはその特殊な標準によって判断されるとも説かれている[41]。結果的には、契約当事者の表示や広告の態様や内容によっては、瑕疵の判断の基準が変わることが承認されている。ここでは、瑕疵の判断に当事者の意思や表示が影響を与えることになる。

現行民法では、以上で指摘したような「瑕疵」に係る事情は、債務不履行責任の問題となり、「瑕疵」概念で議論されているような事情が締結された契約の内容に取り込まれ、当事者の債務の内容となるか否かによって契約不適合責任の有無の結論が変わることになろう。

4　表示と契約

【事例1】のコンビーフ偽装表示事件や住環境の瑕疵が問題となった【事例2】の①、②のように、契約の勧誘や締結の段階において、事業者側からなされた表示が、契約の成立や内容へどのような影響を及ぼすかについては、①意思表示の問題（錯誤）か、②債務不履行や契約不適合責任の問題になると考えられる。どちらの問題になるかは、当事者の意思をどう見るか、契約内容への取り込みが可能かどうかによることになろう。たとえば、【事例2】の①や②のように、広告や勧誘において「日照」や「眺望」を売り物にしたマンションの取引の場合、給付の対象が、単に「マンション」を引き渡せばよいのか、「日照や眺望のよいマンション」を引き渡さなければならないかにより考え方が異なる。また、【事例1】のコンビーフのような場合は、品質が表示されていなければ「契約不適合（瑕疵）」ということは難しい。

2017年改正前民法の瑕疵担保責任における瑕疵概念のように、目的物の客観的な性質や性状から考えていく立場をとると、【事例2】の①や②では、

---

41) 我妻・前注『債権各論中巻一』288頁、広中・前注『債権各論講義』71頁。

売買契約上の給付の内容は「単なるマンションの引き渡し」と考えることになるが、その場合には、結果的に日照が阻害されているマンションの引き渡ししか受けられなかったとしても、日当たり良好という点は契約の内容にならないので錯誤の問題になる。また、この場合の錯誤はいわゆる「性状の錯誤」となると考えられるので、民法の原則からすると要素の錯誤が認められることは難しい。【事例2】の②が錯誤を否定しているのも、このような理由であろう。したがって、このようなケースでは、契約不適合責任も錯誤も認められないことが多いので、錯誤の補完法理である「契約締結上の過失」などが活用されることが多い。これに対し、当事者の意思を基準に契約不適合（瑕疵）の有無を判断する立場（2017年改正民法の契約不適合責任はこのような立場を原則としたと考えることが可能）からは、【事例2】の①や②のケースでは「日照や眺望のよいマンション」を引き渡すことが売買契約による給付義務の内容ということになる。このような立場からは、日当たりが阻害されているマンションの引き渡ししか受けられなかった場合には【事例2】の②のように契約不適合責任や債務不履行が問題となる。なお、現行民法におけるこの点の考え方は、前述3の末尾で述べたとおりである。

契約の勧誘や締結の段階において事業者が表示や広告した事項が、契約内容に取り込まれるか否かは契約の解釈の問題である。この場合の解釈の手法としては、すでに契約不適合責任における「契約不適合（瑕疵概念）」の捉え方として指摘したとおり、①売買目的物の客観的な性質や性状から契約内容を考える方法（客観的アプローチ）と、②契約当事者の合意を基準にして考える方法（主観的アプローチ）があろう[42]。

消費者取引では、これまでの事例で検討したように、消費者が抱いていた

---

42) 大村敦志『消費者法〔第4版〕』（有斐閣、2011年）160頁は、物を重視する瑕疵担保責任の考え方を「客観的瑕疵概念」、合意を重視する考え方を「主観的瑕疵概念」としている。なお、【事例2】の②の判決は、結論では物の瑕疵（マンションの隠れたる瑕疵）の存在を認定しているが、判決理由中では「日照阻害の要因は本件契約のかくれたる瑕疵に当たる」という文言も用いている。「契約の瑕疵」という表現からも窺えるが、この判決は物の客観的な性状からではなく、当事者の意思からみてあるべき給付（品質・性能）と実際に給付されたものの品質・性能との間の齟齬を「瑕疵」とみていることが窺われる。

期待が契約締結の決定的な要因になっていることが多い。そして、事業者側も消費者に対し、宣伝・広告や勧誘によって消費者に積極的に期待を持たせ、契約締結に向けた様々な働き掛けをしているのが通例である。この場合、事業者の側が消費者に積極的に期待を抱かせるような表示や広告、勧誘をしておきながら、表示や広告、勧誘によって消費者が抱いた期待は契約内容とは別なものだとして切り捨ててしまうのは、不公正であろう。その意味では、契約の解釈にあたっては、なるべく消費者の期待とそれを惹起させた表示、広告や勧誘内容が合意の内容として取り込まれているという基本的な姿勢で解釈するべきであろう。また、コンビーフ偽装表示事件**【事例１】**のコンビーフのような商品の場合には、同じ商品でも品質も多様なものが流通しているので、表示された内容を基準にして契約不適合（瑕疵）の有無を判断せざるをえないが、このような商品の場合には、そもそも表示も商品の一部と考えて契約不適合（瑕疵）の有無を判断する（客観的アプローチ）か[43]、あるいは表示により明かになっている当事者の意思を基準にこれを判断する（主観的アプローチ）ことになろう。いずれの考え方でも、消費者法では責任判断における表示の重要性が増している[44]。

なお、欠陥住宅における請負人の契約不適合責任においても同様の議論がなされているが、この点は**第12章**を参照されたい。

第５　宣伝、広告における広告媒体、推奨者の責任

１　実態と問題点

悪質商法の場合、有名人や著名人を宣伝・広告に起用したり、発行部数も多くある程度名の通っている新聞、雑誌やテレビにおいて派手に宣伝・広告を行い、多数の顧客を集め、結局、倒産して直接の加害者からの被害回復が

---

43) 製造物責任法における「表示の欠陥」の議論に近い。製造物責任法では、過失から欠陥へと責任原因の客観化がなされていることを背景にして、表示も当事者の意思から切り離されて、商品それ自体の性質の問題と捉えられている。
44) 表示の重要性が増しているのは、第１章で指摘した消費者や消費者問題の特性（情報格差、交渉力など）が背景にある（第１章参照）。

望めない事例が少なくない。

　このような場合に、悪質業者の商法を推奨・宣伝した有名人や著名人、これらの宣伝・広告を掲載したり、放映したりした広告媒体には責任がないのかがここでの検討課題である。

　これまで、問題となった代表的な事例としては、【事例3】の日本コーポ分譲マンション広告事件、【事例4】のニュー共済ファミリー事件、【事例5】の高田浩吉事件、【事例6】の琴風事件、さらに元警視総監のレジャークラブ理事長就任事件（浦和地判昭62・9・29判時1279号51頁）、細川たかし事件（東京地判平22・11・25判時2103号64頁）などがある。

2　広告媒体（メディア）の責任
(1)　事例
ア　日本コーポ分譲マンション広告事件【事例3】

　この事例では、広告媒体の真実調査義務・確認義務の有無が問題となった。

　一審判決（①判決）は、まず、新聞社と購読者間に情報（報道・論評など）の「製作供給入手契約」の成立を認め、新聞社の調査能力の高度さ、広告掲載の営利性を根拠に「広告内容の真実性に留意し、広告商品の内容・種類・性質によっては広告媒体業務に携わる者として社会通念上必要かつ相当と認められる調査・確認の措置を施すべき義務」を認めている。しかし、他方で、広告を見た購読者には広い選択の余地があることや広告自体による権利侵害性の低さを理由に「法令により特に一定の内容の広告が禁止されている（例えば旧薬事法68条）など広告商品の内容・種類・性質それ自体から、または広告媒体業務に携わる者として、社会通念上特に広告内容の真実性に疑念を抱くべき事情がある場合を除き、通常積極的に広告内容についてその真実性を調査・確認することまでの注意義務を負っているものとはいい難い」として、新聞社の債務不履行責任を否定し、さらに同様の理由により、不法行為責任も否定している。

　これに対し、控訴審（②判決）では、新聞社と購読者間には新聞の売買契約はないが、有形商品の品質保証と同様の広義の担保契約が黙示的に成立しており、新聞記事の瑕疵により損害を受けた購買者は契約上の責任を追及で

きるとする。しかし、第三者名義の新聞広告については「広告の場の提供」であって、広告内容や広告主の信頼性について担保しているとはみられず、その信頼性担保の何らかの契約が締結されているとはみられないとする。そして、不法行為責任については、一般的調査・確認義務を否定したうえで、「新聞社等において、広告掲載時に広告内容が広告主に意思、能力等がないため実現できず、そのため広告を信頼して広告商品を取引する読者らに不測の損害を及ぼすおそれがあることを予見しながら又は容易に予見しえたのに、敢えてこれを掲載した等特別の事情のある場合（例えばその広告の掲載により新聞社等が広告の詐欺行為に手をかすことになる場合）には、新聞社等が読者に対して不法行為上の法的責任を負うべき」として、このような例外的な事情がなかったと認定し、新聞社の不法行為責任は認めなかった。

　そして上告審判決（③判決）は、不法行為責任に関し、新聞社には広告内容の真実性について一般的調査・確認義務はないが、新聞広告の持つ影響力の大きさに照らし、広告内容の真実性に対する疑念を抱かせる特別事情があり、それによって読者が損害を蒙るおそれがあることの予見可能性がある場合のような具体的な事情の下では、真実性の調査・確認義務が認められるとしたが、原審認定事実の下では真実性の調査義務違反はないとした。

　イ　ニュー共済ファミリー事件【事例4】
　この事件で裁判所は、ニュー共済ファミリーの「発行の趣旨、記事の内容、配布方法から、公務員共済組合の機関誌ないしこれと密接な関係にあるものとして一般の公務員が信頼をおく可能性は極めて高く、被告会社もその故にこそこのような名称を使用し、配布方法をとって、通信販売ないし広告掲載による利益を取得して経営してきた」「そうであるならば、被告らとしては、被告会社を信用し、被告会社が推せんする業者、物件であるということで取引に入る顧客の信用を裏切らないようにするべき注意義務があり、これを避けようとするなら、被告会社は単に広告を掲載するだけで、取引については何ら責任を負うものではないことを表示するなどして、顧客がより慎重に取引に臨むよう配慮すべきであった」として、記事を掲載した「ニュー共済ファミリー」を発行した会社に3割の損害賠償を命じた。

　(2)　検　討

まず、新聞社と購読者間の契約関係を認めるかどうかが問題となる。新聞の購読は、新聞に掲載されている情報（記事や広告等）の購入（情報の取引）とみることが可能である。【事例3】の一審判決（①判決）もこうした考えに立っている。こう考えると、広告媒体の責任は取引対象である「情報の瑕疵」の責任が問われているということができる[45]。この場合、広告内容や広告主体の信頼性についても情報提供契約の内容となっていると考えると、広告媒体は虚偽や不実の広告を信頼して損害を受けた者に対して、債務不履行責任あるいは契約不適合責任を負うことになる。その意味で、一審判決が、新聞社の一般的調査・確認義務を認めておきながら、「一般論であって」と断ってはいるものの、債務不履行責任を認めなかったのは、首尾一貫していない。しかし、広告媒体とその受け手との間に情報提供契約の成立が認められたとしても、他人が作成したものを原則としてそのまま伝える第三者広告の場合と、広告媒体自らが報道、放送するもの（記事や論評、番組）とは区別して検討する必要がある[46]。

広告媒体の責任を問題にする場合、①上記のように情報の取引（情報提供契約）と考えて、その契約上の責任（債務不履行、契約不適合責任）を追及すること、あるいは、②不法行為責任を追及することが考えられるが、一般的には広告媒体と受け手との間に、情報の提供をめぐる契約関係を認めるのは難しいとされている[47]。新聞や雑誌などの場合には、情報の媒体である新聞、雑誌という有体物が取引されることを媒介にして情報が提供されるので、契

---

45) 【事例3】事件の原告が、新聞社との間の情報提供契約成立を前提にして「瑕疵のない情報を提供すべき債務」の債務不履行責任を主位的請求としていることも、このような発想からであろう。

46) 【事例3】の一審判決は、全国紙の場合には広告媒体に対する読者の信頼・評価が高いことを理由に、記事や論評と広告の違いは、同質・同価値とはいえないものの本質的なものではなく、主従の別という関係であるとするが、他人が作った情報をそのまま掲載することは、やはり「場の提供」としての側面が強く、自ら情報を作出、編集して一般に伝達する場合とは事情が異なる。この点、控訴審判決は、新聞記事の内容については新聞社に商品価値を保証する担保契約が黙示的に成立しているが、第三者広告ではそのような契約は成立しないとして区別している。

47) たとえば、長尾治助編著『アドバタイジング・ロー』（商事法務研究会、1990年）115頁。

約関係の手がかりがあるが、テレビやラジオの放送の場合には、広告媒体であるテレビ・ラジオ局と視聴者、聴取者間に情報提供契約が成立すると見るのは一層困難であり、広告媒体全体を通じる法理としてみる限り、やはり契約関係を認めるのは困難であろう[48]。

また、契約上の責任を追及する場合には、広告内容の真実性の調査・確認義務が契約上の義務になっているかどうかが最大のポイントとなる。契約上の義務である以上は、当事者の合意に根拠がなければならない。合意に根拠を置くとすると、消費者の期待（信用のおける広告媒体の広告なら内容も広告主体も安心である）が、合意の内容に取り込まれるか否かが問題となる。上記の【事例3】の一審判決は、「個別当事者間における具体的な合意内容を探求することは当を得ないもの」とし、合意以外に債務の根拠を求めるが、この判決ではどのような根拠で契約上の債務に調査・確認義務が取り込まれるのかは、はっきりしていない。

合意に根拠を置かずに、債務不履行責任が認められるとすると、法律の規定によって当事者の一方が他方に負うべき債務を根拠とすることになる。具体的には、信義則（民法1条2項）に基づく調査確認義務である。【事例3】の一審判決が判決理由に挙げている事情を踏まえると、結局この判決も広告媒体の調査・確認義務は、具体的な事情を前提にして認められる信義則上の義務のことをいっているように見える。したがって、受信契約や購読契約に基づいて情報が提供されている場合や、新聞や雑誌など記事や報道についての保証責任が認められる関係にある場合には、信義則を根拠に受信契約や購読契約の付随義務として、第三者広告についても広告媒体の真実性の調査・確認義務が認められる場合があり、その義務に違反した場合には債務不履行責任が追及できると考えられる[49]。

---

48) ケーブルテレビやBSやCSのデジタル放送など、放送受信者との間の受信契約に基づき放送を提供している場合は、多少、事情が異なるだろうと思われる。受信契約の締結が必要であるNHKの場合は、契約関係がはっきりしているが、NHKは第三者の広告・宣伝は放送しないので、事実上、問題とはならない。なお、放送メディアと視聴者との契約関係については、前掲注24) の齋藤雅弘『電気通信・放送サービスと法』第5章・第7章参照。

次に、広告媒体との間の契約関係が認められない場合には、不法行為責任の追及を考えることになる。【事例3】の上告審判決（③判決）は不法行為の成否については、広告内容の真実性に疑念を抱くべき特別の事情の有無を前提にした真実性調査・確認義務の有無およびその違反の有無により不法行為責任の有無を判断している。この判断に従って、スポーツ新聞に掲載されたサラ金の広告について読者に不測の損害を及ぼすおそれがあることを予見し、または予見しえたとは認められないとした下級審判決（大阪地判平9・11・27判時1654号67頁）もあるが[50]、他方、広告掲載態様および広告内容からみて、広告中の電話番号の誤記による間違い電話の被害を受けた者に対し、情報誌の発行者が不法行為責任を負うとした判決（大阪高判平6・9・30判時1516号87頁）もある[51]。これらの判決の結論が分かれているのは、一方は最高裁判決と同様の新聞の紙面上の第三者広告の事案であり、他方はタウン情報誌に掲載された広告であって、発行主体が編集、製作する情報提供記事との区別が付きにくい事例であったことによると考えられる。また、ニュー共

---

49) インターネット利用の場合には、配信契約に基づいてメールマガジンの配信を受けている場合は同様に考えられるであろうが、プロバイダのホームページ上の広告では、そのプロバイダとの間でインターネット接続サービス（電気通信サービス）についての契約関係があっても、特に契約者のみが閲覧できるサイトの広告ではない場合（一般のアクセスが可能である場合）には、放送と同様に考えることになろう。なお、インターネット上の広告に関する事業者団体である「一般社団法人 日本インタラクティブ広告協会（JIAA）」の制定するガイドラインでは、ポータルサイトなどのプラットフォーマーが行う広告掲載（インフィード広告）については、媒体内誘導型、外部コンテンツ誘導型およびフィード内表示型のいずれについても広告枠内に［広告］、［PR］、［AD］等の表記を行うこととされている（http://www.jiaa.org/download/JIAA_nativead_rule.pdf）。

50) これ以外に、詐欺会社である「投資ジャーナル」提供のテレビの株式解説番組内で、同社のグループ会社の関係者が株式相談に応じる旨のテロップが流れ、そこに相談したことから詐欺の被害にあった視聴者に対するテレビ局の不法行為の幇助責任が争点となった事案がある（東京地判平1・12・25判タ731号208頁）。この判決も番組の内容自体についてとは異なり、放送事業者としては番組提供者についての一般的調査義務は負わず、広告等の内容から視聴者に不利益を及ぼすおそれが強いことが推測できる場合や、すでに提供者の事業の問題性が相当周知のものとなっている場合には、番組提供を回避すべきであるとする。

済ファミリー事件は、一般的な真実性調査確認義務には触れず、媒体の目的が限定されていたこと、配布先が限定されていたこと、発行者が広告内容を推奨するような体裁であったこと、分譲地の広告には広告媒体による保証文言が付されていたこと、広告媒体が資料請求先として指定されていたこと等の具体的な事情から、購読者の信頼は法的保護に値すると考え、これを裏切らないようにする注意義務に違反し、不法行為が成立するとしている。

　これら判例で示された判断を踏まえると、広告媒体に広告内容や広告主の信頼性についての調査・確認義務が認められるか否かの判断に際して考慮される事情としては、

　①広告媒体自体の種類（新聞、テレビ、情報誌などの別）

　②広告媒体の規模や影響力の大きさに由来する広告の受け手の信頼性の程度、内容

　③広告内容（それ自体で、広告内容や広告主体の信頼性や広告の受け手の権利侵害が予見できるか）

　④法令やその他の規範により、広告規制がなされているか否か、なされている場合にはその内容

　⑤広告掲載時における広告主の信頼性に関する情報の入手可能性の程度およびその情報の内容

　⑥広告の掲載方法（広告媒体自身が責任を負う情報提供に関わるものか、第三者広告かの別）

　⑦広告媒体が広告内容について保証、推奨をしていたり、広告主への取次などにより広告内容について関与しているかどうかなどが考えられる[52]。

　なお、【事例4】ニュー共済ファミリー事件では、裁判所は注意義務違反

---

51) これらは紙媒体のメディアの責任が問題となっているが、放送の場合には、放送事業者はスポンサーから広告の対価を得て広告放送を行う場合には、受信者がそれが広告放送であることが明らかに識別できるようにする義務がある（放送法12条）。放送事業者が識別措置を行う必要があるのは「広告放送」についてであり、放送事業者が編制した番組の制作がスポンサーの提供する広告費によって賄われているとしても、番組それ自体は「広告放送」には該当しない。通常「タイム広告」「スポット広告」や「パーティシペイティング広告」などと呼ばれているものが「広告放送」に該当する。詳細は、前掲注25)の齋藤雅弘『電気通信・放送サービスと法』290頁以下参照。

と相当因果関係にある損害として広告媒体の責任を3割に限定している。判決理由の字面からみると相当因果関係（保護）の範囲の限定と考えているようにも解されるが、他方、過失相殺の前提となるような事情も摘示して3割の損害を認定している点からすると過失相殺をしたものとも見られるし、あるいは寄与度に応じた賠償責任を認めたものと考えることもできる。

3　推奨者の責任
(1)　事　例
ア　高田浩吉事件【事例5】

裁判所は、広告で推奨を行った俳優の高田浩吉について、悪徳土地取引業者の不法行為についての幇助責任を認めたが、その判断は次のとおりである。

まず、①推奨行為の違法性については、パンフレットにおいて、北海道の土地に対して積極的な評価を加え、個人の立場で業者を推奨していることは、不法行為を行った悪徳土地取引業者の行為を容易ならしめるもので、不法行為の幇助になるとし、②故意・過失については「芸能人が、広告に出演する場合に……その広告主の事業内容・商品についていかなる調査義務を負うかは、個別具体的に、当該芸能人の知名度、芸能人としての経歴、広告主の事業の種類、広告内容・程度などを総合して決められるべき問題」としたうえで、ⓐ高田浩吉は、芸能人としての50年以上の経歴、現在も人気ある俳優、歌手であること、ⓑ一般人は、業者の事業内容・信用性はもちろん、取扱土地の価値についてもほとんど判断資料を持ち合わせていないから、高田浩吉らの有名人による推奨が大きな判断根拠となる可能性が強いこと、ⓒ販売価格も1単位数十万円と安くなく、高田浩吉もそれを知っていたことなどを指摘し、以上からすれば、高田浩吉は「自己の持つ影響力を認識するのはもちろんのこと、広告主の事業に不正があった場合に生じる損害が多額に上る可

---

52)　パチンコ攻略法を用いた打ち子募集広告およびパチンコ攻略法の有料情報提供の広告を掲載したパチンコ情報雑誌の出版社および同雑誌に広告を提供した広告代理店について、これらの広告の真実性に疑念を抱くべき特別の事情があったとして、真実性の調査義務違反を理由として不法行為に基づく損害賠償責任を認めた例がある（大阪地判平22・5・12判時2084号37頁）。

能性をも認識し、自分が、一人のタレントとして被告会社の単なる情報伝達手段としての役割を演じるにとどまらず、高田浩吉個人の立場から、被告会社あるいはその取り扱う商品の推薦を行う場合には、その推薦内容を裏付けるに足りる調査を行うべき義務がある」として、幇助の過失を認めた。

　イ　琴風事件【事例６】

　裁判所は、コマーシャルに出演した力士（琴風）の不法行為責任（幇助責任）について、まず、①幇助の認識について、ⓐ琴風は出演交渉では第一抵当証券の詳しい業務内容の説明を受けていないこと、ⓑ琴風は、第一抵当証券がＤランク評価を受けたことは知らなかったことを挙げて、第一抵当証券が多重売り等の詐欺的商法を行っていたことの認識はなかったとしている。

　また、②過失（注意義務）については、「テレビ広告は、その視聴者が多数、広範、不特定であり、広告された商品等に対する購買動機の形成に多大な影響を与え得るのであり、このようなテレビ広告の特性に鑑みれば、本件のようにテレビ放映することを前提とした広告に出演する者は、当該広告の視聴者が当該出演者の知名度、経歴等を信用しその推賞する業者、商品であるということをひとつの動機として取引した場合に損害を被る危険があることを予見し得る場合には、当該広告に出演することを回避すべき義務を負うというべきである。そして、右予見義務及びこれを前提とする出演回避義務の程度・範囲については、個別具体的に、広告主の事業の種類、広告対象となる商品等の種類、広告の内容、出演者の知名度、経歴、広告作成過程において出演者の果たし得る主体性の程度、出演者が広告によって得る利益の多寡などを総合して決すべきもの」という一般的基準を提示している。そのうえで、本件の具体的な義務違反の有無については、ⓐ抵当証券は、正常な取引が行われていれば危険な商品ではないこと、ⓑ琴風がフィルム出演した当時は、抵当証券は高利回り、税務上も有利として脚光を浴び始めた時期であり、その取引についての問題性は一般に認識されていなかったこと、ⓒ出演交渉は、専ら東京音楽出版、ホリ企画制作の担当者任せ、演技内容もホリ企画が制作・立案した内容をいわれるまま演じたに過ぎないこと、ⓓ内容も、信念、経験に照らして個人として第一抵当証券ないしその取り扱う抵当証券を推奨する内容ではないこと、ⓔ出演料の880万円は大相撲の力士にしては特別高

額ではないことから、自ら調査して予見すべき義務はないとして責任を否定している。

(2) **検討**

高田浩吉事件と琴風事件では、責任の有無の判断が分かれている。このように判断が分かれたのは、推奨者の広告主に関する調査義務と推奨の回避義務についての判断が異なるからである。

具体的には、表示と契約内容との関係では、次の点に相違がある。

① 広告の形態・態様　パンフレットに自ら内容を確認した具体的な推奨文を掲載した（高田事件）のに対し、テレビコマーシャルフィルムの撮影は行ったが、本人や制作企画を行った会社の知らないうちにそのフィルムを使って新聞折込広告や雑誌広告が作られて宣伝広告に使用された（琴風事件）点において、広告の形態・態様がかなり異なる。

② 推奨内容　個人的な立場で具体的な業者や取扱商品の推奨をしている（高田事件）のではなく、琴風のイメージの活用にとどまり、具体的な業者や取扱商品の推奨はしておらず、また、制作担当者のいうまま演技している（琴風事件）点で、推奨の内容が異なる。

③ 広告主体や取扱商品の問題性への認識およびその可能性の程度

自分でも北海道の土地を見ているし、顧客への販売価格を知っていた（高田事件）のに対し、当時は、抵当証券は有利性が強調されて人気が出ており、問題性は広く一般に認識されていなかったし、琴風も認識していなかった点において、広告主体や取扱商品の問題性への認識およびその可能性の程度が異なっている。

広告の推奨者の責任が問題となる場合には、①主観面と②客観面の相関関係で責任の有無を決めるのが相当と考える。主観面の要素には、推奨する業者またはその取扱商品の違法性の認識およびその認識可能性の程度内容が問題となり、この場合、推奨する商品・役務自体およびその販売態様自体の違法性や社会的相当性の逸脱の程度が高ければ高いほど、認識面の予見可能性の程度は低くてよいと考えられよう。また、客観面の要素は、推奨内容（具体的か抽象的か）、広告媒体、推奨内容の企画、立案、内容確定に出演者がどの程度、どのように関わっているかということが問題になる[53]。

《参考文献》
- 根岸哲「品質保証と事業者の責任」『消費者保護と法』(関西消費者協会、1976年)
- 安永正昭「保証書——製造業者と売主の責任」『消費者法講座　第2巻』(日本評論社、1985年)
- 長尾治助編著『アドバタイジング・ロー』(商事法務研究会、1990年)
- 松本恒雄「品質保証書と瑕疵担保責任〈トピックス消費者法〔連載・3〕〉」法学セミナー463号、「欺瞞的広告と広告媒体の責任〈トピックス消費者法〔連載・14〕〉」法学セミナー477号
- 伊従寛・矢部丈太郎編『広告表示規制法』(青林書院、2009年)
- 大村敦志『消費者法〔第4版〕』(有斐閣、2011年)
- 大島義則=森大樹=杉田育子=関口岳史=辻畑泰喬編著『消費者行政法』(勁草書房、2016年)
- 消費者庁編「知っておきたい食品の表示」(2016年6月：http://www.caa.go.jp/policies/policy/food_labeling/information/pamphlets/pdf/syoku_hyou_all.pdf)
- 「〈特集〉広告と消費者」(日本消費者法学会第9回大会資料)現代消費者法32号(2016年)
- 西川康一編著『景品表示法〔第6版〕』(商事法務、2021年)

53) 東京地判平22・11・25判時2103号64頁も、①著名な歌手が詐欺的投資取引業者のコンサートに出演したり、その代表者と個人的関係がある旨発言をしたり、商品を推薦するDVDに出演するなどにより業者と投資商品の信頼をそれなりに高めた場合であっても、受動的立場で関わったに過ぎず、密接な関係があることを示す具体的発言はしておらず、詐欺性は商品自体ではなく業者の商法にあったという事情があるときは、歌手の行為は直ちに不法行為やその幇助には該当しないとした。また、②有名人は、広告出演の場合、広告主の事業内容・商品についての一般的な調査義務は負わず、調査義務の有無や程度は、個別具体的に、有名人の職業の種類、知名度、経歴、広告主の事業の種類、広告内容などを総合して判断されるべきであるとしている。さらに③詐欺的投資取引では被害者の出資と広告への信頼は全く無関係とはいえないので、信頼保護の必要性から、事業者を事実上広告することになるコンサート等に出演する有名人は、事業者の商法に疑念を抱くべき特別の事情があり、出資者に不測の損害を及ぼすおそれがあることを予見し、または予見しえた場合は、事業者の事業実態や経済活動等について調査・確認すべき義務を負い、その懈怠は過失と評価されるとしている。具体的な事実認定と当てはめの結論には納得できない面があるが、これら主観面と客観面の事情の相関関係で判断した一例といえる。

・中田邦博＝鹿野菜穂子編『基本講義　消費者法〔第5版〕』（日本評論社、2022年）

［齋藤雅弘・池本誠司］

第10章
金融商品と消費者

第1　はじめに

　本章では、金融商品[1]の消費者問題を扱う。具体的には、証券取引・保険取引・預貯金取引、デリバティブ取引（商品先物取引を含む）のほか、投資詐欺などのあやしい投資取引も対象とする。これらの取引は、消費者が資金を出す立場となる点で、融資やクレジット等の消費者信用取引と区別される[2]。

　金融商品取引における紛争の多くは、勧誘がなされた取引に関する。たとえば、確実に利益となる有利な金融商品だと勧誘されて購入したら、実は大きなリスクが潜んだものだったため、予期せぬ損害を被ったというケースである。その金融商品の取引がその消費者に適したものか、取引判断に必要な事実が説明されたか、リスク認識を歪める勧誘がされなかったか、誤った事実・誤解させるような事実が伝えられなかったかなどが問題となる。他方、勧誘がない取引では、無断売買、過当取引、取引システムの欠陥など、別の

1）　後述のサービス提供・利用環境整備法における民事規制の対象は「金融商品の販売等」として限定列挙されており、商品先物取引などの商品デリバティブ取引は含まれない。本章では「金融商品」の語を同法より広く捉え、これも含むものとして用いる。

2）　デリバティブ取引には最初に対価を受け取る形のものもあるが、その場合も預託金、証拠金等の資金が必要となるし、また受け取った対価の返還義務を負うものではない点で、消費者信用とは区別される。

次元の問題がある。

　このような金融商品取引の世界では、バブル崩壊後の1992年以降訴訟が急増し、1998年、2007年の大きな制度変化を経て、2008年にはリーマンショックでデリバティブ商品の被害が表面化して紛争や相談がさらに増加し、2024年にはNISA拡充で金融商品取引の参加者増が見込まれるので、法律家の果たす役割は極めて重要となっている。

　本章で学んで欲しいのは、①金融商品の特性から民法の対等当事者の原則は修正されて「売主注意せよ」の原則が働くこと、②投資による損失を受け止めるためには投資決定の際に情報を十分与えられた上での自己決定が必要であること、③金融商品の取引に一般消費者も参加できる環境を整備することが重要であることなどである。

　関連する主な法律には、民法、消費者契約法、保険法などの民事法と、金融商品取引法（以下「金商法」ともいう）、投資信託及び投資法人に関する法律（以下「投資信託・法人法」または「投信法」という）、銀行法、保険業法、商品先物取引法などの業法、それから民事法と業法の両方を含む「金融サービスの提供及び利用環境の整備等に関する法律」（以下「金サービス提供・利用環境整備法」または「金サ法」という。）がある[3]。

　本章では、金融商品の法制度の変化と消費者被害の概要を**第2**で紹介し、**第3**で関連する法律の要点を、判例を交えて解説する。**第4**で金融商品別に被害と救済の実情を整理し、**第5**ではこの種の紛争を取り扱う心構えと解決手続を説明する。

---

3)　他にも、内容により、「特定商品等の預託等取引契約に関する法律」（預託法）、「不動産特定共同事業法」、「投資事業有限責任組合契約に関する法律」、「資産の流動化に関する法律」（資産流動化法）、「出資の受け入れ、預り金及び金利等の取締りに関する法律」（出資法）、「偽造カード等及び盗難カード等を用いて行われる不正な機械式預貯金払戻し等からの預貯金者の保護等に関する法律」（預金者保護法）、「犯罪利用預金口座等に係る資金による被害回復分配金の支払等に関する法律」（振り込め詐欺救済法）も関連してくる。

第2　金融商品取引の法制度の変化と消費者被害の概要

1　法制度の変化

経済のグローバル化とインターネットの普及を背景として、日本における金融商品取引分野の法制度は次のとおり激変した。

1998年　改正外国為替法施行（4月。外為取引の制限撤廃）、金融システム改革法（証券取引法等24本の法律改正）施行（12月。規制緩和。日本版ビッグバン）

2000年　改正投資信託法施行（11月。投資対象に不動産も追加。従来の忠実義務に善管注意義務を加え違反に損害賠償責任）

2001年　金融商品販売法施行（4月。元本欠損リスク等の説明義務違反に損害賠償責任。勧誘方針策定公表）、消費者契約法施行（同。不実告知等で取消権発生）

2005年　改正金融先物取引法施行（7月。外国為替証拠金取引も規制対象に）

2007年　金融商品取引法（証券取引法の改正法。規制対象の拡大、プロ間取引の規制緩和）、金融商品販売法、銀行法、保険業法、投資信託・法人法、商品取引所法など、多数の改正法施行（9月30日。セカンド・ビッグバン）

2010年　保険法施行（4月。商法から保険に関する規定を切り出し全面改正）

2011年　商品先物取引法施行（1月。商品取引所法の改正法。不招請勧誘禁止）

2008年〜2021年　毎年（2016年、2018年を除く）、金融商品取引法改正

2021年　金融サービス提供法（金融商品販売法の改正法）施行（11月）

2023年　金融商品取引法、金融サービス提供法改正

2024年　金融サービス提供・利用環境整備法（金融サービス提供法の改正法）施行（2月、秋）

2　実態の変化

この間に実態も変化した。業者の変化（バブル崩壊の後遺症と制度変化による競争激化により銀行、証券会社、保険会社は、破綻による退場、合併による消滅、

新規参入が行われた)、金融商品の変化（規制緩和により、株、投資信託、社債など従来からある金融商品では、それまでよりリスクの大きいものも大量に流通。預金や保険も、それぞれの信用リスク[4]が増大。デリバティブ取引[5]を組み込んだ債券（仕組債）や預金（仕組預金）が何種類も登場し、消費者に向けて広告、勧誘がなされた、取引方法の変化（インターネットの普及と株式委託手数料自由化により、安い手数料の株式ネット取引が急速に普及）、業者と商品の組合せの変化（1998年までは、投資信託は証券会社か投資信託委託会社からしか購入できなかったが、それ以降、銀行、保険会社等からも購入できるようになった）である。

3　被害の拡大

　このような制度と実態の変化を受けて金融商品の消費者被害が拡大した[6]。リスクの増大した従来型金融商品に関する事件としてマイカル債事件、新しい金融商品の事件として仕組債（EB、日経平均リンク債など）事件などがあり、問題業者の問題取引に関する事件には仮想通貨詐欺事件、未公開株式・社債詐欺事件がある。大規模投資詐欺事件として、平成電電事件、近未來通信事件、ワールド・オーシャン・ファーム事件、L&G事件、MRI事件等がある。証券市場に対する不正に関する事件として、西武鉄道株式事件、ライブドア事件、村上ファンド事件、オリンパス事件などがある。そのほか、保険会社の慢心を示す事件として保険金大量不払い事件[7]がある。

---

4) 支払義務者の倒産などで期日に元利が支払われなくなるリスク。
5) 派生取引。先物、先渡し、オプション、スワップなどの総称。
6) 消費生活センターへの相談を集計した国民生活センターのパイオネットによれば、2016年度の相談件数は、生保7694件、投信1013件、商品先物335件、FX 559件、未公開株499件、怪しい社債735件、ファンド型投資商品5224件などとなっている。
7) 2005年から2008年にかけ、金融庁が保険業法128条等に基づき各保険会社に保険金の不当な不払いの実態報告を求めて、結果を公表した（生命保険会社につき2005年10月28日、2008年7月3日付報告。損害保険会社につき、2005年11月25日、2007年3月14日付報告。いずれも金融庁のサイトで見ることができる）。これらは、不適切な不払い（故意に払わない）、支払い漏れ（過失により払わない）に分類されているが、いずれも保険制度の根幹を揺るがす不当なものであり、保険契約者の立場からは、請求の不当拒絶と、請求なしによる支払い漏れと表現できる。

セカンド・ビッグバンで規制の隙間をなくす方向の制度変更があったため、それ以降、大規模な投資詐欺事件が減少した反面、規制されない方法を意図的に行ってきた悪徳投資詐欺業者が、制度変更にあわせて新しい種類の非規制取引を考案したりして、そこで被害が発生している。

通常の業者との取引では、2007年以降の世界金融危機で「潮が引いた状態」となって、仕組債や仕組預金、ノックイン型投資信託、デリバティブ取引組合せなど、複雑で粗悪な金融商品をつかまされていた顧客の損害が表面化している。世界規模で証券化、流動化が広く行われた影響で、持っている金融商品の中身がわかりにくくなったという問題もある。

4 紛争解決の状況

一般に、証券会社、銀行、保険会社を相手とする被害回復訴訟では、立証責任を原告が負担することや、日本の民事訴訟手続においては証拠開示制度が不十分であること、投資行為に理解のない裁判所の姿勢などが理由で、請求棄却の判決の方が多いといわれている[8]。特に新しい金融商品や新しい取引に関しては、当初にその傾向が強い。真の被害者の相当割合が救済されていない状態と評価できる。

これに対し商品先物取引については、業界の悪質性ゆえに不招請の勧誘が禁止されてからは紛争が激減して今日に至っている。

投資詐欺業者に対しては、損害賠償請求が全額認容される可能性は高い一方で、業者が破綻ないし逃亡してしまったり存在が把握できなかったりすることも多く、その場合は現実的な回収ができない。

第3 関係法の解説

1 関係法の位置づけ

民法、金サ法第3章、消費者契約法、保険法等の民事法は業者と消費者の権利義務を定めるものであり、金融商品取引法、投資信託・法人法、銀行法、

---

8) 証券取引訴訟に関し期間と地域を限定した部分的な統計として判タ1095号19頁参照。

保険業法、商品先物取引法等の業法は業者の行為ルールと監督を定めるものである。業法違反は原則としてそれ自体では民事効果を導かないものの、その有無内容は不法行為の成否の判断材料となる。また、例外的に業法に民事上の請求権や効果が規定されている場合もある（たとえば金融商品取引法16条）。

　民事法のうち、民法、金サ法第3章、消費者契約法の関係については、消費者契約法は民法の意思表示規定の特則、金サ法第3章は民法の不法行為規定の特則とされている。顧客が消費者である場合、業者は、民法、消費者契約法、金サ法第3章のいずれをも意識しなければならない。

　たとえば、業者の勧誘行為が、消費者契約法4条2項の不利益事実不告知、金サ法4条の説明義務違反、民法の信義則を根拠に設定されている説明義務違反のいずれにも該当することがありうる。この場合、消費者契約法による取消し後の不当利得返還請求権、金サ法4条・6条または民法の不法行為による損害賠償権が併存することになる。業者の勧誘行為が断定的判断の提供を伴う場合も、消費者契約法4条1項2号による取消し後の不当利得等返還請求権と、金サ法5条・6条または民法の不法行為による損害賠償請求が並存する場合がありうる。

　消費者が被害回復をめざして訴訟を行う場合、これらのどれを請求原因とすべきか。要件立証の難易、過失相殺の有無、消滅時効などが、その選択の際に考慮されるべき点である。ただし、選択といっても一つに絞る必要はないので、複数の請求原因を選択的ないし予備的に主張することが考えられる。

2　解釈の基本的視点

　金融商品の取引では、その特質から、伝統的な「買主、注意せよ」の原則（Caveat emptor）が妥当せず、「売主も注意せよ」となることに注意が必要である。後者はすでに消費者取引に共通する原則となっているが、もともとは証券取引の法理から発展してきたものである[9]。

　「売主、注意せよ」となる理由は、金融商品の特質（試用したり触ったりして品質を確かめることができない。その内容についての顧客の理解は言葉の形で伝えられるものにかかっている。設計・製造段階で金融商品販売業者が関与して決めたことが金融商品の内容となることも多い。）から、金融商品販売業者と一

般顧客には、知識や情報収集力、情報の分析力に圧倒的な格差があるにもかかわらず、金融商品のリスクは顧客に移転することに求められる。「売主、注意せよ」としないと顧客の利益が不当に害される結果となり、ひいては円滑な取引も望めなくなる。

　なお、最近はデリバティブを組み合わせた複雑なものが増加し、種類も多様となって、言葉で伝え尽くすのが困難なものすらあり、上記格差はますます広がっている。買主がいくら注意深くても、当該金融商品の構造とリスクを正しく理解して取引できるとは限らないのである[10]。したがって、金融商品の取引では、顧客は金融商品の内容の理解について販売業者に頼らざるを得ない部分が残る。

　このような、「売主、注意せよ」の原則の下では、売主は、誤った説明をしないというだけでは足りない。たとえば金融商品取引法157条第2項は、有価証券の売買等について、重要な事項について虚偽の表示があり、または誤解を生じさせないために必要な重要な事実の表示が欠けている文書その他の表示を使用して金銭その他の財産を取得することを禁止している。この母法である米国法についてみると、SECの規則10-b-5（テン・ビー・ファイブ）では、重要な事項について曖昧で不確実な事実の表示は、その表示自体は真実であっても、適切な限定が欠けているため誤解を招く（misleading）もので違法とされている。すなわち、生半可な表示（half truths）は「全くの虚偽と同じ程度の悪である」[11]といわれている。日本において判例法理で形成

9）竹内昭夫『消費者保護法の理論　総論・売買等』（有斐閣、1995年）はしがき、178頁。「買主、注意せよ」の原則は、取引当事者間の対等を前提とする売買において従来取られてきた原則であるが、これを修正することについて、米国のフランクリン・ルーズベルト大統領は1933年に制定された米国証券取引法の法案を議会に送る際の教書の中で、「この法案は買い手が注意せよという古いルールに売主も注意させよという原則を追加しようとするものである。この法案はすべての真実を述べる責任を売り手に課すのである。それは証券の公正な取引にはずみを与え、それによって大衆の信頼を回復することになるに違いない。」と書いている。後に日本でも、「買い手注意から売り手注意へ」という言葉が消費者保護の原理として強調されるようになった。

10）後掲注41）ペレグリン債裁判官勧誘事件参照。請求棄却となっているが、納得いかないからこそ訴訟提起に至ったものと思われる。

された説明義務も、この延長に位置付けられる。金サ法も同様の趣旨で説明義務を規定している[12]。

3 民法
(1) 不法行為の内容

金融商品の取引に関して被害を受けた消費者は、民法により救済されてきた[13]。民法では、主として不法行為（民法709条）の問題とされてきた。具体的には、適合性の原則違反、説明義務違反、不当勧誘等がその内容となっている。

ここでは、証券取引を中心に解説する。商品先物取引については、本章第4、7および第5章を参照されたい。

(2) 適合性の原則違反

まず、適合性の原則（suitability rule）違反を理由とする不法行為責任について解説する。適合性の原則とは、顧客の意向と実情に適合しない勧誘をしてはならないという原則であり、米国において証券取引の分野で確立されたものである[14]。英国においても勧誘ルールとして定着している[15]。日本でも、金融商品取引法をはじめとして商品先物取引法、信託業法等に適合性の原則

---

11) ルイ・ロス『現代米国証券取引法』（商事法務研究会、1989年）828頁。
12) 岡田則之他編『逐条解説金融商品販売法』（金融財政事情研究会、2001年）17頁以下に米国等の法制度との対比が整理されている。
13) 2001年4月以降の取引では、金融商品販売法に基づく損害賠償請求権が並存する。
14) 米国における適合性の原則は、自主規制機関の規則で定められてきた。①NSD（全米証券業協会）規則2310条（適合すると信じる合理的根拠の必要性、顧客を知る努力を知る義務）、②NYSE（ニューヨーク証券取引所）規則504条（顧客を知る義務）、③SEC（証券取引委員会）規則（ペニーストック（株価が低く流動性も低い株）について、取引開始前に、投資家に適合するかどうかの調査義務）などである。その後、NSDとNYSEの自主規制部門が独立合体したFINRA（Financial Industry Regulatory Authority）により、顧客を知る義務と適合性原則について新ルール（FINRA Rule 2090（Know Your Customer）、FINRA Rule 2111（Suitability））が作られ、2011年1月にSECがこれを承認し、2012年7月9日に発効している。FINRAの自主規制については、森下哲朗「デリバティブ商品の販売に関する法規制の在り方」（金融法務事情1951号（2012年8月））10頁参照。

が規定されている[16)]ほか、証券取引事件において、適合性の原則に著しく違反する勧誘は不法行為となり証券会社は損害賠償義務を負うことが判例で確立している（最判平17・7・14民集59巻6号1323頁・判時1909号30頁）[17)]。

　日本では、証券取引事件以外でも、たとえば変額保険事件[18)]や商品先物取引事件[19)]、商品先物オプション取引事件など、リスクある金融商品に関する事件において、適合性の原則違反は、債務不履行や不法行為の内容に関するルールの一つとして原告により主張されてきた。

---

15)　英国では、規制機関であるFSA（金融サービス機構）のCOBS（Conduct of Business Sourcebook）9.2.1R,9.2.2Rに規定されて、実務上、当然のこととして定着してきた（楠本くに代『日本版金融サービス・市場法』（東洋経済新報社、2006年）77頁（2007年改正前の解説）、森下・前掲（改正後の解説）参照。）。2013年にはこの内容がFCA（FSAの後継機関）に引き継がれている。

16)　金商法40条では、金融商品取引業者等は「金融商品取引行為について、顧客の知識、経験、財産の状況及び金融商品取引契約を締結する目的に照らして不適当と認められる勧誘を行って投資者の保護に欠けることとなっており、または欠けることとなるおそれがあること」のないように業務を営まなければならないと規定している。

17)　1994年以降、適合性の原則違反で不法行為になるとして損害賠償を命じた下級審判決が多数出ている。取引した証券の種類は、ワラントやオプションなどのデリバティブから、株式、投資信託、社債まであり、ほとんどの証券につき適合性の原則に違反することがあるということになる。これらの判決では、50代から70代の女性を勧誘した事例が多い。最判平17・7・14は、株式会社に日経平均オプションを勧誘した事案であり、一般論として、適合性原則違反が不法行為となることを明示し（「証券会社の担当者が、顧客の意向と実情に反して、明らかに過大な危険を伴う取引を積極的に勧誘するなど、適合性の原則から著しく逸脱した証券取引の勧誘をしてこれを行わせたときは、当該行為は不法行為法上も違法となると解するのが相当である」）、日経平均株価オプションの売り取引は、各種の証券取引の中でも極めてリスクの高い取引類型で、その取引適合性の程度も相当に高度なものが要求されるとしながら、当然に一般投資家の適合性を否定すべきものであるとはいえないとして、具体的適用においては適合性原則違反がないとし、他の争点について審理するよう指示して原審に差し戻した。

18)　たとえば東京高判平8・1・30判タ921号247頁では、「変額保険についても証券取引法でいう適合性の原則がそのまま適用されるべきかどうかはともかくとして、一審原告は、本件不動産（……）を所有するものの、自宅の土地建物であり、生活に不可欠の資産であって遊休資産ではなく、他に見るべき資産はなかった上、所得は少なかったから、本件変額保険が予定している投資リスクに耐えられる顧客層に属するかどうか疑問であった」という判示がなされている。

この流れを受けて、金融商品販売法制定に際しては、適合性の原則を証券取引だけではなく金融商品の取引全体に広げ、かつ損害賠償責任という効果も合わせて規定することも検討されたが、結局、損害賠償責任という効果を伴った適合性の原則を直接規定することは見送られ、適合性に関する事項について勧誘方針策定を義務づけるにとどまり（2006年改正前金販法8条、改正後金販法9条）、2007年施行の改正法では説明義務の内容として適合的説明をすべきことを追加した（改正後金販法3条2項）にとどまった。それでも前者により、適合性の原則が証券のみでなく金融商品全般に妥当する原則であることが明確になったといえる。

(3) 説明義務違反

　次に、説明義務違反を理由とする不法行為責任について解説する。前述の通り、「売主、注意せよ」の原則が当てはまる結果、リスクある金融商品への投資を勧誘する場合、売主には、その金融商品の内容とリスクを説明する義務がある。この義務の程度は、その金融商品が新しいものであったりして一般に知られていないほど、また、その金融商品のリスクが大きいほど、強くなる。リスクには、一般によく意識されている価格変動リスクや為替リスクの他にも、流動性リスク（売れるとは限らないというリスク）、構造リスク（ワラントのように期間経過により価値がなくなる、仕組債のように特定の数値が一定の値になると権利の内容が質的に変化するなど）、信用リスク（発行会社の倒産などにより約束の金額が支払われないリスク）、カントリーリスク（投資対象証券が流通する国の政情などにより、換価などが思うようにいかなくなるリスク）などの種類があり、いずれも説明義務の対象となりうる。

　金融商品一般に適用される説明義務は、信義則（民法1条2項）、善管注意義務（民法644条）、誠実義務（金サ法2条）などが根拠規定と考えることができる。特に信義則（民法1条2項）を根拠とする考え方が一般的であり、多くの裁判例の立場でもある[20]。

---

19)　なお、商品先物取引の分野では、1998年の商品取引所法改正で、同法136条の25に適合性の原則が定められた。規定の形式は1992年改正の証券取引法54条と同様、改善命令の事由の一つに掲げられていたが、2004年改正で義務の形に改められ、商品先物取引法に引き継がれている（215条）。

説明義務違反があると不法行為となり[21]、業者は損害賠償義務を負う。この考え方は証券取引事件の判例により形成されたものである[22]ので、その内容、程度等についてはそれらの判例を見ることで明らかになる。特に、その中でも、ワラントに関する判例によってリードされてきたと評価できる[23]。変額保険に関する判例でも、請求を認容した判決の多くは説明義務違反を理由としている。

　説明義務が争点となった判例には、ワラント、投資信託、株式信用取引、変額保険、オプション取引、仕組商品など様々の種類の金融商品に関するものがある。

---

20) 2006年の金販法改正により、信義則を根拠とする説明義務と金販法3条に規定する説明義務の内容が近づいてきたが、それでも、前者は事案に応じて説明義務の内容が設定される点で、独自の存在意義がある。

21) 従来は、説明義務違反は不法行為にも債務不履行にもなるとする見解が判例通説と見られていたが、最判平23・4・22民集65巻3号1405頁で、説明義務違反は債務不履行にならないとしたため、これ以降の判例は不法行為になるとするものが続いている。なお、同判決は、説明義務違反が不法行為となることを前提としている。

22) 証券取引に関する判例で説明義務違反を理由に不法行為ないし債務不履行を肯定して証券会社に損害賠償を命じたものは、請求認容判決を集めた全国証券問題研究会ホームページの判例データベースでは全531件中318件（2024年2月1日現在）あり、違法類型としては最も多い。

23) たとえば、東京高判平8・11・27判時1587号72頁は、「証券会社及びその使用人は、投資家に対し証券取引の勧誘をするに当たっては、投資家の職業、年齢、証券取引に関する知識、経験、資力等に照らして、当該証券取引による利益やリスクに関する的確な情報の提供や説明を行い、投資家がこれについての正しい理解を形成した上で、その自主的な判断に基づいて当該の証券取引を行うか否かを決することができるように配慮すべき信義則上の義務（以下、単に「説明義務」という。）を負うものというべきであり、証券会社及びその使用人が、右義務に違反して取引勧誘を行ったために投資家が損害を被ったときは、不法行為を構成し、損害賠償責任を免れない」同旨：東京高判平9・7・10判タ984号201頁、商法（総則・商行為）判例百選〔第5版〕（別冊ジュリ194号）178頁、福岡高判平10・2・27証券取引被害判例セレクト7巻206頁）とした。他に、理解したことを確認する必要があるとした判例として、広島高松江支判平10・3・27証券取引被害判例セレクト7巻244頁がある。説明すべき事項に関し、最判平25・3・7、最判平25・3・26判時2185号64頁、同67頁（いずれも金利スワップに関する事件）、最判平28・3・15判時2302号43頁（複雑な仕組み取引）がある。なお、最判平23・4・22前掲注21）の傍論も参照。

(4) その他（不当勧誘など）

ア　断定的判断の提供[24]

「必ず上がります」等の断定的判断提供を伴う勧誘は、価格変動リスクを伴う金融商品に対するリスク認識を歪める行為であり、不法行為となるとされる[25]。断定的判断の提供は口頭で行われる場合が多く、立証は容易ではないが、それでも、証券取引事件で断定的判断提供を理由に請求を認容した判決が数十件把握されている[26]。

その他の金融商品の取引でも、断定的判断提供を認定して損害賠償請求を命じた判決がある[27]。金融商品の取引に共通する違法類型といえる。

イ　過当取引[28]

過当取引は証券取引事件で主張されてきた。過当取引を理由に損害賠償請求を認容した判決は1995年以降に多数見られる[29]。これらの判決では、過当取引として違法となる要件として、①口座コントロール（証券会社外務員が顧客の取引をコントロールすること）、②取引の過当性、③故意（サイエンター）が挙げられるが、①②があれば③は推定される。多くは、自社の手数料獲得目的で、顧客の意向等に不適合な過大な取引を繰り返したものである。近年は、適合性原則の一類型である量的適合性の問題として位置付けられ、

---

[24] 勧誘文句の具体例は、日弁連・後掲《参考文献》220頁以下の裁判例要旨に整理されている。

[25] 断定的判断提供を伴う勧誘は、不法行為となって損害賠償義務を負うほか、2001年4月以降、消費者契約法4条でそれによる契約は取消しの対象となり、加えて、2007年の改正金販法施行後は、同法4条、5条に基づく損害賠償義務を負うこととなった。消費者は消費者契約法による取消し、民法による損害賠償請求、金販法による損害賠償請求を選択できる。

[26] たとえば、最判平9・9・4証券取引被害判例セレクト6巻93頁、東京高判平9・5・22証券取引被害判例セレクト6巻54頁など。

[27] たとえば、変額保険につき東京高判平12・4・27判時1714号73頁、海外商品先物オプション取引につき東京地判平13・6・28判タ1104号221頁。

[28] 過当取引問題の詳細は、今川嘉文『過当取引の民事責任』（信山社、2003年）、日弁連・後掲《参考文献》240～260頁参照。

[29] たとえば、大阪地判平9・8・29証券取引被害判例セレクト6巻66頁、東京高判平11・7・27証券取引被害判例セレクト14巻1頁。

業者主導性、過当性という基準で判断されるようになってきた。
　証券取引以外でも、商品先物取引などで過当取引が主張されることがある。
　　ウ　無断売買
　無断売買は顧客に効果が帰属しない（最判平4・2・28判時1417号64頁）。この場合、顧客は預託金返還請求権あるいは預託証券返還請求権を有する。委託を受けたことの立証責任を業者側が負う。証券取引事件で無断売買が認定された判決は数十件把握されている。
　証券取引以外でも、商品先物取引などで無断売買がしばしば争点となり、それを認定した判決も多数ある[30]。
　　エ　錯誤無効
　改正前民法が適用された時代には、変額保険事件[31]や仕組債事件[32]などで、錯誤で無効であるとした判決がある。要素の錯誤といえるかが争点となった。動機の錯誤は表示されれば要素の錯誤になるとの前提で、動機表示の有無が争点となった判決がある[33]が、近年はこの点は実質的に判断される傾向にある[34]。現行民法で錯誤が無効でなく取消原因となった後の裁判例には、接していない。
　　オ　その他
　これら以外にも、不実表示、損失負担約束を伴う勧誘、外務員の騙取、横領などの類型がある。

---

30)　たとえば、名古屋地豊橋支判平9・1・28先物取引裁判例集21号23頁。
31)　①大阪高判平15・3・26金判1183号42頁、②東京高判平16・2・25金判1197号45頁、③東京高判平17・3・31金判1218号35頁。このうち②の評釈として、角田美穂子・法セ601号120頁、石田剛・判タ1166号98頁、山崎健一「説明義務・情報提供義務をめぐる判例と理論」判タ1178号80頁、田澤元章「保険法判例百選」別冊ジュリ202号116頁。など。
32)　大阪高判平22・10・12金法1914号68頁・金判1358号31頁
33)　銀行につき動機の表示がないとして要素性を否定したものとして横浜地判平8・9・4判時1587号82頁、浦和地判平12・1・27（判例集未登載）など。
34)　前掲注31)の②の判例など。

4　金融サービス提供・利用環境整備法（金融サービスの提供及び利用環境の整備等に関する法律）

(1)　目的と概要（1条）

2001年4月に金融商品販売法として施行後、3回の大改正を経た。改正①（2007年9月施行）では、断定判断提供等禁止と損害賠償責任が追加された。改正②（2021年11月施行）では、金融サービス仲介業が追加され、名称を金融サービス提供法とした[35]。改正③では、顧客に対する誠実義務（第2章）（2024年秋施行予定）、金融サービスの利用環境の整備に関する規定（第5章）（2024年2月施行）が加わり、法律の名称が「金融サービスの提供及び利用環境の整備等に関する法律」となった。

このようにして、この法律は、金融サービス業を広く対象とする誠実義務（2章）、金融商品の販売等に関し説明義務等違反の民事責任（3章）、横断的仲介サービスである金融サービス仲介業の規定（4章）、金融サービスの利用環境の整備に関する規定（5章）からなる、金融サービスの基本法となった。それにより、「顧客の保護をはかり、もって国民経済の健全な発展に資することを目的とする」（1条）法律である。

(2)　3章の対象（3条）

3章の対象となる取引は「金融商品の販売等」（金融商品の販売又はその代理若しくは媒介）である。預貯金、保険、証券などの取引が幅広く対象となる（3条）。国内商品先物取引等は対象から外れている。2004年4月から、外国為替証拠金取引が対象に加えられた。2007年以降、金融商品取引法における有価証券概念とデリバティブ取引概念の拡大に伴い、それらを対象としていた本法の対象も拡大している。

(3)　説明義務と損害賠償責任（4条、6～8条）

金融商品の販売等に際し、重要事項（①元本欠損のおそれがあるときは、その旨とその要因（市場リスク、信用リスクの具体的内容）、取引の仕組み、②当初元本（＝保証金または証拠金）を上回る損失発生のおそれがあるときは、その旨とその要因（市場リスク、信用リスクの具体的内容）、取引の仕組み、

---

[35]　金融サービス提供法の解説として、桜井・後掲《参考文献》235頁以下など。

③期間（権利行使期間、解除期間）制限があるときはその旨の説明を義務付け（4条）、その違反を損害賠償責任と結びつけている（6条）。この説明は、「顧客の知識、経験、財産の状況及び当該金融商品の販売に係る契約を締結する目的に照らして、当該顧客に理解されるために必要な方法及び程度によるものでなければならない」（4条2項）。立法担当者は不法行為の特則と説明している。

　ほとんどの金融商品に適用があること、勧誘がない場合にも説明義務があること、民法の使用者責任の規定を経由しない直接責任であること、故意過失の有無を問わない無過失責任であること、損害額（支出額－受取額＝損害額）と因果関係が推定されること（7条）などが特徴である。

　勧誘がある場合は、従来から判例で認められてきた、民法の信義則を根拠とする説明義務と重複して金サ法の説明義務を負うことになる。説明すべき内容と程度が同一ではないことから、勧誘による取引の場合に、民法の信義則を根拠とする説明義務と金サ法の説明義務が並存する。

(4) **断定的判断提供・確実性誤認告知と損害賠償責任（5条、6～8条）**

　金融商品の販売等に係る事項について、不確実な事項について断定的判断の提供等（断定的判断を提供し、または確実であると誤認させるおそれのあることを告げる行為）を禁止し（5条）、その違反を、損害賠償責任と結びつけている（6条）。民法の使用者責任の規定を経由しない直接責任であること、故意過失の有無を問わない無過失責任であること、損害額（支出額－受取額＝損害額）と因果関係が推定されること（7条）などは、説明義務違反の場合と同様である。

(5) **勧誘方針策定公表義務等（9条、10条）**

　勧誘方針策定公表義務の規定は、適合性に関する事項、勧誘方法その他勧誘の適正の確保に関する事項に関し、勧誘方針を定めて公表することを個々の金融商品販売業者等に義務づけたものである。勧誘方針を定めよ、というのは監督的姿勢に見えるが、その公表を過料の制裁付きで義務付けている点で、従来の業法とは異なる。政令は、公表の方法については定める。内容については市場の評価にゆだねている。

(6) **裁判例**

マイカル債の販売に関する東京地判平15・4・9（金法1688号43頁。3割認容）など数件あるものの、活用されてきたとはいえない。

5 消費者契約法
(1) 消費者契約法のうち金融サービスに関係深い部分
　消費者契約法も、2001年4月から施行されている。この法律は、消費者と事業者の契約に広く適用される法律であり、情報格差・交渉力格差等に着目し、実質的な公平をめざして消費者が契約を取り消しできる場合を拡充するとともに、契約条項が無効となる範囲を拡大した。

　消費者契約法の一般的解説は第4章に譲り、ここでは、金融商品の取引と関連が深いと思われる部分に焦点を当てる。消費者契約法4条は、消費者契約の締結について勧誘をするに際し、①不実告知、②不利益事実不告知、③断定的判断提供、④不退去、⑤退去妨害の各事実があった場合、それぞれ当該意思表示を取り消すことができることとした。このうち、金融商品の取引での適用が問題となることが多いのは、①、②、③である。詳細は第4章を参照されたい。

(2) 消費者契約法4条の取消権について
ア　取消しの効果
　①②③の場合に取消しの対象となるのは当該消費者契約の申込みまたは承諾である。上場株式の取引などのような、市場への取次契約の場合は、顧客の証券会社に対する「買いまたは売りの取次委託の申込み又は承諾」を取り消すことになる。取次委託契約後、取消しの意思表示到達までに証券会社が証券取引所から当該株式を取得することがあるが、もともと証券会社は問屋（商法551条）として自己の名で取引所から株式を取得しているから、顧客が取り消した場合の効果は問屋と委託者の内部関係に留まり、証券取引所との取引には影響を与えない[36]。この場合、証券会社は当該株式を顧客の取得とすることはできなくなり、自己勘定での取得となる。顧客は、手数料分も

---

36) 取消しは善意の第三者に対抗できない（消費者契約法4条5項）ので、結論は同じである。

含め、証券会社に交付した金額の返還を求めることになる。

　イ　不当利得返還の内容

　取り消されたら、業者は悪意の受益者として（注：反対説もある）、取得した金員に、取得した時から民事法定利率の利息を付して返還する義務を負う。

　顧客たる消費者は取得した金融商品を返還する。証券の場合、保護預りとして証券会社の支配下にあるのがほとんどであり、返還は簡易の引渡しで足りる。生命保険の場合は、当該生命保険契約はさかのぼって消滅するので、顧客が業者に返還すべき現存利益はないことになる。

(3)　裁判例

　金融商品の取引に関する訴訟で消費者契約法を根拠に請求を認容したものとして、名古屋地判平17・1・26（先物取引裁判例集39巻374頁）がある。断定的判断提供を理由に、商品先物取引委託契約の取消しを認めた。

6　保険法

　保険法は、金融商品のうち保険・共済に関する契約法であり、2010年4月から施行されている。主な特徴は、①共済契約への適用範囲の拡大、②傷害疾病定額保険契約の規定を創設（保険法66～94条）、③保険契約者側の保護規定の整備、④損害保険契約に関するルールの柔軟化、⑤第三者との法律関係の整備（責任保険の保険金について被害者の優先権確保、介入権）、⑥生命保険契約について多様なニーズに応えるための規定の整備（保険金受取人の変動についての規定の整備等）などである。

7　金融商品取引法

(1)　概要

　金融商品取引法は、ルールの横断化をめざして2006年6月に証券取引法を改正して作られた法律であり、2007年9月30日から施行され、その後も毎年のように改正されている。集団投資スキームの抽象的定義を有価証券概念の中に設けて（金商法2条2項5号）、法の適用対象を広げたことが大きな特徴である。対象とするデリバティブ取引も相当広げられた（金商法2条20～25号）。これにより、多くの金融商品取引がこの法律の少なくとも行為規制の

適用を受けることとなる。

　業法とはいいながら、「国民経済の健全な発展および投資者の保護に資することを目的とする」（金商法1条）法律であり、金融商品の消費者問題との関係では極めて重要な法律である。

(2)　**事故確認制度**

　金融商品のうち株や投資信託、社債などの証券については、1992年以降、損失補てんが禁止された（改正前証券取引法42条の2）。同時に、損害賠償名目で損失補てんがなされることを防ぐために、交渉で損害賠償をするには、内閣総理大臣の事故確認が必要となった（改正前証券取引法42条の2）。証券取引業者はこの制度を盾に、損失補てんだけでなく交渉による損害賠償までも拒否する傾向にあるため、金融商品取引に関する紛争では示談解決が困難になり、訴訟によらないと解決しない場合が多くなった。

　2007年施行の金融商品取引法でもこの制度が維持され（金商法39条）、また、商品先物取引でも同様の制度とされたが、例外が広げられている[37]。

(3)　**適合性の原則**

　金融商品取引業者は、「金融商品取引行為について、顧客の知識、経験、財産の状況及び金融商品取引契約を締結する目的に照らして不当と認められる勧誘を行って投資者の保護に欠けることとなっており、又は欠けるおそれがあること」のないように、業務を行わなければならない（金商法40条）。すなわち、顧客の意向と実情に合わない勧誘をしてはならない。これに違反す

---

[37]　事故確認が不要となるのは、①確定判決、②裁判上の和解（即決和解を除く）、③民事調停、④金融商品取引業協会・認定投資者保護団体のあっせんまたは指定紛争解決機関の解決手続による和解、⑤弁護士会仲裁センター等のあっせんによる和解や仲裁判断、⑥地方公共団体や国民生活センターにおけるあっせんによる和解、⑦ADR法規定の認証紛争解決事業者（有価証券売買取引等を紛争の範囲とするものに限る）による解決手続による和解、⑧弁護士や司法書士が顧客を代理する和解で、文書により事故による損失を補てんするために行われることを調査確認したことが書面で通知されているもの（弁護士関与の場合は1000万円上限）、⑨日本証券業協会の委員会が事故確認した1000万円以下の支払い、⑩10万円以下の支払いを内容とするもの、⑪原因が注文執行の際の事務処理の誤りかコンピューターシステムの異常にあるものである（金商業等府令119条等）。

ると、一定の監督上の制裁がなされうる（金商法52条1項6号）。前述の通り、判例上、この違反は不法行為の一類型として損害賠償の根拠となっている。

(4) 説明義務

金商法では、募集・売出しの際の目論見書交付義務（同15条）、契約締結前の書面交付義務（金商法37条の3）に関連して、府令で記載事項の説明義務を規定していた（金融商品取引業等に関する内閣府令117条1項）。2023年改正では、金商法37条の3第1項の書面交付義務を情報提供義務に改め（電子データも含む表現にした）、同第2項で一定の事項について説明義務を定めた。

判例上、証券取引一般に適用される説明義務は、信義則（民法1条2項）に根拠があるとされ、この違反は不法行為の一類型として損害賠償の根拠となっていることはすでに詳論した。

(5) 不当勧誘禁止

ア　不実表示、誤解表示の禁止

金商法38条1項1号は、金融商品取引業者等又はその役員、使用人は、金融商品取引契約の締結又は勧誘に関して、「顧客に対し虚偽のことを告げる行為」を禁止している。また、金商法157条2号は、何人も、「重要な事項について虚偽の表示があり、又は誤解を生じさせないために必要な重要な事実の表示が欠けている文書その他の表示を使用して金銭その他の財産を取得」してはならないと規定する。「重要な事項」「重要な事実」とは、投資判断に影響を与える事項・事実である[38]。

イ　断定的判断の提供等を伴う勧誘の禁止

金商法38条1項2号では、「顧客に対し、不確実な事項について断定的判断を提供し、又は確実であると誤解させるおそれのあることを告げて金融商品取引契約の締結の勧誘をする行為」をしてはならない、と規定する。違反した場合は、行政取締りの対象となる（金商法52条1項6号）。また、消費者

---

[38] 有価証券そのものに関するもの（例：転換社債の転換条件）、有価証券の発行者に関するもの（例：発行会社の営業状況）、発行者の属する業界に関するもの（例：商品の需給状況）、有価証券の取引に関するもの（例：市場価格）、市場全体に関するもの（例：信用取引に関する状況）、金融市場に関するもの（例：基準貸付利率）、政治・社会の全般に関するもの（例：特定国での内乱）など、広範にわたる。

契約法4条1項2号規定の取消原因となるし、民法の不法行為の規定を通して、あるいは金サ法5条・6条により、損害賠償義務を発生させていることは、すでに述べた通りである。

8　投資信託・法人法

委託者指図型投資信託（普通の投資信託）の運用業務は、2007年から、金商法における金融商品取引業の一種（投資運用業）とされ、その行為規制の適用を受ける。

投資信託委託会社は、忠実義務を負う（金商法42条1項）ほか、契約者に対して善管注意義務を負い（金商法42条2項）、その義務に違反すると損害賠償責任が発生する（投信法21条）。

9　銀行法

(1)　情報提供義務

銀行法12条の2第1項は預金等に関する情報提供義務を定めている。

これを受けて、銀行法施行規則13条の3で、金利の店頭掲示、手数料の掲示または備置き、預金保険の対象であるものの明示、商品概要について顧客の求めに応じた説明書を用いた説明と交付、デリバティブを組み込んだ元本割れの可能性のある預金商品につき元本保証がないこと等の商品に関する詳細な説明、変動金利預金の金利設定の基準・方法・金利に関する情報の適切な提供を義務付けている。銀行法施行規則13条の4では、金融債についても類似の情報提供を義務付けている。

(2)　説明確保措置義務

銀行法12条の2第2項は、重要事項の説明を確保する措置を講ずる義務を定める。同法施行規則13条の5は、銀行でも扱えるようになった投資信託等につき、預金との誤認防止の説明をする義務を定めている。

(3)　特定預金についての金商法準用

銀行法13条の4で、金商法のうち販売勧誘に関する行為規制を特定預金契約の締結に準用している。特定預金とは、金利、通貨の価格、金融商品取引法2条14項に規定する金融商品市場におけるその他の指標に係る変動により

その元本について損失が生ずるおそれがある預金または定期積金として内閣府令で定めるものをいう。具体的には、外貨預金、仕組預金などである。

特定預金契約に準用される金商法の規定は、広告等の規制（37条1項1号・3号：表示すべき事項の規制、2項：利益の見込み等につき不実表示・誤認表示を禁止）、契約締結前の書面交付（37条の3第1項1号、3～5号、7号：書面交付義務と記載事項、2項：電子交付）、契約締結時の情報提供（37条の4）、適合性原則（40条）、損失補てん禁止規制（39条。事故確認部分を除く）等である。

10　保険業法

(1)　意向把握・確認義務（294条の2）（2016年5月29日～）

保険会社、保険募集人等（乗合代理店が含まれる。以下同じ）は、①顧客の意向を把握し（意向把握義務）、②これに沿った保険の提案、内容の説明をし、③保険契約の締結等に際しての顧客の意向とその保険の内容が合致していることを顧客が確認する機会を提供しなければならない（意向確認義務）。

(2)　情報提供義務（294条1項）（2016年5月29日～）

保険会社、保険募集人等は、保険契約の内容その他保険契約者等に参考になる情報を提供しなければならない。具体的には次の2つである。

ア　契約概要

「商品の仕組み、保険給付に関する事項（保険金等の主な支払事由及び保険金等が支払われない主な場合に関する事項を含む。）、付加することのできる主な特約に関する事項、保険期間に関する事項、保険金額その他の保険契約の引受けに係る条件、保険料に関する事項、保険料の払込みに関する事項、配当金に関する事項、保険契約の解約及び解約による返戻金に関する事項」

イ　注意喚起情報

「クーリングオフに関する事項、保険契約者又は被保険者が行うべき告知に関する事項、保険責任の開始時期に関する事項、保険料の払込猶予期間に関する事項、保険契約の失効及び失効後の復活に関する事項、保険契約者保護機構の行う資金援助等の保険契約者等の保護のための特別の措置等に関する事項、指定紛争解決機関の商号等、その他（商品の内容を理解するために必

要な事項及び保険契約者又は被保険者の注意を喚起すべき事項として保険契約者又は被保険者の参考となるべき事項のうち、特に説明がされるべき事項)」

(3) 説明確保措置義務（100条の2）

法で重要事項の説明を確保する措置を講ずる義務を定め、保険業法施行規則53条でその詳細を定めている。また同規則53条の2では、保険会社でも扱えるようになった投資信託等につき、保険との誤認防止の説明を確保する措置の詳細について規定している。同規則53条の4では、これらに関する社内規則の制定とその遵守体制整備を求めている。

(4) 禁止事項

保険業法には、広告・勧誘や契約締結に際しての禁止事項（保険業法300条）が定められている。虚偽を告げたり重要な事項を告げないこと、虚偽の告知を勧めること、特別の利益提供、他の保険との比較で誤解させるおそれのあるものを告げたり表示すること、将来における金額が不確実な事項について断定的判断を示し、または確実であると誤解させるおそれのあることを告げ、もしくは表示することなどが、禁止されている。このうち、虚偽を告げたり重要な事項を告げないで勧誘すること、虚偽の告知をするよう勧めることに対して、罰則がある（保険業法317条の2）。重要な事項とは、「保険契約の契約条項のうち重要な事項」である。

(5) 特定保険についての金商法準用

保険業法300条の2で、金商法のうち販売勧誘に関する行為規制を特定保険契約の締結に準用している。特定保険契約とは、金利、通貨の価格、金商法2条14項に規定する金融商品市場におけるその他の指標に係る変動により損失が生ずるおそれ（顧客の支払うこととなる保険料の合計額が、当該顧客の取得することとなる保険金、返戻金その他の給付金の合計額を上回ることとなるおそれ）がある保険契約として内閣府令で定めるものをいう。具体的には、変額保険・年金や外貨建て保険は、運用状況や為替変動により解約払戻金、満期保険金や年金原資が大きく変動する可能性があり、損失が生ずるおそれがあるので特定保険に該当し、規制対象とされることとなる。

特定保険契約に準用される金商法の規定は、広告等の規制（37条1項1号・3号：表示すべき事項の規制、2項：利益の見込み等につき不実表示・誤認表示

を禁止)、契約締結前の情報提供（37条の3第1項1号、3～5号、7号：情報提供義務と記載事項、2項：電子交付)、契約締結時の情報提供（37条の4)、適合性原則（40条)、損失補てん禁止規制（39条。事故確認部分を除く）等である。

11 商品先物取引法

商品取引所法の改正法であり、2011年1月1日から施行されている。海外商品先物取引も含む商品デリバティブ取引の基本法である。当初元本以上の損失が発生するおそれのある取引（通常の商品先物取引はこれに該当する）について不招請の勧誘を禁止し、被害発生を防止しようとしている。

第4 おもな金融商品別の被害と救済の実情

1 預貯金

定期預金を解約に来た高齢者に外貨預金や仕組預金を勧誘した事例、預貯金過誤払いなど、相当の件数の相談がある。後者は訴訟が相次ぎ、それを受けた法律も制定された[39]。

2 社債（転換社債も含む）

社債は実質的には株式会社の借用証であり、「確定利回り・発行者による元本支払約束」の金融商品であるから、社債取引で抱えるリスクの中核は、支払義務者（社債の場合は発行者）の倒産等により元利金が期日に約束どおり支払われなくなるリスク（信用リスク）である。

証券会社外務員[40]が、社債を、安全確実な投資先であると言って勧誘し、

---

[39] 盗んだカードや預金通帳・偽造印影で預金が払い出される事件が相次ぎ、払出しにより銀行が免責されるかが争点となる訴訟が多発した。これを受けて、偽造カード、盗難カードによる預金払戻しから一定の条件のもとで預金者を保護する預金者保護法（正式名称は前掲注3）が制定され2006年2月10日から施行されている。なお、全銀協「預金等の不正な払戻しへの対応」2008年2月19日申合せ（預金者保護法、同法附則および附帯決議を踏まえ、盗難通帳やインターネット・バンキングによる預金等の不正な払戻しが発生した際に、銀行無過失の場合でも顧客に過失がないときは原則補償する）も参照。

顧客購入後に発行会社が倒産して元利支払いが滞った事例で、信用リスクの説明義務違反を請求原因として顧客が証券会社に損害賠償を請求した裁判は相当数ある。請求棄却の判決が多いが、信用リスクの説明義務に違反したことを理由に損害賠償を命じたペレグリン債高齢者勧誘事件[41]、具体的信用リスクの説明義務に違反したことを理由に損害賠償を命じたマイカル債集団訴訟事件[42]などもある。

その後に施行された金融商品販売法（2001年4月施行。現在の金サ法）では、金融商品販売業者に信用リスク説明義務があることを明確にしている（同法3条1項2号、現在の金サ法では4条1項3号[43]）。

---

40) 証券会社の役職員で、証券業務を行う者。外務員登録される（金商法64条）。
41) ペレグリン債高齢者勧誘事件（東京高判平13・8・10証券取引被害判例セレクト18巻102頁）は、77歳・無職の原告（男性）が、1997年、満期を迎える国内公社債投信の次の運用として証券会社の担当者から電話でペレグリン債（ペレグリン社という香港の会社の社債）を勧誘され、5,000万円購入したところ、7カ月後にペレグリン社が倒産したという事件である。目論見書は不交付。東京高裁は、説明義務違反等の債務不履行を理由に損害賠償請求を一部認容した一審判決を維持した（ただし、5,000万円の3割の損害賠償を命じた一審判決を変更し、5,000万円の1割に減額した）。

　これに対し、ペレグリン債裁判官勧誘事件（東京高判平12・10・26判タ1044号291頁）は、現職の判事（女性）が、上記高齢者勧誘事件と同じ時期に同じ証券会社から同じ証券を勧誘されて購入した事件であり、請求棄却となった。目論見書は不交付（後日郵送）。一審判決は説明義務違反を認定して3割の損害賠償を命じたが、東京高裁は、格付けは伝えられた、事業経営上のリスクについての情報を提供しなかったことをもって説明義務違反とはいえない、として一審判決を覆して請求棄却したものである。
42) マイカル債集団訴訟は、東京、大阪、名古屋の3カ所で提起され、一審はいずれも原告ら敗訴だったが、高裁で一部逆転した。①大阪高判平20・11・20証券取引被害判例セレクト32巻340頁・判時2041号50頁は、具体的信用リスクの説明義務違反を理由に、13名の原告のうち3名について証券会社に損害賠償を命じ、②東京高判平21・4・16証券取引被害判例セレクト34巻417頁・判時2078号25頁（評釈：志谷匡史・商事1871号16頁）は、気配値とのかい離の説明義務違反やナンピンの際の説明義務違反を理由に、14名の原告のうち4名について証券会社に損害賠償を命じ、③名古屋高判平21・5・28証券取引被害判例セレクト35巻323頁・判時2073号42頁・判タ1336号191頁は、4名の原告のうち2名について説明義務違反を理由に証券会社に損害賠償を命じた。これらの原告はいずれも金販法施行の平成13年4月より前にマイカル債を取得しており、信用リスクの説明義務の存否自体も争点となった。

3　投資信託

　投資信託は、業者が顧客から資金を集め証券や不動産等で運用する仕組みで投資信託・法人法の要件を満たしたものである。最も多い委託者指図型は、顧客が受益者、投信会社が委託者・指図者、信託銀行が受託者となる。投資信託に関する被害相談は多く[44]、損害賠償を命じた判決も多数ある[45]。1990年代前半は元本割れリスクを説明すべき義務の違反が主たる争点であったが、投資信託がリスク商品であることが周知されてきたことから、その後の事件では、リスクの程度を説明すべき義務の違反や、適合性原則違反が主たる争点となっている。

　投資信託は投資対象によってリスクの程度・種類も多様であり、商品性の分析が不可欠である[46]。また、一般に短期間に売買する商品ではないので、取引頻度、取引量、金融資産全体に占める割合なども問題となる。

4　株式

　株式については、価格変動リスクのあるものであることは周知の金融商品であるので、たとえば「月末までには必ず400円まで上がります」などの断定的判断の提供により顧客のリスク認識を歪める勧誘が問題とされてきた。勧誘文言の立証がポイントとなる。

　過当取引の問題もある。過当取引とは、証券会社外務員が、顧客が言いなりになる状態（口座支配）を作った上、顧客の利益を省みず、手数料目的で、顧客名義口座で多数回・多量の取引を実行させることであり、その違法性は、1990年代後半になって認知されてきた。取引内容の分析がポイントである。

43）　たとえば、前掲東京地判平15・4・9は、マイカル債の購入に関し、金融商品販売法3条、4条（現5条）に基づく損害賠償を命じた。
44）　国民生活センター統計では2004年の531件から毎年増加し2008年に1,611件、2011年には1,792件になったが、その後は減少し2022年度は596件であった。
45）　たとえば、大阪地判平18・4・26金判1246号37頁は、取引は顧客側が十分理解できないまま外務員主導で行われたと認定し、適合性原則違反、説明義務違反、無意味な反復売買・乗換えの違法を理由に損害賠償を命じた。投信では請求棄却判決も多い。
46）　単一の仕組債に投資するノックイン型投資信託、株価指数の2倍に連動する投信など複雑でリスクが大きいものもある。

株式の信用取引は、顧客が証券会社から信用を受けて行う株式取引であり、資金を借りて株式を買う「信用買い」と、株式を借りて市場に売る「信用売り」[47]がある。取引の仕組みが複雑でかつリスクが大きいことから、適合性の原則や説明義務が問題とされてきた。

近年広まっているネット取引では勧誘や口座支配がないので紛争は少ない。

5 デリバティブ取引・デリバティブ仕組商品（仕組債、仕組預金）

1990年代にはデリバティブ取引の一種である株式コールオプション取引を証券化したものであるワラント（新株引受権証券。特定銘柄の株式の新株を一定価格で引き受ける権利を表章した証券）に関する判決が多数あった[48]。その後、日経平均オプション取引[49]、金利スワップ取引、為替デリバティブ取引などのデリバティブ取引に関する事件や、デリバティブ取引を証券に組み込んだ仕組債、同じく預金に組み込んだ仕組預金、仕組債に投資する投資信託であるノックイン型投資信託に関する事件も発生し、判決が多数出ている[50]。

6 変額保険、変額年金保険

変額保険事件とは、1989年から1991年にかけ、銀行員と生保外務員が、「1円もかからない相続対策商品」であり「相続税から家を守る方法」であると

---

47) たとえば、東京地判平17・7・25判時1900号126頁（「判例研究」金判1239号68頁）、その控訴審である東京高判平18・3・15判例セレクト27巻6頁は、信用売りの勧誘における「逆日歩」の説明義務違反で不法行為になるとして、損害賠償を命じた。
48) 価格変動が激しい上に権利行使期間（4年が多い）が経過すると価値がなくなる。1986年から日本で販売が開始され、特に1989年から1991年にかけて一般投資家に大量に販売された。証券会社は、ワラントのリスクを知らない顧客に対し、利益が出ることを強調して販売した場合もあった。その後これらが無価値となり、1992年から数年の間に、証券会社を被告として日本中で大量の訴訟が提起された。これにより、説明義務違反を理由に損害賠償を命じる判決が数百件下された。このうち代表的な判例につき注23) 参照。
49) 日経平均オプション取引は、日経平均株価指数を特定の価格で一定期日までに売る権利（プット・オプション）、買う権利（コール・オプション）につき各売買を行う取引であり、リスクが大きいうえ、仕組みが複雑で理解や投資判断の難しい取引である。適合性の原則違反が主たる論点となる。

して、変額保険を銀行融資とセットで高齢者に大量に勧誘販売し、数年後には何人もの自殺者が出るなど、極めて深刻な被害をもたらした事件である。

変額保険は、株式運用を含んだ運用のリスクを顧客が負うものであり、株式投資信託に類似した構造をもっているにもかかわらず、そのことが十分顧客に伝えられずに勧誘されたこと、自宅を担保に銀行から数千万円から数億円の融資を受けてそれをそっくり変額保険の保険料として生保会社に一時払いする、負債の運用という極めてリスクが大きい形であったことが問題であった。このリスクを意識させない勧誘がされることで、リスク認識を持たない高齢者が銀行に対する信用に依拠して契約した。

変額保険に関する裁判例は1992年からの10年間で400件を超える。消費者の請求を認容した判決もあるが[51]、記憶力の衰えた高齢者が口頭で行われた勧誘経過につき立証責任を負うこと、銀行の稟議書が証拠として提出されな

---

50) 【第1次仕組債被害】 1998年12月の金融システム改革法による規制緩和以降、EB（他社株式償還条項付社債）、日経平均リンク債等の仕組債が、消費者に広告されて販売された。いずれもデリバティブの一種である「オプション」の売りを組み込んだ複雑な仕組みのものであるうえ、株価水準により償還内容が変わるので株価操作の誘惑が業者側にあるなど、業者側と顧客の利害が対立する構造であることや、価格（金利設定）が消費者に不利であっても消費者には判断するすべがないなど、問題のある金融商品である。多数の判決があるほか（EBを販売した証券会社に説明義務違反を理由に損害賠償を命じた判例として大阪地判平15・11・4金判1180号6頁）、EBにからんだ証券会社の不正行為につき、証券取引等監視委員会による勧告が続いた（証券取引等監視委員会『証券取引等監視委員会の活動状況』2001年8月197頁ほか、2002年9月174頁、2003年8月179頁、2004年8月175頁）。

【第2次仕組債被害】 2005年から2008年にかけて、より複雑で多様なリスクをもった仕組債が、個人や学校法人、財団法人、地方公共団体などに大量に販売された。2008年のリーマンショック以降これらの損失が表面化し、問題に気づいた多数の顧客が訴訟を提起した。店頭デリバティブ取引の組合せも同様に勧誘されて、問題となった。

【第3次仕組債被害】2014年から2020年にかけて、バスケットEBをはじめとする私募仕組債が富裕層に大量に販売され相当の被害を出した。2022年から2023年にかけて金融庁が実態調査をするなどして問題点を指摘し仕組債販売に厳しい姿勢をとったことから、2023年には仕組債販売は減少した。桜井健夫「Q＆A　消費者被害救済の法律と実務〔58〕仕組債被害の救済」『現代消費者法No.60』（民事法研究会、2023年9月）178頁～184頁参照。

51) たとえば最判平8・10・28金法1469号51頁。説明義務違反、錯誤などが争点となる。

いこと、裁判所の認識不足などが原因で、請求棄却の判決の方が相当多い[52]。

これに対し、変額年金保険は継続的に販売されてきており、現在も紛争が散見される。

2007年9月30日以降、これらは外貨建保険とともに特定保険に分類されて、金融商品取引法の勧誘規制（適合性原則、説明義務、断定的判断提供禁止、不実告知禁止等）が準用されている（保険業法300条の2）。

7　商品先物取引

国内公設市場における商品先物取引に関しては、深刻な被害が続いた[53]。この業界では、問題のある勧誘が広く行われてきたので、顧客からの収奪を意図した客殺しの手法の組合せを全体として違法と捉え、一連一体の不法行為という構成がされる場合が多い[54]。損害賠償請求が認容される割合は証券取引事件よりはるかに高い[55]。業法として商品先物取引法があり、金サ法の一部が準用されている。

海外商品先物取引は、国内公設市場の会員資格のない零細な業者が行っており、証拠金の返還すら滞るなど、さらに問題が大きい[56]。

8　外国為替証拠金取引

外国為替証拠金取引[57]では一時期大量に被害が発生したが、2005年以降、金融庁の監督下におかれて被害の大量発生は終息に向かった。金融商品取引法により不招請の勧誘が禁止され、現在はネット取引を行う業者が業務を行

---

52) これらとは別に、判決前に和解で終了した例は相当ある。
53) 国民生活センターの統計によれば、国内商品先物取引、海外商品デリバティブ取引を合計した相談件数は1995年約2,500件から増加して2003年度7,810件と3倍になったが、その後商品取引所法が改正されて2008年度4,042件と半減し、2011年1月には商品先物取引法が施行されて不招請の勧誘が禁止され、2011年度には1,508件まで減少した。その後も減少の一途を辿り、2017年には200件余となっている。
54) 商品先物取引事件の法的論点については、さらに第5章も参照。
55) 先物取引に関する判例については日本弁護士連合会消費者問題対策委員会編『先物取引被害救済の手引〔10訂版〕』（民事法研究会、2012年）参照。
56) 海外商品先物取引は、2011年1月から商品先物取引法の対象となり監督下に入った。

っている。

9 問題業者の「金融商品」

問題業者が勧誘する「金融商品」には、業法や監督のない海外商品先物オプション取引[58]、2008年7月から特商法の対象とされたロコ・ロンドン貴金属取引、金融商品取引業の対象外である自社証券販売の形をとる未公開株・社債[59]などがある。これら以外にも、「金融商品」の外見を装った投資話による被害がある[60]。最近は、暗号資産への投資を装った詐欺商法が目立つ。

第5 心構えと手続

1 金融商品の消費者事件を扱う心構え

被害を訴える消費者に対し、漫然と「買主、注意せよ」の原則に立って、「その取引を承諾したのだから自己責任だ」とか、「儲けようと思ったのだから損をしても仕方がない」という受け止め方をするのはいずれも禁物である。金融商品の事件で損害賠償を命じた判決のほとんどは、顧客が承諾した取引

---

[57] 外国為替相場を指標として想定元本の差金決済を行う取引であり、1998年の外為取引自由化後に登場し、問題となった。法規制下に入る前の判決が多数ある（たとえば札幌地判平15・5・16金判1174号33頁ほか一連の札幌地裁の判決およびそれらの高裁判決。為替相場を指標とする賭博行為であるのに異なる説明をして勧誘したとして、投入額全額と弁護士費用の賠償を命じた）。

[58] 海外商品先物オプションは、「海外」取引、「商品先物」というデリバティブ、「オプション」というデリバティブを組み合わせたものであり、普通の消費者には理解が困難で、まして投資判断は不可能に近い。このようなものにつき、主婦や高齢者を狙って極めて問題の多い勧誘を組織的に行う会社が多数あった。この取引も、2011年1月から商品先物取引法の対象となり、このような会社は撤退した。

[59] 上場見込みのない未公開株を、利益を確実に得られる株であると勧誘するもの。従来は投資事業有限責任組合や匿名組合への出資の外形を装ったものが多かったが、最近は、自社株による劇場型詐欺（高値での買取りを申し出る業者が登場）が目立つ。

[60] 【ファンド】パンフレットを見てもどういう金融商品か不明のものに、ファンドという呼称をつけて勧誘。元本保証と明確に言わないでかつ顧客にリスク認識を起こさせないように表現を工夫している。結局、相対の投資一任契約と判断されるものが多い。据置期間が1年、2年などと決められているのが普通で、その間に集めて逃げてしまう。

についてのものであるし、多くは利益を出すことを希望しての取引である。金融商品の取引の社会的意義を理解したうえで、一般消費者が参加できる環境を整備することの重要性に意義を見出すことが出発点である。

2　事件把握の要点

(1)　相手の把握

相手により事件処理の方針は相当異なるので、その把握は重要である。証券会社、銀行、保険会社のように登録、免許等を受け国の監督下にある業者と、どこにも登録すらされておらずどこも監督していない業者では、最初から対応が大きく違う。以下、前者について説明し、最後に後者について記載する。

(2)　取引内容の把握

金融商品の取引事件では、取引内容の把握が不可欠である。多くの場合、複数回の取引が問題となるし、たとえば証券の過当取引事件や商品先物取引事件では膨大な回数の取引全体の分析が不可欠である。問題となる取引が特定の1回の取引でも、それまでの取引経験が適合性の判断や事実認定の際の重要な要素となるので、取引内容全体の把握は必要である。取引報告書、月次報告書、説明書等、関連する書類をもとに図表化するのが効果的である。これをもとに相談者から聴取すると、それまでの聴取では喚起できなかった記憶が再現されることが多い。

EBなどの仕組債やノックイン型投資信託、オプション取引など、商品の種類、取引の種類によっては仕組みの把握が特に必要となるものもある。

(3)　勧誘経過の把握

金融商品の取引事件の多くは勧誘経過が問題となるケースである。その場合は、取引内容の把握と並行して、勧誘経過の把握が不可欠である。その際は、勧誘時に断定的判断の提供、不実告知等があったかに注意する。

勧誘経過は口頭でのやり取りが中心なので、立証手段の存否を確認することが必要となる。勧誘者のメモや録音があれば内容を精査する。相談者の日記や手帳等が役立つこともある。証券会社は担当者と顧客の電話を録音しているので、証拠保全や訴訟提起後に提出を求めるなどして録音データを入手

し、立証に使うことは普通に行われている。

(4) **適合性に関する事項の把握**

投資経験の他、年齢、学歴、職歴、身体精神の状況、投資資金の性質、投資方針等は、最初の時点で把握しておく必要がある。これらの事項は、「適合性の原則」違反の有無の判断材料となるだけではなく、その人に理解できるような説明とはどのような説明なのかという観点で、説明義務違反の有無の判断にも役に立つ。

(5) **監督されていない業者の場合**

投資詐欺業者など、監督されていない業者の場合は取引の種別と業者情報（資産把握も含む）の収集が特に重要である。取引内容や勧誘経過、顧客属性については、細部は重要ではなく、公序良俗違反や詐欺などの観点からの大局的な把握を意識する。

3　手続の選択

(1) **交渉など**

素性の知れない業者や倒産のおそれのある業者を相手とするときは、多くはその財産状態に不安があるため、口座凍結[61]や保全手続（預金仮差押等）の検討が必要となる。交渉による早期解決も選択肢となる。商品先物取引会社を相手とする場合も交渉により解決する例が一定の割合を占めている。

(2) **訴訟**

証券取引事件では訴訟の必要性が高い。これに関しては、事故確認制度が

---

61) 振り込め詐欺救済法では、捜査機関等からの情報提供を受け、金融機関が振り込め詐欺等により資金が振り込まれた口座を凍結し、預金保険機構のサイトで口座名義人の権利を消滅させる公告手続を行った後、被害者から支払申請を受け付け、被害回復分配金を支払うことなどを定めている。金融機関は、「捜査機関等から当該預金口座等の不正な利用に関する情報の提供があることその他の事情を勘案して犯罪利用預金口座等である疑いがあると認めるとき」（3条1項）は口座凍結等の措置を適切に講ずるとされ、口座凍結の判断は当該銀行が行うのであるが、「捜査機関等」の「等」には弁護士、消費生活センター、被害者も含まれ、特に被害者から委任を受けた弁護士が所定の様式で口座凍結を求める文書を送ると、特に問題がない限り、銀行はその口座を凍結する扱いとなっている。

大きな影響を与えてきた。事故確認の申請は証券会社がすることになっているので[62]、証券会社が主体的にその非を認めたケースのみが事故確認の手続を経て示談で解決することができ、そうでないケースでは、訴訟もしくは調停で解決する以外に方法がなかった。

　保険や預金の紛争は、保険会社や銀行のミスが明確な場合は、交渉による解決の可能性もあるが、多くの場合は訴訟手続が必要となる。

　商品先物取引の紛争は、前記の通り交渉による解決の可能性もあるので、決裂させて訴訟提起するか、妥協して交渉でまとめるかの選択が重要となる。

　資産に不安のある業者を相手とする場合は、役員や勧誘者なども幅広く被告にする。

(3)　ADR（裁判外紛争処理手続）

　金融商品の紛争の解決には一般的な中立型ADR（民事調停、国民生活センター、消費生活センター、弁護士会仲裁センターなど）も使えるが、この分野特有のADRも整備されてきている。金商法等の改正により2010年10月から金融ADR[63]が本格始動し、証券・金融商品あっせん相談センター（FINMAC〔フィンマック〕）（日本証券業協会、金融先物取引業協会などが作った紛争解決機関）、全国銀行協会、生命保険協会、日本損害保険協会などが指定紛争解決機関として活動している。時効完成猶予効[64]、特別調停案[65]の制度が特徴である。解決状況はそれぞれのサイトに公表されている。1999年4月に業界団体から分離独立した自主規制機関である日本商品先物取引協会が行うあっせん手続も紛争解決機関として定着している。

---

[62]　東京地判平6・5・31判時1530号73頁は、確認申請手続きは、証券会社の単独申請手続きによって行われるものであり、顧客または第三者が確認申請手続きを求める私法上の権利を有するものではないと判示する。

[63]　2009年に金融商品取引法等、16本の法律を同時改正して、各分野での苦情処理・紛争解決の手続規定を整備してそれを行う紛争解決機関を指定して監督することとした。この部分を取り出して金融ADR法、指定紛争解決機関を金融ADRということがある。

[64]　和解できないで終了した場合、顧客は、終了通知を受けた日から1カ月以内に訴訟を提起すれば、紛争解決手続における請求のときに訴えの提起があったものとみなされる（金商法156条の51第1項等）。つまり、申立てのときに時効の完成が猶予されたものと扱える。

ADR には、弁護士に委任せず本人でもできる、費用が少額または無料、期間が短い（数カ月）などの長所がある反面、解決水準や解決率などには限界もある。

《参考文献》
・桜井健夫『金融商品取引法・金融サービス提供法』（民事法研究会、2023年）
・日本弁護士連合会消費者問題対策委員会編『金融商品取引被害救済の手引〔6訂版〕』（民事法研究会、2015年）
・桜井健夫・上柳敏郎・石戸谷豊『新・金融商品取引法ハンドブック〔第4版〕』（日本評論社、2018年）

［桜井健夫］

---

65) 指定紛争解決機関の紛争解決委員は、和解案の受諾の勧告によっては当事者間に和解が成立する見込みがない場合において、事案の性質、当事者の意向、当事者の手続追行の状況その他の事情に照らして相当と認めるときは、金融商品取引業等業務関連紛争の解決のために必要な特別調停案を作成し、理由を付して当事者に提示することができる（金商法156条の44第2項5号等）。特別調停案は、顧客を拘束しないが、原則として業者を拘束する（金商法156条の44第6項等）。例外的に、業者は、顧客が当該和解案を受諾したことを知った日から1カ月を経過する日までに債務不存在確認訴訟等の訴訟を提起すれば、その特別調停案に従わなくともよい（金商法156条の44第6項2号等）。

コラム　行動経済学と消費者被害

　消費者被害には、損をしたのにさらに資金を追加投入して傷口を広げるというパターンがある。背後には、人の認識・判断の傾向を利用した商品設計や勧誘があることが多い。この傾向が必ずしも合理的ではないこと（限定合理性）を発見し類型化したのがプロスペクト理論であり、それを基礎として行動経済学の分野が発展してきた。

　次の各Qで①②のどちらがよいか、選んでみよう。

　Q1　①80万円受け取れる。受け取ったらそのまま帰ってよい。
　　　②100万円受け取れる。直後にくじを引き15％の人（100人中15人）は全額返す。
　Q2　①80万円を支払わなければならない。
　　　②100万円を支払わなければならないが15％の確率で支払いが免除される。

　Q1では9割以上の人が①（期待値80万円）を選び、Q2では8割前後の人が②（期待値マイナス85万円）を選ぶ（筆者の実験結果の平均）。つまり、これらの局面では、いずれも期待値の不利な方を選択する人が圧倒的に多い。

　Q1の選択傾向は、利益が確実であることが期待値5万円の差を超えるほどの大きな価値があることを示す。Q2の選択傾向は、損が確定していないことが期待値5万円の差を超えるほど価値があることを示す。両者の選択傾向は、プラス局面では有利な方より確定している方を選択してリスクを負担したがらない堅実な人々も、マイナス局面では途端にリスクある選択をするようになることを示す。

　このような傾向に焦点を当てた勧誘文言がある。プラス局面では確実に利益の出る取引を望む人が多いので、「必ず利益がでます」、「元本保証」等の文言を伴う勧誘が効果的である。他方、マイナス局面では損を確定することを避ける選択肢を示されれば容易にリスクを受け入れるので、「損を取り戻しましょう」「この金額を追加しないとこれまでの分を守れません」という文言で、一度損をした人が同じ取引に更に資金をつぎ込んで損失を拡大させることがしばしばみられる。迷路のネズミは電気ショックを与えるとその道は選ばなくなるが、リスクの実現でマイナス局面に立ち至った人は、逆に同種のリスクにさらに立ち向かう傾向があるのである（サンク・コスト効果）。これには最初の損失より追加損失の痛みは小さいこと（感応度逓減性）も関係してくる。

　被害救済実務では、このような人の認識・判断の傾向を知ったうえで、事実を見極め、それを利用した商品設計・勧誘の違法性や、過失相殺の是非を判断すべきことになる。

［桜井健夫］

第11章
製品の安全と被害の救済

第1　はじめに

　製品事故をめぐる消費者被害をめぐっては、その被害防止に関わる製品安全とその被害救済に関わる製造物責任の問題に大きく分けることができる。そして、この二つは、密接に関連し、車の両輪として機能することによって問題の解決が図られることになるが、製品事故は起こらないことが最善であり、その意味において被害防止としての製品安全が第一義的に確保されなければならない。

　本章においては、製品の安全を確保するための枠組みとしての安全基準とリコール制度について概観するとともに、製品被害の救済をめぐり、製造物責任法の解釈および適用について述べることにする。

第2　製品の安全確保

1　製品安全にかかる法制度

　わが国においては、戦前から、警察行政としての安全規制がなされていた。戦後になると、食品衛生法（1947年）、道路運送車両法（1951年）、薬事法（1960年）などが制定されたが、依然として警察行政的な性格の強いものであった。そして、この時代にあっては、森永ヒ素ミルク中毒事件[1]、サリド

マイド事件[2]、カネミ油症事件[3]、スモン事件[4]といった食品・医薬品による消費者被害が大きな社会問題となっていた。

1968年に消費者保護基本法が制定され、消費者の権利が意識されるようになると、消費生活用製品安全法（1973年）といった消費者安全の確保を正面に据えた立法が現れるようになった。この時代は、経済の高度成長を背景とする大量生産・大量消費社会が到来した時期であるが、その弊害として、欠陥車問題[5]をはじめとするさまざまな欠陥商品問題が相次いで発生した時期でもあった。

2001年には、わが国においても、BSE（Bovine Spongiform Encephalopathy：牛海綿状脳症）への感染牛が発見され、さらに遺伝子組換え食品など食の安全への関心や懸念の高まりを受けて、2003年に制定された食品安全基本法にもとづいて、内閣府に食品安全委員会が設置された。しかし、その後も、中国産冷凍餃子による食中毒事件[6]など、食品の安全性をめぐる事件は後を

---

1) 1955年頃に発生した事件であり、幼児用粉ミルクの乳化安定剤として用いられた工業用第二燐酸ソーダに不純物として砒素が含有されていたことから、この粉ミルクを飲んだ1万人を超える乳児が砒素中毒に罹患し、100人以上が死亡している。
2) 1961年頃に発生した事件であり、副作用がなく安全であるとして販売された睡眠薬であるサリドマイドを妊娠中の女性が服用したところ、出産した子に四肢が極端に未発達な状態となる四肢短縮症が生じるという副作用によって、わが国において約300人、西ドイツ（当時）において約3,000人の被害者が発生した。
3) 1968年頃に発生した事件であり、食用油の製造過程で使用されていたPCB（ポリ塩化ビフェニル）が製品に混入し、この食用油の使用によってダイオキシンを摂取した消費者が、カネミ油症と呼ばれる皮膚の異常や手足のしびれ、肝機能障害などに罹患したほか、妊娠中にこの食用油を摂取した女性の胎児にも皮膚の異常が生じた。
4) 1955年頃から1980年前後にかけて発生した事件であり、整腸剤として使用されていたキノホルムを服用したところ、激しい腹痛を伴う下痢に続いて、下肢のしびれや脱力、起立・歩行の困難、さらには視力障害などの「亜急性脊髄・視神経・末梢神経障害（Subacute Myelo-Optico Neuropathy）」という副作用が生じ、その頭文字を取って「SMON（スモン）」呼ばれており、1万人以上の患者が確認されている。
5) 1969年5月のニューヨーク・タイムズ紙の記事をきっかけとして、日本の自動車会社による「隠れリコール（公表することなく行われる回収・修理）」が社会問題となり、同年6月に、運輸省（当時）が、通達によってリコール届出の受付を開始するとともに、日本自動車工業会加盟12社が、およそ250万台に上るリコールを発表した。

絶たない。

　さらに、2004年には、規制緩和の進展や情報技術の発達といった社会の大きな変化を背景として、消費者保護基本法が消費者基本法として改められ、業法による規制行政から「消費者の権利の尊重」と「消費者の自立支援」に基づく消費者行政へと大きく転換することになった。そして、2009年になると、消費者庁と内閣府消費者委員会が設置されるとともに消費者安全法が制定され、2012年には、消費者安全調査会（いわゆる「消費者事故調」）が発足した。消費者庁の設置は、こんにゃくゼリー窒息事故[7]といった縦割り行政の弊害であった「すき間事案」を解消し、消費者庁を消費者行政の司令塔として消費者行政の一元化を図ることがその目的の一つとされていた。

2　製品類型と安全規制
(1) 食品等

　食品は、人が直接摂取することから、きわめて高い安全性が求められており、食品衛生法による安全規制が図られてきた。しかし、従来の食品をめぐる安全規制は、衛生行政の枠を超えるものではなかったが、2003年に制定された食品安全基本法により、リスク評価機関である食品安全委員会がリスクを評価し、そのリスク評価に基づいて行政庁などが規制や執行といったリスク管理を行うというリスク分析手法が導入され、食の安全を重視した施策が図られることになった。

　1995年の食品衛生法改正によって導入された総合衛生管理製造過程承認制度（同13条）は、HACCP（Hazard Analysis and Critical Control Point：ハサップ）[8]の衛生管理手法を取り入れたものであり、乳・乳製品、缶詰・レトルト

---

6) 2007年末から2008年初めにかけて、3家族10人が下痢などの食中毒症状を発症した事件であり、これらの者が食べた中国製の冷凍餃子から有機リン系農薬であるメタミドホスが検出された。

7) コンニャクの粉末を果汁等に混ぜて固めたゼリー菓子で、一口サイズのミニカップに入ったタイプものが多く、弾力性が強いことなどから子どもや高齢者がのどに詰まらせる事故が生じたものであり、国民生活センターによれば、1995年7月から2008年8月までの13年間に22件の窒息死亡事故が確認された。

食品、食肉製品など政令で定められた製品について、事業者からの申請に基づく厚生労働大臣の承認制度として創設されたものであった。しかし、2018年6月、原則としてすべての事業者にHACCPに沿った衛生管理を義務づけ、総合衛生管理製造過程承認制度を廃止する改正食品衛生法が成立した[9]。

食品衛生法は、食品および添加物（以下、「食品等」という。）について、①腐敗・変敗し、または未成熟なもの、②有毒・有害物質が含まれ、またはその疑いがあるもの、③病原微生物により汚染され、またはその疑いがあるもの、④不潔、異物の混入などにより、人の健康を損なうおそれがあるものの販売等を禁止している（同6条）。そして、厚生労働大臣において、食品等の製造、加工、使用、調理、保存の方法についての基準および成分規格を定めることができるとしたうえ（同11条1項）、その基準や規格に合致しない食品等の販売等を禁止している（同条2項）。また、残留基準が定められていない農薬について、人の健康を損なうおそれのない量として定められた量を超えて残留する食品の販売等が禁止されている（同条3項本文）。また、食品衛生法においては、食器などの器具や容器包装および乳幼児が口に接触することにより健康を損なうおそれがあるおもちゃについても、安全規制が設けられている（同62条）。

2018年改正食品衛生法[10]においては、食品衛生法に違反し、または違反するおそれがあるとして製品の自主回収を行った場合につき、事業者は、遅滞なく、回収に着手した旨および回収の状況を都道府県知事等に届け出なければならず、当該届出を受けた都道府県知事等は、当該届出に係る事項を厚生労働大臣または内閣総理大臣に報告しなければならないとして、リコール情報の報告制度が創設された。

そして、食品衛生法は、営業者が、①販売等を禁止される食品等、②病肉

---

8) HACCPとは、食品の製造・加工工程で発生する危害要因を分析して重要管理点を定め、これを監視することによって製品の安全確保を図るという衛生管理手法をいう。
9) 2018年改正食品衛生法に基づくHACCPの制度化については、2021年6月1日から施行されている。
10) 2018年改正食品衛生法に基づく食品リコール情報の報告制度については、公布の日から3年となる2021年6月1日から施行されている。

やへい獣肉等、③指定された以外の添加物やこれを含む食品、④規格基準に適合しない食品等、⑤厚生労働大臣の定める量を超えた残留農薬を含有する食品、⑥有毒・有害な器具や包装容器、⑦規格基準に適合しない器具や容器包装、⑧厚生労働大臣が販売等を禁止した特定の食品等または器具等につき、それらの販売等を行った場合において、厚生労働大臣または都道府県知事は、当該営業者にそれらの食品等を廃棄させ（廃棄命令）、または職員自ら廃棄すること（即時強制）ができるほか、当該営業者に対し、食品等の回収命令や施設等の改善命令など食品衛生上の危害を除去するために必要な処置を講じるよう命じることができるものと規定している（同54条1項）[11]。

(2) **医薬品等**

医薬品・医薬部外品・化粧品・医療機器（以下、「医薬品等」という。）については、「医薬品、医療機器等の品質、有効性及び安全性の確保等に関する法律（薬機法）」[12]により、その安全規制が定められている。

医薬品・医薬部外品・化粧品を業として製造販売するためには、その種類に応じて厚生労働大臣の許可を受け（薬機法12条）、これらを業として製造するためには、製造所ごとに厚生労働大臣の許可を受けなければならず（同13条）[13]、厚生労働大臣が基準を定めて指定するものを除く医薬品等の製造販売をしようとする者は、品目ごとに厚生労働大臣の承認を受けなければならない（同14条）。また、医療機器を業として製造販売する場合についても、その種類に応じて厚生労働大臣の許可を受け（23条の2）、これを業として製造する場合には、製造所ごとに厚生労働大臣の登録を受けなければならないものとされている（同23条の2の3）。

厚生労働大臣は、医薬品の性状および品質の適正を図るため、日本薬局方

---

11) 食品衛生法54条は、おもちゃについて準用されている（同62条1項）。
12) 1960年に「薬事法」として制定された法律（昭和35年法律第145号）の題名が、2013年の改正に伴って改められたものである。
13) 2004年の薬事法改正施行以前においては、医薬品等にかかる製造業の許可基準として、厚生労働省令で定められた構造設備を備えた製造所を有することが必要とされていたが（旧薬事法13条2項1号）、同改正により、製造所を有しない事業者であっても、製造販売業の許可を受けることによって、医薬品等につき委託製造（OEM製造）を行うことが可能となった。

を定めて公示しているほか（同41条）、保健衛生上特別の注意を要する医薬品について、その製法、性状、品質、貯法等の基準を設けることができる（同42条）。

薬機法は、医薬品等の製造販売業者につき、その製造販売にかかる医薬品等によって保健衛生上の危害が発生し、または拡大するおそれがあることを知った場合において、これを防止するために廃棄、回収、販売の停止、情報の提供その他必要な措置を講じなければならないとする危害防止義務を規定している（同68条の9）。そして、医薬品等の製造販売業者が医薬品等の回収に着手した場合には、回収に着手した旨および回収の状況について厚生労働省令[14]で定めるところにより厚生労働大臣に報告しなければならないものとされ（同68条の11）、厚生労働大臣は、これらの報告について、毎年度、薬事・食品衛生審議会に報告のうえ、必要があると認めるときは、同審議会の意見を聴いて、製造・販売の中止や回収など医薬品等による保健衛生上の危害の発生または拡大を防止するために必要な措置を講じるものとされている（同68条の12）。

さらに、厚生労働大臣は、医薬品等による保健衛生上の危害の発生または拡大を防止するため必要があると認めるときは、医薬品等の製造販売業者等に対し、その販売等を一時停止することのほか、保健衛生上の危害の発生または拡大を防止するための応急の措置を採るべきことを命ずることができる（同69条の3）。

また、厚生労働大臣または都道府県知事は、医薬品等を業務上取り扱う者に対し、①検定に合格していない医薬品等、②法定表示のない毒薬・劇薬、③不正表示医薬品等、④基準不適合医薬品等、⑤容器・被包が不良である医薬品等、⑥基準適合医療機器、⑦基準不適合再生医療等製品、⑧基準不適合生物由来製品、⑨認証または承認を取り消された医療機器等について、廃棄、回収その他公衆衛生上の危険の発生を防止するに足りる措置を採るべきことを命じることができる（同70条）。

---

[14] 薬機法施行規則228条の22。なお、「医薬品・医療機器等の回収について」（平成26年11月21日付け薬食発1121第10号厚生労働省医薬食品局長通知）参照。

(3) 自動車

　自動車にかかる安全規制は、道路運送車両法において規定されており、自動車の安全基準として保安基準[15]が定められている。そして、自動車は、保安基準に適合し、国土交通大臣が管理する自動車登録ファイルへの登録を受けたものでなければ、運行の用に供することができないものとされている（同4条）。

　そこで、新しく製造された自動車は、自動車検査（車検）である新規検査によって保安基準への適合を国に認証してもらわなければならない（同59条）。しかし、この新規検査は、自動車1台ごとに現車を提示して行わなければならないことから、この現車提示を省略し、新規検査を簡略化するものとして、型式指定制度が設けられている（同75条）。すなわち、国土交通大臣が自動車型式指定規則[16]に基づいて指定した型式の自動車については、自動車製造業者において行う1台ごとの完成検査に合格したことを示す完成検査終了証を提出することによって、新規検査における現車の提示に代えることができるものとされているのである（同7条3項）[17]。

　自動車検査による保安基準への適合は、新規検査による登録がなされた自動車についても、その自動車検査証（車検証）の有効期間満了に伴って、継続検査によりこれを更新しなければならない（同62条）。

　自動車について、自動車製造業者および輸入業者は、あらかじめ国土交通大臣に届けることによって、同一型式の自動車が保安基準に適合しなくなるおそれがあり、その原因が設計または製作過程にあると認められるときに、販売後の自動車を保安基準に適合させるために必要な改善措置を講じることができるものとされている（同63条の3）[18]。そして、2003年1月からは、

---

[15]　昭和26年運輸省令第67号。
[16]　昭和26年運輸省令第85号。
[17]　2017年に明らかになった日産自動車およびスバルの無資格検査問題は、この完成検査が社内規定に基づく資格を有しない従業員によってなされていたもので、日産自動車においておよそ120万台、スバルにおいておよそ40万台がリコールされた。
[18]　自動車については、1969年6月から通達により、同年9月から運輸省令により、1995年1月から1994年改正道路運送車両法により、リコール制度が導入されている。

2002年改正道路運送車両法によって、リコールが必要であるにもかかわらず、適正にリコールが実施されない場合において、国土交通大臣は、自動車製造業者等に対し、必要な改善措置を講じるよう勧告することができ、自動車製造業者等がこの勧告に従わない場合には、その旨を公表し、なお正当な理由なく勧告にかかる措置をとらない場合には、リコール命令を発することができるとするリコール命令制度が創設されている（同63条の2）。

また、2004年1月からは、2003年の改正道路運送車両法により、特定後付装置[19]に対するリコール制度が設けられている（同63条の2第2項、63条の3第2項）。

(4) 消費生活用製品

消費生活用製品とは、主として一般消費者の生活の用に供される製品をいい、消費生活用製品安全法（消安法）において安全規制が定められている。

消安法は、消費生活用製品のうち、一般消費者の生命又は身体に対して特に危害を及ぼすおそれが多いと認められる製品を「特定製品」[20]、特定製品のなかで、その製造・輸入事業者のうちに、一般消費者の生命または身体に対する危害の発生を防止するため必要な品質の確保が十分でない者がいる製品を「特別特定製品」[21]として定め、それぞれ政令で指定している（同2条2項）。

経済産業大臣は、消安法に基づいて、特定製品につき、一般消費者の生命または身体に対する危害の発生を防止するために必要な「技術基準」[22]を定めており（同3条）、特定製品の製造・輸入事業者は、その技術基準への適合義務を負うものとされ（同11条1項）、適合表示（同13条）[23]の付されてい

---

19) 2023年8月末において、タイヤおよびチャイルドシートが指定されている（道路運送車両法施行令7条）。
20) 2023年8月末において、特別特定用品以外に、家庭用の圧力なべおよび圧力がま、乗車用ヘルメット、登山用ロープ、石油給湯機、石油ふろがま、石油ストーブ、磁石製娯楽用品（2023年6月施行）、吸水性合成樹脂製玩具（同月施行）の8品目が指定されている（消安法施行令1条、別表1）。
21) 2023年8月において、乳幼児用ベッド、携帯用レーザー応用装置、浴槽用温水循環器、ライターの4品目が指定されている（消安法施行令2条、別表2）。
22) 経済産業省関係特定製品の技術上の基準等に関する省令（昭和49年省令第18号）。

ない製品の販売等が禁止されている（同4条）。そして、消費生活用製品の製造・輸入事業者には、特別特定製品について、主務大臣の登録を受けた者（同16条以下）による技術基準への適合性検査を受け、交付された証明書の保存が義務づけられており（同12条1項）、特別特定製品以外の特定製品については、自ら適合検査を行ったうえ、その検査記録を作成し、保存することが義務づけられている（同11条2項）。

長期使用製品安全点検制度[24]は、2007年2月に起きた瞬間ガス湯沸器に起因する一酸化中毒死亡事故など製品の経年劣化を原因とする事故の発生を受け、同年の消安法改正によって創設された制度である。消費生活用製品のうち、経年劣化により安全上支障が生じ、一般消費者の生命または身体に対して特に重大な危害を及ぼすおそれが多いと認められる製品であって、使用状況等からみてその適切な保守を促進することが適当なものを政令により「特定保守製品」[25]として指定し（同2条4項）、製造・輸入事業者について、①「設計標準使用期間」および「点検期間」の設定義務（同30条の3）、②製品への表示義務（同30条の4第1項）、④特定保守製品の所有者等に対する書面添付および交付義務（同条2項、3項）⑤引渡時における説明義務、⑥点検期間の始期の到来通知義務（同32条の12）、⑦点検期間の始期到来時における点検実施義務（同32条の15）を規定し、主務大臣は、これらの義務に違反した製造・輸入業者に対して改善命令を出すことができるものとされている（同32条の16）。

---

[23] 消安法に基づく技術基準への適合表示は、PSCマークと呼ばれ、特別特定製品（経済産業省関係特定製品の技術上の基準等に関する省令22条、別表6）、特別特定製品以外の特定製品（同条、別表7）について、それぞれ定められている（本書第9章参照）。

[24] 長期使用製品安全点検制度と同時に、経年劣化による重大事故発生率は高くないものの、事故件数が多いことから、長期使用製品安全表示制度によって、製造・輸入事業者に設計上の標準使用期間および経年劣化についての注意喚起等の表示が義務づけられ、2023年8月末において、扇風機、エアコン、換気扇、洗濯機（乾燥洗濯機を除く）、ブラウン管テレビの5品目が指定されている（電気用品の技術上の基準を定める省令（平成25年経済産業省令第34号）20条）。

[25] 2023年8月末において、石油給湯機および石油ふろがまの2品目が指定されている（消安法施行令3条、別表3）。

消費生活用製品の製造・輸入事業者は、製品事故による危害の発生および拡大を防止する必要がある場合において、製品の回収等の措置を講じることにつき、努力義務を負っている（同38条1項）。そして、主務大臣は、消費生活用製品の欠陥により、一般消費者の生命もしくは身体について重大な危害が発生し、または発生する急迫した危険がある場合において、その危害の発生および拡大を防止するため特に必要があると認めるときには、その製造・輸入事業者に対して、危害防止命令により、製品の回収等それらの重大な危害の発生および拡大を防止するために必要な措置をとるべきことを命じることができる（同39条1項）。

(5) 電気製品

電気製品については、電気用品安全法（電安法）において安全規制が定められており、①一般用電気工作物[26]の部分となり、またはこれに接続して用いられる機械等、②携帯発電機、③蓄電池であって政令で定める「電気用品」[27]および電気用品のうち構造又は使用方法その他の使用状況からみて特に危険または障害の発生するおそれが多いものとして政令で定める「特定電気用品」[28]に区分されている（同2条）。

電気用品の製造・輸入事業者は、経済産業大臣にその電気用品の型式等を届け出なければならず（同3条）、その製造・輸入にあたって経済産業省令で定める「技術基準」[29]への適合義務を負うものとされ（同8条1項）、適合表示（同10条）[30]の付されていない製品の販売等が禁止されている（同27条）。そして、届出製造・輸入事業者には、特定電気用品について、経済産業大臣の登録を受けた者（同29条以下）による技術基準への適合性検査を受け、交付された証明書の保存が義務づけられており（同9条1項）、特定電気用品以

---

26) 電気事業法38条1項。
27) 2023年8月末において、341品目（特定電気用品を除く）が指定されている（電安法施行令1条、別表2）。
28) 2023年8月末において、116品目が指定されている（電安法施行令1条の2、別表1）。
29) 電気用品の技術上の基準を定める省令（平成25年経済産業省令第34号）。
30) 電安法に基づく技術基準への適合表示は、PSEマークと呼ばれ、特別電気用品（電安法施行規則17条、別表6）、特別電気用品以外の電気用品（同条、別表7）について、それぞれ定められている（本書第9章参照）。

外の電気用品については、自ら適合検査を行ったうえ、その検査記録を作成し、保存することが義務づけられている（同8条2項）。

経済産業大臣は、届出製造・販売業者等による無表示製品の販売、基準不適合製品の製造等により危険または障害が発生するおそれがあると認める場合において、製品の回収等当該電気用品による危険および障害の拡大を防止するために必要な措置をとるべきことを命ずることができる（同42条の5）。

(6) ガス用品・液化石油ガス器具

ガス用品および液化石油ガス器具（LPG器具）は、ガス事業法および液化石油ガスの保安の確保及び取引の適正化に関する法律（液石法）において安全規制が定められており、ガス用品については、主として一般消費者等がガスを消費する場合に用いられる機械・器具等であって政令で定める「ガス用品」[31]およびガス用品のうち特にガスによる災害の発生のおそれが多いものとして政令で定める「特定ガス用品」[32]（ガス事業法137条）、LPG器具については、主として一般消費者等が液化石油ガス（LPG）を消費する場合に用いられる機械等であって政令で定める「液化石油ガス器具等（LPG器具等）」[33]およびLPG器具等のうち特にLPGによる災害の発生のおそれが多いものとして政令で定める「特定液化石油ガス器具等（特定LPG器具等）」[34]（液石法

---

[31] 2023年8月末において、特定ガス用品以外に、開放燃焼式・密閉燃焼式・屋外式ガス瞬間湯沸器、開放燃焼式・密閉燃焼式・屋外式ガスストーブ、密閉燃焼式・屋外式ガスバーナー付ふろがま、ガスこんろの4品目が指定されている（ガス事業法施行令9条、別表1）。

[32] 2023年8月末において、半密閉燃焼式ガス瞬間湯沸器、半密閉燃焼式ガスストーブ、半密閉燃焼式ガスバーナー付ふろがま、ガスふろバーナーの4品目が指定されている（ガス事業法施行令10条、別表2）。

[33] 2023年8月末において、特定LPG器具以外に、調整器、一般LPGこんろ、開放式・密閉式・屋外式LPG用瞬間湯沸器、LPG用高圧ホース、密閉式・屋外式LPG用バーナー付ふろがま、開放式・密閉式・屋外式LPG用ストーブ、LPG用ガス漏れ警報器、LPG用低圧ホース、LPG用耐震自動ガス遮断器の9品目が指定されている（液石法施行令3条、別表1）。

[34] 2023年8月末において、カートリッジLPGこんろ、半密閉式LPG用瞬間湯沸器、半密閉式LPG用バーナー付ふろがま、ふろがま、LPG用ふろバーナー、半密閉式LPG用ストーブ、LPG用ガス栓の7品目が指定されている（液石法施行令3条、別表2）。

2条7項、8項）に、それぞれ区分されている。

　ガス用品およびLPG器具等の製造・輸入事業者は、経済産業大臣にそのガス用品またはLPG器具等の型式等を届け出ることができ（ガス事業法140条、液石法41条）、その製造・輸入にあたっては経済産業省令で定める「技術基準」[35]への適合義務を負うものとされ（ガス事業法145条、液石法46条）、適合表示（ガス事業法147条、液石法48条）[36]の付されていない製品の販売等が禁止されている（ガス事業法138条、液石法39条）。

　そして、届出製造・輸入事業者には、特定ガス用品および特定LPG器具等について、経済産業大臣の登録を受けた者（ガス事業法150条以下、液石法51条以下）による技術基準への適合性検査を受け、交付された証明書の保存が義務づけられており（ガス事業法146条、液石法47条）、特定ガス用品以外のガス用品および特定LPG器具等以外のLPG器具等については、自ら適合検査を行ったうえ、その検査記録を作成し、保存することが義務づけられている（ガス事業法145条、液石法46条）。

　経済産業大臣は、製造・販売業者等による無表示製品の販売、基準不適合製品の製造等により一般消費者等の生命または身体についてガスまたはLPGによる災害が発生するおそれがあると認める場合において、製品の回収等当該ガス用品またはLPG器具等による災害の拡大を防止するために必要な措置をとるべきことを命ずることができる（ガス事業法157条、液石法65条）。

3　消費者安全法
(1)　消費者情報の一元化

　2009年9月、消費者庁の創設と同時に施行された消費者安全法は、消費被

---

[35] ガス用品の技術上の基準等に関する省令（昭和46年通商産業省令第27号）、液化石油ガス器具等の技術上の基準等に関する省令（昭和43年通商産業省令第23号）。
[36] ガス事業法に基づく技術基準への適合表示は、PSTGマークと呼ばれ、特別ガス用品（ガス用品の技術上の基準等に関する省令20条、別表6）、特別ガス用品以外のガス用品用品（同条、別表7）について、液石法に基づく技術基準への適合表示は、PSLPGと呼ばれ、特定LPG器具等（液化石油ガス器具等の技術上の基準等に関する省令20条、別表7）、特定LPG器具等以外のLPG器具等（同条、別表8）について、それぞれ定められている（本書第9章参照）。

害を防止するため、消費者事故などに関する情報を消費者庁に一元的に集約し、調査・分析するとともに、消費者に対する情報の発信についてもこれを一元化し、迅速な注意喚起を図ることをもって、その目的の一つとして位置づけている。

　ガス瞬間湯沸器の不具合による一酸化炭素中毒死事故や家庭用シュレッダーによる子どもの指切断事故などが多発したこと背景として、2007年5月から施行された改正消安法は、「製品事故」[37] のうち「重大製品事故」[38] につき、その製造・輸入事業者に対し、その発生を知ったときから10日以内[39] に、その製品の型式や事故の内容等を内閣総理大臣に報告すべきことを義務づけ（消安法35条1項、第2項）、消費者の生命・身体に対する重大な危害の発生・拡大を防止するために必要な場合には、内閣総理大臣において、その製品の名称・型式、事故の内容等を公表する重大製品事故情報報告・公表制度を定めている（同36条）。

　これに対し、消費者安全法の定める事故情報通知制度は、行政機関の長、都道府県知事、市町村長および独立行政法人国民生活センターの長について、「消費者事故等」[40] のうち「重大事故等」[41] が発生した旨の情報を得たとき

---

37) 「重大製品事故」とは、「製品事故」（後掲注38参照）であって、発生またはそのおそれがある危害が重大であって、①死亡、②30日以上の治療を要する負傷・疾病、③後遺障害、④一酸化炭素中毒、⑤火災およびそのおそれをいう（消安法2条6項、同施行令5条）。
38) 「製品事故」とは、消費生活用製品の使用に伴って生じた事故（消費生活用製品の欠陥によって生じたものでないことが明らかな事故を除く。）であって、①一般消費者の生命・身体への危害が発生した事故および②消費生活用製品の滅失毀損事故であって、一般消費者の生命・身体への危害が発生するおそれをいう（消安法2条5項）。
39) 消費生活用製品安全法の規定に基づく重大事故報告等に関する内閣府令（平成21年内閣府令第47号）3条。
40) 「消費者事故等」とは、生命・身体被害にかかるものとして、消費者による商品の使用または役務の利用等に伴って生じた事故であって、①死亡、②1日以上の治療を要する負傷・疾病、③一酸化炭素中毒およびそのおそれのほか、財産被害にかかるものとして、虚偽・誇大広告などが定められている（消費者安全法2条5項、同施行令1条、2条）。
41) 「重大事故等」とは、生命・身体被害にかかる消費者事故等のうち、①死亡、②30日以上の治療を要する負傷・疾病、③後遺障害、④一酸化炭素中毒およびそれらの事故を発生させるおそれをいう（消費者安全法2条7項、同施行令1条）。

は、直ちに、内閣総理大臣に対し、その旨および事故の概要等を通知すべきものとしたうえ（同12条1項）、「消費者事故等」による被害の拡大、同種・類似事故の発生するおそれがある場合における通知について規定している（同条2項）。そして、内閣総理大臣は、これらの通知によって得た情報につき、迅速かつ適確に集約・分析を行って結果を取りまとめ、その結果を関係行政機関、関係地方公共団体および国民生活センターに提供するとともに、消費者委員会に報告したうえ、一般に公表しなければならないものとされている（同13条）。

なお、2010年4月から、消費者庁および国民生活センターによって、関係行政機関から一元的に集約された事故情報や危害情報を一般に提供する「事故情報データバンクシステム」[42]の運用がなされている。

(2) **消費者安全調査委員会**

2014年の改正消費者安全法によって、同年10月、消費者庁に設置された消費者安全調査委員会（いわゆる「消費者事故調」）は、内閣総理大臣の指名する7名の委員によって構成され（同18条、19条）、生命・身体被害にかかる消費者事故について、被害の拡大・類似事故の発生を防止するため、その原因調査を行うものとされており（同23条）、他の行政機関等によって原因調査が行われている場合には、それらの結果を評価し、意見を述べるほか、自ら調査を行うことができる（同24条）[43]。

そして、消費者安全調査委員会は、その調査および評価に基づいて、消費者被害の発生又は拡大の防止のため講ずべき施策または措置について、内閣総理大臣に対して勧告を行うほか（同32条）、必要に応じて、内閣総理大臣および関係行政機関の長に意見具申を行うことができる（同33条）。

なお、原因調査の対象となる消費者事故については、消費者安全調査委員会においてこれを選定するが、当該消費者事故の被害者に限らず何人であっても、消費者安全調査委員会に対し、事故の原因調査を行うよう申し出るこ

---

42) https://www.jikojoho.caa.go.jp/ai-national/
43) 消費者安全調査委員会によって提出および公表された報告書・経過報告・評価書については、https://www.caa.go.jp/policies/council/csic/report/ 参照。

とができ、その採否については、申出人に理由を付した通知を行うものと定められている（同28条）。

第3　製品事故の被害救済

1　製造物責任の無過失責任化

　製造物責任とは、製品事故による被害について、その製造業者や販売業者の負う損害賠償責任のことであり、わが国においては「プロダクト・ライアビリティ（product liability）」という米国における呼び方の頭文字を取って「PL」と略称されることも多い。

　従来、製造物責任の法的根拠は、不法行為責任（民法709条）や債務不履行責任（民法415条）に求めるのが一般的であった。ところが、不法行為責任については、被害者である消費者において製造業者や販売業者の「過失」を立証しなければならないことから、高度な科学技術を応用した製品が製造されるようになると、専門知識を持たない消費者にとって困難を強いることになった。また、契約責任についても、契約関係の存在を前提とすることから、流通過程の複雑化によって製造業者との間に多くの流通販売業者が介在するようになった消費者にとって、必ずしも有効な責任根拠とはならなくなった。

　そのような社会的な背景の中で、米国においては、1960年になって、過失を要件としない新たな製造物責任原則として「厳格責任（strict liability）」が登場し[44]、欧州においても、1984年7月、欧州共同体（the European Community：EC）において、加盟国に無過失責任に基づく製造物責任の立法化を義務づける EC 指令[45]（現 EU 指令）が採択されたことから、製造物責任の無過失責任化は、一気に世界的な流れとなった。なお、欧州連合（the

---

44) 米国における厳格製造物責任原則の先駆けとなったのは、カリフォルニア州最高裁判所による1963年のグリーンマン事件判決（Greenman v. Yuba Power Products、Inc.、59 Cal. 2 d 57 (1963)）であり、アメリカ法律協会（the American Law Institute）が1965年に採択した「不法行為第2リステイトメント（the Restatement (Second) of Torts）」の402条 A として規定されたことによって大部分の州における製造物責任原則とされるようになった。

European Union：EU)[46]において、2022年9月、欧州委員会（the European Commission）から欠陥製造物責任に関するEU指令の改正提案[47]が公表され、2023年6月、EU理事会（the Council of the European Union）がこの改正提案に対する意見を採択し[48]、欧州議会（the European Parliament）における議論が続けられている。

わが国においても、1994年6月に制定された製造物責任法によって、製造物責任原則としての無過失責任が立法化され、1995年7月から施行された。

2 製造物責任法の適用範囲
(1) 責任主体

製造物責任法は、「製造業者等」をもって、その責任主体として規定しており（同3条）、ここに「製造業者等」とは、①当該製造物を業として製造、加工または輸入した者（以下、「製造業者」という。）、②自ら当該製造物の製造業者として当該製造物にその氏名、商号、商標その他の表示をした者または当該製造物にその製造業者と誤認させるような氏名等の表示をした者（以下、「表示製造業者」という。）、③当該製造物の製造、加工、輸入または販売にかかる形態その他の事情からみて、当該製造物にその実質的な製造業者と認めることができる氏名等の表示をした者（以下、「実質的製造業者」という。）をいうものと定義している（同2条3項）[49]。

「製造業者」にかかる「業として」という要件については、ある行為が反

---

[45] COUNCIL DIRECTIVE of 25 July 1985 on the approximation of the laws, regulations and administrative provisions of the Member States concerning liability for defective products (85/374/EEC) amended by DIRECTIVE 1999/34/EC of the European Parliament and of the Council of 10 May 1999.

[46] EUは、ECを基礎として、1993年11月に発効したマーストリヒト条約（the Maastricht Treaty）に従って創設され、2023年8月末現在27か国が加盟している。

[47] Proposal for a directive of the European Parliament and of the Council on liability for defective products (COM (2022) 495 final).

[48] Outcome of Proceedings, Council of the European Union, Brussels, 15 June 2023 (OR.en) 10694/23.

[49] 朝見行弘「製造物責任法における賠償義務者」〔誌上法学講座・改めて学ぶ製造物責任法（PL法）第5回〕ウェブ版国民生活113号（2022年）35頁参照。

復継続して行われることを意味し、その行為が営利を目的とするものであるか否かを問うものではなく、「製造業者」には、部品・原材料の製造業者も含まれる。すなわち、欠陥のある部品・原材料の製造業者は、それらの部品・原材料が組み込まれた最終製品に起因する損害について、最終製品の製造業者と共に製造物責任を負うことになる。

　表示製造業者は、製造物の製造、加工または輸入に直接関わっていないものの、製造業者としての表示または製造業者と誤認させるような表示を製造物に付すことによって、消費者に対して製造物に関する信頼を与えていることから、製造物責任法にもとづく賠償責任を負うものとされており、OEM製品やPB製品などの製造を委託した事業者が表示製造業者の代表例であり、「製造者」、「製造元」、「謹製」、「輸入者」、「輸入元」などの表示を伴う場合がこれに当たる。そして、「製造業者として」の表示を付した場合のみならず、「製造業者と誤認させる」ような表示を付した場合についても、表示製造業者（誤認表示製造業者）としての責任を負うものとされており、ブランド名のみを付した者やフランチャイズ契約によってブランド名の使用を許諾した者などをその例として挙げることができる。表示製造業者に該当するか否かは、その表示を全体的に考慮したうえで、消費者が当該事業者を製造業者と誤認するものであれば足り、他の事業者が製造業者として表示され、あるいは自らが製造業者ではないことが表示されていることのみをもって「表示製造業者」であることが否定されるものではない。

　表示製造業者をめぐっては、他社が輸入したふとん乾燥機の発火による火災死亡事例において、ホームページならびに当該乾燥機本体およびその外箱には販売業者のロゴが記載され、その取扱説明書および保証書にはアフターサービスおよび保証を行う主体として当該販売業者の名称と事業所所在地が記載されており、輸入業者および製造業者の主体が明示されていなかった場合につき、当該販売業者以外の主体が製造業者であることを窺わせる記載は一切見当たらないとして、当該販売業者をもって表示製造業者と認定した事例[50]、痩身用サウナ器具の使用によって両下肢に網状皮斑が生じた事例にお

---

50) 大阪地判平成25・3・21ウエストロー・ジャパン2013WLJPCA03216005。

いて、当該サウナ器具のコントローラー、ボックスおよび取扱説明書の表紙に製造業者と明示することなく販売業者の商標のみが表示された場合につき、当該販売業者をもって誤認表示製造業者と認め、取扱説明書の裏面に製造元の名称および発売元として販売業者の記載がなされていたことから製造業者と誤認するおそれはないとする当該販売業者の主張について、製品の使用者が常に取扱説明書の裏面を見るとは限らないとしてこれを退けた事例[51]が見られる。

　製造物責任法は、製造物の販売業者をもってその責任主体として規定しておらず、製造物に製造業者と販売業者の表示が付されていた場合においては、製造業者のみが同法にもとづく製造物責任を負うことになり、販売業者は民法上の不法行為責任を負うにとどまることになる。しかし、その流通の実態に照らしてみると、販売業者が製造物に関する設計上・製造上の指示を与え、その製造物の一手販売を行うなど製造物の製造・販売に深く関与している場合少なくない。そこで、製造物責任法は、製造物の製造・販売に深く関与し、単なる販売業者にとどまらず、実質的な製造業者として評価することのできる事業者についても、製造物責任法の適用対象とした。なお、実質的製造業者は、製造業者および表示製造業者が製造物責任法に基づく賠償責任を負う場合であっても、そのことのみをもって製造物責任に基づく賠償責任を免れるものではない。

　洗顔石けんである「茶のしずく石けん」に含まれていた加水分解コムギ末であるグルパール19Sにより小麦依存性運動誘発アレルギーに経皮感作し、小麦の摂取によってアナフィラキシー・ショックの危険性を伴うアレルギー症状を発症した事例において、東京茶のしずく訴訟判決[52]は、「実質的製造業者に当たるというためには、当該製造物にされた氏名等の表示の内容、態様のみならず、製造、加工、輸入又は販売に係る形態その他の事情を考慮して、製造物の購入者等に対し、社会通念上当該表示をした者が製造業者（1

---

51) 大阪地判平22・11・17判時2146号80頁。
52) 東京地判平30・6・22裁判所HP。なお、福岡地判平30・7・18判時2418号38頁〔第1審〕、福岡高判令2・6・25ウエストロー・ジャパン2020WLJPCA06256015〔控訴審〕参照。

号）又は2号の表示をした者と同様の信頼性を与えるものであることを要する」ものとして、①本件石けんの外箱や包装に表示していた「発売元」としての商号が、「製造元」又は「製造販売元」として表示していた相被告である石けん製造業者の商号よりも目立つように記載されていたこと、②本件石けんは、被告石けん販売業者の代表取締役及び取締役の夫妻の着想から商品開発されたものであり、被告石けん販売業者は、自社においてシミについて重点的に研究する研究所を有し、研究の成果を学会論文として発表し、これらを顧客向けのパンフレット等において積極的に宣伝していたこと、③相被告石けん製造業者の生産能力を補うため、同社に対し、被告石けん販売業者が購入した製造設備を使用貸借により貸与することにより、相被告石けん製造業者の本件石けん製造に深く関与していたこと、④被告石けん販売業者は、原則として相被告石けん製造業者のみに本件石けんの製造を委託し、独占的な販売権を有しており、相被告石けん製造業者と密接な関係にあって、相被告石けん製造業者と一体となって本件石けんの供給を行っていたこと、⑤被告石けん販売業者は、「茶の雫／茶のしずく」の商標登録をするとともに、大々的に宣伝活動を行って高い知名度を獲得し、薬用洗顔料のトップのシェアを有するブランドとなったという事情を踏まえ、被告石けん販売業者は、製造業者であるのと同様の信頼性を与えていたものというべきであり、被告石けん販売業者をもって実質的製造業者に当たるものと認定した。

　また、近時においては、デジタルプラットフォーム（digital platform：DPF）[53]を利用した取引形態の普及により、消費者が海外の製造業者から直

---

53)　デジタルプラットフォーム取引透明化法2条1項において、デジタルプラットフォームとは、「多数の者が利用することを予定して電子計算機を用いた情報処理により構築した場であって、当該場において商品、役務又は権利を提供しようとする者の当該商品等に係る情報を表示することを常態とするものを、多数の者にインターネットその他の高度情報通信ネットワークを通じて提供する役務」をいうものと定義されているが、一般には、GAFA（グーグル（Google）、アップル（Apple）、フェイスブック（Facebook）〔現メタ（Meta）〕、アマゾン（Amazon））などに代表されるインターネット上のショッピングモール、フリマアプリ、マッチングサイトなどICT（information and communication technology：情報通信技術）を用いた「取引の場」の提供を意味するものと理解されている。

接製品を購入する場合が増加しており、このような輸入業者の介在しない状況の下で、購入者は、海外の製造業者や販売業者を特定できず、あるいはその賠償責任を問うことが困難となっている。しかし、購入者と直接の取引関係を有しておらず、取引の場を提供するに過ぎないDPF事業者が製造物責任法に基づく賠償責任を負うことはない[54]。

　製造物責任法は、製造物の欠陥に起因して発生した損害について、製造業者等が負うべき賠償責任としての製造物責任を規定しており、医師や医療機関による医療行為、建築業者による建築請負行為、自動車修理業者による修理行為、産業機械の設置業者による設置行為など製造物の引渡しを伴わない役務（サービス）の欠陥に起因する損害について、それらの役務提供業者が負うべき賠償責任について適用されないことは明らかである。しかし、料理店における料理の提供行為などは、調理および給仕という役務の提供を伴うものであるが、製造物の引渡しを伴う以上、役務提供契約であることをもって製造物責任法の適用を否定する理由はないものと解されており、ファースト・フード店で購入したジュースに混入していた異物によって咽頭部を負傷した事例[55]、割烹料亭において提供されたイシガキダイによって食中毒が生じた事例[56]において、いずれもファースト・フード店および割烹料亭につき製造物責任法に基づく賠償責任が認められている。

(2) 製造物

　製造物責任法は、その適用範囲を「製造物」（同3条）の欠陥に起因する損害に限定しており、「製造物」とは「製造又は加工された動産」（同2条1

---

54) DPFにおいて中国の製造業者が製造し中国の販売業者が出品したモバイルバッテリーを購入したところ、同モバイルバッテリーからの出火によって家屋が半焼した事例につき、「場の提供者」であって製造物の製造業者でも販売業者でもないDPF事業者の債務不履行責任および不法行為責任が否定されたものとして、東京地判令4・4・15判タ1510号241頁参照。

55) 名古屋地判平11・6・30判時1682号106頁。なお、朝見行弘「製造物と部品・原材料」［誌上法学講座・改めて学ぶ製造物責任法（PL法）第8回］ウェブ版国民生活116号（2022年）35頁参照。

56) 東京地判平14・12・13判時1805号14頁〔第1審〕、東京高判平17・1・26LEX/DB 28101913〔控訴審〕。

項）をいうものと定義している。「動産」とは、不動産以外のすべての物をいうものと定義されており（民法86条）、不動産は製造物責任法の適用範囲から除外されるところ、不動産の原材料や構成部品そのものは動産であり、その対象範囲に含まれることになる[57]。そして、ここにおける「製造又は加工」とは、「原材料に人の手を加えることによって、新たな物品を作り（「製造」）、又はその本質は保持させつつ新しい属性ないし価値を付加する（「加工」）ことをいう」[58]ものとされ、自然産物についても、加熱（煮る、煎る、焼く）、味付け（調味、塩漬け、燻製）、粉挽き、搾汁などは「製造又は加工」にあたるが、単なる切断、冷凍、冷蔵、乾燥などは「製造又は加工」にあたらないものと解されている[59]。

　電気そのものは無体物であり、製造物責任法の適用範囲外となるが、発電装置は有体物たる動産であり、発電装置の欠陥に起因して発電された電気の電圧や周波数に異常が生じ、損害が発生したのであれば、発電装置の製造業者について製造物責任法に基づく賠償責任を追及することは可能であろう。また、コンピュータのプログラムやデータそのものも無体物であるが、そのプログラムやデータが組み込まれた装置は、有体物たる動産であり、その装置の製造業者について製造物責任法の適用が妨げられるものではない[60]。

---

57) 商業ビルに設置されたエスカレーターの製造業者について、製造物責任法の適用を認めた事例として、東京高判平26・1・29判時2230号30頁。
58) 前掲注56）東京地判平14・12・13〔第1審〕、前掲注56）東京高判平17・1・26〔控訴審〕。本判決においては、イシガキダイの身の部分をアライにし、兜や中骨の部分を塩焼きにしたことをもって「加工」に当たるものと認定された。また、塩素浸漬による消毒を行うとともにそのまま食事として利用できる程度に小口切りにされた生食用長ネギをもって、原材料である長ネギの性質を変化させて調理の段階に至ったとして「加工」されたものとされた事例として、東京地判平29・9・5ウエストロー・ジャパン2017WLJPCA09058005参照。
59) 消費者庁消費者安全課編『逐条解説製造物責任法〔第2版〕』〔以下、「消費者庁編・逐条解説」として引用する〕93頁（商事法務研究会、2018年）、通商産業省産業政策局消費経済課編『製造物責任法の解説』〔以下、「通産省編・解説」として引用する。〕70頁（通商産業調査会、1994年）。
60) 欠陥製造物責任に関するEU指令の改正提案（前掲注47））4条1号は、ソフトウェアにつき「製造物」として同指令の適用範囲に含めている。

血液製剤については、「血漿分画製剤」、「血液成分製剤」、「全血製剤」に区分されるが、「血漿分画製剤」は血漿に含まれる蛋白質に種々の化学的・物理的処理を加えて分画精製されていること、「血液成分製剤」は遠心分離処理によって赤血球や血小板などに分離されていること、「全血製剤」は保存液や抗凝固液が添加されていることなどの点において、いずれも加工処理が加えられており、製造物責任法の適用対象に含まれるものというべきであろう。また、ワクチンについても、不活化ワクチンは、病原微生物を加熱処理し、病原体の性質を変性させていること、生ワクチンも、病原体の毒性を失わせ、あるいは弱めたうえで接種するものであることなどの点において、いずれも加工処理が加えられているものということができる。

なお、中古品であっても、「製造又は加工された動産」に該当する限り、製造物責任法の対象となるが、以前の使用者による使用状況や改造・修理の状況や販売業者による点検・修理・整備などの介在といった事情が、その欠陥の判断にあたって考慮されることになるであろう。再利用された廃棄物に起因して損害が生じた場合については、廃棄によって製品としての利用が予定されていないものとして、欠陥性あるいは因果関係が否定される余地があるとされているが[61]、何をもって廃棄物というのかが明確ではなく、ある人にとって製品としての利用価値が失われたとしても、他の人にとっては依然として利用価値が残されていることが考えられるのであって、廃棄物として処分されたことのみを理由として製造物責任法の適用を否定すべきではない。

未加工の自然産物については、製造物責任に関するEU指令（前掲注45））の原則（同指令2条）を受けて製造物責任法の適用除外とされているが、同指令は、1986年に英国で発生したBSE（Bovine Spongiform Encephalopathy：牛海綿状脳症）を切っ掛けとして未加工の自然産物についてもその適用対象に含めるものとして1999年5月に改正されており[62]、製造物の範囲から未

---

61) 消費者庁編・逐条解説56頁、通産省編・解説72-73頁。
62) DIRECTIVE 1999/34/EC OF THE EUROPEAN PARLIAMENT AND OF THE COUNCIL of 10 May 1999 amending Council Directive 85/374/EEC on the approximation of the laws, regulations and administrative provisions of the Member States concerning liability for defective products (L141/20).

加工の自然産物を除外すべき合理的は認められない。

3　製造物責任の責任要件

製造物責任法は、「当該製造物が通常有すべき安全性を欠いていること」（同2条2項）をもって「欠陥」と定義しており、製造物に内在する危険が、社会一般の客観的な期待としての「消費者の期待」に反するものであり、社会的に許容されないものと評価される場合をもって「欠陥」と規定したものと解することができる。しかし、「欠陥」は規範的概念（評価概念）であり、いかなる要素（評価根拠事実）を考慮するのかという「欠陥」の判断基準が明確にされなければならない[63]。

製造物責任法は、「欠陥」の判断にあたって、①当該製造物の特性、②その通常予見される使用形態、③製造業者等が当該製造物を引き渡した時期、④その他の当該製造物にかかる事情という4つの要素を考慮すべきものと規定しており（同2条2項）[64]、より具体的な判断要素として、①「製造物の特性」につき、ⓐ製造物の表示、ⓑ製造物の効用・有効性、ⓒ価格対効果、ⓓ被害発生の蓋然性とその程度、ⓔ製造物の通常使用期間・耐用期間、②「通常予見される使用形態」につき、ⓐ製造物の合理的に予期される使用、ⓑ製造物の使用者による損害発生防止の可能性、③「製造物を引き渡した時期」につき、ⓐ製造物が引き渡された時期、ⓑ技術的実現可能性、④「その他の製造物に係る事情」につき、ⓐ危険の明白さ、ⓑ製品のばらつきの状況が例示されている[65]。

製造物責任法は、「過失」という製造業者等の主観的な事情に代えて、製造物の客観的な性状や属性である「欠陥」をもって責任要件として位置づけ

---

[63] 朝見行弘「『欠陥』(1)——製造物の客観的評価とその判断要素」〔誌上法学講座・改めて学ぶ製造物責任法（PL法）第3回〕ウェブ版国民生活114号（2021年）35頁、同「『欠陥』(2)——裁判例にみる欠陥の判断要素」〔誌上法学講座・改めて学ぶ製造物責任法（PL法）第7回〕ウェブ版国民生活115号（2021年）35頁参照。

[64] 製造物責任に関するEC指令6条1項は、「欠陥」の判断要素として、①製造物の外観、②合理的に予期しうる製造物の使用、③製造物が流通過程に置かれた時期を含むすべての事情を考慮すべきものと定めている。

[65] 消費者庁編・逐条解説59頁以下、通産省編・解説75頁以下。

たところにその大きな意義が存在している。従って、その責任要件である「欠陥」の判断にあたって考慮すべき要素は、製造物の客観的な性状や属性に限られ、製造業者等の主観的な事情を考慮することは許されないものといわなければならない。近時、一部に、「欠陥」の判断要素として示されている「技術的実現可能性」や「結果回避可能性」をめぐって、当該製造業者等の科学技術の水準に基づいてその可能性を否定し、さらには当該製造物に内在する危険に対する製造業者等の主観的な「予見可能性」を考慮しようとする主張がみられる。しかし、これらの主張は、その結果において「過失責任」と異なるものではなく、製造物責任法が、「過失」に代えて「欠陥」を導入したことを事実上否定しようとするものにほかならない。

　京都茶のしずく訴訟判決[66]）は、「製造物責任法4条が『当該製造物をその製造業者が引き渡した時における科学又は技術に関する知見によっては、当該製造物にその欠陥があることを認識することができなかったこと』を抗弁として定めたことからすると、当時の技術水準に基づく予見可能性や結果回避可能性の有無を欠陥の判断要素とすることは、製造物責任法の論理的構造に反する」としたうえ、「欠陥の有無に関し『引渡し当時の技術水準』を考慮するに当たっては、欠陥の予見可能性を一応前提として、その欠陥なくして同等の効用を実現する代替設計の技術的可能性を考慮するのが相当である」としている。また、東京茶のしずく訴訟判決[67]）も、引渡時期における欠陥の認識可能性、予見可能性を基礎づける意味での科学・技術水準を考慮するとすれば、欠陥の判断の中に過失の判断における予見可能性と同様の判断を持ち込むことになりかねず、欠陥の認識可能性、予見可能性を基礎づける意味での科学・技術水準は、欠陥の判断の考慮事由とならないと判示している。

　末期肺がん患者に処方される非小細胞肺がんの治療薬である「イレッサ」の副作用について、最高裁は、医療用医薬品添付文書の記載が適切か否かは、

66）　京都地判平30・2・20裁判所HP。なお、前掲注52）福岡地判平30・7・18〔第1審〕、前掲注52）福岡高判令和2・6・25〔控訴審〕、大阪地判平成31・3・29裁判所HP参照。

67）　前掲注52）東京地判平30・6・22。

「副作用の内容ないし程度（その発現頻度を含む。）、当該医療用医薬品の効能又は効果から通常想定される処方者ないし使用者の知識及び能力、当該添付文書における副作用に係る記載の形式ないし体裁等の諸般の事情を総合考慮して」、予見し得る副作用の危険性が処方者等に十分明らかにされているといえるか否かという観点から判断すべきであるとし、イレッサが、手術不能又は再発非小細胞肺がんという極めて予後不良の難治がんを効能・効果としていることなどの事情に照らせば、副作用のうちに急速に重篤化する間質性肺炎が存在することを前提とした記載がないことをもって、添付文書の記載が不適切であるということはできないものと結論づけた[68]。これは、医薬品にかかる警告の欠陥判断につき、損害発生に対する輸入業者の認識可能性・予見可能性を持ち込んだものであり、製造物責任法の趣旨に反するものとして是認することができず、ついては、「飽くまで、末期肺がん患者に処方されるものとして輸入承認がされた抗がん剤について、副作用情報の提供の在り方ないし添付文書の記載の適否という観点から製造物責任法2条2項に規定する欠陥の有無を検討したもの」であり、「医療用医薬品の欠陥判断一般について説示したものではないとともに、一般用医薬品を含む医療用医薬品以外の製造物の欠陥については全く触れるものではない」として、医療用医薬品の指示警告上の欠陥判断について限定的に解釈すべきであろう[69]。

4　欠陥の立証責任

　欠陥の立証責任にかかる推定規定を設けるべきか否かをめぐっては、その立法過程において大きな議論がなされたところであるが、製造物責任法は、何ら特段の規定を設けておらず、いずれも被害者である原告において立証責任を負うことになる。しかし、被告である製造業者等が製造物に関する多くの知識や情報を有しているのに対し、製造物についての知識や情報を有しない原告にとって、具体的な欠陥原因を特定することはきわめて困難であると言わなければならない。

---

[68]　最判平25・4・12民集67巻4号899頁。
[69]　伊藤正晴「判批」最高裁判所判例解説民事〔平成25年度〕203頁。

そこで、リチウムイオン電池を装着した携帯電話機をズボンのポケットに入れたまま2時間半ほどコタツに入っていたところ、左大腿部に低温熱傷が生じた事案において、製造物を「通常の用法に従って使用していたにもかかわらず、身体・財産に被害を及ぼす異常が発生したこと」を原告において主張立証したのであれば、「それ以上に、具体的欠陥等を特定した上で、欠陥を生じた原因、欠陥の科学的機序まで主張立証責任を負うものではない」ものとする裁判例[70]がみられる。また、家庭用シュレッダーが使用中に破裂し、右耳難聴の後遺症が生じた事案においても、異常な使用が事故原因となったことを認めるに足りる証拠はなく、通常の用法に従って用いられていたにもかかわらず、その破裂によって身体被害が生じた以上、当該シュレッダーの欠陥を否定することはできないとする判断が示されている[71]。

すなわち、欠陥の立証責任については、原告において、①当該製造物を通常の用法において使用していたこと、および②身体または財産に通常生ずべきではない損害が生じたことを主張立証すれば、欠陥の存在につき事実上の推定が認められているものということができる[72]。欠陥製造物責任に関するEU指令の改正提案（前掲注47））は、被告につき賠償責任の立証に十分な事実および証拠を提示した原告に対する証拠開示義務を定めたうえ（同改正提案8条）、①被告が当拠開示義務を遵守しなかったこと、②製造物がEUまたは国内法の定める強制的な安全要件に適合していないことを原告において立証したこと、③製造物の通常の使用または一般の状況における明らかな誤動作によって損害が引き起こされたこと原告において立証したことのいずれかの条件が満たされた場合において製造物の欠陥性を推定し（同改正提案9条2項）、製造物が欠陥を有することおよび引き起こされた損害が当該欠陥と矛盾するものでない場合において製造物の欠陥と損害との間の因果関係

---

70) 仙台高判平22・4・22判時2086号42頁〔控訴審〕。
71) 東京地判平24・11・26 LEX/DB:25497279。
72) 朝見行弘「欠陥と因果関係の立証（1）——立証負担の軽減」〔誌上法学講座・改めて学ぶ製造物責任法（PL法）第9回〕ウェブ版国民生活117号（2022年）35頁、同「欠陥と因果関係の立証（2）——裁判例にみる欠陥・因果関係の立証」〔誌上法学講座・改めて学ぶ製造物責任法（PL法）第10回〕ウェブ版国民生活118号（2022年）37頁参照。

を推定するものとする規定を定めている（同条3項）。さらに、技術的もしくは科学的な複雑性により、原告が製造物の欠陥、欠陥と損害との間の因果関係またはその双方の立証につき過度な困難に直面するものと裁判所が判断した場合についても、原告において、①当該製造物が損害の発生に寄与したこと、および②当該製造物に欠陥があった可能性もしくは当該欠陥によって損害が引き起こされた可能性またはそのいずれでもある可能性が高いことを立証したときに製造物の欠陥もしくは欠陥性と損害との間の因果関係またはその両方を推定するものと規定している（同条4項）。

5　損害賠償の範囲

　損害賠償の範囲について、製造物責任法は、製造物の欠陥に起因する損害が欠陥製造物自体にとどまり、拡大損害が生じていない場合、その本体損害について同法は適用されないことを規定する以外、特段の規定を設けていない（同3条ただし書）。そして、製造物責任法が、民法の特別法として、製造物責任に関する不法行為責任の特則を定めるものであることから、製造物責任法に特段の定めがない事項については民法の規定が適用され（同6条）、製造物責任法に基づく賠償責任の賠償範囲は、民法上の不法行為責任に関して用いられてきた基準に従って画定されることになる。

　民法上の不法行為責任については、その対象となる損害が事業上の損害であっても賠償範囲に含まれることから、製造物責任法に基づく賠償責任についても、事業上の損害がその賠償範囲に含まれることに異論はみられない。しかし、しかし、事業上の損害は、その損害額が莫大なものとなる可能性があり、そのような費用を製品価格への転嫁によって一般消費者に負担させることは、製造物に対する知識や情報あるいは交渉力などにおいて事業者と格差のある消費者の救済を図ることを目的とする消費者保護法としての製造物責任法の趣旨に鑑みるならば、立法論としては検討の余地があるものと思われる。特に、販売業者は、製造物責任法上の賠償責任を負わないにもかかわらず、製造業者に対しては同法に基づいて巨額の営業損害につき賠償を求めることができることになり、合理性を欠くものといわざるを得ない。

　裁判例においても、カーオーディオ製品に組み込まれた汎用品であるFT

スイッチの欠陥によって当該カーオーディオ製品の製造業者が蒙ったスイッチの交換費用及び当該欠陥に起因する不具合の修理に要した費用について、当該 FT スイッチの製造業者に製造物責任法に基づく賠償責任を認めた事例[73]、ボツリヌス菌の混入した瓶詰オリーブによって生じた食中毒事故ついて、当該瓶詰オリーブを用いた料理を提供したレストランが蒙った営業停止命令に基づく休業損害および食中毒事故の発生による信用損害について、当該瓶詰オリーブの輸入業者に製造物責任法に基づく賠償責任を認めた事例[74]など事業上の損害について製造物責任法に基づく賠償を認めたものが数多く見られる。

6 免責事由
(1) 開発危険の抗弁

製造物責任法は、「当該製造物をその製造業者等が引き渡した時における科学又は技術に関する知見によっては、当該製造物にその欠陥があることを認識することができなかったこと」をもってその賠償責任の免責事由として規定しており（同 4 条 1 号）、いわゆる「開発危険（development risk）の抗弁」を認めている。開発危険の抗弁は、1985年に採択された製造物責任に関する EC 指令（現・EU 指令）7 条（e）号における導入に始まるが、同指令には、国内法によって同抗弁を否定することを加盟国に許容する旨のオプション条項（同指令15条 1 項（b）号）が定められている[75]。EU 指令 7 条（e）号は、開発危険の抗弁の免責の基準として「製造物を流通に置いた時点における科学および技術知識の水準」によって欠陥の存在を明らかにすることが不可能であったことを規定しているが、ここにいう「科学および技術知識の水準」について、EC 司法裁判所は、「製造物が流通に置かれた時点におけ

---

73) 東京地判平15・7・31判時1842号84頁。
74) 東京地判平13・2・28判タ1068号181頁。
75) 2023年 8 月末現在、EU 加盟国27か国のうち、国内法において開発危険の抗弁を規定していないのは、ルクセンブルクとフィンランドの 2 か国のみであり、そのほかドイツ、フランス、スペインの 3 か国において医薬品など一部の製品について同抗弁の適用が否定されている。

る最先端のレベルの知識を含む科学および技術知識の客観的水準」であり「製造物が流通に置かれた時点おいてアクセス可能な知識」をいうものとする判断を示している[76]。2023年8月末現在、EU加盟国において、開発危険の抗弁免責が認められた事例は、HIVウイルスに汚染された血液に関するオランダにおける下級審裁判例[77]および顎骨の壊死を引き起こした骨粗鬆症治療薬に関するイタリアにおける下級審裁判例[78]の2例を見出すことができるにとどまり、同抗弁の適用基準となる科学および技術知識の水準については、きわめて厳格に解されている。

製造物責任法の規定する開発危険の抗弁についても、同法4条1号に規定する「科学又は技術に関する知見」とは「製造物の欠陥の有無を判断するに当たり影響を受け得る程度に確立された知識の総体、すなわち、入手可能な最高水準の科学又は技術に関する知識の総体」[79]をいうものとする考え方が確立しており、これまでに開発危険の抗弁の適用を認めた裁判例を見出すことはできない[80]。

また、東京茶のしずく訴訟判決[81]は、欠陥の判断要素として損害発生の認識可能性がないことを考慮すべきであるとする被告の主張に対し、損害発生の認識可能性がないことによって欠陥性が否定されるのであれば、開発危険の抗弁が機能する場面は考えにくいとして、開発危険の抗弁が規定されていることをもって損害発生の認識可能性を欠陥の判断要素として考慮できないことの根拠の一つとして指摘している。

---

76) Commission of the European Communities v. United Kingdom of Great Britain and Northern Ireland, [1997] AER (EC) 481.
77) Rb. Amsterdam, 3 februari 1999, NJ 1999 621
78) Trib.Sassari, sez. Civ., sentenza 12 lunglio 2012, Il Caso.it, Sez. Giurisprudenza, 7774 - pubb. 12/09/2012
79) 前掲注66) 京都地判平30・2・20。なお、前掲注56) 東京地判平14・12・13〔第1審〕、前掲注56) 東京高判平17・1・26〔控訴審〕、前掲注52) 東京地判平30・6・22、前掲注52) 福岡地判平30・7・18〔第1審〕、前掲注52) 福岡高判令和2・6・25〔控訴審〕前掲注66) 大阪地判平31・3・29、名古屋地判平19・11・30判時2001号69頁参照。
80) 朝見行弘「開発危険の抗弁」〔誌上法学講座・改めて学ぶ製造物責任法（PL法）第11回〕ウェブ版国民生活119号（2022年）35頁参照。
81) 前掲注52) 東京地判平30・6・22。

(2) 部品・原材料製造業者の抗弁

　部品・原材料の製造業者は、その製造にかかる部品・原材料の欠陥に起因する損害について、それらが組み込まれた最終製品の消費者に対し、最終製品の製造業者とならんで、製造物責任法に基づく賠償責任を負うことになる。しかし、それらの部品・原材料が組み込まれる最終製品についての情報を与えられることなく、最終製品の製造業者によって指示された設計にのみ従って製造した場合において、その部品・原材料の製造業者に対し、最終製品の製造業者と同様の賠償責任を課すことは不適切である。そこで、製造物責任法は、「当該製造物が他の製造物の部品又は原材料として使用された場合において、その欠陥が専ら当該他の製造物の製造業者が行った設計に関する指示に従ったことにより生じ、かつ、その欠陥が生じたことにつき過失がないこと」をもって部品・原材料製造業者の抗弁として規定し（同4条2号）、部品・原材料の製造業者について製造物責任法に基づく賠償責任の免責を認めている。

　部品・原材料製造業者の抗弁の適用については、その欠陥が生じたことにつき部品・原材料製造業者の無過失が要件とされている。すなわち、部品・原材料製造業者であっても、その部品や原材料の用途を認識したうえで、そのような使用が最終製品としての製造物にとって欠陥となることを予見し、その欠陥の発生を回避することができた場合には、その責任を免れることができない。

　汎用品としての部品・原材料は、どのような製品に組み込まれるのかが定まっておらず、その用途・用法によっては、部品・製造業者において予見できないことが考えられる。しかし、汎用品といっても、まったく無限定な汎用性はあり得ないのであって、部品・原材料として用いられることを合理的に予見することができる範囲における「通常有すべき安全性」を欠く場合において、当該部品・原材料は欠陥を有するものというべきである[82]。

　京都茶のしずく訴訟判決[83]は、小麦アレルギーの原因となった石けんの

---

82) 前掲注55) 朝見「製造物と部品・原材料」。
83) 前掲注66) 京都地判平30・2・20。

原材料である加水分解コムギ末（グルパール19S）の製造業者につき、グルパール19S は汎用的な原材料であり、相被告原材料製造業者は、グルパール19Sの具体的な構造、性質、特徴など認識した諸事情を相被告石けん製造業者に提供しているとして、グルパール19S の欠陥性を否定しており、東京茶のしずく訴訟判決[84]においても、相被告石けん販売業者や相被告石けん製造業者は、被告原材料製造業者の提供したグルパール19S のデータを踏まえて本件石けんへの使用を自由に選択しているのであって、被告原材料製造業者が本件石けんの製品設計に関与したとはいえないとして、その責任が否定された。

これに対し、福岡茶のしずく訴訟判決[85]は、汎用的な原材料であっても、通常想定される用途として用いられる完成品の範囲には一定の限定が存在しており、その範囲内の完成品の原材料として用いられる限り、完成品の製造業者が通常想定される用法を逸脱して当該原材料を使用した場合を除き、完成品に、欠陥に該当するような危険性を生じさせないことが、当該原材料の通常有すべき安全性の内容の一つになっているのであって、汎用的な原材料の通常有すべき安全性の内容及び程度についても、その範囲内にある個々の完成品の通常有すべき安全性の内容および程度と同様のものであるということができるものと判示している。

7 責任期間

(1) 短期消滅時効

製造物責任法に基づく賠償請求権の消滅時効に関する規定（同5条）は、2017年の民法改正によって、人の生命又は身体を害する不法行為による損害賠償請求権の消滅時効にかかる特則（民法724条の2）が設けられたことに伴って改正され、2020年4月1日から施行されている。これによって、「被害者又はその法定代理人が損害及び賠償義務者を知った時」から3年の消滅時効

---

84) 前掲注52) 東京地判平30・6・22。
85) 前掲注52) 福岡地判平30・7・18〔第1審〕、前掲注52) 福岡高判令和2・6・25〔控訴審〕。

にかかるものと定められていた製造物責任法に基づく賠償請求権の消滅時効（同5条1項1号）は、人の生命又は身体を害する不法行為による損害賠償請求権については、その時効期間を5年とするものと改められた（同条2項）。

被害者が欠陥の存在を認識したことは、消滅時効が進行を開始するための要件とされていない。しかし、ここにおける「賠償義務者」とは製造物責任法に基づく賠償責任を負う者のことを意味する以上、その前提として、被害者において製造物の欠陥によって損害が生じたことを認識したことが必要となるものと解すべきである。

製造物責任に関するEU指令（前掲注45））10条1項は、同指令に基づく賠償請求権につき、加盟国の国内法によりその起算点を被害者が損害、欠陥性および賠償義務者を認識し、または合理的に認識すべきであった日として3年の出訴期限を規定しており[86]、欠陥製造物責任に関するEU指令の改正提案（前掲注47））14条1項第1段も同様の規定を定めている。

(2) **長期消滅時効**

2017年の民法改正に伴って、製造物責任法に基づく賠償請求権は、「その製造業者等が当該製造物を引き渡した時から10年を経過したとき」（同条1項2号）において、「時効によって消滅する」（同項柱書）ものと改定された。改正前においては、3年の消滅時効を規定した同5条1項前段を受けて、「その製造業者等が当該製造物を引き渡した時から10年を経過したときも、同様とする。」（同項後段）と規定され、それまで除斥期間と解されていた10年の期間は消滅時効であることが明確にされた。

製造物責任に関するEU指令（前掲注45））11条は、長期の責任制限期間として、製造物を流通においた日から10年を経過した場合に同指定に基づく損害賠償請求権は消滅するものと規定しており、欠陥製造物責任に関するEU指令の改正提案（前掲注47））14条2項も同様の規定を定めているが、同条3項は、身体傷害の潜伏性のため被害者が10年内に手続きを開始することがで

---

[86] 製造物責任に関するEU指令（前掲注45））10条2項および欠陥製造物責任に関するEU指令の改正提案14条1項第2段（前掲注47））は、いずれもこの出訴期限の停止または中断にかかる加盟国の国内法規定を妨げないものと定めている。

きなかった場合につき、その期間を15年とするものという新たな規定を設けている。

(3) 蓄積・潜伏被害

製造物責任法は、「身体に蓄積した場合に人の健康を害することとなる物質による損害又は一定の潜伏期間が経過した後に症状が現れる損害」について、その起算点を損害発生時とするものと規定している（同5条3項）。

「身体に蓄積した場合に人の健康を害することとなる物質」とは、「人体に吸入された後、肝臓や骨髄や神経中枢などの組織に沈着して、きわめて徐々にしか排出されない性質を有する物質」[87]をいうものとされており、米国において問題となったアスベスト（石綿）[88]などを考えることができる。また、「一定の潜伏期間が経過した後に症状が現れる損害」としては、米国において問題となったDES (diethylstilbestrole) と呼ばれるホルモン剤に起因する健康被害[89]などを挙げることができるであろう。

8　流通形態の変化と製造物責任法の課題

製造物責任に関するEU指令（前掲注45））は1985年の採択から40年近く、わが国の製造物責任法は1995年の施行から30年近くを経過しており、それぞれにその解釈適用についての蓄積を見ることができるが、いずれも大きな改

---

87) 消費者庁編・逐条解説130頁、通産省編・解説171頁。
88) 米国においては、第二次世界大戦中、軍艦の断熱材としてアスベストが使用され、その作業にあたった作業員に石綿症（asbestosis）、中皮腫、肺がんなどの健康被害が生じた事例をはじめとして、アスベスト製造業者に対する大規模な製造物責任訴訟が提起された。アスベストによる健康被害は、その曝露から発症までに15〜40年の潜伏期間があることから、戦後15年を経過した1960年代以降、その被害が大きく顕在化し、その後、学校などの建物に使用されたアスベストによる健康被害が問題となった。
89) DESとは、流産を防ぐための女性ホルモンであるが、妊娠中の母親が服用したDESに曝露した女性の胎児が成年に達するころに膣がんなどの健康被害を発症し、その製薬会社に対する製造物責任訴訟が提起された。米国において、DESは、1940〜70年代にかけて数百万人に処方されたものといわれているが、1971年、妊娠中の女性に対する使用が中止され、1997年に製造を終了した。わが国においても、米国とほぼ同時期に製造されたが、その使用量は少なかったものとされており、1971年、妊娠中の女性への使用が禁忌とされた。

正はなされていない。しかし、その間に製造物にかかる流通や取引環境は著しい変化が生じている。特に、デジタル時代の到来によってソフトウェアやAIシステムなど無体物が取引対象となり、コンピュータやネットワークを利用した取引手段が普及するようになった現在、有体物の相対取引を有体物の取引を前提とする製造物責任の枠組みは、その客体の範囲とともに、多様な事業者の関与に伴う責任主体が不明確あるいは特定困難になるというという限界に直面している。

　そこで、欠陥製造物責任に関するEU指令の改正提案（前掲注47））は、ソフトウェアやデジタル・ファイルなどを「製造物」の範囲に取り込んで製造物責任の客体とし（同改正提案4条1号）、消費者と直接の契約関係を有しないDPF提供業者[90]について販売業者と同様の製造物責任を課している（同7条6項）。この点につき、米国において、DPF事業者の製造物責任が認められた事例として、DPF事業者が販売業者から事前に送られてあった購入者に梱包・発送する場合につきボルガー事件判決[91]など、販売業者が購入者に直接商品を梱包・発送する場合につきルーミス事件判決[92]などがあり、カリフォルニア州においては、2021年2月、売買の申込みを伝達し、かつ販売業者と購入者の間の支払いに関与するDPF事業者について厳格責任に基づく製造物責任を課すための民法改正法案（AB-1182）が提出されている[93]。

　また、欠陥製造物責任に関するEU指令の改正提案（前掲注47））は、循環型経済においてより耐久性のある再利用や修理可能あるいはアップグレード可能な製造物の製造および消費が促進されることを踏まえ、製造物に重大な

---

90) 欠陥製造物責任に関するEU指令の改正提案（前掲注47））において、デジタル・プラットフォーム（DPF）は「オンラインプラットフォーム（online platform）」と呼ばれている（同改正提案4条17号）。
91) Bolger v. Amazon.com, LLC, 53 Cal.App.5th 431, 267 Cal.Rptr.3d 601（2020）.
92) Loomis v. Amazon.com, LLC, 3 Cal.App.5th 466, 277 Cal.Rptr.3d 769（2021）.
93) 朝見行弘「デジタルプラットフォーム責任（1）──アメリカにおける裁判例」〔誌上法学講座・改めて学ぶ製造物責任法（PL法）第6回〕ウェブ版国民生活114号（2022年）35頁、同「デジタルプラットフォーム責任（2）──その責任根拠と立法化」〔誌上法学講座・改めて学ぶ製造物責任法（PL法）第7回〕ウェブ版国民生活115号（2022年）32頁参照。

改造を加える事業者をもって当該製造物の製造業者とみなすとともに（同改正提案7条4項）、消費者がEU域外の製造業者から購入することが増えていることから、EU域内に輸入業者あるいは正規代理業者が存在しない場合には、履行サービス提供業者[94]が賠償責任を負うべきものとしている（同条3項）。

これに対し、わが国の製造物責任法は、欠陥製造物を「製造」したことにその責任の根拠を求めるものであり、DPF事業者はもとより製造物の販売業者についても製造物責任の責任主体として位置付けていない。しかし、取引環境の現状を鑑みるならば、流通業者である販売業者を製造物責任法上の責任主体に含めると同時に、取引の場を提供するにすぎないDPF事業者も製造物の流通に深く関わる「実質的販売業者」として同様の賠償責任を課すことが適切である[95]。製造物責任法に基づく賠償責任の根拠は、欠陥製造物の「製造」ではなく「流通」への関与に求めるべきものであり、その延長線上において欠陥製造物の広告塔となってその流通に寄与した芸能人などの「ブランド大使責任（brand ambassadors liability）」[96]も問題となるであろう。

［朝見行弘］

---

94) 「履行サービス提供業者（fulfilment service provider）」とは、商業活動の過程において、製造物を所有することなく製造物の保管、梱包、宛名書きおよび発送を行うサービスのうち少なくとも2つを提供する自然人または法人をいう（同改正提案4条14号）。
95) なお、DPF事業者の賠償責任を製造物責任の適用範囲ではなく、DPF事業者責任という別類型の賠償責任として位置付けて立法化することも可能であろう。
96) 製造物責任事例ではないが、原野商法につき企業広告に推薦文を掲載した芸能人の不法行為に基づく賠償責任が認められた事例として大阪地判昭62・3・30判時1240号35頁〔高田浩吉原野商法広告塔事件〕参照。

コラム　消費者法・環境保護運動と法律家

　1960年代後半70年代にかけて、森永ヒ素ミルク中毒や下痢止めの医薬品によるスモンなど、今日では欠陥製品被害に位置付けられる訴訟は「公害裁判」に位置付けられていました。弁護士たちは被害者とともに、長年、獅子奮闘の戦いを続け、不法行為における注意義務の客観化・抽象化・高度化によって企業などの法的責任を認めさせ、製品安全や環境規制も高めてきました。米国で判例法として形成された欠陥責任の法理は1985年のEU指令を機に世界の基本ルールとなり、日本でも日弁連が消費者団体とも連携して立法運動を展開し、1994年に製造物責任法の制定に至りました。この経験は情報公開法や消費者契約法、消費者団体訴訟の法制化などに引き継がれています。

　オーフス条約（2001年発効）は締約国に環境に関わる情報の入手、意思決定への参加、司法の利用の権利の保障を義務付けています。とりわけ市民の司法へのアクセス権を重視し、多くの国で環境NGOに訴権が認められていますが、日本は同条約を批准しておらず、世界で数少ない環境NGOに訴権を認めていない国となっています。

　近時、生産と消費に係る問題は消費者法と環境保護が交差する問題となっています。CO_2など温室効果ガスの累積的効果による地球温暖化とその影響は、まさにその交差点にある問題です。2015年にはパリ協定が採択され、国際社会は気温上昇を産業革命前から1.5℃に抑えることを目指しており、そのために今後排出できるCO_2の量は世界の排出量の10年分ほどとされています。既に熱波や豪雨など深刻な気候災害をもたらしており、2030年までに1.5℃を超える可能性も指摘されていますが、世界全体でも排出削減は遅々としています。

　そこで、近年世界で注目を集めているのが気候訴訟です。オランダ最高裁は2019年に、危険な気候変動は人権を脅かすもので、科学が求める水準での排出削減は国の法的義務と認めました。さらにハーグ地裁はシェルにも2030年までに19年比45％削減を命じました。消費者も自身の電気や住宅、自動車などの選択を通して気候保護に寄与できます。今、世界の弁護士たちは、消費者の選択の鍵を握るグリーンウオッシュ広告にも監視の目を光らせています。

［浅岡美恵］

第12章
住宅と消費者

第1　はじめに

　住宅は、消費者の生活の基礎となるものであって、住宅が安全であることは、最低限確保されていなければならないことである。ところが、1995年、兵庫県南部に発生した阪神・淡路大震災では、木造建築物の倒壊による圧死事故が多く、その原因として、住宅の最低限の安全性確保に必要不可欠な構造上の欠陥があったこと（筋交い不足、主要構造部材の緊結の不備、壁の配置の偏りなど）が指摘された。

　また、2005年11月に国土交通省が公表した、いわゆる耐震偽装問題によって、構造設計を担当する一級建築士が、構造計算書を偽装し、建築基準法に基づき必要な耐震強度を大きく下回る強度しかなく、震度5程度の地震によって倒壊する危険のあるマンション等が建築されて販売されていたことが発覚した。さらに、2011年の東日本大震災では宅地・地盤被害が顕在化し、2016年の熊本地震では戸建て住宅倒壊被害が生じてしまった。

　すなわち、建築専門業者によって供給される住宅の中には、最低限の安全性すら確保されていないものがあるという現実が突きつけられたのであり、このような被害の実態は、消費者が真に安心して住宅を取得できる環境の整備や欠陥住宅の被害を適切に回復できる救済手続が必要不可欠であることを物語っている。したがって、欠陥住宅問題は、事業者から供給される住宅を

取得せざるを得ない消費者が、事業者との知識、能力等の格差を超えて、消費生活の基盤である安全な住宅をいかに手に入れ、また、欠陥があった場合に、いかに被害回復を実現していくかを課題とする消費者問題である。

　被害回復については、欠陥住宅被害の救済手続を適切に遂行するには、建築基準法令等の専門法令の知識が必要であり、建築専門家である一級建築士の協力が必要不可欠であるところ、これまで、必ずしも適切な紛争解決がなされてきたとはいえない。

　かかる現状を踏まえて、東京地裁、大阪地裁では、建築瑕疵紛争の適切な解決のために2001年4月から建築紛争を集中して扱う部を発足させ、最高裁判所も日本建築学会の協力を得て、適正な鑑定人の確保等を目指している。

　そこで、住宅が一般に高額であり、その欠陥問題は、消費者と住宅供給業者との間で深刻な紛争となること等の欠陥住宅訴訟の実情を踏まえて、欠陥判断、損害評価等について、消費者被害救済のための適切な判断基準をどのように考えるべきかを探求する必要がある。

　以下では、欠陥住宅問題の実情、建築基準関係法令による建築に関する法制度、実体法（民法および住宅の品質確保の促進等に関する法律等）の内容を説明し、欠陥住宅訴訟での主張立証のあり方等を解説する。

第2　欠陥住宅問題の実情

1　欠陥住宅被害の状況

　欠陥住宅被害の状況について、正確な調査を行ったデータはないが、弁護

1）　日本弁護士連合会消費者問題対策委員会が、1997年から5年間、毎年1日ないし2日間、欠陥住宅被害者からの電話相談に応じる「欠陥住宅110番」を実施したところ、全国での相談件数は毎年1,000件前後に上った。この件数は、日弁連の実施する他の110番と比べても、驚異的に多いものである。相談内容は、建物（床、壁等）の傾斜、雨漏り、基礎・壁等の亀裂、建物の揺れ・振動等の重大な欠陥の現れである可能性の高い不具合現象に関するものが多く、施工者は大手ハウスメーカーから地場の建築業者まで、工法は在来木造軸組、ツー・バイ・フォー、鉄骨鉄筋コンクリート造など多岐に渡っているほか、戸建て住宅、マンションともに相談が寄せられており、被害は、広範囲に及んでいると予測される。

士会による電話相談の結果[1]や東京地裁等での建築瑕疵紛争の係属状況[2]などから、欠陥住宅被害に悩む消費者は、非常に多いと推測される。また、東京地裁では、多数係属する建築瑕疵紛争事件に関して、適正かつ迅速な審理手続きの研究と実践が行われている[3]。

また、欠陥住宅に関するテレビ報道等も頻繁に行われており、社会的関心も高く、その被害は深刻な状況にあるといえる。

2） 東京地裁の各裁判部に対するアンケート調査結果では、1999年5月31日現在で、建築瑕疵を争点とする訴訟は、357件が係属中である（東京地方裁判所建築瑕疵紛争検討委員会「建築瑕疵紛争事件の適正かつ迅速な処理のために」判時1710号3頁以下）。また、全国の建築関係訴訟の新受件数は、2006年から2012年まで年間2000件程度で推移している（小久保孝雄・德岡由美子編著『リーガル・プログレッシブ・シリーズ14 建築訴訟』（青林書院、2015年）10頁、齋藤繁道編著『最新裁判実務大系第6巻 建築訴訟』（青林書院、2017年）22頁。裁判所がWeb上で公表している「裁判の迅速化に係る検証に関する報告書（第9回）（令和3年7月30日公表）」https://www.courts.go.jp/toukei_siryou/siryo/hokoku_09/index.html のP82「1．2．2 建築関係訴訟」によれば、「建築関係訴訟の新受件数は、近年おおむね1,950件から2,050件程度で推移しており、令和2年は前回（1,921件）よりも若干増加して1,990件となった。審理期間については、比較的審理が長期化しやすい瑕疵主張のある建築関係訴訟（27.0月）が前回（24.2月）より2.8月長期化したこと等の影響で、建築関係訴訟全体の平均審理期間（19.7月）は、前回（18.4月）より1.3月長期化した。もっとも、平均期日回数は顕著に増加したわけではなく、特に瑕疵主張のない建築関係訴訟では前回（7.3回）よりも減少している（6.6回）。他方、瑕疵主張のある建築関係訴訟における審理期間が2年を超える事件の割合（48.0％）が前回に続いて増加傾向にあり、民事第一審訴訟事件（全体）と比べて、審理期間が2年を超える事件の割合が高い水準にある。瑕疵主張のある建築関係訴訟における平均人証調べ期間は前回（0.3月）より長期化して0.5月となったが、前々回（0.9月）よりは短縮しており、民事第一審訴訟事件（全体）とほぼ同様の水準となっている。瑕疵主張のある建築関係訴訟における鑑定実施率は、平成18年以降で見ると低い水準が続いている。瑕疵主張のある建築関係訴訟のうち、調停に付された事件の割合（42.3％）は、前回（45.0％）に引き続き高い水準にあるが、その平均審理期間（31.1月）は、前回（27.9月）より長期化した。もっとも、平均調停期日回数（8.8回）は前回（8.4回）から若干増加したにとどまる。」とのことである。
3） 東京地方裁判所建築瑕疵紛争検討委員会・東京地方裁判所プラクティス第一委員会「東京地方裁判所における建築瑕疵紛争事件の審理の実情と運営について」判時1710号12頁以下、前掲注2)『最新裁判実務大系第6巻 建築訴訟』1頁。

2 欠陥住宅を生み出す要因

(1) 機能しない建築基準法等の制度

ア 住宅は、①その内容を決定する設計、②設計内容を実現する施工、③施工中に、施工内容が設計内容に適合しているか否かをチェックする工事監理を経て、完成引渡しに至る。

イ 設計については、一定規模以上の建築物については、資格ある建築士でなければ設計ができず（建築士法3条の3）、工事の開始の前に、建築確認制度により、設計内容が、建築基準関係規定（建築基準法ならびに同法に基づく施行令および条例の規定、その他建築物の敷地、構造または建築設備に関する規定で建築基準法施行令9条に定められたもの）に適合していることについて、建築主事（地方公共団体に置かれる確認事務を担当する機関）ないし指定確認検査機関によるチェックが予定されている（建築基準法4条・6条・6条の2）。

また、一定規模以上の建築物については、建築士による設計であり、かつ、建築士である工事監理者を定めなければ、工事ができず（建築基準法5条の6）、建築工事（施工）は、建築業者として許可を受けた者しかできない（建設業法3条）[4]。

工事については、中間検査制度により、特定行政庁（建築主事を置いた地方公共団体の長）が、区域、期間、建築物の構造、用途、規模を限り、工事における工程のうち検査の必要なものを特定工程として指定して、中間検査を実施することができることとし（建築基準法7条の3・7条の4。後記エ（ア）のとおり、特定行政庁による指定のほか、2006年6月建築基準法改正により、3階建て以上の共同住宅の床およびはりに鉄筋を配置する工事の工程については、中間検査の義務付けがなされた。）、建築工事が完了した場合には、完了検査制度により、当該建築物が、建築基準関係規定に適合していることについて、建築主事ないし指定確認検査機関によるチェックを受けて、合格している場

---

[4] 建築士法3条〜3条の2で、一級建築士、二級建築士、木造建築士による設計、工事監理が必要な建物を、用途（学校、病院、劇場等）、構造（鉄筋コンクリート造、鉄骨造、木造等）、規模（高さ、階数、延べ面積）により規定されており、木造建築物で、延べ面積が100m^{2}を超える建物については、必ず建築士の設計および工事監理が必要とされている。

合には、検査済証を発行することが予定されている（同法7条・7条の2）。
　さらに、建築基準関係規定に適合しない、違反建築物に対する措置制度、特定行政庁が、措置命令と代執行（地方自治法153条により権限を指定した吏員に委任して業務を実施）を行うことができる制度も用意している（9条、施工停止、使用禁止、使用停止、緊急工事停止、措置命令）。
　ウ　しかしながら、建築確認制度は、簡単な図面等のチェックがなされるのみであり、木造の2階建てもしくは平家建ての建築物、または、鉄筋コンクリート造もしくは鉄骨造の平家建ての建築物で、延べ床面積が200m^2（約60.6坪）以下のものについては、建築士による設計がなされているものについては、建築基準法令のうち、構造強度等に関する規定等への適合性の審査は行われない（建築基準法6条の4第1項3号、同法6条1項4号の建物〔「4号建物」〕等）[5]。
　中間検査制度は、対象となる工事工程が限定されており、適切なチェックがなされているとは言えない状況であり[6]、完了検査制度も、その実施率は90％程度にとどまっており、住宅の建築基準関係規定への適合性を確保する中間検査、完了検査制度は、十分には機能していないといえる。
　エ　2006年6月法改正等
　2005年に発覚した前記の耐震偽装問題を踏まえ、法改正が急務となり、

5）　国土交通省では、2006年6月法改正に続き、社会資本整備審議会の2006年8月31日付け答申を受けて、第二弾の法改正として2006年12月、建築士法等の一部改正がなされた。主な改正点は、以下のとおりである。
　①建築士に対する定期講習の受講の義務付け（建築士法22条の2・22条の3）。②一定規模以上の建築物については、構造設計一級建築士、設備設計一級建築士（いずれも改正法による新資格）による設計内容が建築基準法令に適合していることのチェックを義務付け（建築基準法5条の6）、これらの適合チェックがなされていない建築確認申請は受理ができないこととする（建築基準法6条）。③建築士事務所を管理する管理建築士の要件強化（実務経験等の要件を付加。建築士法24条）。④設計・工事監理契約前の重要事項説明および書面交付の義務付け（建築士法24条の7・24条の8）。
　また、2022年6月建築基準法改正により、構造強度等に関する規定等への適合性の審査は、階数2以上、または、延床面積200m^{2}超の建築物に対して行われることとなる（構造等審査が行われないのは、小規模建築物（平家かつ延床面積200m^{2}以下）となる。同改正法の施行日は公布から3年以内（2025年6月以内）である。

2006年6月21日、建築物の安全性の確保を図るための建築基準法等の改正がなされた。主な改正点は以下のとおりである（改正法の施行期日は、2007年6月20日）。しかしながら、欠陥住宅被害の解消のための抜本的改革とはなっていないと考えられ、被害は今後も生じてしまうことが危惧される。

（ア）　建築確認検査制度の厳格化

一定の高さ以上等の建築物については、新設される指定構造計算適合性判定機関による審査を必要とする（改正建築基準法6条5項・6条の12第3項・6条の3）。また、3階建て以上の共同住宅の床およびはりに鉄筋を配置する工事の工程のうち、政令で定める工程等については中間検査を義務付ける（改正建築基準法7条の3第1項）。

（イ）　指定確認検査機関に対する指導監督の強化

特定行政庁に、指定確認検査機関に対する立入検査権限を付与し、指定権者（国土交通大臣または都道府県知事）は、特定行政庁からの報告を受けて、当該機関に対する業務停止命令等の処分ができることとする（同法77条の31・同32・同35）。

（ウ）　建築士等に対する罰則強化

6）　中間検査制度の導入直後の2003年8月当時は、47都道府県のうち14道県は実施しておらず、他の都府県も実施期間を限定していたが、2007年度では、全436の特定行政庁のうち、370の特定行政庁で中間検査制度を実施するようになってきており、現在では、47都道府県、主要な特定行政庁（建築基準法4条1項、2項に基づき建築主事を置いた市。2017年4月1日現在で233市）では、中間検査制度を導入している。もっとも、中間検査の対象となる特定工程は、各特定行政庁により異なる。中間検査制度の導入直後の都道府県における実施状況については、「〈特集〉鉄骨造　中間検査の実施状況　　47都道府県＋13政令指定都市のアンケート結果」月刊鉄構技術2003年10月号39頁以下（鋼構造出版発行）参照。完了検査制度の実施率は、1998年度で38％（当該年度における検査済証交付件数／当該年度における確認件数）であり、指定確認検査機関による建築確認等制度が導入された2000年ころ以降、実施率が上がり、2003年度で特定行政庁で71％、指定確認検査機関で70％となったが、2012年度でも特定行政庁で85％、指定確認検査機関で91％となっており（国土交通省が2014年7月に公表した「検査済証のない建築物に係る指定確認検査機関を活用した建築基準法適合状況調査のためのガイドライン」中のデータ）、10％程度の建築物は、建築基準法により義務付けられた完了検査済証の発行を受けていない状況である。

耐震基準などの重大な建築基準法違反の建築がなされた場合には、当該設計を行った建築士等に対する罰則を、罰金50万円から、懲役3年または罰金300万円に強化等（同法98条1項2号）。

(エ) 宅地建物取引業者等の瑕疵担保責任に関する説明義務

宅地建物取引業者が、住宅の販売、仲介ないし媒介を行う場合には、瑕疵担保責任について保険加入等（保証保険契約その他の措置）をしているときには、その内容を説明した書面を交付することを義務づけ（改正宅地建物取引業法37条1項11号）、請負人にも、同様の瑕疵担保責任についての保険加入等の説明義務を課した（改正建設業法19条1項12号）。

(2) **建築業界の実情等**

建築業界は、重層的下請構造にあり、その労働力のほとんどを下請企業に依存している状況であって、末端業者の受注価格にしわ寄せがあり、一部の現場では、手抜き工事や杜撰工事を行って採算を合わせざるを得ない実態となっている[7]。

したがって、また、コスト削減等のために実質的な工事監理も予定されず、建築士の中には、建築確認申請のためだけに、工事監理者としての形式上の届出のみを行い、実際には一切工事監理を行わない「名義貸し建築士」も横行しているといわれている[8]。

(3) **契約実態等について**

また、請負契約書に明確な設計図書（設計図、仕様書）や見積書が添付されず、坪単価や一式見積りでの請負契約がなされたり、土地建物の一括代金での売買契約がなされたりするなどのために、契約内容が明確でないまま契約がなされているという実態もあり、契約内容自体が不明確であることが、

---

[7] 建築業界における下請構造については、齋藤隆編著『〔改訂版〕建築関係訴訟の実務』（新日本法規出版、2005年）27頁以下〔大森文彦執筆〕、日本弁護士連合会消費者問題対策委員会編『欠陥住宅被害救済の手引〔全訂四版〕』（民事法研究会、2018年）8頁以下参照。

[8] 名義貸し建築士の問題については、前掲注7）『欠陥住宅被害救済の手引〔全訂四版〕』42頁以下参照。名義貸し建築士に不法行為責任を認めた最高裁平成15年11月14日判決については後述。

欠陥問題を発生させる要因ともなっている。

3　紛争解決の困難性

　欠陥住宅の被害者は、通常、一生に一度のマイホームを手に入れた後に、長期の住宅ローンの負担等がある中で、欠陥問題への取り組みを余儀なくされる。住宅供給者の法的責任を問うには、欠陥（瑕疵）の立証や、欠陥の補修方法、補修費用額の主張立証が必要であるところ、このような主張立証を行うためには、建築専門家（一級建築士等）の協力が必要不可欠である。

　ところが、被害者からの依頼に基づき、適確な欠陥調査や欠陥の指摘等を行うことができる建築専門家は少ないため、調査依頼を行うこと自体が困難であるほか、調査費用等の負担も必要である。

　また、紛争解決を担当する弁護士、裁判官等の法律専門家にとっては、民事実体法のほか、建築基準法等の建築関係法令に関する知識等が必要であり、また、必要最低限の建築実務、技術基準等に関する知識、理解等が必要不可欠であって、従前は、訴訟における欠陥判断の基準等に明確なルールもなく、欠陥住宅紛争は、法律専門家にとっても、複雑性、専門性の故に、解決困難な領域の一つであった。

　近時、ようやく紛争解決のための欠陥判断の基準に関する考え方や、訴訟における審理方式等の議論が活発となってきているが[9]、なお、消費者にとっては、費用や主張立証責任の負担等のため、被害回復が困難な状況にある。

9）　審理方式や欠陥判断の基準等に関する議論については、前掲注3）判時1710号12頁以下、『リーガル・プログレッシブ・シリーズ14　建築訴訟』、『最新裁判実務大系第6巻　建築訴訟』、前掲7）『〔改訂版〕建築関係訴訟の実務』、前掲注7）『欠陥住宅被害救済の手引〔全訂四版〕』、東京地方裁判所建築訴訟対策委員会「建築鑑定の手引き」判時1777号3頁以下、大内捷司編著『住宅紛争処理の実務』（判例タイムズ社、2003年）、東京地方裁判所建築訴訟対策委員会編著『建築訴訟の審理』（判例タイムズ社、2006年）、「建築訴訟の審理モデル〜追加工事編〜」（判タ1453号5頁以下）、「建築訴訟の審理モデル〜工事の瑕疵編〜」（判タ1454号5頁以下）、「建築訴訟の審理モデル〜出来高編〜」（判タ1455号5頁以下）、「建築訴訟の審理モデル〜設計・監理の報酬請求編〜」（判タ1489号5頁以下）、「建築訴訟の審理モデル〜設計・監理の債務不履行・不法行為編〜」（判タ1490号5頁以下）、「建築訴訟の審理モデル〜不法行為（第三者被害型編〜」（判タ1495号5頁以下）などを参照。

第3 住宅取得の形態と法制度

1 住宅取得の形態

(1) 消費者が住宅を取得する形態としては、大別して、請負契約による場合と売買契約による場合とがある。

(2) **請負契約の場合（注文住宅）**

ア 消費者が建築業者に対し、その希望する設計内容に基づく住宅を建築することを発注し、建築業者がこれを受注する契約に基づく場合である。

この場合、設計および施工について、建築業者が一括して受注する設計施工一括契約の場合と、設計については、別途、建築士に設計を依頼したうえで（設計契約）、当該設計内容の実現を建築業者に発注する場合（請負契約）とがある。後者の場合には、通常、設計を担当した建築士に、工事監理も委託することが一般的である。

イ 設計施工一括契約の場合には、建築業者の設計部門ないし下請負をした設計事務所が設計・監理業務を行うため、建築業者から独立した第三者による工事監理が行われないことが多い。そのため、一般に、設計施工一括契約の場合には、設計監理契約と請負契約とを個別に締結する場合に比較し、設計料を低額にできるほか、建築主、設計者、建築業者3者の連絡調整に要するコスト（時間、費用等）が節約される等のメリットがあるとされる（前掲注7）『建築関係訴訟の実務』83頁以下）。

ウ 他方、建築士に設計監理を依頼した場合には、建築主にとっては、建築業者から独立した建築士による工事監理を実施することによって、施工内容の第三者によるチェックができるので、設計監理料の費用負担等はあるが、施工内容の、設計内容への適合性の確保が図られる点でメリットがあるとされる。

(3) **売買契約の場合（建売住宅）**

消費者が、住宅供給業者から、設計・施工内容が確定した住宅を売買目的物として購入する場合である。

消費者にとっては、引渡しを受ける時には、内外装等が施工済みで、構造

等の施工状況も確認できないから、予定されたとおりに住宅が建築されているか否かをチェックすることが通常困難である。

(4) 混合型

また、売買契約の形式を取っている場合でも、契約締結時には、住宅の建築がなされておらず、契約後に建築がなされるケースもある。

この場合、契約時に、建築されるべき住宅の内容が確定していれば、売買契約であると考えてよいが、消費者が、一定の範囲で、設計内容の追加変更ができる契約となっている場合もあり、この場合には、売買と請負とが混合した契約と考えられることとなる。そこで、具体的なケースに応じて、売買型か請負型かを確定する必要がある。

2 住宅建築に関する法制度

住宅は、その所有者にとっての重要な財産であって、所有者、居住者等の生命・安全を確保しうるものである必要があり、また、地震、暴風等による倒壊や火災の際の延焼等によって、近隣居住者の生命・安全に、大きな影響を及ぼす危険があるものである。そこで、住宅の建築については、建築基準法等によって、その内容、手続き等が規制されている。

(1) 建築基準法令

建築基準法は、1条で「建築物の敷地、構造、設備及び用途に関する最低限の基準を定めて、国民の生命、健康及び財産の保護を図り、もって公共の福祉の増進に資することを目的とする」として、住宅を含む建築物の構造等に関して、最低限の基準を規定している[10)11)]。

そして、建築物の敷地、構造および建築設備に関する具体的基準を定め（第2章）、特に構造安全性能、防火性能等については、厳格な基準を定めている（20条、建築基準法施行令、法に基づく大臣告示等）[12)]。

同法は、かかる基準を確保するために、建築確認申請義務（6条）、建築

---

10) 建築基準法による規制は、大きく、「単体規定」（当該建築物自体の構造安全性等を確保するための基準。法第2章）と、「集団規定」（当該建築物を含む近隣の良好な住環境を確保するための基準。法第3章。たとえば、建ぺい率、容積率、高さ制限等）とに分けられる。欠陥住宅の場合に問題となるのは、主に単体規定である。

確認を受けない工事の禁止（6条）、完了検査申請義務（7条）、検査済証交付前の使用禁止（7条以下）等の規制を行っている。

(2) **建設業法**

建設業法は、建設業を営む者の資質の向上、建設工事の請負契約の適正化等を図ることによって、工事の適正な施工を確保し、発注者を保護すること等を目的として（同法1条）、建設業を行うには、国（国土交通大臣）または都道府県（知事）の許可を受けることを必要としている（同法3条）。

また、同法は、建設業者に対し、施工技術の確保等を要求しており（同法25条の27）、同規定は、瑕疵が認められる場合の、建設業者の不法行為責任の根拠規定となる。

(3) **建築士法**

ア　建築物の品質の良否は、建築主にとっての建築物の財産的価値や、建築主・建物利用者など広く国民一般の生命・身体の安全に影響を与える。万一手抜き工事等により危険な建築物が完成してしまった場合には、施工者の損害賠償義務の履行等の事後的救済では十分でないこともある。そこで、専門家による設計、工事監理を義務付け、そうでなければ、工事できないこととしている。法は、発注者の能力不足を設計者、工事監理者によって補うことを予定しているのである。

イ　設計について

「設計」とは、「その者の責任において設計図書（建築工事実施のために必要な図面及び仕様書)[13]を作成すること」をいい（建築士法2条6項）、建築士には、業務を誠実に行うべき義務（同法2条の2）、設計内容を建築基準法令に

---

11) 単体規定においては、最低限の基準を、2000年改正前は、主として仕様規定（使用すべき材料、施工方法等を具体的に示す規定の仕方）で示していたが、同年改正によって、性能規定（構造強度、防火等について、充たされるべき性能を規定）によって示す方法に変更された。これに伴い、要求された性能を充たすか否かの判定基準を政令で示し、当該性能を充たす仕様を政令・大臣告示で明確にするという仕組みとなっている。

12) 建築基準法のわかりやすい解説書としては、一級建築士が解説したものとして、鈴木ひとみ・杉原仁美『図解　よくわかる建築基準法』（日本実業出版社、2003年）などがある。

適合させる義務（同法18条1項）、設計内容を適切に説明すべき義務（同法18条2項）、延べ面積が300平方メートルを超える建築物の新築に係る設計受託契約または工事監理受託契約を締結する場合には、作成する設計図書の種類や報酬額等の重要な契約内容を書面化して署名ないし記名押印して交付する義務（同法22条の3の3）等がある。また、建築士事務所の開設者には、設計等を担当する建築士をして、受託する設計、工事監理の内容等を説明した書面を建築主に交付させて説明させる義務（同法24条の7）、受託した設計契約等の重要な内容を書面にして交付すべき義務（同24条の8）等がある。

　ウ　工事監理について

　「工事監理」とは、「その者の責任において、工事を設計図書と照合し、それが設計図書のとおりに実施されているかいないかを確認すること」をいい（同法2条8項）、一定規模以上の建築物については、建築士である工事監理者をつけなければ工事をしてはならないとされている（建築基準法5条の6第4項）。

　建築士には、工事が設計図書のとおりに実施されていないと認めるときは、直ちに工事施工者に注意を与え、工事施工者がこれに従わないときは、その旨を建築主に報告すべき義務があり（同法18条3項）、工事監理を終了したときは、その結果を文書で建築主に報告すべき義務がある（同法20条3項）。そして、工事監理業務を受託する場合の説明義務等は上記イのとおりである。

(4) 住宅の品質確保の促進等に関する法律

　欠陥住宅問題の解消等を目的として、1999年6月15日に成立した、①住宅

---

13)　「設計図書」としては、配置図（敷地内の建物の位置を示すもの）、各階平面図（間取り等）、立面図（建物の外観。東西南北の4方向からのもの）、断面図（建物を垂直面で切断したと仮定した図面。天井高さ、各階の高さ等を示す）、矩計図（かなばかりず。垂直断面の詳細を示したもので、各寸法、壁内部の構造等を示す重要な図面である）、各部詳細図（階段、浴室等の詳細図）、伏図（基礎、床、小屋（屋根裏）等の各平面を示したもの）、軸組図（構造図。壁の骨組みを立面で示したもの。柱、筋交い等の材質、寸法等が記載）、設備関係図（給排水、電気配線、冷暖房設備、ガス設備等を示した図面）などがある。「仕様書」は、使用される材料の種類等を示すものである。

　「設計図書」は、当該契約の内容を判断する際の非常に重要な資料であるが、実際には、充分な設計図書が作成されておらず、設計内容が争いとなるケースが多い。

性能表示制度、②瑕疵担保責任の強化、③裁判外紛争解決機関の創設による紛争解決の適正迅速化を目指した法律である[14]。

　ア　住宅性能表示制度

　2000年10月施行された、新築住宅について、住宅性能評価機関による日本住宅性能表示基準に基づく性能評価を表示する制度である。

　住宅の性能を消費者に分かりやすく明示し、契約内容の明確化を目指した制度である。この制度は強制されておらず、消費者と住宅供給業者との間で、任意に利用できる制度である（同法3条）。

　また、2002年12月17日からは、中古住宅についても、性能評価を行い、住宅性能等に関する情報を開示する制度がスタートしている。

　イ　瑕疵担保責任の強化

　従前の民法上の瑕疵担保責任を強化したもので、2000年4月1日以降に締結された新築住宅の契約（売買、請負）について適用される。

　なお、後述のとおり、民法改正に伴う改正品確法2条5項で「この法律において「瑕疵」とは、種類又は品質に関して契約の内容に適合しない状態をいう。」という定義規定が置かれ、従前の瑕疵に基づく責任は、改正民法に基づく契約不適合責任であることが明示されている。

　(ア)　内容

　①　一定の瑕疵について、担保期間を10年に強行化

　「構造耐力上主要な部分」および「雨水の浸入を防止する部分」に関する瑕疵については、瑕疵担保期間を10年とし、この期間を短縮する合意は無効として、強行規定化した（同法94条・95条）。住宅にとって、構造安全性の確保と、風雨をしのげることは、最低限、具備されるべき性能であることから、これらの部分の構造耐力上の瑕疵、雨水浸入に関する瑕疵について、特に瑕疵担保責任を強化したものである[15]。

　②　請求内容

---

14) 同法については、伊藤滋夫編著『逐条解説住宅品質確保促進法』（有斐閣、1999年）、国土交通省住宅局住宅生産課監修『必携「住宅の品質確保の促進等に関する法律」〔改訂版2003〕』（創樹社、2003年）、谷合周三『イラストでよくわかる住宅の品確法』（建築資料研究社、2001年）などを参照。

請負契約に限らず、売買契約についても、構造耐力上主要な部分、雨水の浸入を防止する部分の瑕疵担保責任として、買主の選択により、売主に対して、瑕疵修補請求もできることとした（品確法95条1項・3項。売主は、民法634条1項および2項前段の担保責任〔請負人の担保責任〕を負う）。

　（イ）　瑕疵担保責任の整理

　新築住宅の構造耐力上主要な部分、雨水の浸入を防止する部分の瑕疵について、品確法施行前後の、住宅供給者の責任内容と瑕疵担保期間を整理すると次頁の表のとおりである。

(5)　**民法（債権法）改正による担保責任、期間制限等について**

　ア　民法改正

　2016年5月に成立した改正民法（2020年4月1日施行）では、売買、請負の規定から「瑕疵」という文言がなくなり、「契約内容に適合しない」場合に、買主ないし注文者が、売主ないし請負人に対し、担保責任、債務不履行責任を追及できるとする規定となった（担保責任については、売買に関して、改正民法562〜566条。請負については、売買に関する規定を有償契約に準用する同559条に基づく562条、563条および636条。債務不履行に基づく損害賠償については、同415条、416条、契約解除については同542〜543条。なお、同564条は、担保責任の規定は、債務不履行による損害賠償請求権、契約解除権の行使を妨げな

---

15)　各部分の具体的内容（部位）は、以下のとおり政令で規定されている。

　「構造耐力上主要な部分」は、「住宅の基礎、基礎ぐい、壁、柱、小屋組、土台、斜材（筋かい、方づえ、火打材その他これらに類するものをいう。）、床版、屋根版又は横架材（はり、けたその他これらに類するものをいう。）で、当該住宅の自重若しくは積載荷重、積雪、風圧、土圧若しくは水圧又は地震その他の震動若しくは衝撃を支えるもの」である（品確法施行令5条1項。なお、建築基準法令上の用語と全く同一である。建築基準法施行令1条3号）。

　「雨水の浸入を防止する部分」は、「住宅の屋根若しくは外壁又はこれらの開口部に設ける戸、わくその他の建具」と「雨水を排除するために住宅に設ける排水管のうち、当該住宅の屋根若しくは外壁の内部又は屋内にある部分」である（品確法施行令5条2項）。

　なお、瑕疵が上記各部位にある場合でも、その瑕疵の内容が、構造耐力ないし雨水浸入防止に影響しないものであるとき（例えば、部材の色違い等）には、同法94条、95条に基づく責任は発生しない。

		品確法施行前	品確法施行後
請負契約	責任の内容	瑕疵修補、修補に代わる損害賠償（民法634条）契約解除は不可（通説、民法635条但書）	左同（変更なし）
請負契約	期間	鉄骨造等の建物については、引渡しから10年木造等の建物については、引渡しから5年（民法638条。特約により短縮伸長可）	鉄骨造、木造等を問わず、引渡しから10年（特約による短縮不可）
売買契約	責任の内容	（隠れた瑕疵の場合）契約解除（目的達成不可能な場合）、損害賠償（民法570条、566条1項）	左のほか、修補請求ができる
売買契約	期間	瑕疵を知った時から1年（民法570条、566条3項）（特約により排除可）16)17)	引渡しから10年（特約による短縮不可）ただし、瑕疵を知った時から1年以内（民法570条、566条3項）の権利行使が必要

＊なお、この表は現行法を前提にしているので、改正民法施行後は、本文(5)のとおりとなる。

い旨を規定している。)。

　イ　改正民法における担保責任等の根拠規定の整理等

　売買、請負について、民法から「瑕疵」との文言がなくなり、担保責任、損害賠償、契約解除等の根拠規定が改正されるので、改正前民法と現行民法

---

16) 売買の場合の瑕疵担保責任の存続期間については、最判平13・11・27民集55巻6号1311頁が、瑕疵担保責任による損害賠償請求権には、消滅時効の規定（167条1項）の適用があり、買主が目的物の引渡しを受けた時から進行するとの判断を示している。
17) 瑕疵担保責任については、期間内に裁判上の権利行使をする必要はないが、具体的に瑕疵の内容とそれに基づく損害賠償請求をする旨を表明し、請求する損害額の算定根拠を示すなどして、売主の担保責任を問う意思を明確に告げる必要がある（最判平4・10・20民集46巻7号1129頁、「重判」平4民6）。

の根拠規定等を、以下のとおり整理しておく。
　（ア）　改正前民法
　　i　売買の瑕疵担保責任（改正前民法570条・566条）
「隠れた瑕疵」がある場合に、契約目的達成不可能な場合には契約解除ができ、そうでない場合には、損害賠償請求のみができる。
　　ii　請負の瑕疵担保責任（改正前民法634条・635条）
「瑕疵」がある場合に、瑕疵の修補請求、瑕疵修補に代わる損害賠償請求ができる。
　土地の工作物については、契約解除ができない（改正前民法635条）。
　なお、改正民法による契約不適合に関する解釈については後述する。
　（イ）　現行民法
　　i　売買
　いずれも、改正前民法の瑕疵（改正後の「契約内容不適合」）が、「隠れた」ものであることは、要件ではない。
　　・追完請求権（現行民法562条）
「引き渡された目的物が、種類、品質又は数量に関して契約の内容に適合しないものであるとき」は、「目的物の修補、代替物の引渡し又は不足分の引渡しによる履行の追完を請求」できる（ただし、売主は、買主に不相当な負担を課するものでないときは、買主が請求した方法と異なる方法による履行の追完をすることができる）。
　現行民法により、明文で買主ないし注文者に追完請求権が認められたところ、実務上は、品確法に基づく構造耐力上主要な部分および雨水浸入を防止すべき部分については、品確法に基づき修補請求が認められていたので、かかる実務を現行民法が確認したものと解することができる。
　また、現行民法は、改正前民法634条（注文者は、瑕疵修補請求と修補に代わる損害賠償請求とを選択的に行使できるとする規定）を削除したが、後述のとおり、現行民法は、改正前民法634条および実務上の扱いである、かかる選択的主張を制限するものではないと解されるべきである。
　　・代金減額請求権（現行民法563条）
「種類、品質又は数量に関して契約の内容に適合しないものであるとき」

は、代金減額請求ができる。
・損害賠償請求（現行民法415条、債務不履行の一般原則による）
・契約解除（現行民法541条・542条、債務不履行の一般原則による）

　なお、「種類又は品質に関して契約の内容に適合しない」場合には、買主は、不適合を知った時から1年以内に売主に通知しないと、追完、代金減額、損害賠償の各請求、契約解除ができないこととなる（現行民法566条。なお、売主が引渡し時に、不適合を知り、または重大な過失によって不適合を知らなかった場合には、1年以内の通知がなくても、各請求等ができる。同条但書）。

　　　ⅱ　請負
・瑕疵修補請求等の追完請求権（現行民法559条で、売買の規定562条を準用）
・報酬減額請求権（現行民法559条で、売買の規定563条を準用）
・損害賠償請求（現行民法415条、債務不履行の一般原則による）
・契約解除（現行民法541条・542条、債務不履行の一般原則による）

　なお、仕事の目的物が「種類又は品質に関して契約の内容に適合しない」場合には、注文者は、不適合を知った時から1年以内に請負人に通知しないと、追完、報酬減額、損害賠償の各請求、契約解除ができないこととなる（現行民法637条1項。なお、請負人が引渡し時または仕事の終了時に、不適合を知り、または重大な過失によって不適合を知らなかった場合には、1年以内の通知がなくても、各請求等ができる。同条2項）。

　　　ⅲ　損害賠償請求と過失責任について
　改正前民法では、売買、請負とも、瑕疵担保責任が無過失責任とされており、瑕疵担保責任に基づく損害賠償請求権は、売主、請負人の過失や帰責事由は要件とされていなかった。

　一方改正後の現行民法では、売買、請負とも、損害賠償請求は、債務不履行の一般規定（415条）に基づくものに統一され、同条1項但書は、「ただし、その債務の不履行が契約その他の債務の発生原因及び取引上の社会通念に照らして債務者の責めに帰することができない事由によるものであるときは、この限りでない。」と規定されている。

　そのため、売主、請負人は、同条項但書の帰責事由を主張立証すれば損害賠償責任を免れることとなるが、同条項但書の要件は厳格なものであるから、

契約内容不適合がある場合には、売主、請負人は原則として、現行民法下でも、改正前民法と同様の損害賠償責任を負うこととなると考えられる。

(6) **シックハウス関係法制度**

ア　2002年7月12日建築基準法改正

　シックハウス症候群対策のために、建築基準法が、はじめて化学物質対策の基準を導入した。すなわち、居室を有する建築物は、その居室内において化学物質の発散による衛生上の支障がないように、建築材料および換気設備について技術的基準に適合するものとしなければならないこととした（2003年7月1日施行。建築基準法28条の2、施行令20条の5～9)[18]。

イ　品確法に基づく性能表示基準の追加

　建築基準法の改正に伴い、品確法に基づく性能表示基準についても、シックハウス対策として、日本住宅性能表示基準における空気環境に関する表示事項を改正し、ホルムアルデヒトが含まれている建材の使用状況、換気設備の等級評価、室内空気中の化学物質の濃度等を表示する制度を追加した。

(7)　特定住宅瑕疵担保責任の履行の確保等に関する法律（特定住宅瑕疵担保責任履行確保法）の新設（2007年制定、2009年10月1日以降引渡しのなされる住宅に適用）

　2005年11月に発覚した、いわゆる耐震偽装事件では、販売業者が倒産し、被害回復が十分になされない事態となった。そのため、業者に、瑕疵担保責任をできる限り確実に全うさせ、被害回復に資するために、予め売主・請負人側に資力を確保する措置（瑕疵担保保証金の供託または住宅瑕疵担保責任保険契約の締結）を取ることを義務付けることとした。

---

18)　新たに規制対象とされた化学物質は、クロルピリポリス、ホルムアルデヒトの2種類であり、規制の内容は、①クロルピリポリスを添加した建築材料の使用禁止、②内装仕上げに使用する建築材料について、ホルムアルデヒトを発散する建築材料の使用面積制限、③一定の条件を満たす機械換気設備の設置の義務付けである。

第4　欠陥住宅訴訟

1　訴訟における論点
　欠陥住宅訴訟では、主張立証における主な問題として、①瑕疵（欠陥）の有無、②損害の有無・金額（主として、欠陥補修方法と補修費用額）、③責任主体と責任根拠が重要である。

2　欠陥住宅訴訟の特質
(1)　技術訴訟の側面（建築専門家の協力の必要不可欠性）
　欠陥住宅訴訟では、瑕疵か否かの判断、瑕疵に対する相当な補修方法の確定、補修に要する費用額の算定という中心的なテーマについて、建築専門家（一級建築士等）の協力が必要不可欠である。
(2)　契約内容の認定の困難さ
　また、契約内容である設計図書、工事費用見積書の記載内容が十分でない場合が多く、当事者間で契約の内容について争いとなった場合には、契約内容の確定に困難が生じる場合がある。
(3)　精神的被害の側面
　消費者にとっては、新築住宅は一生に一度といえる夢のマイホームの実現であり、希望したとおりの住宅が当然手に入るべきであるにもかかわらず、欠陥被害に見舞われたうえ、住宅供給業者には誠実に対応してもらえないことが多く、また、建築専門家の協力が思うように得られず、費用と時間を負担して、困難な訴訟に臨まなければならなくなるという状況があり、被害回復を求めている中で、家族不和等も生じることもあって、財産的な被害にとどまらず、精神的に深刻な打撃を受けてしまう場合が多い。

3　欠陥（瑕疵）の判断基準
(1)　欠陥現象と欠陥評価の違い
　通常、被害者である消費者は、床や壁の傾き、基礎や壁の亀裂等、不具合現象を多数指摘することが多い。しかしながら、訴訟において、欠陥である

との法的評価を得るためには、不具合現象（欠陥現象）の指摘は事情に過ぎず、欠陥現象を生じさせている欠陥原因を明らかにする必要がある[19]。

(2) **契約内容の確定**

ア　欠陥評価の前提として、契約内容の確定、設計図書等の関係図面等による事実認定が必要である。しかしながら、設計図書等の関係書面の不備によって、契約内容自体が争いとなることがある。

このように、契約内容の確定が困難な場合でも、後記(3)で説明するとおり、建築基準法令等は最低限の基準として、契約内容となる、あるいは、その違反は、欠陥と評価されるべきであるとの考え方が確立しつつある。

イ　また、契約内容が、建築基準法令に違反しているケースもある。

当該違反部分が欠陥判断に関連する場合（たとえば、遵守すべき防火性能のレベルが劣っている場合）、当該違反について、消費者、住宅供給業者のいずれが主導したかが争いとなることが多い。

この点、住宅供給業者には、建築専門家として、建築基準関係規定の遵守義務があること（前記建設業法25条の27、建築士法18条1項）、建築に関する知識、情報、能力等の格差があることを踏まえれば、住宅供給業者には、最低限の基準としての建築基準法令を守り、守らせるべき職責があるというべきであるから、原則として、法令違反の契約内容についての法的責任を負担すべきである。この点は、後記(5)のとおりである。

(3) **欠陥判断の基準**

欠陥（瑕疵）とは、取得した住宅が、契約内容に適合していないこと、契約内容どおりの性能ないし品質を欠いていることである（判例による具体的

---

[19] 欠陥現象がない事案で、基礎欠陥を認定した判例（東京高判平12・3・15欠陥住宅被害全国連絡協議会編『消費者のための欠陥住宅判例　第1集』（民事法研究会、2000年）164頁）（以下、『消費者のための欠陥住宅判例　第1集』として引用する）がある。原審東京地裁判決は、小規模木造住宅であって、補修の必要なしと判断したが、東京高裁は、建築基準法令、住宅金融公庫基準に基づき、布基礎について、仮枠がなく、逆T型にすべきなのにI型であること、基礎の底盤の幅および高さ（厚さ）の不足等を認定したうえで、可能性として、コンクリートかぶり厚さ不足から雨水等の浸入により鉄筋が錆び、コンクリートに爆裂、不同沈下の原因ともなりかねないとして、欠陥を認めた。

な欠陥判断については、前掲注19)『消費者のための欠陥住宅判例　第1集』、同『第2集』（民事法研究会、2002年）参照。なお、同判例集は、その後、『第8集』（2021年）まで発行されている。）。

契約内容は、設計図書等で確定されるはずであるが、前記のとおり契約内容に関する資料である設計図書等が十分に明確でない場合もあり、かかる場合には、建築基準関係法令、住宅金融公庫の仕様書、日本建築学会の建築工事標準仕様書等を、あるべき基準として採用すべきである。

　ア　契約内容＝設計図書（設計図面と仕様書）

設計図書で確定された契約内容に適合していない場合には、欠陥と評価される。なお、住宅供給業者からは、契約内容に違反した施工結果であったとしても、構造計算等の結果、構造安全性に支障がないから欠陥ではない等の主張がなされることがある。

しかしながら、契約内容に違反した場合には、構造計算上安全であるか否かにかかわらず、欠陥と評価すべきことは、最判平15・10・10（判時1840号18頁）によって明確となっている[20]。

　イ　建築基準法、同法施行令、大臣告示

建築基準法は、前述のとおり、建築物の敷地、構造、設備等に関する最低

---

20)　同判決は、「請負契約における約定に反する太さの鉄骨が使用された建物建築工事に瑕疵があるとされた事例」として紹介されており、その判示内容は、次のとおりである。
　「(2)　原審は、上記事実関係の下において、被上告人には、南棟の主柱に約定のものと異なり、断面の寸法250mm×250mmの鉄骨を使用したという契約の違反があるが、使用された鉄骨であっても、構造計算上、居住用建物としての本件建物の安全性に問題はないから、南棟の主柱に係る本件工事に瑕疵があるということはできないとした。
　(3)　しかしながら、原審の上記判断は是認することができない。その理由は、次のとおりである。
　前記事実関係によれば、本件請負契約においては、上告人および被上告人間で、本件建物の耐震性を高め、耐震性の面でより安全性の高い建物にするため、南棟の主柱につき断面の寸法300mm×300mmの鉄骨を使用することが、特に約定され、これが契約の重要な内容になっていたものというべきである。そうすると、この約定に違反して、同250mm×250mmの鉄骨を使用して施工された南棟の主柱の工事には、瑕疵があるものというべきである。これと異なる原審の判断には、判決に影響を及ぼすことが明らかな法令の違反がある。」

限の基準を定めて、国民の生命、健康および財産の保護を図ることを目的としているから（1条）、明示の合意がなくても、住宅の構造等は、最低限、建築基準法令の求める基準に適合している必要があり、これは判例上の確立した議論である[21]。

そして、建築基準法令の具体化のため、平成12年建設省告示（平成13年以降の告示は、国土交通省告示）で各種の仕様等の明確化がなされており、同仕様基準が、欠陥判断の具体的な基準となると解すべきである。

かかる告示では、たとえば、筋交い等斜めの部材、柱や梁の仕口（直交部分）、継手（直線部分）等の主要構造部材の金物による緊結等の仕様を規定しており（平成12年5月31日建設省告示第1460号）、欠陥判断基準は、より明確化されている[22]。

ウ　住宅金融公庫仕様書

建築基準法令を具体化した仕様を規定したものであり、欠陥判断の基準とされるべきものである。また、住宅金融公庫融資住宅でなくても、公庫仕様は建築基準法の定める最低限の具体的技術基準を定めたものと解釈すべきものである[23][24]。

なお、2007年4月からは、独立行政法人住宅金融支援機構法が施行され、住宅金融公庫法は廃止されているが、上記のとおり、今後も、公庫仕様書は、欠陥判断の基準として維持されるべきである。

エ　建築学会の標準仕様書

---

21) 前掲注9）「建築鑑定の手引き」判時のほか、大阪高判平10・12・1判タ1001号143頁は、「建築基準法規の要求は、建物が建物として利用されるにつき、最低限保有すべき性状であり、居住者の安全性に関わる重要な構造仕様であって」必要不可欠なものと規定しているから、明示の合意なくても、これに適合した建築物を建築すべき義務を負うと判示している。

22) 前掲注7）『欠陥住宅被害救済の手引〔全訂四版〕』234頁以下に、木造建物についての施行令や主要告示が解説されているほか、月刊誌である建築知識2001年1月号に、特集として「木造住宅［建築基準法×品確法×公庫］クロスチェック」（㈱エクスナレッジ）、同号付録「改正建築基準法〔木造関連〕法律・政令・告示ハンドブック」があり、告示等の内容が具体的に紹介されている。なお、告示は、次々と新しい告示が制定ないし改正されているので、随時、告示の内容を確認しておくことが必要である。

わが国の建築界を代表する日本建築学会は、1923（大正12）年に建築施工技術の向上を図るため、工事に関する仕様書の標準化作業に着手して、鉄骨工事等16の標準工事を公表した後、1951（昭和26）年以降、標準仕様書の全面改訂作業に入り、以来、仕様書の運用状況や工法等の発達等を踏まえて、工事請負契約における標準仕様書として利用できるように、数度の改定を経て、各工事に関する標準仕様書を公表している。したがって、かかる日本建築学会の標準仕様書も、わが国建築界において、多年にわたって検討されてきた結果をまとめた仕様書であって、建築界における通説的技術基準であるから、当然、欠陥判断の基準として採用されるべきものである[25]。

(4)　品確法に基づく紛争処理の参考となるべき技術的基準について

　品確法では、同法に基づく建設性能評価住宅についての紛争について、裁判外紛争処理機関として、指定住宅紛争処理機関を創設したが、かかる機関での紛争解決に資するために、「紛争処理の参考となるべき技術的基準」が、大臣告示で定められた（同法74条）。

---

23)　なお、前記建設省平成12年告示等で、従前の公庫仕様書の内容の多くが、告示に取り込まれている。たとえば、平成12年5月23日建設省告示1347号「建築物の基礎の構造方法及び構造計算の基準を定める件」の「第1、4、一」で、布基礎の底盤の厚さは15cm以上としなければならないこと、同「第1、4、二」で、地盤の長期に生ずる力に対する許容応力度30以上50キロニュートン／m^2の地盤の場合には、底盤の幅は45cm以上（木造・鉄骨造2階建ての場合）としなければならないこと等が明確化されている。

24)　判例上も、松江地西郷支判昭61・10・24（判例集未登載。澤田和也著『欠陥住宅紛争の上手な対処法』（民事法研究会、1996年）518頁以下で紹介）が、公庫融資住宅ではない建物に関する請負契約事案について「注文者としては少なくとも一般庶民住宅を対象とする公庫仕様書を下回ることがないとするのが通常であるから、明示がない事項については公庫仕様書の工事施工基準に照らして瑕疵の有無を判断するのが合理的である。」と判示している。また、売買事案についても、阪神淡路大震災において倒壊した建物で、公庫融資を受けていないケースについて、神戸地判平9・8・26『消費者のための欠陥住宅判例　第1集』38頁は、「一般的には、木造建物を建築する場合、公庫仕様に基づいて精度を確保するという手法がとられている」との事実を認定したうえ、当該建物について公庫仕様違反を欠陥と評価している。

25)　前掲注9）「建築鑑定の手引き」においても、学会標準仕様書が、欠陥判断の基準となることを認めている。

その基準は、不具合事象の程度から構造耐力上主要な部分に瑕疵のある可能性の大小を規定したものである[26]。

しかし、この基準は、あくまで欠陥現象面に着目したものに過ぎず、欠陥原因の有無については何ら判断を示すものではないから、法的な欠陥評価の基準となるものではなく、参考基準に過ぎないものである。たとえば、傾斜1000分の3は、現象としては強烈なものではあるが、欠陥評価のためには、原因の確定が必要である。

(5) 改正前民法の「瑕疵」と現行民法の契約内容不適合

現行民法では、条文上、改正前民法の「瑕疵」の用語がなくなったため、改正前民法の「瑕疵」に当たるか否かの論点は、現行民法では「契約内容に適合しない」か否かの論点となる。

この点、現行民法の「契約内容不適合」(「種類又は品質に関して契約の内容に適合しない」場合をいう。) については、瑕疵に関する、いわゆる主観的瑕疵(契約当事者が取り決めた品質・性能を欠く場合)に限らず、客観的瑕疵(契約目的物が、通常有すべき品質・性能を欠く場合)についても、従前の解釈と同様、「契約内容不適合」に該当すると解するべきである。すなわち、契約当事者は、住宅が建築基準法令その他の基準に適合していることは当然の前提としているはずであるから、法令違反を典型例として、従来の客観的瑕疵も「契約内容不適合」に該当する。

そのため、「契約内容不適合」の判断は、現行民法においても改正前民法の「瑕疵」か否かの議論をベースにすることでよいと考えられる。

また、品確法では、新築住宅に関する、売買、請負の瑕疵担保責任について、

---

[26] この技術的基準は、傾斜(壁、柱、床)、ひび割れ(壁、柱、床、天井、はり、屋根)、欠損(壁、柱、床、天井、はり、屋根)、破断または変形(壁、柱、床、天井、はり、屋根)という不具合事象に着目して定められている。たとえば、傾斜(壁、柱、床)については、傾斜の程度を、①1000分の3未満の傾斜がある場合、②1000分の3以上、1000分の6未満の傾斜がある場合、③1000分の6以上の傾斜がある場合、に分類し(1000分の3の傾斜は、2メートルの距離で6ミリの傾斜がある状態であり、1000分の6は、2メートルの距離で12ミリの傾斜がある状態である)、①については、構造耐力上主要な部分に瑕疵のある可能性が低い、②については、その可能性が一定程度ある、③については、その可能性が高い、とするものである。

構造耐力上主要な部分または雨水の浸入を防止する部分の瑕疵について、10年の瑕疵担保責任を規定しているところ、民法改正後も、「瑕疵」という表現を維持し、「瑕疵」とは、「種類又は品質に関して契約の内容に適合しない状態をいう。」とする定義規定を置き（改正後の品確法2条5項）、構造耐力上主要な部分または雨水の浸入を防止する部分に瑕疵（契約内容不適合）がある場合には、引渡しから10年間、民法415条による損害賠償請求、同541条による催告解除、同542条による無催告解除、562条による追完請求、563条による代金減額請求の担保責任を負うものとしている（改正後の品確法94条1項・95条1項）。なお、これらの責任追及を行うためには、不適合を知った時から1年以内に、その旨を売主ないし請負人に通知することが必要である（改正後の品確法94条3項・95条3項、民法566条・637条）。

4　損害評価

欠陥に基づく損害については、欠陥を是正し、契約上予定された性能と品質を回復するために必要かつ相当な補修方法の確定と、かかる補修方法に要する費用額の確定が必要である。

(1)　必要かつ相当な補修方法について

ア　欠陥を除去して、建物に契約上の性能と品質を回復させるために必要かつ相当な補修方法を判断する必要がある。

かかる補修方法の判断については、判例上、明確な判断基準が確立されるには至っておらず、上記基準に基づいて、具体的な補修方法を判断していく必要がある。

この場合、瑕疵の補修方法については、単に、瑕疵ある建物を救済する観点からの構造安全性を回復するためにどのような補強が必要かという視点ではなく、あくまで、契約上予定された性能と品質を回復させるために相当な方法は何かという視点が重要である。そうでなければ、契約に適合しない施工を行っても、次善の補修で足りるという考え方に陥る危険があり、契約に基づく履行責任を軽視する結果となるからである。

また、2020年4月施行の改正前民法634条1項但書が「瑕疵が重要ならざる場合においてその修補が過分の費用を要するとき」には、修補を求めるこ

とができないと規定していたことから、瑕疵の重大性と補修費用額等を踏まえて、補修の要否、相当な補修方法の判断を行うことが求められる[27]（現行民法の解釈については、後記(2)イ）。

　イ　財産的損害の否定は不可

　しかしながら、下級審判例の中には、欠陥を認定しながら、欠陥是正費用を損害として認めない判断もあった。たとえば、京都地判平13・8・20（『消費者のための欠陥住宅判例　第3集』4頁以下）は、耐力壁不足、隅柱と基礎等を緊結する金物欠落（3階建て、柱の浮上防止）、浴室天井が施行令136条の2第6号、告示の防火構造違反等の欠陥認定をしながら、損害評価については、欠陥により生命身体等に現実的被害や具体的危険が生じたとは認められず、依然居住している以上、経済的価値も否定できないので、再築費用の損害賠償は認められないとした[28]。

　このような判断は、欠陥住宅の倒壊によって、生命・身体への被害が現実化した場合に初めて、損害が発生するとするものであって、被害者が生命身体を失うまでは、損害賠償請求を否定する考え方であって、到底、是認できるものではない。

　ウ　取壊し建替え費用相当額の賠償請求の可否

　請負契約について、改正前民法635条但書が、土地の工作物についての契約解除を制限していることとの均衡上、取壊し建替え費用相当額の損害賠償

---

[27]　静岡地沼津支判平17・4・27『消費者のための欠陥住宅判例　第4集』258頁は、鉄骨ラーメン構造2階建て住宅の請負契約について、剛接合部分の溶接欠陥等を認定したうえ、相当な補修方法の判断基準について、「請負契約に基づく瑕疵担保責任が債務の本旨に従った履行の実現をも趣旨とする制度であることに照らすと、建築請負契約により新築された建物の瑕疵の除去を目的とする補修は、これにより注文者が契約で合意されたとおりの性質を有する建物を取得できる内容とすべきであって、補修の結果、例えば建物の安全性に関しては同等の性能を備えるに至ったとしても、構造や意匠などの点に重大な変更を及ぼすことは、合意に反するものであって債務の本旨に従った履行とは認められないから、原則として許されないものと解するのが相当である。」と判示し、最判平14・9・24（後掲注29））の考え方を補修方法の判断基準に及ぼしたものとして注目される。

[28]　この京都地判については、大阪高判平14・9・19『消費者のための欠陥住宅判例　第3集』22頁が破棄し、補修に必要な費用等の財産的損害を認定した。

を認めることについては、実質的に契約解除を認めることとなるから、否定する見解もあり、下級審でも、判断が分かれていた。

しかし、最判平14・9・24（判時1801号77頁）が、これを明確に認めたことから、究極の補修方法としての取壊し建替費用相当額の損害賠償も認められることが明確となった[29]。

エ　建築物の耐震改修の促進に関する法律（耐震改修法）に基づく耐震補強方法について

住宅供給者側から、瑕疵に対する補修方法として、耐震改修法に基づく補強方法が提案されることがあるが、かかる方法は、以下の理由から、新築住宅の瑕疵に対する必要かつ相当な補修方法としては、採用されるべきではない。

（ア）　耐震改修法に基づく制度は、いわゆる既存不適格建築物（当該建築物が建築された当時は、建築基準法に適合していたが、その後の法改正の結果、現在の建築基準法には適合していない建築物）の耐震性の早期確保を推進するために、できる限り簡易に耐震性を回復するための補強方法を認めたものであり、新築建物の瑕疵の有無、瑕疵補修方法の判断とは、異なる法目的の制度である。

（イ）　新築住宅についても、かかる既存不適格建築物に関する耐震診断等の指針によって、瑕疵の有無、補修方法を判断してよいとすれば、新築住宅を、新築時の建築基準関係規定に違反して建築しても、かかる耐震診断等の指針によって、簡易な耐震性回復の補強方法でよいとしてしまえば、基準法違反の住宅を供給した者が救済され、その瑕疵担保責任ないし債務不履行責任を不問とする結果となり、不合理である。

---

29)　最判平14・9・24判時1801号77頁は、建替え費用相当額の損害賠償を認めることは、「契約の履行責任に応じた損害賠償責任を負担させるものであって、請負人にとって過酷であるともいえない」とし、完成建物の契約解除を制限した民法635条但書の趣旨にも反しない等と指摘した。同判決によって、財産的損害否定論（被害、損害が具体化、現実化していないとして、補修費用相当額を認めない考え方）に決着が付いたといえる。なお、契約の履行責任に応じた損害賠償責任を負うべきとの指摘は、最高裁が、契約内容である性能と品質を回復するまでの補修是正が必要であるとの考え方を採用したものと評価することができると考えられる。

オ　売買事案について

売買契約の場合には、瑕疵担保責任に関する信頼利益・履行利益論や、信義則等を根拠に、いかに重大な欠陥があるケースでも、損害額を、信頼利益の限度としたり、売買代金額の限度内に制限したりする判例もある。しかし、売買契約においても、売主は、契約上予定された性能と品質を有する住宅を引き渡すべき義務を負うと解すべきであり、売買契約の場合でも、当該瑕疵を除去して契約上予定された内容を回復するに必要な費用は、損害と評価されるべきである[30]。

カ　その他の損害に関する論点等について

（ア）訴訟において欠陥認定がなされた場合には、瑕疵補修費用相当額のほか、補修工事期間中の他の代替住宅賃料、引越し費用、欠陥調査費用（建築士による調査費用等）、弁護士費用が損害として認定されることが多く、さらに、欠陥住宅被害が、精神的被害をも被らせている現実を捉えて、慰謝料等が損害として認定されるケースも多い。

（イ）居住利益控除論について

住宅に瑕疵がある場合でも、被害者が相当期間、当該住宅に居住してきた以上、その居住利益相当額を損害から控除すべきとする判例がある[31]。

しかし、居住利益を控除する考え方は、被害者が欠陥住宅に居住することによって不当に利得を得ていることを前提とするが、そもそも、被害者は、欠陥住宅での居住を余儀なくされているのであって、かかる事実は、慰謝料の発生原因事実とはなっても、利益や利得を得ているとは評価されるべきではない[32]。この論点については、最判平22・6・17（判時2082号55頁）が、居住利益控除を否定して決着している。

---

30)　売主の瑕疵担保責任に基づき、取壊し建替え費用等の補修費用を損害と認定した判例として、横浜地判昭60・2・27判タ554号238頁、神戸地判昭61・9・3判時1238号118頁、前掲注24）神戸地判平9・8・26『消費者のための欠陥住宅判例　第1集』38頁、大阪高判平11・12・16『消費者のための欠陥住宅判例　第1集』104頁等がある。
31)　京都地判平12・11・22『消費者のための欠陥住宅判例　第2集』314頁等。
32)　松本克美「欠陥住宅訴訟における損害調整論・慰謝料論」立命2003年3号64頁以下、神戸地判昭61・9・3判時1238号118頁、大阪地判平10・12・18『消費者のための欠陥住宅判例　第1集』84頁、大阪地判平11・6・30同判例第1集62頁等。

（ウ）建物減価控除論について

また、住宅に瑕疵がある場合に、瑕疵補修費用相当額全額の賠償を得ることは、耐用年数の伸長した住宅を取得することとなるから、瑕疵のない建物の回復以上の利益を得ることとなるとし、居住期間に対応した年数の建物減価分を損害から控除すべきとする判例等もある[33]。

しかし、前記のとおり、瑕疵ある住宅に居住せざるをえないという事実自体が被害者にとっては不利益なのであり、また、かかる考え方に立つと、住宅供給業者は、長期間争えば争うほど、賠償すべき損害額が減額されることとなって不合理であるから、公平上、建物減価控除も行われるべきではないと考えるべきである[34]。この論点についても、前記最判平22・6・17（判時2082号55頁）により建物減価控除が否定されて決着した。

(2) 民法（債権法）改正と修補に代わる損害賠償請求について

ア 修補請求と修補に代わる損害賠償請求

改正前の民法634条2項により、注文者は、瑕疵の修補請求、修補に代わる損害賠償請求について、いずれも任意に行使することができた。

一方、現行民法では同条は削除されたが、改正後も、引き続き、注文者（売買の場合の買主）は、追完請求権（562条）としての修補請求を行使することも、民法415条1項に基づき、修補に代わる損害賠償請求権を行使することも、いずれも任意に行使できると解される（民法564条。筒井健夫他編著『一問一答 民法（債権関係）改正』（商事法務、2018年）341～342頁）。

イ 改正前の民法634条1項但書

同但書は、本文で、注文者の請負人に対する瑕疵の修補請求を規定しつつ、「瑕疵が重要でない場合において、その修補に過分な費用を要するときは、この限りでない。」と規定していたが、現行民法では、同条自体が削除された。

現行民法が、同条但書を削除した趣旨について、瑕疵が重要ではあるものの修補に過分の費用を要するときであっても、修補義務を免れないとすると、請負人の負担が過大となる場合が生じるところ、現行民法はかかる弊害を改

---

33) 大阪地判平10・12・18『消費者のための欠陥住宅判例 第1集』84頁。
34) 松本克美・前掲注32) 64頁以下。

正したものとする見解がある（前記「一問一答」341～342頁）。

しかしながら、現行民法は、従来の判例および実務の考え方を反映させたはずのものであり、また、瑕疵が重要である場合には、当該瑕疵を修補して、契約内容に適合した状態を回復することが、請負人（売買の場合には売主）の、重要な契約上の責任であると考えられることなどから、瑕疵が重要である場合には、改正前と同様、当然、その修補に要する費用を損害として賠償請求できるものと解するべきである。

5 責任主体と責任根拠について

(1) 請負人（施工者）の責任

ア 請負人には、瑕疵担保に基づく責任があるほか、瑕疵の発生について、故意過失がある場合には、不法行為、債務不履行に基づく損害賠償責任を認める判例が多数ある[35]。

請負人に、不法行為責任が認められるべき根拠規定としては、施工技術の確保を求めた建設業法25条の27、施工の技術上の管理を司るものをおく義務を定めた同法26条、請負人における主任技術者の義務（技術上の管理、施工従事者の技術上の指導管理）を規定した同法26条の3等がある。

なお、消費者が売買契約により住宅を取得した場合には、売主から建築を請け負った請負人には、買主である消費者との関係で、欠陥について故意または過失があれば、不法行為責任が成立する[36]。

イ 不法行為責任に関する最判平19・7・6（第2小法廷、判時1984号34頁）について

最高裁は、上記判決で、請負人、設計者、監理者に対し、建物の安全性の

---

[35] 瑕疵担保責任は債務不履行責任の特則と理解するのが通説であるが、債務不履行責任を認めた判例として、東京高判平6・2・24判タ859号203頁、神戸地判昭61・9・3判時1238号118頁、横浜地判昭50・5・23判タ327号236頁、大阪地判昭57・5・27判タ477号154頁、東京高判平3・10・21判時1412号109頁等がある。また、請負人に不法行為責任を認めたものとしては、神戸地判平9・8・26、神戸地判平16・6・11、福岡地小倉支判平11・3・30、大阪高判平11・9・3、福岡地判平11・10・20、東京地判平11・12・24等がある。前掲注19)『消費者のための欠陥住宅判例 第1集』に掲載。

確保を厳格に求めることを明らかにした。すなわち、同判決は、「建物の建築に携わる設計者、施工者及び工事監理者（以下、併せて「設計・施工者等」という。）は、建物の建築に当たり、契約関係にない居住者等に対する関係でも、当該建物に建物としての基本的な安全性が欠けることがないように配慮すべき注意義務を負うと解するのが相当である。」として、設計・施工者等に対し、いわゆる安全性配慮義務があることを明らかにし、「設計・施工者等がこの義務を怠ったために建築された建物に建物としての基本的な安全性を損なう瑕疵があり、それにより居住者等の生命、身体又は財産が侵害された場合には、設計・施工者等は、不法行為の成立を主張する者が上記瑕疵の存在を知りながらこれを前提として当該建物を買受けていたなど特段の事情がない限り、これによって生じた損害について不法行為による賠償責任を負うというべきである。居住者等が当該建物の建築主からその譲渡を受けた者であっても異なるところはない。」と判示した。

　同判決は、原審（福岡高裁）が、「瑕疵がある建物の建築に携わった設計・施工者等に不法行為責任が成立するのは、その違法性が強度である場合、例えば、建物の基礎や構造く体にかかわる瑕疵があり、社会公共的にみて許容し難いような危険な建物になっている場合等に限られる」とした判断を誤りとしたものである。

　ところが、同最判の差戻し後の福岡高判平21・2・6（判時2051号74頁・

---

36)　ただし、損害賠償の範囲については、土地建物の売買契約の場合に、買主が瑕疵を理由に契約解除をして売買代金相当額等の損害賠償請求を行った事案について、施工者および建築士（後記の名義貸し建築士にあたる事案）について、「本件売買契約を締結させたことには関わっていないから」建物の瑕疵補修費用等の損害の限度で責任を認め、売買代金相当額は損害として認めなかった大阪高判平13・11・7『消費者のための欠陥住宅判例　第2集』22頁がある（なお、同高裁判決の原審大阪地判平12・9・27同判例第2集4頁は、不法行為自体の成立を否定した）。一方、売買契約を解除せずに取壊し建替え費用相当額等の賠償請求がなされた事案で、大阪地判平10・7・29同判例第2集4頁は、土地建物売買代金を上回る損害を認めている。建売住宅であることを前提として施工を請け負った施工者は、当該住宅に居住目的が達成できない程度の瑕疵があり、売買契約が解除された場合には、当該瑕疵と契約解除とは通常の因果関係の範囲内にあるといえるから、土地建物売買代金相当額等の損害賠償責任を負うと解すべきである。

判タ1303号205頁）は、同最判の示した「建物としての基本的な安全性を損なう瑕疵」の意味について、「建物の瑕疵の中でも、居住者等の生命、身体又は財産に対する現実的な危険性を生じさせる瑕疵をいうものと解され、建物の一部の剥落や崩落による事故が生じるおそれがある場合などにも、『建物としての基本的な安全性を損なう瑕疵』が存するものと解される。」との判断基準を示したうえ、結論として、本件建物には、何ら現実の事故等は生じていないことなどを間接事実として、現実的な危険性を生じさせる瑕疵はないとして、不法行為責任を否定した。

しかし、同福岡高裁判決に対し、最判平23・7・21（第1小法廷、判時2129号36頁）は、「『建物としての基本的な安全性を損なう瑕疵』とは、居住者等の生命、身体又は財産を危険にさらすような瑕疵をいい、建物の瑕疵が、居住者等の生命、身体又は財産に対する現実的な危険をもたらしている場合に限らず、当該瑕疵の性質に鑑み、これを放置するといずれは居住者等の生命、身体又は財産に対する危険が現実化することになる場合には、当該瑕疵は、建物としての基本的な安全性を損なう瑕疵に該当すると解するのが相当である。」と判断して、再度、差し戻した。最高裁は、現実的な危険性が生じていなくても、瑕疵が存在する以上、不法行為が成立することを明確にしたのである。

(2) **設計者・監理者の責任**

ア　設計・監理契約違反の債務不履行責任

住宅の瑕疵が、設計ミス・監理ミスに起因する場合には、設計・監理を受託した者に、設計・監理契約上の債務不履行責任が成立する[37]。

なお、設計に起因する瑕疵の場合でも、判例上、建築の専門知識・経験を有する請負人には、発注者ないし設計者に対して、設計の不備等を指摘すべ

---

[37]　建築士の損害賠償責任の範囲については、瑕疵補修費用相当額全額の賠償責任を認めた判例（大阪高判平13・11・7『消費者のための欠陥住宅判例　第2集』22頁）、建築士の義務違反の程度等を考慮して、損害額の10％についてのみ責任範囲と認めた判例（大阪高判平12・8・30判タ1047号221頁）とがある。これは、債務不履行ないし不法行為と損害との相当因果関係の範囲の問題であるから、義務違反の程度に応じて、責任を負うべき損害の範囲を限定することは理論的ではないと思われる。

き義務があるとして、その責任が厳格に認められている[38]。

イ 不法行為責任

また、建築士法2条の2、18条が、建築士に対して職務誠実義務を課し、設計については、法令等の基準に適合させる義務、工事監理については、工事が設計図書のとおりに実施されるようにする義務を具体的に規定していることから、かかる規定を根拠に、設計ないし工事監理義務の不履行と瑕疵との間に相当因果関係が認められる場合には、建築士である設計者、工事監理者には、不法行為責任が成立する[39]。

ウ 名義貸し建築士（監理放棄建築士）の責任

さらに、建築確認申請書に、自己が工事監理を行う旨の記載をしながら、実際には工事監理を行わないという、いわゆる名義貸し建築士について、不法行為責任の成否が下級審において分かれていたが、近時の最高裁判決によって、売買契約のケースについて、不法行為が成立することが確定した[40]。

(3) 売主の責任

瑕疵担保責任（契約不適合責任）があるほか、信義則上、売買契約に基づき、瑕疵のない住宅を引き渡すべき義務があると解されるから、住宅に瑕疵があることを知り、または、容易に知りえたにもかかわらず、漫然と売却した場合には、不法行為責任が成立する[41]。

(4) 建築主事ないし民間確認検査機関の責任

建築主事ないし民間確認検査機関が、建築基準法違反の設計を看過して、建築確認済証を交付してしまった場合の法的責任の有無が争点となる。

この点、指定確認検査機関に過失があれば、当該機関の事務が帰属する行政主体（建築主事が置かれた地方公共団体）が、国家賠償法1条1項に基づく損害賠償責任を負うこととなるとする最決平17・6・24（判時1904号69頁）、

---

38) 民法636条は、瑕疵が注文者の指図によって生じた場合には、請負者は瑕疵担保責任を負わないのを原則とし、但書で、請負者が、当該指図が不適当であることを知りながら、これを告げなかった場合には、その責任を免れない旨規定しているところ、判例上、かかる請負人の免責規定は、極めて限定的に解釈されている（東京地判平3・6・14判時1413号78頁、京都地判平4・12・4判時1476号142頁）。

39) 横浜地川崎支判平13・12・20『消費者のための欠陥住宅判例　第2集』426頁等。

横浜地判平17・11・30（判例地方自治277号31頁）があり、また、建築主事が構造計算を誤った瑕疵を看過して建築確認を行った場合、国家賠償法1条1項の責任があるとする山口地岩国支判昭42・8・16（訟務月報13巻11号1333頁）がある。

6　契約解除について
(1)　請負契約

改正前民法635条但書により、契約解除はできないとの解釈が一般的であったが、瑕疵が重大で、建物が完成したとは評価し得ないような場合には、契約解除を認める見解もあった。

もっとも、この点については、現行民法では、従前の解除を制限していた

---

40)　最判平15・11・14民集57巻10号1561頁は、建築士でなければ設計、工事監理ができないとする制度（建築士法3条〜3条の3、違反の場合には35条3号により罰則を予定。建築基準法5条の4。建築士による設計によらないで、あるいは、建築士である工事監理者を定めずに施工がなされた場合には、工事施工者に対する罰則を予定、基準法99条1項1号）、建築士法18条による建築士の義務等を踏まえて、建築士に、「建築物を建築し、又は購入しようとする者に対して建築基準関係規定の設計及び工事監理等の専門家としての特別の地位が与えられていることにかんがみると、建築士は、その業務を行うに当たり、新築等の建築物を購入しようとする者に対する関係において、建築士法及び法の上記各規定による規制の潜脱を容易にする行為等、その規制の実効性を失わせるような違反をしてはならない法的義務があるものというべきであり、建築士が故意又は過失によりこれに違反する行為をした場合には、その行為により損害を被った建築物の購入者に対し、不法行為に基づく損害賠償責任を負うものと解するのが相当である」とし、建築確認申請書に自己が工事監理を行う旨の実体に沿わない記載をした場合には、「建築基準関係規定に違反した建築工事が行われないようにするため、本件建物の建築工事が着手されるまでに」、施工会社に「工事監理者の変更の届出をさせる等の適切な措置を執るべき法的義務がある」にもかかわらず、何らの適切な措置も執らずに放置した建築士に、不法行為の成立を認めた。

41)　売主に不法行為責任を認めた判例として、千葉地一宮支判平11・7・16『消費者のための欠陥住宅判例　第1集』98頁（過失のケース）、札幌地判平13・1・29同判例第2集72頁（売主に悪意ないし重過失が認められたケース）、東京地判平13・1・29同判例第2集124頁（過失のケース）、大阪地判平12・10・20同判例第2集146頁（売主に故意が認められたケース）、大阪地判平12・6・30同判例第2集170頁（売主に悪意ないし重過失が認められたケース）がある。

民法635条自体が削除された。この削除は、前記の最判平14・9・24（判時1801号77頁）が、究極の補修方法としての取壊し建替費用相当額の損害賠償を肯定したことにより、実質的には契約解除と同様の法的効果を認めた判例の到達点を確認したものである。なお、現行民法は請負契約についても、契約解除の一般規定（民法541条〔催告による解除〕、同542条〔催告によらない解除〕）が適用されるので、解除の一般規定の要件を満たせば、請負契約も解除ができることとなる。

(2) **売買契約**

改正前民法570条、566条1項に基づき、瑕疵により契約目的が達成できない場合には、解除ができた[42]。現行民法では、上記のとおり契約解除の一般規定（民法541条〔催告による解除〕、同542条〔催告によらない解除〕）により解除ができる。

また、シックハウス被害について、東京地判平17・12・5（判時1914号107頁）は、マンション売買契約について、販売時に環境物質対策基準に適合した物件と表示されていたことなどから、それが契約内容となるとし、ホルムアルデヒド濃度が厚生省指針値を超えている水準にあったことを隠れた瑕疵と認定して、瑕疵担保責任に基づく契約解除を認めている。

7 売買代金ないし請負代金請求と瑕疵に基づく請求との関係

(1) **同時履行関係**

売買代金請求権、請負代金請求権と瑕疵担保責任に基づく請求権とは、同時履行の関係に立つ（民法571条・533条・634条2項）。したがって、買主ないし発注者は、未払い残代金がある場合には、瑕疵担保責任の履行があるまで、原則として、代金支払を拒むことができる[43]。

(2) **相殺について**

ア　相殺

---

[42] 解除を認めた判例として、東京高判平6・5・25判タ874号204頁（マンション、雨漏り等のケース）、東京地判平13・6・27『消費者のための欠陥住宅判例　第2集』32頁以下（土地建物の売買契約）、東京地判平13・1・29同判例第2集（土地建物の売買契約）等がある。

請負残代金請求と、瑕疵修補請求ないし修補に代わる損害賠償請求とは、現実の履行をさせなければならない特別の利益はないとして、相殺を認めるのが最判である（最判昭53・9・21判時907号54頁・判タ371号68頁）。
　イ　相殺の場合の遅延損害金起算日について
　請負人の報酬債権に対し、注文者がこれと同時履行の関係にある瑕疵修補に代わる損害賠償債権を自働債権とする相殺の意思表示をした場合、注文者は、相殺後の報酬残債務について、相殺の意思表示をした日の翌日から履行遅滞による責任を負う（前掲最判平15・10・10、最判平9・7・15民集51巻6号2581頁）[44]。

第5　紛争解決手続

1　訴訟手続き——付調停の利用

　東京地裁、大阪地裁では、建築瑕疵訴訟の増大に対応するため、2001年4月から建築瑕疵紛争事件に関する集中部を発足させ、原則として、訴訟事件を調停に付して、調停委員として建築士を選任したうえで、瑕疵、補修方法、補修費用等を整理した瑕疵一覧表を作成することにより、早期の争点整理を目指している。
　かかる調停手続きでは、必要に応じて、調停委員会による建物見分を実施し、調停委員会が意見を示し、事案に応じて、調停に代わる決定等を行って、紛争解決を目指している[45]。
　しかし、裁判所は、建築士調停委員による専門的判断を重視する傾向がある一方で、瑕疵か否かの判断基準はともかく、瑕疵を補修するために相当な

---

43)　請負契約につき、最判平9・2・14民集51巻2号337頁・判タ936号196頁・判時1598巻65頁。この事案では、残代金約1184万円の請求と瑕疵修補に代わる約82万円の損害賠償請求とが同時履行の関係に立つことが認められた（引換給付）。ただし、瑕疵が軽微な場合においても報酬残債権全額について支払が受けられないとすると請負人に不公平な結果となることから、瑕疵の程度、修補費用、交渉態度等の他の事情も併せ考慮して、信義則に反する場合は同時履行を主張できない場合があることを示唆している。
44)　相殺がなされた場合には、相殺適状となった時期を基準に債権額を算定して対当額で差引計算を行うという原則に対する例外である。

補修方法の判断基準や補修費用算定についての明確な基準が形成されていないため、建築士調停委員の意見によっては、結論が大きく異なる危険があり、法的安定性に欠けるきらいがある。

後記のとおり、専門委員制度が導入されているので、訴訟手続きにおいて専門家の協力が必要な場合には、専門委員制度の活用が原則となると考えられる。

2 裁判所鑑定等について
(1) 鑑定

当事者間で欠陥評価等の主要論点で対立がある場合には、裁判所は、鑑定により、建築専門家の助力を求めることが多い。この場合の鑑定手続きについては、東京地裁では、前記「鑑定の手引き」に基づいて行われるが、鑑定人の意見が、裁判所の判断を決する重要なものとなることが多いので、前記の主張立証課題を踏まえて、鑑定事項を明確に限定する必要がある。

また、2003年7月の民事訴訟法改正によって、鑑定人に対する尋問は、従前の証人尋問の準用という方式を改め、鑑定人質問として、特別な方式となって、当事者による尋問が制限される制度となったので、なおさら、鑑定事項の決定が、重要性を増しているといえる[46]。

(2) 専門委員制度

前記2003年民事訴訟法改正により、いわゆる専門訴訟については、裁判所は、①争点もしくは証拠の整理または訴訟手続の進行に関して必要な事項を協議するため、②証拠調べをするにあたり、③和解を試みるにあたり、必要があると認める場合には、専門委員を手続きに関与させることができることとなった（民訴法92条の2）。

---

45) 東京地裁、大阪地裁での調停手続きの概要については、前掲注7)『〔改訂版〕建築関係訴訟の実務』302頁以下、佐々木茂美編著『最新民事訴訟運営の実務』（新日本法規出版、2003年）17頁以下、前掲注2)『リーガル・プログレッシブ・シリーズ14 建築訴訟』、前掲注2)『最新裁判実務大系第6巻 建築訴訟』を参照。

46) 2003年7月の民事訴訟法改正の内容等については、小林秀之編著『Q&A 平成15年改正民事訴訟法の要点』（新日本法規出版、2003年）参照。

この専門委員の助力は、あくまで、建築技術的側面に限定されなければならない。

3　訴訟手続以外の紛争解決制度

建設業法に基づき、国または都道府県に設置された建設工事紛争審査会による調停・仲裁制度、各地の弁護士会によるあっせん・仲裁手続、品確法に基づく建設住宅性能評価書の交付された住宅に関する住宅紛争処理機関（各地の弁護士会が担当）等の裁判外紛争処理制度がある。

また、前記の特定住宅瑕疵担保責任履行確保法に基づく責任追及に関する紛争については、上記住宅紛争処理機関（各地の弁護士会が担当）での紛争処理制度を活用できることとなっている。

4　消費者からの相談への対応について

消費者から、欠陥住宅被害事案について相談を受けた場合には、契約に関する関係書類（契約書、設計図書、建築確認済証、完了検査済証等）の確認、建物引渡し時期（除斥期間ないし時効期間の確認のため）の確認等が必要最小限の確認事項である。

また、事案の対応方針や欠陥立証にあたっては、建築士の協力が必要不可欠であるから、信頼できる建築士の助力なくして、対応することは不可能である。

《参考文献》
- 日本弁護士連合会消費者問題対策委員会編『欠陥住宅被害救済の手引〔全訂四版〕』（民事法研究会、2018年）
- 小久保孝雄・徳岡由美子編著『リーガル・プログレッシブ・シリーズ14　建築訴訟』（青林書院、2015年）
- 齋藤繁道編著『最新裁判実務大系第6巻　建築訴訟』（青林書院、2017年）
- 岸日出夫・古谷恭一郎・比嘉一美編集『Q&A建築訴訟の実務〜改正債権法対応の最新プラクティス〜』（新日本法規、2020年）

［谷合周三］

第13章
消費者信用と多重債務

第1　はじめに

　クレジットやサラ金などからの多額の債務を抱え支払が困難になっている状態を多重債務といい、2003年前後の自己破産申立の増加、「ヤミ金融」の横行など多重債務問題が深刻化し、その一方で大手サラ金業者各社は空前の利益を上げてきた。2006年の貸金業法改正や過払金返還請求の増加、多重債務問題への対策強化により、事態は一時期より沈静化している。しかし、多重債務問題の深刻化は、業者による①高金利の貸付、②過剰融資、③過酷な取立が消費者に向けられて生じたものであり、肥大化したクレジット・サラ金等の消費者信用産業による構造的な消費者被害として捉えられるものである。近時は、銀行のカードローンによる過剰貸付が消費者金融会社を保証会社として行われ、多重債務の原因となってきている。

　本章では、多重債務問題の現状と背景を理解したうえで多重債務者救済の緊急性・必要性を十分認識し、問題解決のために司法が大きな役割を担っており、法律実務家の責任が重いことをまず確認する。そのうえで、多重債務問題をめぐる法制度を理解し、実際の現場における解決方法を学ぶ。

第2　多重債務問題の現状と背景

1　深刻化する多重債務問題とその原因

(1)　多重債務者の状況としては、第1章【事例6】が典型例である。この例のように、経済的に余裕のない者がクレジット・サラ金業者の非常に高い利息（貸金業法改正前は年25〜29.2％が普通であり、改正後も年18％が一般的）で借入を行った場合、毎月業者に対して計画どおり弁済していくこと自体に無理があり、収入減などがあれば支払困難にたちまち直面し、その場しのぎで新たな借入をしてしまう。支払が滞れば自宅や勤務先に厳しい督促が来るため、支払のための借入を繰り返す。その悪循環で結局負債額は雪だるま式に膨らみ、「多重債務」という深みにはまってしまうのである。業者からの過酷な取立に耐えられず、苦し紛れに「ヤミ金融」から借り入れてしまい、異常な高金利と違法な取立に悩まされ、挙げ句の果てに犯罪を起こしたり自殺をするなどの悲惨な事例も以前は少なくなく、大きな社会問題となってきた[1]。

(2)　多重債務問題が深刻化する原因としては、①高金利、②過剰融資、③過酷な取立が挙げられる。

サラ金業者の貸出金利やクレジット会社のキャッシング（貸付）の金利は、貸金業法改正前は利息制限法の制限利率（15〜20％）を遵守しておらず、年25〜29.2％という高金利であった[2]。

このような高金利は過剰融資に結びつく。サラ金業者としては、調達コストに比べて貸付金利が高く、多少の貸し倒れがあってもその損は吸収されてしまうので、貸付限度枠の一方的な拡大や派手な広告・無人契約機による顧

---

1)　統計的にも、失業や事業の失敗、多額の借金の返済などの「経済生活問題」を理由とする自殺者が多く、2009年は自殺者総数32,845名のうち、8,377名を占めるに至った。なお、その後、後記の多重債務対策などによって減少したが、2022年は自殺者総数21,881名のうち4,697名となっており、前年に比較して増加傾向にある（内閣府自殺対策推進室・警察庁生活安全局生活安全企画課発表の各年における自殺の状況参照）。

2)　後記の貸金業法改正により、利息制限法利率まで貸出金利は下がっているが、それでも相当な高利率であり、多重債務問題深刻化の原因となっている。

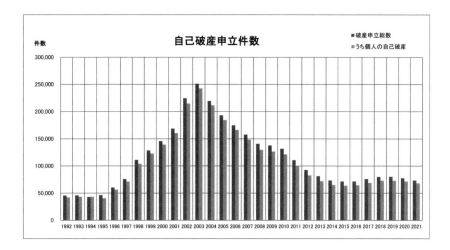

客の誘引などにより、貸付残高拡大にひた走ってきた。特に全盛期は、クレジット・サラ金業者によるテレビCMが氾濫し、上記①～③の問題点を秘したソフトな企業イメージが消費者に拡がり、顧客の取り込みが図られた。その結果、サラ金業者は不景気下でも空前の利益を上げてきたのである[3]。

顧客の支払能力を無視した高金利による過剰融資は、結果として顧客の支払困難を加速する。顧客の支払が遅延すると、貸付の多くを無担保で行っているクレジット・サラ金業者は、顧客に対して執拗で強硬な取立を容赦なく行う。これに耐えられない顧客は、新たに別の業者から借入を起こして返済することとなり、短期間の間に負債額を増加させて多重債務者となっていくのである。

(3) 1990年代から多重債務問題は深刻化が進み、全国の個人の自己破産申立件数は増加の一途を辿って、2002年には初めて年間20万件を超える事態となるに至った[4]。

---

3) かつての消費者金融大手4社（武富士、アコム、プロミス、アイフル）の2007年度決算によると、4社の消費者向け無担保貸付の貸付残高合計は4兆4,328億円、営業利益合計は1,848億円にも上っている（月刊消費者信用2008年7月号）。

2　貸金業法の改正および多重債務問題に対する施策

(1)　このように多重債務問題が深刻な社会問題化したことを受けて、2006年には貸金業法や出資法が改正され、貸付けの上限金利の引下げや貸付残高の総量規制などが行われた。また、政府は2006年12月に多重債務者対策本部を設置し、同本部は2007年4月、多重債務問題改善プログラムを策定し、以後、多重債務問題解決の施策を実施している[5]。

(2)　このような経緯もあり、多重債務問題の事態は改善されてきたが、格差問題・貧困問題や不安定な雇用による生活苦から借入をして多重債務に陥る例も少なくなく、社会的要因も多重債務問題の背景にある[6]。

(3)　なお、最近は、銀行の個人向けカードローンによる貸付が急増している。大手消費者金融会社等は銀行のカードローンの保証会社となっており、保証事業に軸足を移している。銀行は貸金業法改正による総量規制の対象外とされたため、宣伝・広告を強化しており、過剰融資となっていて、2016年に自己破産件数が増加に転じた原因の一つとも見られている[7]。

---

4)　個人の自己破産申立の年間件数は2002年に20万件を突破し、2003年には24万2,357件にも上った。1990年1年間の件数1万1,273件と比較すると、この間に20倍以上に急増したことになる。その後、後記の多重債務対策により減少傾向となり、2015年には6万3844件まで減少したが、2016年からは漸増した。2021年から減少し、2022年は6万4833件となっている（数字は最高裁・司法統計）。前頁の表参照。

5)　同プログラムは、①丁寧に事情を聞いてアドバイスを行う相談窓口の整備・強化、②借りられなくなった人に対する顔の見えるセーフティネット貸付けの提供、③多重債務者発生予防のための金融経済教育の強化、④ヤミ金の撲滅に向けた取締りの強化を施策として掲げ、以後、関係省庁が連携して実施されている。

6)　様々な社会的要因が多重債務問題と関係する。近時は大学の授業料等の奨学金の債務が支払えなくなる案件の増加が問題となっている。また、2018年通常国会での「特定複合観光施設区域整備法」（IR実施法）成立によりカジノ施設の法制度化が具体化し、ギャンブル依存による多重債務者の発生の懸念が生じている。コロナ禍による失業等によって経済的困窮に陥るケースの増加も懸念される。

7)　国内銀行の個人向け「カードローン等残高」は3兆5442億円（2013年3月）から5兆8207億円（2018年3月）へと短期間に急増した。その後は減少傾向となっており、2022年12月には4兆7638億円となっている（日本銀行・統計）。

3 債務者の位置づけ＝「被害者」としての債務者

(1) 上記のとおり、我が国では構造的にまた社会的要因から消費者が多重債務に陥る背景があり、多重債務に陥れば文化的社会的に最低限度の生活さえ脅かされる状況になりかねないのであって、多重債務者は肥大してきたクレジット・サラ金産業・金融機関の「被害者」であるという一面がある。前記のとおり、多重債務問題対策は一定の効果をもたらしてはいるが、個別の多重債務者の救済は未だ十分とはいえない。

(2) 多重債務者を放置すれば、家庭崩壊や自殺者、ホームレスが増加し犯罪が多発するなど社会的な荒廃を招くことは必至であり、多重債務問題の解決における司法の役割は大きく、それを担う法曹の役割は大きい[8]。以下においてもこのような視点を確認しながら解説を行う。

第3 多重債務問題をめぐる諸法令

1 貸金業法による規制

(1) 貸金業法制定・改正の経緯

貸金業者を直接規制する法律として貸金業法がある。貸金業者の規制は、従前は1954年に施行された出資法によってなされていたが、1975年ころから「サラ金」による高金利・過剰融資・過酷な取立を原因とする自殺や家出などが社会問題化し、新たな規制立法の必要が生じたため、1983年に出資法改正法および貸金業法（いわゆる「サラ金二法」）が制定された。

同法は、問題発生に応じて改正を重ね[9]、2006年には、貸金業への参入条件の厳格化、業務規制の強化、過剰融資規制などの極めて重要な改正がなされ、多重債務問題を扱う場合の重要な指針となっている。

---

8) 弁護士による債務整理の社会的意義や公益性を指摘するものとして、東京高判平9・6・10判時1636号52頁、東京高判平14・3・26判時1780号98頁。
9) 1999年にいわゆる商工ローン問題を契機として保証人に対する書面交付義務等を盛り込んだ改正がなされ、2003年にはいわゆるヤミ金融問題を契機として、罰則の強化・高金利の契約無効等を内容とする改正が行われた。また、2004年には違法な年金担保融資の規制が盛られた。

(2) **貸金業者に対する開業規制**

貸金業では登録制がとられ、3年毎に登録の更新が必要である（貸金業法3条以下）。無登録業者は処罰される（同法11条・47条2号）。

貸金業者に対する監督行政庁（金融庁、都道府県知事）には、①報告徴収・立入検査等（同法24条の6の10）、②業務停止・登録取消等の監督処分（同法24条の6の4ないし8）、③業務改善命令（同法24条の6の3）などの監督権限がある。

(3) **貸金業者に対する業務規制**

様々な業務規制があり、違反すると罰則や行政処分の対象となる。

貸金業者の取立については厳格な規制がなされ、「人を威迫し」または「人の私生活もしくは業務の平穏を害するような言動」による取立行為が禁止されている（同法21条1項）。具体例として、①社会通念に照らして不適当な時間帯の取立、②勤務先等への取立、③借入による弁済資金調達の要求、④第三者への弁済要求などがある[10]。

過剰与信に関しては、貸金業者に対して顧客の返済能力についての調査義務が課され、また、自社の貸付の金額が50万円を超える場合や他社との合計の貸付残額が100万円を超える場合は、源泉徴収票等の提出を受けることが義務づけられている（同法13条）。さらに、総借入が年収の3分の1を超える場合は原則貸付禁止とされている（総量規制。同法13条の2）[11][12][13]。

その他、①虚偽事実の告知等の禁止（同法12条の6）、②自殺を保険事故と

---

[10] 解釈基準として、金融庁「貸金業者向けの総合的な監督指針」Ⅱ-2-19参照。特に悪質な取り立てについて慰謝料請求を認める裁判例として大阪高判平11・10・26判時1703号144頁。

[11] 2006年改正の規制強化による。解釈基準として、金融庁「貸金業者向けの総合的な監督指針」Ⅱ-2-13参照。

[12] 2008年割販法改正により、クレジット契約についても利用者の支払可能見込額を超える契約の禁止など過剰与信の防止が強化された（割販法30条の2・30条の2の2・35条の3の3～4・38条）。

一方、銀行等の金融機関による貸付については貸金業法の適用が無く、「総量規制」の対象外となっているため、前記のとおり過剰貸付を招く事態となっている。

[13] 過剰貸付を行った場合に業者側の請求額を制限する裁判例として釧路簡判平6・3・16判タ842号89頁。信義則により債務額を約4分の3に制限する。

する生命保険契約の禁止（同法12条の7）、③貸付条件の店内掲示や広告規制（同法14～16条）、④契約書・受取証書等の交付義務（同法17～18条）、⑤帳簿備付け・閲覧（同法19条～19条の2）、⑥公正証書作成についての規制（同法20条）、⑦年金担保に関する規制（同法20条の2）、⑧完済時の債権証書の返還（同法22条）、⑨標識の掲示義務（同法23条）、⑩債権譲渡に関する規制（同法24条）などの業務規制がある。

2 利息をめぐる法規制

(1) 多重債務問題は、業者の高金利によって深刻化してきたが、法は金利についてはむしろ厳しい規制をしている。多重債務事件の解決のためには利息をめぐる法規制を正しく理解する必要がある。

(2) 利息制限法による制限利率

利息に関する規制については、まず民事上の制限利率を定める利息制限法が最も重要である。同法は経済的弱者たる債務者保護を目的として立法されたもので、解釈運用もその趣旨に従ってなされなければならない。

利息制限法は下記のとおり制限利率を定め、これを超える利息の約定は超過部分について無効と定める（利息制限法1条・4条・7条）[14]。

元本	利息	遅延損害金
10万円未満	年20%	年29.2 %※
10万円以上100万円未満	年18%	年26.28%※
100万円以上	年15%	年21.9 %※

※営業的金銭消費貸借の場合は年20%

この制限利率は強行法規であるからこれを超える利息債務は無効であって存在せず、債務者が制限超過利息を任意に支払っても、支払金は利息に充当されずに残存元本に充当される（最大判昭39・11・18民集18巻9号1868頁）。ま

---

[14] 基本契約に基づいて借入れと弁済が繰り返され、同契約に基づく債務の弁済がその借入金全体に対して行われる場合、それぞれの借入れの時点で、従前の借入金残元本と新たな借入金との合計額が利息制限法1条1項所定の各区分における下限額を下回るに至っても適用される制限利率は変更されない（最判平22・4・20民集64巻3号921頁）。

た、制限超過分の元本充当により計算上元本が完済となった後に債務者が支払った金額は不当利得となり、過払請求ができる（最大判昭43・11・13民集22巻12号2526頁）。

(3) **出資法における制限利率と利息制限法との関係**

一方、出資法は、2006年改正前までは、貸金業者について年29.2％（1日0.08％）を上限金利と定め、これを超える金利の契約をしたまたはこれを受領したときは刑事罰の対象となるとしてきた（改正前法5条2項）。

したがって、貸金業者が、たとえば元本が10万円以上100万円未満の貸付で、年18％を超え年29.2％以下の利息を定めた場合は、利息の約定は民事上無効であるが刑事処罰の対象とはされないといういわゆる「グレーゾーン」に該当することになり、消費者金融の大半は、このいわゆる「グレーゾーン」金利で貸付を行っていた。そこで、利息制限法による引直し計算を行うと業者が主張する残元本よりも大幅に残元本額が減少することになる。

(4) **改正前貸金業法43条の「みなし弁済」の成立について**

ア　この「グレーゾーン金利」について貸金業法は、本来無効な利息制限法超過部分を、厳格な要件の下に例外的に有効な利息の弁済とみなす規定（「みなし弁済」規定）を置いていた（改正前法43条1項）。

イ　「みなし弁済」の要件は、①消費貸借契約当時に貸主が貸金業登録をした貸金業者であること、②業として行う金銭消費貸借上の利息または損害金の契約に基づく支払であること、③利息制限法超過の金額を債務者が利息または損害金と指定して任意に支払ったこと、④貸金業法17条書面（契約書面）の交付、⑤貸金業法18条書面（受取書面）の交付であり、全て満たす必要がある。これらの主張立証責任は全て貸金業者側が負う。

この制度は、上記利息制限法および最高裁で確立した法理の重大な例外であるから、その解釈および運用も厳格になされなければならない。この点は議論があったが、最高裁は「貸金業者の業務の適正な運営を確保し、資金需要者等の利益の保護を図ること等を目的として、貸金業に対する必要な規制を定めた法の趣旨、目的（法1条）と、上記業務規制に違反した場合の罰則が設けられていること等にかんがみると、法43条1項の規定の適用要件については、これを厳格に解釈すべきである」と明確に判示するに至った（最判

平16・2・20民集58巻2号380頁〔以下①〕、最判同日同号475頁〔以下②〕）。

ウ　各要件の解釈についても争いがあったが、前掲最判平16・2・20①②以降、最高裁は以下のとおり厳格な解釈を行う立場を明確にしている。

a）「任意に」支払ったこと（要件③）については、債務者が元本または利息制限法超過利息の支払を遅滞したときには当然に期限の利益を喪失する旨の特約について、同特約は一部無効であり、同特約の存在は、通常、債務者に対し、支払期日に約定元本および制限超過部分を含む約定利息を支払わない限り、期限の利益を喪失し、残元本全額および遅延損害金を支払う義務を負うことになるとの誤解を与え、制限超過部分の支払を事実上強制することになるから、このような誤解が生じなかったといえるような特段の事情のない限り、任意性は認められないとする（最判平18・1・13民集60巻1号1頁）[15]。

b）17条書面（要件④）[16]については、規定されている全ての事項が網羅された書類であることを要し（前掲最判平16・2・20②）、また、記載内容の正確性・明確性を必要とする[17]。

c）18条書面（要件⑤）[18]も規定されている事項の全部が網羅され、正確かつ債務者に容易に理解できるよう記載されている必要がある（前掲最判平16・2・20②滝井裁判官補足意見）[19][20]。

以上のとおり「みなし弁済」は一連の最高裁判決により、ほとんど成立す

---

15) 前掲最判平16・2・20②の滝井裁判官補足意見、最判平18・1・19判時1926号17頁。日賦貸金業者の事案につき最判平18・1・24判時1926号28頁も同旨。この特約は、消費者金融の貸付においてほぼ例外なく記載されてきたものであり、同判決により「みなし弁済」成立の余地はほとんどなくなった。

16) 後日の契約内容をめぐる紛争を防止する趣旨で遅滞なく交付することが義務づけられている。記載内容は、契約年月日、貸付金額、実質年率、返済方式・期間・回数など（同法17条1項）。

17) 最高裁は、いわゆるリボルビング方式の貸付に関する記載事項についても、確定的な記載が不可能であっても当該事項に準じた事項を記載すべき義務があると極めて厳格な解釈を示した（最判平17・12・15民集59巻10号2899頁）。

18) 弁済の事実や充当関係を明らかにして後日の紛争を避ける趣旨から直ちに交付することが義務づけられている。記載内容は、貸金業者の商号、契約年月日、貸付金額、受領金額およびその利息・賠償額の予定に基づく賠償金または元本への充当額、受領年月日など（同法18条1項）。

る余地がないことが確認されている。

(5) 改正出資法および貸金業法における金利規制の内容

最高裁が利息制限法の厳守という一貫した解釈を示したことにより、グレーゾーン金利による高金利貸付の普及が多重債務問題を深刻化させている点が再認識されるに至り、出資法金利の見直しが行われ、2006年に出資法および貸金業法が抜本的に改正されて、出資法の制限利率は年29.2％から、利息制限法の制限利率とほぼ同じである年20％まで引き下げられた（改正出資法5条2項）。また、「みなし弁済」制度も廃止となった。これらの改正によって「グレーゾーン金利」の範囲は非常に狭くなり、行政規制による貸付規制と相まって、「グレーゾーン金利」による貸付は事実上行われなくなった。

第4　多重債務問題処理の手続

1　多重債務事件の処理方法

(1)　多重債務事件の処理は上記の多重債務問題の背景を十分認識し、関係法令を理解したうえで行う必要がある。

(2)　処理方法には、①任意整理、②自己破産、③個人再生がある[21)22)]。各手続の詳細は後述するが、手続の流れの概要は以下のとおりである。

---

19)　前掲最判平成18・1・13は、「契約年月日」を「契約番号」で代替することを認めない。弁済が銀行からの振込送金の場合であっても（同法18条2項参照）、同条1項所定の受取証書が交付されていなければ「みなし弁済」の適用はない（最判平11・1・21民集53巻1号98頁）。18条書面の交付は、弁済の都度「直ちに」行われることが必要であり、これは「弁済の直後」を意味し（前掲最判平16・2・20②）、弁済後7～10日の交付は当たらない（最判平16・7・9判時1870号12頁）。支払前に18条書面所定の記載事項のある書面と銀行振込用紙が一体化された書面が交付されても、18条書面に当たらない（前掲最判平16・2・20①）。

20)　更に最高裁は、天引利息について「みなし弁済」の適用がないとし（前掲最判平16・2・20②）、出資法上の特例金利が認められていたいわゆる日賦貸金業者（出資法附則9項）についても厳格な解釈を行っている（前掲最判平18・1・24）。

21)　その他に2000年2月に施行された特定調停法による特定調停手続の利用があるが、一連の最高裁判決の後、業者との間の任意整理や過払返還などが進むようになり、同手続を選択するメリットはなくなり、近時、申立数は激減した。

① 相談＝事案の把握（債務状況および財産状況）
② 受任手続
③ 受任通知の債権者への送付＝取立の停止
④ 各手続についての準備
⑤ 正確な債務額の把握
⑥ 各手続の申立（任意整理の場合は各債権者との交渉・和解）

2 事件の受任とその通知

(1) 事件の受任

相談者から財産状況、負債状況、収入状況などを聴取する。定型的な相談カードなど普及しているものなどを利用すると効率が良い。特に受任通知送付のためになるべく正確な債権者一覧を提出させる。

相談者は債権者からの督促に追われ冷静な判断ができなくなっている場合が多く、相談だけ受けて後は本人に債権者への対応をさせるという形では問題の解決にならず、むしろ事態は悪化する場合がほとんどである。ここで相談者を帰したら取り返しがつかない事態になりうることを肝に銘じ、相談を受けた弁護士としては原則的には受任すべきである[23]。

(2) 受任通知の送付およびその効果

相談者から提出された債権者一覧表に従って受任通知を送付する。取引履歴の全面開示請求も記載する。

貸金業者は受任通知を受けた後、本人に対して取立をしてはならない（貸金業法21条1項9号、罰則は47条の3）[24]。

---

22) なお、災害時の私的整理の準則として、2016年の熊本地震を契機に「自然災害による被災者の債務整理に関するガイドライン」の運用が開始され、2020年12月からは新型コロナ禍での特則も運用が開始している。メインバンクへの申入れにより始まる手続であり、財産の一部を残すことができ、信用情報登録機関への登録もなく、弁護士等の専門家の支援を受けながらローンの減免が受けられる制度である。
23) 着手金の一括払が困難な相談者も多いので、弁護士は分割支払に応じたり、日本司法支援センターの代理援助制度の利用を積極的に行うべきである。
24) 前掲注8) 東京高判平9・6・10は、弁護士の受任通知後1週間後に公正証書による給与差押えが行われた事案につき貸金業者の不法行為責任を認めている。

3 正確な債務額の把握

(1) 業者による取引履歴の開示

貸金業者には取引履歴開示義務がある[25]。開示により、(2)の利息制限法による引直し計算が可能になる。

(2) 利息制限法による引直し計算

開示された取引履歴をもとに利息制限法による引直し計算を行い、債務額の正確な把握を行う。計算は、包括契約に基づく個別的な貸付の全部を通算して行う[26][27][28]。前述のとおり「みなし弁済」の成立が認められる可能性はまずないので、これを考慮せずに引直し計算をすれば足りる。

---

[25] 最高裁は、その開示要求が濫用にわたると認められるなど特段の事情のない限り、貸金業法の適用を受ける金銭消費貸借契約の付随義務として、信義則上、保存している業務帳簿に基づいて取引履歴を開示すべき義務を負うと明確に判示し、義務違反についての不法行為責任を認める（最判平17・7・19民集59巻6号1783頁）。

[26] 遅延損害金を考慮せずに通算して計算するのが実務である。なお、最判平21・4・14判時2047号118頁は、期限の利益喪失事由発生後債権者が一括支払を求めない事案において、業者が受領した金員を損害金に充当している旨の書面を交付していることを捉えて、期限の利益喪失の宥恕や期限の再度付与をしたものではないと判示する。この点について、最判平21・9・11判時2059号55頁は、貸金業者の対応などにより、借主が期限の利益を喪失していないと誤信し、貸金業者もその誤信を知りながらこれを解くことなく、受領し続けた事案について、貸金業者による期限の利益喪失の主張を信義則違反とする。

[27] 複数の貸付がある場合の充当関係についても多くの最高裁判例がある。最判平19・2・13民集61巻1号182頁は基本契約が締結されていない場合、第1貸付において過払金が発生しその後に第2貸付が行われた場合、特段の事情がない限り充当されないとした。一方、最判平19・6・7民集61巻4号1537頁は基本契約がある場合について、過払金を新たな借入金債務に充当する旨の合意があったとして充当を認め、最判平19・7・19民集61巻5号2175頁も一個の連続した貸付取引について同様に充当の合意を認める。最判平20・1・18民集62巻1号28頁は、第1の基本契約における過払金について、特段の事情がない限り、第2の基本契約の貸付に充当できないとしている。

[28] 元利均等分割返済の約定がある場合に借主から約定返済額を超過する額の支払がされた場合について、最判平26・7・24判時2241号63頁は、当該超過額を将来発生する債務に充当する旨の当事者間の合意があるなど特段の事情のない限り、超過額はその支払時点での残債務に充当され将来発生する債務に充当されることはないと判示する。最判平26・7・29判時2241号63頁同旨。

4 手続の選択

(1) 上記に従って債務額を把握するとともに、相談者の資力・可処分所得等を総合して、どの手続が最適かを判断する。

(2) 支払を継続する個人再生や任意整理を選択することが可能かどうかは、相談者の毎月の弁済原資と支払うべき負債額を比較して判断する。一般的には弁済原資は「住居費を引いた手取り収入の3分の1」といわれる[29]。

相談者の債務総額は相談時は不正確であるが、各債権者との取引期間の長さなどから利息制限法に引き直した後の残元本を予想して、おおよその債務額を把握する。

この債務総額や後記の個人再生を念頭において圧縮した債務額を上記の支払可能な弁済原資額で割ると、分割弁済の回数が一応わかる。この回数を参考にし、また、後記の個人再生の要件の具備や手続にかかる費用などを勘案し、弁済可能であれば任意整理や個人再生を選択することになる[30]。

一方、弁済が困難であれば自己破産を選択することになるが、個々具体的な事案によって事情が異なり、破産による資格制限を受けると失職する場合には自己破産を選択できないし、自宅を残したいなどの依頼者の意向なども考慮に入れて手続を選択することになる。

5 任意整理手続

(1) **債務額の正確な把握**

前記3の要領で、各債権者についての正確な債務額を把握する。

(2) **分割案の提示と交渉**

各債権者の正確な債務額を計算して債務者の総債務額を把握し、上記4(2)の支払原資で割ると支払回数の目安がわかる。その回数をもとに各債権者に対する分割案を作り、これを債権者に提示して交渉を行う。

---

29) 東京弁護士会・第一東京弁護士会・第二東京弁護士会『クレジット・サラ金処理の手引〔6訂版〕』(2019年) 40頁。

30) 任意整理については、弁済回数が36回以内であれば、業者側も受け入れやすく、相談者側も挫折をせずに支払っていけるので解決可能であるが、それを超えると困難であると一般的にはいわれている。前掲注29) 40頁。

分割案は下記の「クレジット・サラ金処理の東京三弁護士会統一基準」（いわゆる「三会統一基準」）などを基準として策定される[31]。

---
①取引経過の開示
　当初の取引よりすべての取引経過の開示を求めること。
②残元本の確定
　利息制限法の利率によって元本充当計算を行い債権額を確定すること。確定時は債務者の最終取引日を基準とする。
③和解案の提示
　和解案の提示にあたってはそれまでの遅延損害金並びに将来の利息は付けないこと[32]。

上記基準によれば、利息制限法によって引き直した元本を支払回数で割った金額を毎月支払う旨の和解案を提示することとなる。その場合、将来利息は一切付さない。

(3) **和解締結**

上記和解案をもとに業者と交渉する。前記のとおり最高裁判例からして「みなし弁済」が成立することはまずありえないので、「みなし弁済」を認めるような交渉はすべきでない。

業者の承諾を得れば、和解契約書を交わし、支払を履行していく。

(4) **過払金返還請求**

引直し計算の結果、過払になっている場合は業者に対して過払金返還請求

---

[31] 同基準は任意整理によって多重債務者が経済的更生を図るための必要最低限の内容が盛られたものであり、これまでの実務の積み重ねにより任意整理の現場に浸透している。前掲注29) 96頁。

[32] さらに、「④ (1) クレジット会社の立替代金債権額の確定については、手数料を差し引いた商品代金額を元本として利息制限法所定の利率によって算出された元本額を超えないように注意すること。(2) 貸金債務が債権者と同一系列の保証会社に履行されて求償債権になった場合、保証会社の求償債権額は本来の貸金債権額まで減額すること。(3) 非弁提携弁護士によって和解が成立した事案については、この和解が利息制限法に違反していないかを十分に調査すること。」と定められている。

を行う。業者が交渉に応じなければ訴訟を提起して回収することになる[33]。

6 自己破産
(1) 破産手続の概要
債務が多額に上り支払不能の債務者については自己破産手続を選択する。

債務者自らが申し立てる破産手続（破産法18条1項）を自己破産という。裁判所は債務者の破産原因（支払不能＝同法15条）を認定して破産手続開始決定を行う（同法30条1項）[34]。破産手続だけでは残債務の免責にはならず、さらに免責許可決定（同法248条以下）を得ることが必要である。

このように破産開始決定を受け免責許可を得ることで、多重債務の拘束から解放され、経済的な更生が図れるため、自己破産手続は多重債務者の救済のために大変多く利用されている。

(2) 破産手続の選択＝破産者になることの不利益
破産手続を選択するにあたっては破産手続開始による債務者の不利益を考えなければならないが、巷間いわれているほど不利益はない[35]。

---

[33] 過払金返還訴訟については、多くの論点についての裁判例がある。業者は民法704条の「悪意の受益者」に該当すると解され（最判平19・7・13民集61巻5号1980頁）、その場合の利息の利率は年5分である（前掲注27）最判平19・2・13）。なお、期限の利益喪失約款特約について任意性を否定する前掲最判平18・1・13言渡日以前の支払いについては、そのこと"のみ"によっては「悪意の受益者」と推定できない（最判平21・7・10民集63巻6号1170頁）。一方、17条書面については前掲最判平17・12・15言渡日以前でも「悪意の受益者」である（最判平23・12・1判時2139号7頁）。業者が取引の最初から履歴を開示しない場合には文書提出命令が出されるが、業者が拒否した場合は真実擬制（民訴法224条1項）をして、消費者側の推定計算の主張が認められる例も多い（大阪地判平16・12・22兵庫県弁護士会ホームページ消費者判例など）。過払金返還請求権の消滅時効は特段の事情がない限り取引が終了した時点から進行し（最判平21・1・22民集63巻1号247頁）、時効期間は10年である。過払利息の発生時は過払金発生時である（最判平21・7・17判時2048号9頁）。

　貸金業者の債権譲渡においては過払金返還債務について当然には承継されない（最判平23・3・22判時2118号34頁）。最高裁は、過払金返還債務の併存的債務引受について、切替契約については同債務の承継を認め（最判平23・9・30判時2131号57頁）、一方、債権譲渡については承継を認めない（最判平24・6・29判時2160号20頁）。

[34] 破産手続開始決定により、債務者は破産者となる（破産法2条4項）。

破産に対する抵抗感や「借りたものは返さなければいけない」という倫理観、資格制限への誤解から自己破産を選択することに躊躇する相談者も少なくないが、無理な任意整理を選択すると後に計画の履行ができなくなり、結局経済的更生が遅れてしまうので、自己破産相当と判定される場合は債務者を説得することも必要となる。自己破産相当か他の手続が相当かの限界は必ずしも明確ではなく、選択肢が競合するケースも少なくないが、本人の希望と生活の早期再建の両面から検討して手続を選択することとなる。

(3) **破産申立書の作成＝本人からの事情聴取**

破産申立をするための申立書・陳述書・財産目録・債権者一覧表などのひな形は各裁判所で用意しているのでそれを利用する。

依頼者から債務の内容、財産の有無、現在の収支状況、破産申立に至った経緯、免責不許可事由の有無などを聞き取って申立書等を作成する。債権者の漏れがあると非免責債権になる可能性があるし（同法253条1項6号）[36]、財産が漏れていて後に隠匿とされれば免責不許可事由に該当するので（同法252条1項1号）、慎重に事情聴取する[37]。

(4) **自己破産申立および破産手続開始・同時廃止**

上記で揃えた申立書等と添付書類を提出して申立を行う（同法20条）。

申立後、裁判官による債務者に対する審尋手続が行われ、債務および財産状況などについて審理を受ける[38]。そして、支払不能が認められれば、原則として破産手続開始決定がなされる（同法30条1項）。債務者に財産がなく

---

35) 破産者の主な資格制限として実際に問題となるのは、宅地建物取引士、証券会社外務員、生命保険募集人、損害保険代理人、警備員などである。会社員、一般的な公務員、学校教員、医師、看護師などは資格制限を受けない。破産者となったことが住民票や戸籍に記載されたり、選挙権を失ったり、その理由だけで会社を解雇されることもない。また後記の復権を受ければ「破産者」ではなくなり、上記の資格制限も解除される。なお、株式会社の取締役・監査役は、破産が欠格事由とされていないので（会社法331条・335条。旧商法254条ノ2第2号・280条は欠格事由としていた）、破産による委任契約終了（民法653条2号）によって取締役の地位は失われるものの、改めて株主総会で選任を受けることが可能である。

36) 虚偽の債権者名簿とされれば、免責不許可事由にもなる（破産法252条1項7号）。

37) 生命保険等の解約返戻金、退職金請求権、遺産分割未了財産などは本人が財産として認識していない場合があるので注意が必要である。

破産手続の費用を支弁するのに不足する場合は、管財人を選任せず直ちに破産手続は終了する（同法216条1項。同時廃止。消費者の多重債務事件の多くはこれである）。

(5) 破産管財手続

近時、比較的小型な事件であっても同時廃止にせず、破産管財人を選任する手続も多用されている。対象となるケースは、少額な財産が残存する事件、免責について特に調査する必要のある事件、法人と代表者がともに破産する事件などである。同手続の導入により、透明・迅速・柔軟な手続運用が可能となっている。

(6) 免責許可手続

ア　残債務の免責のためには、別途、免責許可決定が必要である。

免責制度の理念については説の対立があるが[39]、破産者更生の手段とする説に立つべきである。前記のとおり、我が国では構造的に消費者が多重債務に陥る背景があり、免責制度が厳しすぎれば多重債務者は救済される道を失いその社会的能力を他に発揮する場がなくなって社会的損失が大きいほか、さらには追いつめられて刑事事件を起こしたりホームレスになるなど、社会的荒廃を招く危険性も大きい。したがって上記の説に立って免責制度に肯定的な解釈・運用がなされるべきである。

イ　免責許可手続は、免責許可申立によって始まり（同法248条）[40][41]、その後裁判所により調査が行われる（同法250条）[42]。免責に対する意見申述期

---

[38]　東京地裁では弁護士を代理人とする申立については、審尋を同日に行う「即日面接」という運用を行っており、簡易迅速な処理が可能となっている。

[39]　伊藤眞『破産法・民事再生法〔第5版〕』（有斐閣、2022年）783頁以下。

[40]　債務者が破産手続開始の申立をした場合は、原則として免責許可申立てをしたとみなされる（破産法248条4項）。

[41]　免責許可申立があれば、破産手続が同時廃止等で終了していても、免責許可の裁判が確定するまで、破産債権者は強制執行・仮差押等をすることができず、すでに行われている場合は中止となる（同法249条1項）。

[42]　破産者には調査協力義務がある（破産法250条2項、違反の場合は免責不許可事由＝同法252条1項11号）。また、破産管財人が選任されている事件では、裁判所は破産管財人に免責不許可事由等について調査・報告をさせることができる（同法250条1項）。

間が定められるので、破産債権者は意見を述べることができ（同法251条）、裁判所はその意見も考慮することになる。

　ウ　免責不許可事由がない限り原則的に免責となる（同法252条1項）。主な免責不許可事由としては、①財産隠匿等の破産財団の価値の不当な減少（同項1号）、②著しく不利益な条件による借入や買取商品の処分（同2号）、③債務者の一部への偏頗弁済（同3号）、④浪費・ギャンブルによる過大な債務負担（同4号）、⑤詐術を用いた信用取引による財産取得（同5号）、⑥虚偽の債権者名簿提出（同7号）、⑦破産者の説明拒否（同8号）、⑧前回の免責許可確定等から7年を経過していない場合（同10号）、⑨破産手続・免責手続における説明義務違反（同11号）等がある。これらの事由がある場合でも、破産者の誠実性や免責不許可事由の程度を斟酌して許可が相当と判断される場合は、裁判所は裁量により免責許可決定を行うことができる（裁量免責、同条2項）。多重債務問題の深刻化を背景として、悪質な財産隠匿などがない限り裁量免責が出されているのが実務の実情である。

　エ　免責決定が確定すると（同法252条7項）、破産者は破産債権者に対する債務の支払責任を免れる（同法253条1項）。法律的には自然債務となり（通説）、担保権や保証人に対する保証債務履行請求権は消滅しない（同条2項）。また、免責確定によって破産者は当然に復権し（同法255条1項1号）、資格制限もなくなる（同条2項）。

　なお、①租税債権、②悪意の不法行為についての損害賠償債権[43]、③故意または重大な過失による生命・身体を害する不法行為についての損害賠償請求権、④婚姻費用や養育費等の債権、⑤従業員の労働債権、⑥故意に債権者一覧表から除外した債権、⑦罰金等については、免責の効力が及ばない（同法253条1項但書。非免責債権）[44]。

---

43) ここでいう「悪意」は、民法の不法行為が定める単なる故意ではなく、他人を害する積極的な意欲である「害意」と解されている。
44) 免責後に債権者との間で締結された支払合意について、免責された債務は自然債務であるが、破産免責制度の破産者の経済的更生を容易にするという趣旨から、同合意を無効とする裁判例がある（横浜地判昭63・2・29判時1280号151頁）。

7　個人再生手続

(1)　手続の概要

　個人再生手続は、無担保債権が5,000万円以下の負債のある個人で、将来、継続的にまたは反復して収入を得る見込みのある者が、地方裁判所に申し立てて行う手続で、債務について大幅な減額を受けたうえ、原則として3年間、減額後の債務を分割して支払っていけば免責が得られるというものである。
　破産のような資格制限や免責不許可事由がなく、住宅資金特別条項を利用すれば自宅を手放さないで済むことも可能であり、メリットは大きい[45]。

(2)　個人再生を選択すべき場合

　個人再生手続の選択を考えるべき場合として、①破産をすると資格制限があり現在の職業上問題がある場合、②財産の清算を避け住宅を保持したい場合、③非免責債権があったり免責不許可事由があって裁量免責も期待できない場合、④任意整理について非協力的な業者がいる場合などが挙げられる。また、利息制限法により減額した残債務からさらに支払額が大幅に減る点で、任意整理よりも個人再生の方が一般に債務者にとって有利である。

(3)　小規模個人再生と給与所得者等再生

　個人再生手続は、無担保債権が5,000万円を超えず、将来の継続的な収入の見込みがある個人債務者を対象とし、債権調査や再生計画可決の手続を簡素合理化した再生の特則手続であり、これを「小規模個人再生」という。そして、このうちサラリーマンのように将来の収入の額を確実・容易に把握できる者については、一定期間内の可処分所得を弁済原資に充てることを条件として、再生債権者の決議を経ないで再生計画を認可できるものとした。これが「給与所得者等再生」である。
　このように両者は適用要件が異なり、また再生計画の要件が異なるが、給与所得者等再生を利用できる者は小規模個人再生も自由に選択できる。

---

[45]　「個人再生手続」は多重債務問題の処理の方法の一つとして2001年4月1日から施行されている。通常の民事再生手続は主として中小企業以上の規模の事業者を念頭に置いているため、小規模な個人事業者や一般の個人債務者が利用することは困難であったが、これらの者が利用しやすいように個人版の再生手続として導入されたものである。

(4) 手続の流れ

ア 「小規模個人再生」を利用できる者は、①個人である債務者で、②将来において継続的にまたは反復して収入を得る見込みがあり、③有担保を除く負債総額が5,000万円以下、の者である（民再法221条1項）。「給与所得者等再生」を利用する場合は、さらに、④給与またはこれに類する定期的な収入を得る見込みがある者で、⑤その額の変動の幅が小さいと見込まれるものという要件が加わる（同法239条1項）。これらの要件を満たす者が「破産手続開始の原因となる事実の生ずるおそれがある」場合に（同法21条1項）申立ができる（同法221条2項・239条2項）。

イ 裁判所は申立棄却事由（同法25条）に該当しない限り再生手続開始決定を行う（同法33条・221条・239条）。再生手続開始後は、原則として再生債権について弁済はできなくなる（同法85条1項）。

ウ 裁判所は、債務者の財産および収入の状況の調査等の業務のために任意的に個人再生委員を置くことができる（同法223条・244条）。

エ 再生債権については実体的に確定せず手続内確定を行うにすぎないため、手続が簡略化されている。再生債権者は債権届出期間内に届出を行うが（ただし「みなし届出」＝同法225条・244条）、それに対する異議および評価の制度（同法226条・227条・244条）を経て、再生債権額が決まる。

オ 債務者は再生手続開始後遅滞なく、①財産目録（同法124条1項2項・228条・244条）および②経過等の報告書（同法125条1項）を裁判所に提出し、これらの報告を得て、裁判所あるいは個人再生委員が債務者の財産の調査・確保を行う。

カ 債務者は再生計画案を裁判所の定める期間内に提出しなければならない（同法163条1項）。

弁済総額の最低額については、小規模個人再生では以下の①および②を、給与所得者等再生では①ないし③を全て満たさなければならない。

① 計画弁済総額（再生計画に基づく弁済総額）が、基準債権（無異議債権および評価済債権）の1／5以上[46]（基準債権が3,000万円以下の場合）あるいは1／10以上（基準債権が3,000万円を超え5,000万円以下の場合）であること（＝基準債権に基づく最低弁済額要件。同法231条2項3号4号・241条2項5号）。

②　計画弁済総額が破産による配当よりも多いこと（再生計画が債権者の一般の利益に反しないこと）（＝清算価値保障要件。同法174条2項4号・241条2項2号）。

③　計画弁済総額が債務者の可処分所得の2年分以上の額であること[47]（＝可処分所得に基づく最低弁済額要件。同法241条2項7号）。

　上記の計画弁済総額をもとに、形式的に債権者に平等であること（同法229条1項、244条、238条・245条による155条1項の適用除外）、原則3年間の分割払とすること（5年まで伸長可能）（同法229条2項、244条、238条・245条による155条3項の適用除外）というルールに従って権利の変更の一般的基準が定められる（同法156条）。

　キ　小規模個人再生では再生計画案が書面による決議に付され（同法230条3項）、不同意と回答した債権者が議決権者総数の半数に満たずかつ議決権総額の1／2を超えないときは、再生計画案の可決があったものとみなされる（同法230条6項。「消極的同意」）。また、給与所得者等再生は上記の可処分所得要件を課す代わりに債権者の同意を不要としており、債権者の決議をせず（同法245条・238条による第7章第3節の適用排除）、債権者の意見聴取を行うに止まる（同法240条）。

　可決されたあるいは意見聴取期間を経た再生計画については、不認可事由（同法174条2項・202条・231条2項・241条2項）に当たらない限り、裁判所は認可決定を行う（同法231条1項・241条1項）。

　ク　認可決定は確定により効力が生じ（同法176条）、全ての再生債権者の権利は再生計画によって変更される（同法232条1項2項・244条）。

　ケ　個人再生手続は認可決定確定により当然に終結し（同法233条・244条）、通常民事再生の監督委員のような履行の監督機関はない。

　認可決定確定後についても、再生計画の遂行が著しく困難になった場合に

---

46)　ただし、下限は100万円、上限は300万円。基準債権の総額が100万円未満の場合は基準債権の総額となる（民再法231条2項4号）。
47)　可処分所得を計算するための最低限度の生活を維持するに必要な費用等は政令で定められている。給与所得者等再生の場合、この要件が加わるため、小規模個人再生よりも最低弁済額がやや高くなるケースが多い。

おける再生計画の変更（同法234条・244条）、再生計画の遂行が極めて困難になった場合における免責（「ハードシップ免責」。同法235条・244条）、債権者の申立による再生計画の取消（同法189条1項・236条・242条）等の制度がある。

(5) 住宅資金特別条項

住宅ローンを抱えた多重債務者について、所有する住宅を維持しながら整理を行うための制度として「住宅資金特別条項」の制度が設けられた（同法196条以下）。同制度は通常民事再生でも個人再生でも利用できる付加的な条項である。

住宅資金特別条項を利用する場合は、再生計画案の中に住宅ローンの弁済案を入れることとなる。マイホームだけは維持したいという債務者の志向は強く、これに応えられる場合は同条項の利用も積極的に考えるべきである。

第5　多重債務に関する制度および諸問題

1　個人信用情報

(1) 個人信用情報機関

サラ金業者やクレジット業者にとって、貸し倒れを防ぐために顧客の個人信用情報の利用は必要不可欠であり、信用情報を管理する機関を設立している。具体的には、株式会社シー・アイ・シー（CIC＝クレジット関連）、全国銀行個人信用情報センター（全銀協センター＝銀行関連）、株式会社日本信用情報機構（JICC＝消費者金融関連）がある[48]。

本人であれば各信用情報機関に対して開示を求めることができる。信用情報機関の情報登録期間は5～7年となっている。

(2) 指定信用情報機関制度

2006年の貸金業法改正で過剰貸付への規制として貸付の総量規制が導入されることになり、指定信用情報機関制度が創設された。貸金業者は同機関の

---

[48]　加盟社数は、CIC：902社、全国銀行個人信用情報センター：1,070社、JICC：1,297社。情報保有件数は、CIC：8億500万件、全国銀行個人信用情報センター：9,828万件、JICC：4億6,057万件（CIC・全国銀行個人信用情報センターは2022年3月現在、JICCは2023年2月末現在）。

登録情報をもとに融資の判断を行う（貸金業法41条の13～41条の38)[49]。

(3) 個人信用情報の実態

上記のとおり個人信用情報機関は業界毎に設立されており、加盟業者が与信を審査する際、取引残高情報や延滞事故情報の有無を調査する。

貸金業法の指定信用情報機関は信用情報（残高情報や事故情報）の交換が義務づけられており（法41の24）、CICとJICCとの間で実施されている（制度名「FINE」）。一方、全銀協センターを含めた3機関では事故情報の交換を自主的に行っている（制度名「CRIN」）ほか、カードローン等の与信審査における総債務を把握するための情報交換を2022年5月から行っている（制度名「IDEA」）。

2 ヤミ金問題

多重債務問題をさらに深刻化させるものとして、出資法制限利率を大幅に上回る異常な高利で貸付を行い、暴力的脅迫的な取立を行う「ヤミ金融」の横行がある[50]。

ヤミ金融問題の深刻化を受けて、2003年7月にいわゆる「ヤミ金融規制法」（出資法および貸金業法の改正）が成立し、貸金業者に厳しい規制が課された。また、年利109.5％を超える利率での貸付契約は無効となった（貸金業法42条）[51][52][53]。

3 保証被害と民法改正による保証人保護制度

(1) いわゆる「商工ローン」業者[54]が貸付の際に多用したのが、保証期

---

49) CICとJICCが貸金業法の指定信用情報機関として指定されている。なお、割販法も2008年改正で与信調査のために「指定信用情報機関」制度を設けており（同法35の3の36）、CICのみが指定を受けている。

50) ヤミ金融業者は、すでに多額の債務を負い一般の消費者金融から借入ができないような多重債務者の名簿を入手し、ダイレクトメールや電話で勧誘して小口の貸付を行い、脅迫的言辞や執拗な迷惑行為で強引に回収を図る。債務者やその家族が精神的に追い詰められ自殺をしたり犯罪に走るなど大きな社会問題となった。2003年6月にはヤミ金融業者の過酷な取立てに耐えかねて、大阪府八尾市で夫婦ら3名が電車に飛び込んで心中するという痛ましい事件が発生した。

間を定め極度額を限度としてなされる連帯保証(根保証)である。商工ローン業者は貸付の際に親戚・知人を根保証人とし、主債務者の支払が滞ると根保証人に過酷な取立を行い、あるいは訴訟提起や給与仮差押などを行って心

---

51) 同条は、貸付契約自体を無効にしているから、ヤミ金融業者は借り手に対して元本の支払いを請求することもできない。不当利得返還請求(民法704条)をすることは理論上ありうるが、出資法違反という犯罪に該当する高利率による貸付は公序良俗に反するから不法原因給付(民法708条)となり、結局借り手は返還を免れることになる。
　なお、最判平20・6・10民集62巻6号1488頁も、ヤミ金が著しく高利の貸付の形をとって借主に金員を交付し、借主が貸付金に相当する利益を得た場合について、借主からの不法行為に基づく損害賠償請求において同利益を損益相殺等の対象として借主の損害額から控除することは、民法708条の趣旨に反して許されないとしている。
52) 五菱会という暴力団関係者によるヤミ金による犯罪収益(約51億円)がスイスで没収されたが、これが被害者の被害回復に充てられないという法の不備が指摘された。そこで、被害回復への充当を可能にするために、2006年にその手続を定めた犯罪被害回復給付金法が制定されている。
53) 近時は新しいヤミ金の形として、①SNSや掲示板サイトなどを通じて行われる「個人間融資」、②給与債権の譲渡の形を取って金銭を支払う「給与ファクタリング」、③商品購入の形をとって現金を受け取り代金を後で支払う「後払い現金化」が問題となっている。いずれも形式によって利息の法規制を免れようとするもので、実質的に法外な利息となっているヤミ金である。②の給与ファクタリングは貸付であり貸金業法42条1項により無効とする裁判例がある(東京地判令2・3・24判時2470号47頁)。
54) 多重債務に関する諸問題として「商工ローン問題」も挙げられる。
　「商工ローン」とは小規模自営業者に対する運転資金の融資をいうが、これを専門とする貸金業者の過剰融資、高金利、根保証、過酷な取立てにより、債務者や保証人が深刻な被害を受けてきた。1998年には日栄の従業員が保証人に対して「目ん玉売れ、腎臓売れ」と督促して恐喝した事件が社会問題化し、これを契機として1999年に貸金業法等が改正された。商工ローンは「みなし弁済」の主張を前提とした強引な取立や法的措置(公正証書による差押え、仮差押え、手形訴訟、仮登記の設定)などを強行してきたが、相次ぐ法改正や判例により被害は減少した。
　最判平15・7・18民集57巻7号895頁は、商工ローン会社が100％子会社の信用保証会社に融資の保証をさせる形を取り債務者から保証料を取っていた件につき、この保証料を利息制限法上の「みなし利息」とした。また、過払金の充当計算についても債務者側の主張を全面的に認めた。東京地判平15・11・17判時1839号83頁は、商工ローン会社の私製手形による手形訴訟提起について不適法とする。千葉地判平14・3・13判タ1088号286頁は、同社の支配人訴訟について訴訟行為を無効とする。
　なお、2009年には大手商工ローンであるSFCGが破産した。

理的に圧迫をし、強引な回収を図ってきた。

　商工ローン業者は根保証を取る際に、根保証人に対して十分な説明を行わないケースが大半であるため、根保証人との間でトラブルが絶えず、この点について根保証人の責任を否定したり、制限する判例がある[55]。

　なお、保証人の保護のために保証人に対する交付書面が、貸金業法に定められている（同法17条3項～7項）。

　(2)　商工ローンに限らず、保証契約は保証人に予期せぬ債務の負担をさせる事態が多いため、保証人保護の見地から、近時民法改正が行われ[56]、①書面によらない保証契約の無効（民法446条2項・3項）、②極度額の定めのない個人根保証契約の無効（民法465条の2第2項）、③「個人貸金等根保証契約」について契約締結日から5年後の日よりも後の日を元本確定期日とする定めの無効（民法465条の3）、④債権者による主債務の履行状況についての情報提供義務（民法458条の2）、⑤事業にかかる貸金等債務を主債務とする保証契約について1カ月以内の公正証書作成の要求（民法465条の6）、⑥主たる債務者の情報提供義務（民法465条の10）などが定められている[57]。

《参考文献》
- 宇都宮健児『消費者金融―実態と救済』（岩波新書、岩波書店、2002年）
- 東京弁護士会・第一東京弁護士会・第二東京弁護士会『クレジット・サラ金処理の手引〔6訂版〕』（2019年）
- 伊藤眞『破産法・民事再生法〔第5版〕』（有斐閣、2022年）
- 大森泰人編『Q&A 新貸金業法の解説〔改訂版〕』（金融財政事情研究会、2008年）
- 鹿子木康ほか編『個人再生の手引〔第2版〕』（判例タイムズ社、2017年）

　　　　　　　　　　　　　　　　　　　　　　　　　　　　［平澤慎一］

---

55)　東京高判平13・2・20金判1111号3頁など。
56)　2004年改正民法で保証人保護の規定が設けられ、その後、2017年改正民法（平成29年法律第44号）においても更に保護の制度が設けられた。
57)　融資の時点で短期間に倒産に至る破綻状態にある主債務者のために行った連帯保証契約について、動機の錯誤があり、主債務者が破綻状態にないことを信じて連帯保証する旨の動機も表示されているとして、連帯保証契約を錯誤無効とする判決がある（東京高判平17・8・10判タ1194号159頁）。

コラム　商工ローン・ヤミ金融との戦い

　1990年代後半にかけて、中小零細事業社に、連帯保証をとり、利息制限法に違反する高利で貸付けする「商工ローン」が跋扈し、高金利、過剰与信、過酷な取り立てなどにより自殺が多発し、社会問題となった。1998年12月、日栄・商工ファンド対策全国弁護団が結成され、被害救済に取り組んだ。1999年秋の臨時国会は「中小企業国会」といわれ、中小企業の救済策および、商工ローン業者への規制策が検討され、出資法の上限金利を年利40.004％から年利29.2％に引き下げること等の改正が実現した。

　同時期、10万円以下の小口の資金を、「10日で5割」、「1週間で3割」等で貸し付けるヤミ金融が跋扈した。多重債務者の情報を入手してダイレクトメール、電話で直接勧誘し、金銭のやりとりは金融機関の口座を利用し、非対面で貸し付け、回収を図る。顧客情報を共有するグループ会社が多重債務者をたらい回し金銭を搾り取るというものである。ヤミ金融被害に対し被害者側の粘り強い刑事告発、立法運動によって、2003年7月、「業として年利109.5％を超える貸付けの無効」を含むヤミ金融対策法が成立した。

　他方、日栄との関係では、新たな手形貸付けと旧手形の決済という手法で、高利の利息および保証料を徴求することに対し、即時に元本充当できるか、保証料が利息かが争われた。

　商工ファンドとの関係では、43条の解釈原則について、債務者保護の趣旨を根拠に厳格解釈すべきか、契約証書の交付要件は17条書面全てが記載されていることが必要か、などが争われ、それぞれ最高裁に継続した。2003年7月8日、日栄の関係で、2004年2月20日、商工ファンドとの訴訟で勝訴し、さらに、2006年1月13日、シティズとの関係で、利息制限法を超過する金利の支払いを怠った場合には当然期限の利益を喪失するとの約款に基づく弁済は任意性を欠くとの判断が下され、みなし弁済は事実上死文化することとなった。

　それらの判決が原動力となって、同年12月、みなし弁済規定の廃止、出資法の上限金利を利息制限法まで引き下げる金利規制および年収の3分の1を超える貸付けを禁止する総量規制など、画期的な貸金業法の改正が実現した。

　ヤミ金融との関係でも、2006年6月、ヤミ金融被害回復策として「被害回復給付金支給法」および、2007年12月、ヤミ金融等の口座凍結策として、「振り込め詐欺被害救済法」が成立している。

　2008年6月10日、最高裁はヤミ金融から借主に交付された元金は不法原因給付として返還義務がないこと、ヤミ金融への損害賠償請求について損益相殺の対象とならないことを認めた。被害の事実が法律・制度を変える原動力となった。

〔新里宏二〕

第14章
情報化社会と消費者

第1　はじめに

1　問題の所在と検討の対象

　本章では「情報化社会」における消費者問題をとりあげる[1]。コンピュータと情報通信技術の飛躍的進歩により、「情報」が社会の基盤として重要な役割を果たすようになっている。また、消費者も、従前とは比較にならないほど多くの情報を享受し、利用できるようになった反面、その情報を消化しきれない消費者が増加している。

　情報化社会の消費者問題は、情報通信とそれを利用した取引に関連する問題が大きな比重を占め、情報通信ではインターネットの利用に関連する問題であることが特徴的である。

　以下では、情報通信と消費者に関わる問題状況と法制度を概観するが、3つの分野に分けて概説する。第1は、消費者が情報通信を利用できるまで（特に通信事業者との関係）である。第2は、情報通信の利用、特に電子商取引である。第3で、それ以外の付随する諸問題を検討する。

---

[1]　情報化社会は、ICT（Information and Communication Technology）の発展に伴い「高度情報化社会」と呼ばれるようになっている。

2　高度情報化（ICT）社会における消費者

　インターネットの普及、技術の発展による通信の高速化・ブロードバンド化、通信料金の低廉化が情報流通を一層容易にした。また、固定電話から携帯電話、そしてスマートフォンへと通信端末の高機能化が著しく進み、情報の流通の高速化が急速に進展した。端末の小型化と高性能化は移動体通信を急速に発展させ、いつでもどこでも情報通信を利用できる「ユビキタス化」を進め、また、電気通信サービスが家族単位での利用から、個人がひとりひとり自分の通信端末を利用するというパーソナル化をもたらした。

　こうして、それまでマスメディア等による情報発信の受け手であった消費者からの安価かつ容易な情報発信が可能となり、消費者個人も情報を収集し、利用し、発信する主体となった。これまで情報の発信は、一定のリテラシーのあるメディア等によって情報の取捨選択・編集がなされたうえで行われていたものが、そのような過程を経ずに情報発信が可能となったことで情報の流通を促進することになったが、反面、リテラシーのある者によるスクリーニングを経ることがなくなったという点では、情報の信頼性が担保されない情報が多数流通するに至った。

　商取引の面でも、インターネットを介する取引（電子商取引）が爆発的に普及、増加しているが、ここにおいても対面取引と異なり、インターネット上の情報だけしか判断材料として用いることができず、取引の相手方の規模・信用性等を判断することが難しくなり、情報の受け手としての消費者には、情報リテラシーが強く要求されるのが現状である。

3　高度情報化社会の消費者問題
(1)　高度情報化社会の消費者トラブル

　高度情報化社会では消費者契約の場面でも、消費者は契約前に多くの情報を入手できる。しかし、それでも消費者問題に特有の情報力・交渉力の格差の問題は解消されない。それどころか、前述のとおり、そもそも情報の信頼性が担保されておらず、人・消費者の持つバイアスや判断の軽率さを惹起させる仕組み等々この分野に特有の特質もあり、問題の解決をいっそう困難にしている側面がある。

また、ICT技術の発展により、情報通信の利用は従前より簡単になってきているが、通信がいつでもどこでも利用でき、情報が大量に流通する状況におかれると、消費者は、情報の洪水に埋もれてしまい、かえって適切な判断ができず、または熟慮して契約をするための情報の取捨選択をする間がないまま契約を迫られることにもなり、トラブルを生じさせやすい特質もある。

(2) 高度情報化社会の消費者トラブルの背景にあるもの

情報通信やそれを利用した取引に関わる消費者トラブルの背景には、以下の事情や要素があることが指摘できる。これらの事情などが消費者問題を生じやすくさせたり、複雑化させ、解決を困難にしている。

① 技術依存性

情報通信やそれを利用した取引は、ICT技術に大きく依存している。ICT技術は、ハードウェアとソフトウェアの技術が高度に集積されている。一般の消費者は操作に必要な限度の知識しかないままでも利用でき、システム上で何が行なわれているのか、また操作にしたがってどのような情報をシステム側に取得されているのかを理解する必要がない。こうしてブラックボックス化したシステムの中で問題が生じたとしても、消費者がそれに直ちに対応することは困難である。また情報通信分野では技術革新が急速に進展していくことにより新しい問題もこれに伴って発生顕在化することが多く、これをフォローアップしていないとどこに問題があるのかを把握すること自体が困難な面がある。技術の進展に伴って新たなビジネスモデルも次々に開発・提供されることにより、新たな課題や法制度との整合性を不断に検討する必要も生じてくる。

② 国際性（ボーダーレス）

インターネットが世界的なネットワークであることから、海外との関係を持つことがある。ネットショッピングで海外の商品を購入する場面は典型的である。さらには、国境を意識することなく取引ができるため、日本人向けに海外事業者がサイトを構築していると、国内事業者と取引しているものと誤認して、無意識のうちに海外との関係を持つことも容易に起こりうる。

越境取引は容易にできるものの、いったん越境取引においてトラブルが生じると、海外事業者との交渉が必ずしも日本語で行なえるとはかぎらず、商

品の返還にともなうトラブル(コピー商品等は輸出規制にも関係する)や精算について困難がともなう。日本と海外の商習慣等の違いもあり、日本法による解決ができるとはかぎらず(準拠法の問題)、裁判コストも問題解決の困難さを助長する。

③ 匿名性

インターネットには匿名性があるといわれる。事実上そのように機能している。インターネットでは、レジストリという機関からIPアドレス(Internet Protocol address：IPでネットワーク上の機器を識別するために指定するネットワーク層における識別番号)の割り当てを受けてネット上で情報発信をしているから匿名性がないともいわれる。しかしながら、特定できるのはレジストリに登録された登録者情報までであり、現在は非表示とされていることもある。また、実際に誰がそのIPアドレスで通信しているのかということまで特定できるものではない。また、憲法において通信の秘密が保障されている日本では、通信記録(アクセスログ)の保有、通信者の特定と開示は極めて慎重に扱われている。

その結果、名誉毀損やプライバシー侵害などの情報流通自体による被害はもとより、電子商取引などで被害にあった消費者の被害回復は、加害者特定の段階から困難をきたすことも多く、匿名訴訟が認められない日本では、被告の特定に多大なコストを要しそれ自体が被害回復のハードルとなるうえ、結局特定できず被害回復ができないことにもなる。

④ 多数当事者の関与(システム・サービスの階層化)

店頭で商品を購入する場合とネットショッピングによる場合とを比較すると関与者数の差異は顕著である。前者は売り主たる事業者と消費者との間でのトラブル処理が基本である。後者は、ネットに接続する段階で通信サービスが重層的構造を有しているため、すでに多数者の関与があり、通信サービス上で行われるショッピングでは、モールのショップでの購入であれば売り主のほかにモール運営者、商品の運送者、決済への関与者などが関わり、それぞれに法的関係があり、しかも消費者とは契約関係に立たない関与者(たとえば、決済代行業者や商品の運送者)も取引に関与している。

トラブルが発生すると、トラブルがどの関与者の領域で発生したのかとい

う責任義務者の特定、関係者相互の法律関係の確定等が必要となり解決を困難にする。

⑤　プラットフォームと両面市場性の問題

インターネット上のサービスの大半は、検索エンジンにしてもスマホのアプリにしても、プラットフォーム事業者が構築したプラットフォーム上で無料で提供される反面、たとえば個人情報の収集・利用等に象徴されるようにプラットフォーム事業者によってコントロールされており、消費者には選択の余地が殆どなくなっているという現実がある。プラットフォーム事業のような「両面市場」と呼ばれている取引環境では、少数のサービス提供事業者による独占が生じやすく、その弊害から消費者が逃れるのはそう簡単ではない。

⑥　消費者対消費者（C to C）の消費者トラブル

これまで消費者問題というと、事業者対消費者（B to C）の問題として扱っていくことで消費者保護法の適用による紛争解決をまず考えていけばよかった。ところが、情報化社会が進展していくと、情報発信はもとより、主体的に消費者が取引を行う消費者対消費者（C to C）の被害が生じてきている。個人が個人への名誉毀損やプライバシー侵害を安易に行えてしまうだけでなく、インターネットオークション、フリマアプリといった個人間取引が普及してそのトラブルも発生してきており、消費者も加害者となるという問題が生じてきている。

第2　情報通信と消費者

1　概要

消費者が、情報通信サービスを利用するには、通信端末装置（携帯電話、スマートフォン、パソコン、タブレット端末など。以下「端末」という）の売買契約を締結し、通信事業者との間で電気通信サービスの利用（回線）契約およびインターネットサービスプロバイダ（IPS）とのインターネット接続契約を締結する。これらの契約を経て消費者はネット上の情報を入手し、電子メールをやり取りし、ネットショッピングなどのネット上のサービスを受けることができる。このようにして情報通信サービスを利用するには、多くの

契約関係と当事者が存在する。また、通信事業者自体も複層化してきており、携帯回線ではMVNO（Mobile Virtual Network Operator）、固定回線ではFVNO（Fixed Virtual Network Operator）が回線事業者（キャリア）から回線設備を借り受けてサービスを提供するようになってきている。

ここでは、情報通信に関わる法律と移動・固定の電気通信サービスに関わる諸問題を概観する。

2 情報通信関係の法律

(1) はじめに

情報通信では、その技術の発達の歴史を背景にして、それぞれ個別の業法が立法されてきた。有線電気通信法、電気通信事業法（公衆電気通信法、日本電信電話公社法）、電波法、有線放送電話法、放送法などがそれである。これらは、通信か放送かの別（「1対1」か「1対多数」か）、伝送インフラの別（有線か無線か）、通信情報対象の別（音声か画像かさらにアナログかデジタルか）、事業形態の別などの要素からいくつもの立法がなされた。

しかし、技術の発達によりこれらの要素に着目することの意味が薄れ、各情報メディアの融合が進展すると、従前の法律が想定していた「通信」という概念には収まらなくなった。そこで、より実体に着目した立法がなされるに至った。このような流れは、たとえば2001年の「通信・放送融合技術の開発の促進に関する法律」などに見られる。

(2) 情報通信関係の法律の概要

ア 電気通信事業法

電気通信事業法は「電気通信事業の公共性にかんがみ、その運営を適正かつ合理的なものとするとともに、その公正な競争を促進することにより、電気通信役務の円滑な提供を確保するとともにその利用者の利益を保護し、もつて電気通信の健全な発達及び国民の利便の確保を図」ることを目的とされる（電通業法1条）。2015年に消費者保護の点からも注目すべき改正が行われたが、この法律の内容については後に述べる。

イ 放送法

放送法は、先に述べたメディアの融合の進展を受けて2010年に大きな改正

が行われ、翌年施行された。放送関連4法（放送法、有線ラジオ放送法、有線テレビジョン放送法、電気通信役務利用放送法）が新たな「放送法」として統合され、放送の定義自体も「公衆によって直接受信されることを目的とする無線通信の送信」から「放送とは、公衆によつて直接受信されることを目的とする電気通信の送信」（放送法2条1号）と改正され、有線の場合を含むなど概念が拡張された。

　ウ　電波法

　電波とは、周波数3テラヘルツ（テラは10の12乗）以下の電磁波である。可視光線や赤外線より波長が長い。光と同様に空間を伝播する性質がある。

　電波は、テレビや携帯電話、アマチュア無線などさまざまな場面で利用されている。電波法は電波の帯域が有限であることから公平かつ能率的な利用を確保するための法律である。電波利用についての国内的な基本法である。

　エ　携帯電話不正利用防止法

　「振り込め詐欺」等携帯電話を利用した犯罪行為の多発から制定された法律で、携帯電話の不正利用防止を企図して立法された。契約に際しての本人確認を義務付け（法3条）、虚偽申告に対する罰則（法19条）などを定める。

　オ　特定電子メール法

　短時間に無差別・大量に送信される広告などの迷惑メール[2]を規制し、インターネットを良好な環境に保とうとするものである。「特定電子メール」とは、営利団体や個人事業者が自己または他人の営業につき広告または宣伝を行うための手段として送信するメールである（法2条2号）。海外から送信されるメールも規制対象である。あらかじめ、特定電子メールの送信をするように求める旨または送信をすることに同意する旨を送信者または送信委託者に対し通知した者などの者以外に対して特定電子メールを送信することは禁止される（法3条1項）。「オプトイン規制」と呼ばれる。

　なお、特定商取引法でもほぼ同内容のメールの規制がある（特商法12条の3第1項など）。両者の規制は類似するが、特定電子メール法の目的が電子メ

---

[2]　2021年3月の調査によると、国内ISPの取り扱う電子メールのうち迷惑メールの占める割合は約45％といわれる（迷惑メール対策推進協議会「迷惑メール白書2021」）。

ールの送受信上の支障の防止にありメール送信者を規制対象とするのに対し、特商法は消費者保護や取引の公正を目的とし販売業者を規制対象としていることから、具体的な規制内容が異なっている。

(3) 電気通信事業法

ア 電気通信役務と電気通信事業者

目的規定（法1条）にもあるとおり「電気通信役務の円滑な提供」がこの法律の中核である。「電気通信役務」とは、電気通信設備を用いて他人の通信を媒介し、その他電気通信設備を他人の通信の用に供することをいう。

「電気通信事業」とは、電気通信役務を他人の需要に応ずるために提供する事業のことである。電気通信事業を行うためには、その事業規模等に応じて総務大臣の登録または届出を要する。

現在の電気通信事業法では、電気通信事業者を事業者区分するのではなく、参入・退出、業務、電気通信設備、紛争処理、土地の使用など電気通信事業に関する規律の種類ごとに必要な事業者に対して適切な規律を課す形で規制されている。

現在、国内で自前の通信網を持ついわゆる「キャリア」には、NTT東日本、NTT西日本、NTTコミュニケーションズ、NTTドコモ、KDDI、ソフトバンク、楽天モバイル、電力系通信会社、ケーブルテレビ事業者などがある。

イ 電気通信事業者の義務

電気通信事業者は、通信の公共性を反映して次の義務を負う。

①検閲の禁止、通信の秘密の維持（法3・4条）

②利用の公平の確保（法6条）

③災害時などの重要通信の確保（法8条）

④提供義務（法25条）

⑤消費者保護の観点からの義務（法26条等）

ウ 通信契約

消費者が通信や放送のサービスを受けるためには、電気通信役務または放送役務の提供事業者との間で契約を締結することとなる。いずれの場合も事業者が役務を提供し消費者が対価を支払う双務契約である。電気通信役務の

提供は約款によっている。

　エ　2015年改正法

　2015年改正法により、民事ルールを導入するなど消費者保護規定が大きく変更された。改正内容は、①説明義務の充実（料金その他の提供条件の概要の説明）（法26条）、②書面の交付義務（法26条の2）、③初期契約解除制度の導入（法26条の3）、③不当勧誘の禁止（法27条の2）、④電気通信事業者の代理店に対する指導等の措置の義務付け（法27条の4）である。

　改正法施行に伴い、「電気通信事業法の消費者保護ルールに関するガイドライン」が改正法に準拠したものに改められた（現在2024年4月に最終改正）。電気通信事業にかかる消費者問題を扱うにあたっては、このガイドラインの理解と検討が不可欠である。2015年改正によって新たに民事ルールを取り入れている。民事ルールとして、通信契約の一定期間の無理由解除を認める「初期契約解除制度」が導入された。この制度は特定商取引法のように取引形態によらず店頭契約でも適用できることや、解除後も一定の工事料金や利用した通信料金などの支払義務があるなどクーリング・オフとは異なった面がある。初期契約解除制度の対象はあくまで回線契約であり、回線契約と同時に購入した通信端末の売買契約は、この制度によっては解除対象となっていない。また、初期契約解除制度が適用されない「確認措置」の制度も導入され、現在、MNO（Mobile Network Operator）[3]は楽天モバイルを除き確認措置の認定を受けている。確認措置では、回線契約にとどまらず関連商品等の契約についても同時に解除が認められるが、確認措置による解除には理由が必要であり、解除できるのは説明義務等の法令違反や回線接続状況が十分でないといった場合に限られる。

　総務省では改正法施行後に「消費者保護ルール実施状況のモニタリング定期会合」を定期的に行い検証を行っているが、その検証結果をみてもいまだ消費者保護が十分に図られているとまでは言い難い。

　その後の2019年改正法では、競争促進と利用者利益の保護を企図して、通

---

[3]　移動体通信回線設備を自ら保有して、移動通信サービスを提供する電気通信事業者のことである。

信料金と端末代金の完全分離、行き過ぎた囲い込みの是正、販売代理店の届出制度及び事業者や販売代理店による勧誘の適正化を図った。さらに、2022年改正法においては、電話勧誘時の説明義務の厳格化、禁止行為規制の拡充（遅滞なく解約できるようにするための適切な措置を講じないことの禁止、解約時に請求できる金額の制限）を行うに至っている。さらに、利用者情報について適正な取扱いの義務付けを行い、利用者端末から外部に送信される情報について、通知、公表、同意取得やオプトアウト措置の提供など利用者に確認の機会を付与することとした。

総務省の電気通信分野の消費者保護施策については「電気通信消費者情報コーナー」(https://www.soumu.go.jp/main_sosiki/joho_tsusin/s-jyoho.html) で一覧することができ、これを随時フォローアップして参照されたい。

また、事業者団体の一般社団法人電気通信事業者協会（TCA）において「電気通信サービスの広告表示に関する自主基準及びガイドライン」「電気通信事業者の営業活動に関する自主基準及びガイドライン」を策定して自主規制を行っている。

(4) その他の法律

ア 消費者契約法

消費者が契約当事者となる電気通信サービスの提供契約は民法のほか消費者契約法が適用される。電気通信サービス契約締結に際して不実告知（法4条1項1号）がなされ誤認して契約の申込をした場合には意思表示の取消が可能である。不利益事実の不告知、断定的判断の提供、不退去、退去妨害などの場合も同様に取消が可能である。

イ 特定商取引法

電気通信サービスについて、電話勧誘販売、通信販売など特定商取引法の定める取引方法により契約がなされる場合がある。しかし、特定商取引法の適用除外を定める特定商取引法施行令で、電気通信事業法上の電気通信事業、放送法上の放送事業は適用除外とされ、特商法は適用されない[4]。

---

4) ビデオオンデマンド（VOD）のサービス提供は、電気通信事業法により登録や届出が必要な役務提供ではないので、特定商取引法の適用除外にはなっていない。

ウ　景品表示法（不当景品類及び不当表示防止法）

一般消費者の適正な選択の機会を確保することを目的とする（法1条）。不当表示とされるものは、優良誤認、有利誤認などである。

3　携帯情報端末と情報

(1)　携帯電話

携帯電話（スマートフォンを含む。以下同じ。）は最も普及しているパーソナル端末である。通信契約に関わる問題があるのでここで概観する。

携帯電話とは無線通信を利用して搬送性を容易にした電話機である。基地局（有線ネットワークの中継点）と電話機が無線通信し、キャリア（MNO）の通信ネットワークに接続する。1980年代に自動車電話としてサービスが始まった。2023年現在日本の携帯回線網設備を有する携帯電話事業者（MNO）は、NTTドコモ（ドコモ、ahamo）、KDDI／沖縄セルラー電話（au、povo）、ソフトバンク（SoftBank、Y!mobile、LINEMO）、楽天モバイル（Rakuten Mobile）である。またこれらMNOから回線網を借り受けて携帯電話事業を行う仮想移動体通信事業者（MVNO）も普及してきている。

総務省によると、2024年3月末の携帯電話契約数は、約2億1063万契約とされる。この数字は日本の人口を超えるものであってこれほど普及した情報機器は他に類例を見ない。現在では個人が情報端末を携帯してあらゆる場面で利用することにより日常生活上不可欠な道具となっている。

他方で、携帯電話の著しい普及により、さまざまな病理現象も激増している。たとえば子どもが犯罪にまきこまれ被害に遭うケースが増加している。携帯電話がヤミ金や振り込め詐欺の道具となって多数の被害者を生み出してもいる。また、携帯電話の契約等に関わる利用者の消費者被害というべきトラブルも多発している。

(2)　携帯電話の問題点

携帯電話がきわめて高い普及率を示しているにもかかわらず、多くの消費者にとって使いこなすのは難しく、料金システムは分かりにくい。

キャリア各社は国内シェア獲得にしのぎを削ってきた。競争は激しく、消費者を獲得するため料金システムの一部を誇張した欺瞞的な広告や端末代金

の割引が行われてきた。

　携帯端末と回線契約との抱き合わせ販売と料金体系のわかりにくさを裏側から支えたのが「販売奨励金制度」（インセンティブ）である。特にインセンティブは携帯端末の一般の利用者にとっては回線契約の際に不要なオプションや機能を付加することにもつながり、料金体系も複雑で分かりにくい。携帯端末と回線契約の抱き合わせ販売や契約の拘束性は、ナンバーポータビリティ（MNP）制度[5]とSIMロック[6]解除の制度を導入して事業者の選択の幅が広がることで事業者間の競争[7]も促されたが、これが契約をさらに複雑化している面もある。

　法により事業者は消費者に対して一定の情報提供義務が課されるものの、通信サービスの難解さや契約内容の複雑さもあって消費者は十分な理解ができないまま商品や役務を選択し、契約内容の理解が不十分なまま予期せぬ請求を受けたり、解約手続きをする際に初めて問題の所在に気づくというトラブルはいまだ解消するにはいたっていない。

(3) 携帯電話に関する法律

　ア　携帯電話も無線設備であるから電波法の適用を受ける。それと同時に既述の通り、携帯電話を利用した犯罪行為（ヤミ金、振り込め詐欺など）の多発や、

---

5)　異なるキャリア間で携帯電話番号を維持したまま契約移行ができる制度。

6)　SIMカードの汎用性を奪う通信端末における制限機能。SIMカードとは携帯電話会社が発行する契約者情報を記録したICカードである。携帯電話端末に差し込んで利用者の識別に使う。SIMの差し替えにより、異なる端末を同じ契約者扱いで利用することができる。SIMロックとはSIMカードに対応した携帯電話端末で、特定の事業者（キャリア）のSIMカードしか利用できないようにかけられている制限のこと。2021年10月1日以降発売の端末は、原則としてSIMロックは設定されなくなった。

7)　日本の携帯電話販売はキャリアが販売店に多額のインセンティブ（販売奨励金）を出し、それを原資に大幅に割り引いた価格で端末を販売して、通話料の中からインセンティブを回収するビジネスモデルとなり、キャリアはユーザーの解約を困難にしてきた。総務省は、この問題への取り組みを開始し、2017年1月10日「モバイルサービスの提供条件・端末に関する指針」でSIMロック解除を認めさせ、2019年改正法で通信料金と端末代金の完全分離、違約金等での囲い込みを是正することとし、2022年12月23日の「移動端末設備の円滑な流通・利用の確保に関するガイドライン」ではSIMロックも原則禁止するものとしている。

子どもが犯罪に巻き込まれる事件の多発を受けて特別な立法がなされている。

　イ　携帯電話不正利用防止法については、すでに述べた（→第2、2(2)エ）。

　ウ　青少年インターネット環境整備法は、青少年をインターネット上の有害な情報から守ることを目指し、ネット関連の事業者やパソコンメーカーが守るべき義務などを定めた法律である。暴力やポルノ、犯罪、自殺、薬物などに関連する情報を有害情報と定義し、18歳以下の青少年がインターネットを利用する際に有害情報に触れる機会を減らすことを目指している。

　移動体通信事業者には、保護者が解除を申請しない限り、青少年の利用する携帯電話にフィルタリングサービスを提供する義務を、インターネット接続事業者（ISP）には、顧客の求めに応じてフィルタリングソフトやサービスを提供する義務を、Webサイトやサーバの管理者には、有害情報を青少年が閲覧しない措置を講じる努力義務を、それぞれ課していた。ところが、スマートフォンの普及によって移動体通信事業者の契約回線を経由しない通信も多くなり、フィルタリングサービスの提供の有効性が減殺されることになった。そこで、2017年改正（2018年2月1日施行）によって、移動体通信事業者のフィルタリング提供・導入義務の対象を代理店にまで拡張し、説明義務、有効化の義務等と事業者の義務が拡張され、OSメーカーにもフィルタリングソフトへの対応の努力義務が課されるようになった。

4　電気通信役務の変化

　通信サービスに関しては、携帯電話の購入・契約と解約に伴う問題がクローズアップされてきた。携帯電話をはじめとする移動体通信については、「ガラケーからスマホへ」、タブレット端末の普及など主要な端末種類の変化があり、固定電話も保有しない世帯が増加するなど、通信環境は大きく変化してきている。

　携帯電話等の移動体通信は、通信規格が3G（第3世代移動通信システム）からLTE（3.9G、4G）へ、2020年からは5G[8]も提供された。また、固定電話の基幹回線が2024年1月にすべてIPネットワークに切り換えられたが、固定電話側では、対応は不要である。

　さらに、情報通信分野の競争政策の一環として、回線設備を有するキャリ

アだけでなく、キャリアから回線を借り受けて消費者に通信サービスを提供する仮想通信事業者も展開するようになった。固定通信回線ではFVNO（仮想固定通信事業者）がNTT東西から光回線の卸売を受けて「光コラボレーションモデル」として、移動体通信ではMVNO（仮想移動体通信事業者）がMNOから回線卸売を受けていわゆる「格安携帯」として消費者にサービス提供をしている。

このような制度変更・規格変更などの技術の発展に応じて、消費者の不案内に乗じた欺瞞的勧誘なども増加し、新たなサービスを利用することが自身の利用ニーズに適合しているか必要なものかなどについて見当もつかず、通信契約に関する適切な情報取得も困難な状況になることは容易に想起できる。

このような消費者の状況に乗じて悪質な事業者は、たとえばNTTと関係のある会社であるような事業者名を名乗り、間もなく現在の機器は使えなくなるとか契約を変更すると現在より安くなるし今なら工事費は無料である等の詐言を弄して消費者（特に情報弱者である老人世帯など）に契約を迫るなどの消費者トラブルが発生してきている。勧誘の問題から生じる契約の解消などの解決にあたっても、元の契約に戻そうとすると電話番号の維持ができなくなるなどの例があり、制度的な解決を検討すべき余地は今後も継続して発生しているといえる。

第3　電子商取引と消費者

1　概要

電子商取引（Electronic Commerce、EC）は、インターネットなどのコンピュータネットワークでの電子的な情報交換により財の取引を行うものである。

取引を時系列的にみれば、契約の誘引から契約の成立さらに履行（決済）までの全部または少なくとも主要な一部がネットワーク上で行われる。

8）　5Gが普及すると、通信環境はさらに大きく変化する。4Gは100 Mbpsクラスのデータ通信速度の規格であったが、5Gでは10 Gbpsの速度を有するものとなっており、また速度だけでなく、多接続性を有し、低遅延も実現させるものとされ、固定回線を上回る性能を有する可能性がある。

また、取引当事者に即してみれば、企業間取引（Business to Business、B to B）、企業対消費者間取引（Business to Consumer、B to C）、さらにインターネットオークションなどの消費者間取引（Consumer to Consumer、C to C）に分類でき、適用法令に差異を生じる（B to B であっても規制の仕方によっては消費者保護法で保護されるケースがないわけではないことには注意を要する）。

消費者が行う電子商取引（インターネットショッピング）は「通信販売」の一類型である。通信販売に関する規制のほか一般の取引に関する法律や法的規制は電子商取引にも適用される。その際には電子商取引の特性に応じた解釈が求められる。

電子商取引ではネットを悪用した「なりすまし」や、操作ミスによる想定外の契約の成立など特有のトラブルがある。消費者にわかりやすい表示方法等のトラブル防止のための技術的工夫とともに、ICT に関する知識の習得には限界がある消費者の立場に配慮した法的ルールが求められる。

2　電子商取引に関わる法律
(1) 概要

これまでに述べたとおり、情報化社会における消費者問題の背景には、技術依存性、国際性、匿名性、多数当事者の関与などの事情や要素があり、問題を複雑にしている。加えて電子商取引関係固有の民事ルールは十分とはいえず、いったんトラブルが発生するとその実質的な解決は困難なことが多い。民法等の一般法による解決を考えることも多く、関連する法令が電子商取引にどのように解釈・適用されるのかを検討していく必要がある。

(2) 電子契約法
　　　操作ミスに対応した錯誤取消の特例（民法95条関係）

民法上意思表示に「要素の錯誤」があった場合には表意者は取り消すことができる（民法95条1項）が、重過失がある場合には原則として取り消すことができない（同条3項）。

しかし、B to C（事業者消費者間）の電子商取引では、消費者は、事業者が設定した手順に従って契約するしかなく、簡便に意思表示をしやすくそして操作ミスをしやすい。そこで、消費者が申込みを行う前にその申込み内容

などを確認する措置[9]などを事業者が講じない場合には、消費者の操作ミスによる申込みは錯誤を主張できるものとされた（電子契約法3条）。たとえば、商品を1個購入するつもりで誤って2個と入力してしまった場合なども重過失を問題とすることなく無効を主張できる余地がある。「意思表示を行う意思の有無について確認を求める措置を講じた場合」には民法の原則に戻る。

(3) 電子署名法

電子署名が署名や押印と同等の法的効力を持つことを定める。電子的な取引方法においても「本人でなければ作成できない」デジタルデータを電子署名として、たとえば文書の作成の真正に関する民訴法228条4項と同じ効力を電子文書に認める。電子署名が電子商取引におけるトラブルで問題になることは現実にはほとんどみられない。

(4) その他の消費者保護法の適用

本書の他の章で扱う消費者契約法、特定商取引法、景品表示法、割賦販売法なども電子商取引に適用される。

ア　表示規制の重要性

電子商取引は、一般的にはインターネット上のメール、ブラウザ上のサイト、アプリの表示のみによって広告、勧誘、契約の意思形成と契約内容の確定、当事者の意思表示が行われるため、これらの端末の画面上の表示が重要となる。したがって、消費者保護法の中でも表示上の規制について表示項目や表示方法等について、それぞれのビジネスモデルや取引内容について表示の適正さが求められる。

消費者庁は、「インターネット消費者取引に係る広告表示に関する景品表示法上の問題点及び留意事項」（改定版）[10]で景品表示法に関して各ビジネスモデルにおける留意点を提示している。

ステルスマーケティングについて、2023年3月、景品表示法5条3号の指

---

[9] 事業者が取るべき措置としては、事業者は、消費者が申込みボタンを押した後に入力した申込み内容を一度確認させるための画面を用意する等、申込みボタンを押すことは有料で購入することになるということがボタンを押す前にわかるように明示する、などがある。特定商取引法にかかる「通信販売の申込み段階における表示についてのガイドライン」も参考にされたい。

定告示「一般消費者が事業者の表示であることを判別することが困難である表示」を定めて（同年10月1日施行）、一定の規制を加えるに至った。

また、ネイティブ広告（媒体社が編集する記事・コンテンツの形式や提供するサービスの機能と同様でそれらと一体化しており、ユーザーの情報利用体験を妨げない広告）については、一般社団法人日本インタラクティブ広告協会（JIAA）において自主規制としてガイドラインを策定している。

ただし、表示の法規制に違反していても直ちに契約の効力に影響を及ぼすわけではないため、これら消費者保護のための表示規制は具体的な消費者トラブルの解決には一定の限界があることも留意しなければならない。

ECサイト等では、「ダークパターン」といわれるユーザーを誤導するユーザーインターフェイスが問題視されているが、現在は日本ではこれを明確に規制していない。

イ　特定商取引法上の民事ルール

電子商取引は特定商取引法の定める「通信販売」に該当する（法2条2項）。販売方法や事業者特定に関する事項等の表示義務（法11条）、誇大広告の禁止（法12条）、特定申込みにおける表示義務（法12条の6）などがある。特定申込みの表示義務違反によって誤認したときは、申込みを取り消すことができる（法15条の4）。

特定商取引法でも電子メールに対する規制があることは特定電子メール法との関連ですでに述べた。

通信販売における民事ルールには、法定返品権がある（法15条の3）。法定返品権は、通信販売において返品に関するトラブルが多いことから、返品についての標準的な基準を法定しこれと異なる事業者が定める返品特約がある場合には、それに従うものとしたものである。

ただし、電子消費者契約の場合には、広告および最終申し込み画面に返品特約の表示をしなければ法定返品権を排除する返品特約として認められない。

10）フリーミアム、ステルスマーケティング（口コミサイト）、フラッシュマーケティング、アフィリエイトおよびドロップシッピングのビジネスモデルをあげて景品表示法上の問題点について言及している。(https://www.caa.go.jp/policies/policy/representation/fair_labeling/guideline/assets/representation_cms216_220629_07.pdf)

返品特約の表示として認められるかの基準は「通信販売における返品特約の表示についてのガイドライン」で示されている。また、返品に関するものであるため、役務提供契約には適用されず、法定返品権の民事上の効果は、民法の原則に戻り消費者費用負担となるなどクーリング・オフとは異なるものとなっている。

　ウ　決済に関する法律

　電子商取引は隔地者間取引になるため、決済については代引、後払い、クレジットカード、電子マネーといった、事業者と非対面の決済手段が用いられる。とりわけ、クレジットカードと電子マネーは電子商取引上の決済になじみやすくまた利用も多くなっている。代引や、後払いの場合には、運送業者が収納代行を兼ねることが多く、後払いについては、販売業者から債権譲渡を受けて後払いシステムを提供する回収代行業者によることが多いが、これらについては現在特段の規制立法はなされていない。

（ア）　割賦販売法

　電子商取引においては、クレジットカード[11]決済が多く用いられる。2月超の支払サイトの場合には割賦販売法上の「包括信用購入あっせん」にあたる。電子商取引におけるクレジットカード決済では、カードという物がなくても、クレジットカード番号、有効期限、表示名のみで決済をすることが可能である。なりすましによる消費者被害事例も多く、いったん被害が生じてしまうと割賦販売法では抗弁接続による支払拒絶（割販法30条の4）をするほかない。ただし、なりすまし被害の場合には、マンスリークリアの場合が多いため、直ちに抗弁接続が利用できるケースは少ない。クレジットカードの会員規約において、クレジットカード会社が盗難等の免責条項を適用して被害を免れる場合もあるものの、適用されるかどうかについてはクレジットカード会社の判断が必要で一定の要件がある。また、たとえば子供が勝手にゲーム課金に利用したような場合には免責されないという家族条項があり、

---

11)　「カード等」の定義に「番号、記号その他の符号」を挙げる（割販法2条1項2号）。したがってカードレス取引も同法の適用を受け、消費者保護規定も適用される（割賦販売法の全体的な説明は本書第7章を参照）。

カード保有者が支払義務を負わざるをえないこともある。

　事業者側にはクレジットカードの不正利用を防止するため一定の仕組みを導入することでなりすまし被害を防止することが求められる。クレジットカード自体のセキュリティについては、磁気カードからICカードに移行しつつあり[12]、対面での決済には一定のセキュリティが保たれているが、電子商取引ではICカードの電子情報を利用する認証は現状では現実的ではない。電子商取引におけるセキュリティ対策としては、セキュリティコードの入力を要求する方法があるが、セキュリティコードもカード面上に記載されているものであるから、カード面を撮影されたりカード自体を盗まれた場合には有効性は低い。現在は、「3Dセキュア2.0」という暗証番号等を用いた本人認証システムを利用することが普及しつつあるが、事業者側にも導入コストを要するためすべてのECサイトで採用されているものではない。

　クレジットカードは、VISA、MASTERなどが定めたクレジットカード決済の仕組みの中で動いており、必ずしも割賦販売法の理解だけで十分にトラブルに対処できるものではなく、クレジットカード決済の仕組みやそこに適用されるレギュレーション（規則）に基づいたトラブル処理の下での解決も検討しなければならない。たとえば、チャージバックはクレジットのレギュレーションの中での紛争処理方法である。

　（イ）　資金決済法

　資金決済法は、前払式支払手段、資金移動業、暗号資産について規制している（資金清算業の規制もあるが、消費者とは直接関わりがない）。

　前払式支払手段には、サーバ型電子マネーも含まれる。流通する電子マネーは、資金決済法の前払式支払手段に含まれるものが多いが、中にはポストペイのものもあり、それについては規制の範囲外ということになる（ポストペイの電子マネーはクレジットカードと紐付いているものが多く、その場合割賦販売法上でクレジットカード決済に関して一定程度保護される可能性がある）。電

---

[12]　EMV（Europay, MasterCard, VISA protcol）。EuroPay、Mastercard International、Visa Internationalの間で統一規格されたクレジットカード仕様。一般的には、加盟店がPINパッドの付属したクレジット端末でICカードと暗証番号の認証をする「仕組み」を指す場合が多い。

子商取引で汎用的に利用される電子マネー（第三者発行型）のほか、特定のアプリ（ゲーム等）等で利用できるポイント・コイン等についても前払式支払手段に含まれるものと考えられる。資金決済法は、基本的には発行者に発行済額に対応して一定の引当資産を維持させることで利用者保護を図ろうとするものであり、発行者の加盟店管理責任は明示されていない。しかし、電子マネーが架空請求やサクラサイト詐欺等の詐欺的取引の決済に利用される事例が多くみられたことから、金融庁の「事務ガイドライン（第三分冊：金融会社関係5　前払式支払式支払手段発行者関係）」の中で、「Ⅱ-2-5　サーバ型前払式支払手段を悪用した架空請求等詐欺被害への対応」として、被害防止・回復のための態勢を充実することが求められている。前払式支払手段は保有者への払戻しを原則禁止している（20条5項）が、詐欺的消費者被害解決のための払戻しは禁止されないことも明示された。

　資金移動業は、2020年改正により、移動できる金額により第1種、第2種、第3種に分類された。電子商取引の決済の仕組みによっては、決済手段を提供する事業者のサービスが資金移動業に該当することがありうる。

　暗号資産交換業は、2016年改正法により新設され、2019年改正により暗号資産管理業務も規制対象となった。暗号資産は、ブロックチェーン技術を用いたビットコインに端を発したインターネット上でしか存在しないトークンを通貨として利用しようとするもので、まさに情報化社会ならではのものである。改正法では、暗号資産を定義するとともに、暗号資産の売買・他の暗号資産との交換や媒介・管理等を行う暗号資産交換事業者の登録制を定め、登録された暗号資産交換事業者に一定の業規制を設けた。暗号資産自体を規制するものではなくその交換業者を規制している。法律上は、決済手段として位置づけたものの、決済手段としての普及は現段階では目立たず、もっぱら暗号資産は投機取引の対象としてクローズアップされてきた。最近では、国際ロマンス詐欺などの詐欺的投資取引などでの送金方法として用いられることもあるが、暗号資産が海外に流出すると被害回復が困難なことがほとんどであり、トラベルルール[13]などで不正な暗号資産移転を防止する試みもなされているものの、被害抑止・回復には不十分なものである。

(5) 法の適用に関する通則法

　情報化社会は、インターネットが世界的なネットワークであることから、電子商取引においてもグローバル市場での取引が可能となる。越境取引の場合に、当該取引にどの国のいかなる法律が適用されるのか（準拠法）が問題となるが、取引の私法的効果については、「法の適用に関する通則法」によって渉外的法律関係における準拠法が決定される。法適用通則法によれば、電子商取引は、契約によるから、契約の準拠法の選択規則による。わが国では契約の準拠法は当事者自治の原則が妥当するものとされ、当事者の意思によって定まることになる（法7条）。

　電子商取引は、もっぱら事業者が構築したECサイト上で行われるため、事業者が定めた約款が契約内容となっているのが通常である。約款中には、通常は事業者が指定する法域の法を準拠法とする条項を定めているのが一般であり、越境取引の場合には日本ではなく事業者がよく知る法域の法を指定していることがある。指定された準拠法が日本国外の法の場合、消費者保護法規についても指定された準拠法によって規律されることになる。ただし、法適用通則法では、消費者保護の特則があり、日本に常居所を有する消費者は、日本法の強行規定の適用を主張することができ（法11条1項）、本来の指定準拠法の消費者保護法規とともに日本の消費者保護法規（強行規定）の適用を受けることができる。また、取引の契約内容に準拠法の指定がないときには、消費者契約については消費者の常居所地法を適用することにしているため（法11条2項）、日本法上の消費者保護法規の適用を受けることができる。ただし、消費者が事業者の所在地まで出向いて電子商取引をしたような場合には、「能動的消費者」として消費者契約の特則は適用されないなど、一定の適用除外がある（法11条6項）。

　法適用通則法の選択規則によって消費者保護を受けられるか否かを検討することになるが、同法によって規律されるのはあくまで私法上の効力につい

---

13) 利用者の依頼を受けて暗号資産の送付を行う暗号資産交換業者は、送付依頼人と受取人に関する一定の事項を送付先となる受取人側の暗号資産交換業者に通知しなければならないというルール

てである。消費者保護は、各種の行政規制によって図られている場面も多いが、行政規制は公法上の問題であり法適用通則法の適用はない。公法上の規制についても日本法の域外適用を積極的に認めるべきとの方向性[14]が示されつつある。

(6) 電子商取引及び情報財取引等に関する準則

電子商取引においては、多様なビジネスモデルが次々と生み出され変化が非常に速いため立法や判例の蓄積を待っていては実情に追いつかない。また、なかなか裁判所で判断されないような法的問題点も存在する。しかし、現実に発生しているトラブルなどに対処する必要は常に生じるため、これに対するルールの整備が求められる。

そこで、経済産業省が、電子商取引、情報財取引等に関する様々な法的問題点について既存の関係法令の適用解釈の指針を示して、今後の新規立法その他のルール形成の参考とすることを目的としたものが「電子商取引及び情報財取引等に関する準則」(https://www.meti.go.jp/policy/it_policy/ec/#po3)である。これにより取引当事者の予見可能性が高まり、安心して取引に参加できる環境を整備することが意図されている。

準則は、事業者の法務部門・事業部門とともに消費者相談窓口を想定読者として策定されている。近年は、論点の見直しとともに論点追加が行われてほぼ毎年改訂されており、現在の版（令和4年4月）では、電子商取引、インターネット上の情報の掲示・利用等、情報材の取引等、国境を越えた取引等という4つのジャンルに分けて具体的なトラブル事例を踏まえた論点の解説がなされている。特に、電子商取引の章においては、消費者トラブルの解決においても役立つ論点があげられており、その理解と検討の一助となる。

---

14) 経済産業省産業構造審議会商務流通情報分科会情報経済小委員会IT利活用ビジネスに関するルール整備WG「ITを利活用した新サービスを巡る制度的論点　これまでの議論の整理」平成27年6月。

第4　情報の流通とコンテンツをめぐる諸問題

1　概要
(1)　流通する情報の正確性
インターネット上を流通する情報の正確性・合法性を担保するしくみは何もない。インターネットに情報管理者は存在しないため、誤った情報も虚偽の情報も違法な情報も、価値の多い情報と渾然一体となって流通している。情報の管理が行われないことは、一面で優れた情報発信ツールとなり、他面で危険な人権侵害ツールとなる。後者に対する手当が課題となる。

(2)　ネット上での誹謗・中傷・名誉毀損
インターネット上には多数の電子掲示板（BBS: Bulletin Board System）がある。また、SNS（Social Networking Service）も BBS とは別に発展してきた。Blog といった個人が Web 上で容易に情報発信する仕組みも作られてきた。一般に、BBS への参加は自由であり誰でも自由な発言が可能である。匿名性が維持されたネット上だけの濃密な人間関係が築かれ、自由な発言がエスカレートして過激になり、誹謗・中傷・名誉毀損に及ぶことも珍しくないし、他者との関係を気にすることなく自由な情報発信を可能な仕組みは、裏付けもなく正確性の確認のとれない情報の発信をも容易にし、内容によっては人の興味を煽り、悪意のない利用者によってもトラブルを招く情報の拡散の速度や範囲も拡大することがある。

(3)　個人情報・プライバシーの流出と違法な利用
個人情報が流出する事故は後を絶たない。ネット上で関心をもたれた個人情報が流出した場合、それは急激に拡散しそれを止めることは著しく困難になる。氏名、住所、電話番号、電子メールアドレスなどの個人情報の漏えいは、いたずら電話、迷惑メール、心当たりのないアダルトサイトの利用料金を請求される「架空請求」などの原因にもなる。

2 情報の流通等をめぐる諸問題に対処する法律

(1) 概要

情報通信をめぐってはネット上の権利侵害やシステム破壊など取引行為とは異なる問題も生じる。

流通する情報それ自体に関すること、インターネットなどの情報化社会の基盤をなすシステムに対する攻撃、システムを利用した個人に対する攻撃的行為などからシステムや利用者を守ることを企図した法律を概観する。

(2) 不正アクセス行為の禁止等に関する法律

パスワード等で管理されたネットワーク上のコンピュータに不正に侵入する行為等について、刑事罰を設けて禁止するものである。不正アクセスをしてなりすましによる不正な取引行為や不正アクセスしたコンピュータを踏み台とした違法な情報流通等の各種の権利侵害を行う前段階の行為自体を抑止しようとするものである。

ア 不正アクセス行為の禁止（法3条）

アクセス権限なくパスワード等の識別符号を入力することで利用可能なコンピュータにネットワークを通じてアクセスし利用できる状態にする行為を不正アクセス行為として禁止している。

イ 不正アクセス行為を助長する行為等の禁止（法5条）

他人のパスワードなどの識別符号を正当な理由なくして提供することを禁止している（法5条）。

ウ フィッシング行為の禁止（法7条）

不正アクセス目的で他人のパスワード取得（法4条）・保管（法6条）する行為を禁止し、さらにアクセス管理者になりすましてパスワード等を入力させようとするいわゆるフィッシング行為についても禁止している（法7条）。

(3) 出会い系サイト規制法（インターネット異性紹介事業を利用して児童を誘引する行為の規制等に関する法律）

この法律が対象とする「インターネット異性紹介事業」とは「異性交際希望者の求めに応じ、その異性交際に関する情報をインターネットを利用して公衆が閲覧することができる状態に置いてこれを伝達し、かつ、当該情報の伝達を受けた異性交際希望者が電子メールその他の電気通信を利用して当該

情報にかかる異性交際希望者と相互に連絡することができるようにする役務を提供する事業をいう」ものとされる（法2条）。いわゆる出会い系サイトを利用した児童（18歳未満の者〔法2条〕）に対する犯罪が多発していることからその規制を図る立法である[15]。

なお、出会い系サイトの外形をまとった「サクラサイト」による被害が近年激増している。サクラを使って消費者からの金銭騙取を企図したサイトである。広告メールやSNSなどを介してサクラサイトに誘導される。「著名人に会える」、「相談に乗ってほしい」、「あなたを援助したい」などの誘惑的文言で消費者にサイトの利用を開始させ、やり取りを通じて形成される人間関係から離脱を困難にして出捐を重ねさせ大きな被害に至るというパターンが典型である。サクラサイトは詐欺というべきでものあり、出会い系サイト規制法が想定する規制対象ではない[16]。

---

[15] 規制の概要は次のとおりである。
事業者の規制として、児童（18歳未満の者〔法2条〕）利用の防止措置（利用禁止の明示〔法10条〕、児童でないことの確認〔法11条〕）、違反事業者に対する都道府県公安委員会の是正命令（法13・14条）、罰則などが定められている（法31条以下）。
事業者・保護者・国などの責務として、たとえばフィルタリングの導入等保護者による利用防止措置、国および地方公共団体による教育および啓発等の措置、事業者等による児童の利用が危険であることを明示するなどの防止措置が定められている（法4・5条）。
利用者規制としては、児童を対象とする、性交等の相手方となるように誘引する行為、対価を示して交際（性交等に限らない）の相手方となるように誘引する行為が禁止されている（法6条）。

[16] 原告が、所有する携帯電話で懸賞サイトを閲覧していたところ、被告会社の運営する出会い系サイトに誘導されて自動的に登録され、原告を送信者らとの友人付き合い等が実現するごとく欺罔し、高額サイト利用料を伴うメールの遣り取りさせ、多額のサイト利用料を徴収したことから、被告会社に対し、不法行為責任に基づく損害賠償等を求めた事案で、裁判所は、被告会社は詐欺に該当する違法なサイト運営を行っていたとし、同違法行為は同社の営業方針としてなされた構造的・組織的なもので、被告会社の不法行為が認められるとして597万9600円の請求を認容した事例（さいたま地越谷支判平23・8・8消費者法ニュース89号231頁）があり、その後もサクラサイト運営者に不法行為による損害賠償責任を認めた高等裁判所判決（東京高判平25・6・19判時2206号83頁）も出てきている。

(4) 特定電子メール法（特定電子メールの送信の適正化等に関する法律）

広告宣伝メールに対してオプトイン規制を行うものである。その概要については「情報通信関係の法律」の項ですでに述べた。(→第 2、2)

(5) 個人情報の保護に関する法律

ア　理念

個人情報保護法制の基本は、経済協力開発機構（OECD）の「プライバシーの保護と個人データの国際流通についてのガイドラインに関する理事会勧告」(1980年 9 月)、いわゆる「OECD 8 原則」[17]である。そこでは、個人情報の主体は当該個人であること、自己情報コントロール権を有することを柱とする。

イ　法律が定めていること

個人情報保護法は、2020年、2021年改正（2022年 4 月 1 日施行）により、抜本的に改正され、行政機関及び独立行政法人の個人情報保護も包摂するとともに地方公共団体の個人情報保護条例の全国的な共通ルールを規定し、全体の所管を個人情報保護委員会に一元化することとなった。

対象とされるのは個人情報（生存する人に関する個人識別情報）[18]であり（法 2 条 1 項）、規制対象となるのは、公的部門のほか個人情報を体系的に整理した個人情報データベース等を事業の用に供している個人情報取扱事業者（法16条 2 項）である。そして同事業者には上記内容を具体化した規制が課される[19]。

ウ　トラブル

2005年 4 月に個人情報保護法が施行されると、病院で患者の名前を呼ばずに薬剤の取り違え事故が起きたり、学校では緊急連絡網を作成しなくなるなど、日本社会のさまざまな場所で過剰反応が生じた。これらは日本人の個人情報保護の認識の乏しさの反映といってよい。人は、社会に自己の一定の情

---

[17] 収集制限の原則、データ内容の原則、目的明確化の原則、利用制限の原則、安全保護の原則、公開の原則、個人参加の原則、責任の原則。
[18] 個人情報は、個人情報保護法の中心概念であり、同法で定められている個人データ、要配慮個人情報等、各種の対象情報概念を構成する要件であり、本人（法 2 条 4 項）の概念を構成する要件でもある。

報を提供しつつ有機的に社会と関わりをもちつつ社会の構成員として生活している。過剰な個人情報の管理・秘密化は、社会が連帯しない顔の見えない個人の集合体におとしめられ社会の分断化を招くことになる。個人情報保護と社会生活を健全に送ることとの調整を常に考えなければならず、個人情報保護法も、個人情報の有用性との適正な調和を図るべきものとしている（法1条）。

エ　個人情報保護制度と消費者問題

事業者にとって消費者の個人情報は営業上の重要な財産である。需要は供給を呼び、個人情報は商品化される。個人情報を商品化する「事業者」は、情報収集のために名簿、クイズの応募はがき、アンケート回答票などあらゆるものを情報源として利用する。個人情報の目的外利用をすることは、違法である。

特に悪質商法を行う業者間には「容易に欺罔される消費者のリスト」（いわゆる「カモリスト」）がつくられ流通している。その結果、同一消費者が同種被害を繰り返し被ることも多い。安易に個人情報を提供しないという消費者の自覚が重要である。

民間が保有する個人情報データベースとして最大規模のものは消費者信用情報機関である。与信業者による消費者の信用調査（与信の判断材料）に利用される消費者信用情報機関には主要なものとして3機関があり、それぞれ

---

19)　規制内容の骨子は次のとおりである。
　①　あらかじめ利用目的をできる限り特定し、その利用目的の達成に必要な範囲内でのみ個人情報を取り扱う（法17・18条）。
　②　個人情報は適正な方法で取得し、取得時に本人に対して利用目的の通知・公表等をする（法20・21条）。
　③　個人データについては、正確・最新の内容に保つように努め、安全管理措置を講じ、従業者・委託先を監督する（法22〜25条）。
　④　あらかじめ本人の同意を得なければ、第三者に個人データを提供指定はいけない（法27条）。
　⑤　個人保有データについては、利用目的などをお本人に知りうる状態に置き、本人の求めに応じて開示・訂正・利用停止等を行う（法32〜35条）。
　⑥　苦情の処理に努め、そのための体制を整備する（法40条）。

が膨大な個人情報を保有する[20]。そこでは、消費者にとってのセンシティブ情報である債務の状況等が登録される。他方で過剰与信防止のために貸付に際して「信用情報」の利用が義務づけられている（貸金業法13条2項など）。消費者信用情報機関では厳格な情報管理が不可欠である。

(6) プロバイダ責任制限法（特定電気通信設備役務提供者の損害賠償責任の制限及び発信者情報の開示に関する法律）

インターネットの掲示板やX（旧ツイッター）などでは名誉毀損や個人情報の露出などによる権利侵害が頻発している。インターネット上の権利侵害行為は容易に実行され、第三者がコピーして拡散することで被害は拡大し、いったん発生した被害回復は困難で深刻な問題が生じている。問題の根底には発信者の匿名性があり、他方プロバイダは発信者特定情報を保有することが多いことから、この情報の扱いが問題となる。

ア　法律の概要

この法律は、特定電気通信（インターネットのウェブページや電子掲示板等）による情報の流通によって権利の侵害があった場合の、プロバイダ、サーバの管理・運営者等（特定電気通信役務提供者、以下「プロバイダ」と総称する）の損害賠償責任の制限および発信者情報の開示を請求する権利につき定めた法律である。そこでは、被害者の被害回復の必要性と発信者のプライバシーや表現の自由との調和が図られていると説明される。2021年に改正法が成立し、2022年10月1日に施行された。

プロバイダが、情報の流通に監視、当該情報の流通によって他人の権利が侵害された場合のプロバイダの不作為を理由とする被侵害者に対する損害賠償責任（法3条1項）及び当該情報の送信防止措置（削除等）を講じた場合のプロバイダの作為を理由とする発信者に対する損害賠償責任（法3条2項）の制限をしている。

プロバイダに対する発信者情報開示請求権を認めていたが、改正法により

---

[20]　銀行等を会員とする「全国銀行個人信用情報センター」、信販系企業等を会員とする「（株）シー・アイ・シー」、消費者金融系企業を中心に組織する「（株）日本信用情報機構（JICC）」がそれである。たとえばシー・アイ・シーは、2022年2月20日現在で7億7,016万件（同社の公表資料による）の個人情報を保有している。

いわゆるログイン型投稿[21]に関する開示も要件と開示対象を整理して認めることとなった（法5条）。

さらに、従来、コンテンツプロバイダに対する請求と、アクセスプロバイダに対する請求の二段階の開示請求によって発信者を特定するに至っていたことから、早期の被害救済を図って開示を一体的手続きとしてなしうる発信者情報開示命令事件という新たな非訟事件類型にあたる手続きを新設した（法8-18条）。

イ　発信者情報開示の問題点

この法律の射程は、「情報の流通により」直接権利侵害がなされた場合（名誉毀損、著作権侵害、プライバシー権侵害など）であるとされる（WEB上に公開されている総務省の逐条解説9頁）。そのように限定的に解すると、事業者の雲隠れなどによって生じる電子商取引の被害ではこの法律を根拠に発信者情報開示を得ることはできない。インターネットを介した詐欺的取引や勧誘における加害者特定について、何らかの立法的解決が必要であろう。

また、開示請求における権利侵害の「明白性」の要件も発信者の保護に偏している。仮に発信者情報開示請求をインターネット上の詐欺的取引等の消費者被害にも及ぼすとしても、権利侵害の明白性判断のために常に裁判上の請求によって開示請求を行わなければならないとすると、訴訟コストが消費者に過度な負担となることとなり、被害回復を抑制する効果があることも留意する必要がある。

(6)　デジタルプラットフォーム透明化法（特定デジタルプラットフォームの透明性及び公正性の向上に関する法律）[22]

2022年2月から施行されている。特に取引の透明性・公正性を高める必要性の高いDPF提供事業者を指定[23]して、規律の対象としている。DPFと取引をする事業者の取引条件等の情報の開示及び自主的な手続・体制の整備

---

21)　個別の情報発信（投稿）に関する情報が保存されず、アカウントへのログイン記録をもって発信者の投稿を特定せざるをえない投稿。ログイン型投稿に関する発信者情報を特定発信者情報という。

22)　令和6年5月10日成立の法律名の変更を伴う法改正（通称「情プラ法」）で、大規プラットフォームへの手続きの迅速化と透明化の義務が課されることとなった。

を通じて透明性・公正性を図っている。

(7) 取引DPF消費者保護法（取引デジタルプラットフォームを利用する消費者の利益の保護に関する法律）

2022年5月1日から施行されている。BtoC取引[24]を対象とし、取引DPF提供者に対し講じるべき措置に係る努力義務を課している（法3条）。さらに、内閣総理大臣は問題のある出品の販売停止等の措置を要請することができる。消費者にとっては、販売業者等情報の開示請求権利を認めている（5条）のが重要である。開示情報は、施行規則5条で指定されている。官民協議会（6条）を設置し、共同規制の規制手法を採用している。

第5 おわりに

情報化社会においては、その特性により消費者と事業者との間の非対称性が拡大することはこれまでに述べた。そのために、情報化社会の法律問題は従来の消費者の権利を擁護するシステムだけでは対応できないことが多い。そこで、消費者の権利擁護のためにさまざまな法的システムが構築され、また随時見直しがなされているのであるが、そのような手法にも限界がある。

これまで述べたとおり、消費者にはインターネットに代表される情報通信技術への習熟に限界があること、事業者側がつくりあげたシステム上で法律行為が行われる場合が多いこと、いったんトラブルが発生すると消費者には被害回復の手がかりを確保する手段がほとんどないこと、などの特殊な状況を直視する必要がある。この問題に関わる法律家には、そのような特殊性を理解して合理的な責任分担の解決を図るためのスキルが求められている。

それと同時に、根本的には消費者自身の情報リテラシー向上が問題解決には必須であり、それを実現するのは適切な消費者教育である。

---

23) 2023年4月現在、オンラインモール3社、アプリストア2社、メディア一体型広告DPF3社、広告仲介型DPF1社が指定されている。
24) 適用範囲を画する販売業者等（B）かどうかは、『「販売業者等」に係るガイドライン』で判断の考慮要素等を示している。

《参考文献》
・齋藤雅弘『電気通信・放送サービスと法』(弘文堂、2017年)
・東京弁護士会消費者問題特別委員会編『ネット取引被害の消費者相談〔第2版〕』(商事法務、2016年)
・経済産業省「電子商取引及び情報財取引等に関する準則」令和4年4月(https://www.meti.go.jp/policy/it_policy/ec/20220401-1.pdf)
・松本恒雄・町村泰貴・齋藤雅弘編『電子商取引法』(勁草書房、2013年)

[髙木篤夫]

| コラム | **破産者マップ事件にみる消費者法と情報法の交錯** |

　デジタル化が進展した今日の社会的な事件においては、消費者法と情報法の双方の領域が交錯することがある。その典型的な例が、いわゆる破産者マップ事件である。（初代）破産者マップは、官報の破産関係の記載を情報源とし、これを包括的・網羅的に収集、データベース化して、インターネット上で地図にプロット、公開した（2018年12月2日には存在）。掲載された本人から弁護士等への相談も相次ぎ、プライバシー等の人格的利益を侵害すると強く非難された。クラウドファンディングを経て弁護団による損害賠償請求訴訟が起きたが、海外サイトであったため相手方特定に時間を要し、2024年4月現在も東京地裁に係属中のようである。個人情報保護法を所管する個人情報保護委員会は、2019年3月15日以降、第三者提供制限（同法27条第1項柱書）等の規定に違反するおそれがあるとし、破産者マップに対して行政指導。日弁連消費者問題対策委員会の委員・幹事を含む弁護士有志により、個人情報保護委員会に対し、破個人情報保護法上の緊急命令を求める処分等の求め（行政手続法第36条の3第1項）の申出がされた。結果として、（初代）破産者マップは同年3月19日に閉鎖された（自主的なものとみられる）（以上につき日弁連「公告された破産者情報を含む「本人が破産、民事再生その他の倒産事件に関する手続を行ったこと」に関する情報の拡散を防止する措置を求める意見書（2020年（令和2年）7月16日、以下「破産者情報意見書」）参照）。

　破産者マップの後継サイトの中には、個人情報保護法上のオプトアウト手続を経たと主張し堂々と破産者の情報を提供するものが現れたが、個人情報保護委員会よりウェブサイト停止等の措置命令（2022年3月23日）が出され、取消訴訟でも地裁敗訴（東京地判令和4（2022）年11月24日（令和4年（行ウ）第134号）、控訴審（東京高判令和5（2023）年10月30日）でも維持された。原告（後継サイト運営者）は上告したとされる。他方、これとは別に海外に構築された後継サイトは、個人情報保護委員会の措置命令（破産者マップを念頭に2020年改正で導入された不適正利用禁止（法19条）違反を含む。2022年12月1日）及び刑事告発（2023年1月11日）にも拘らず提供を続けている。

　民事の損害賠償請求も、個人情報保護委員会の行政的な執行も奏功しない中、

官報の破産関係の記載については破産手続のデジタル化の議論の中でも現状維持とされたが（法務省法制審議会民事執行・民事保全・倒産及び家事事件等に関する手続（IT化関係）部会「民事執行・民事保全・倒産及び家事事件等に関する手続の見直しに関する要綱案」（令和5年1月20日））。これを受けた改正法（民事関係手続等における情報通信技術の活用等の推進を図るための関係法律の整備に関する法律（令和5年法律第53号））でも特段の改正はなされていない。また、政府において官報自体のデジタル化が検討され官報電子化検討会議「官報電子化の基本的考え方」（令和5年10月25日）。これを受けて官報の発行に関する法律（令和5年法律第85号）、同法の施行に伴う整備法（令和5年法律第86号）が令和5年12月6日に成立している。同法16条は内閣総理大臣以外による電子化された官報全てを提供するデータベースの提供を承認制とし、同法の国会審議では期間制限、画像化によるテキスト抽出の困難化などの措置が述べられた（第212回国会衆議院内閣委員会第5号（令和5年11月17日）原宏彰内閣府大臣官房長答弁）。

　日弁連は破産関係情報を個人情報保護法上の要配慮個人情報にすること（破産者情報意見書）や、個人破産者の官報掲載を念頭に置いた、破産公告の在り方自体の再検討（日弁連「破産者情報を拡散するウェブサイトによる個人の権利利益の侵害を防ぐため、抜本的な対策をとることを国に求める会長声明」（2022年（令和4年）8月25日））、官報の電子化に伴いプライバシーに配慮すること等（日弁連「「官報電子化の基本的考え方（案）」等についての意見書」（2023年（令和5年）7月26日））を提案している。消費者法と情報法が交錯する中、法領域の間隙に落ちる被害がないような法の運用、立法が求められる。

〔板倉陽一郎〕

第15章
消費者紛争解決手続

第1　はじめに

　消費者被害の特質として少額・多数被害、顕在化しにくい被害ということがいわれるが、このような被害はどのように解決されているのであろうか。現実には消費生活センターなどによる訴訟外の紛争解決機関が果たしている役割が大きい。

　規制緩和論からは、行政による事前規制から司法による事後救済が唱えられているが、消費者被害の前記特徴は従来の司法救済になじまない面がある。このような消費者被害に対しどのように司法救済をはかっていくかは難しい問題である。この困難な課題を克服する試みとして、消費者法の分野では国内で初めて団体訴訟制度が導入され、2007年から消費者契約法に基づく差止請求制度が、2016年から消費者裁判手続特例法に基づく集団的消費者被害回復制度が施行されている。

第2　消費者紛争の特徴について

　消費者紛争の特徴としては、第1に同一あるいは同種事業者による少額の被害を多数の消費者が被る事案が多いことが挙げられる。このような特徴から、消費者にとって手軽で費用を余りかけずにすむ紛争解決手段が求められ

ているといえる。また消費者紛争は短期間に多数の消費者を巻き込んでしまうことから、被害が広がる前に防止することも重要である。

　消費者紛争の第2の特徴として、事業者と消費者との間の情報の質・量、交渉力の格差は、紛争化した場面でも取引場面におけると同様に極めて顕著なことである。このことから、消費者紛争では取引場面と同様、消費者と事業者を対等な当事者として手続上扱うことは、むしろ実質的な公平性を損なう場合があり、このような格差の存在を配慮した紛争解決手続が求められているといえる。

　また消費者紛争の第3の特徴として、紛争にいたる経緯において、消費者の行動は必ずしも経済的合理性に裏付けられたものではないということである。むしろ消費者は、他人からの影響を受けやすい、情緒的な判断をしやすい、損失を被るとそれを回復することに固執するなど、様々な非合理的な行動特性をもっている。消費者紛争解決手続においては、形式的に法律の適用を行うのではなく、このような消費者の特性を十分理解して運用することが求められる。

第3　消費者が裁判外紛争処理機関（ADR）を利用する場合

1　消費者トラブルに関するADR

　ADRとは、Alternative Dispute Resolution の略称で、裁判外紛争解決のことをいう。法的紛争を民事訴訟の判決手続ではなく、第三者が介在して、相談、あっせん、調停、仲裁などにより当事者の合意をもとに解決を図る手続きである[1]。ADRには民間団体が行う民間型のほか、行政機関や裁判所が行う行政型や司法型のものがある。ADRの利点としては、一般に申立の簡易性、手続の柔軟・迅速・非公開・廉価性、専門家の関与などがあげられる。

　少額・多数被害を特徴とする消費者紛争の場合、訴訟手続による解決はコ

---

[1]　第三者の関与の形態として、紛争の一方当事者にのみ助言を与える「相談」業務を、ADRの範囲に含めるかに関しては議論があり、後述のADR法は適用の対象外としているが、ここでは広く捉えている。

スト的に割に合わず泣き寝入りしてしまう被害者が少なくない。また訴訟のような対等な当事者間の対立構造を予定するシステムは消費者と事業者間の情報・経験・交渉力の格差の存在を考慮すると必ずしもマッチしていない面がある。その点でADRの簡易、迅速、柔軟な解決手法は消費者紛争と親和性があると考えられる。実際わが国では、行政型ADRである地方自治体の消費生活センターが消費者紛争の解決に大きな役割を果たしている。

2 消費生活センターにおける被害救済
(1) 消費生活センターの果たしている役割と特色

消費者基本法は苦情処理および紛争解決の促進について規定し、各地方自治体は苦情の処理のあっせん等に努めなければならない、と定めている（同法19条）。これに基づき都道府県、政令指定都市、主な市町村では条例により消費生活センターを設置している[2]。

消費生活センターは、全国に856カ所設けられ[3]、来所相談だけでなく電話での相談も可能で、年間約89.6万件（2022年度）[4]にのぼる相談・苦情を受け付けている消費者に身近な行政機関である。

個別の相談・苦情に対する対応だけでなく、集まった被害情報を一般消費者や事業者に対する監督部局、消費者団体に広報・提供することで被害の拡大防止が図られている。また相談・苦情の情報は、国民生活センターに集約されて、その情報を各地の消費生活センターが活用できるようになっている（PIO-NET《全国消費生活情報ネットワーク・システム》）。

消費生活センターは、多くは資格を有する相談員が、消費者への助言や事業者との間で解決のためのあっせんを行い、消費者紛争の解決に最も重要な役割を果たしている行政型ADRであり、以下の特色をもっている。

① 行政サービスとして行われており、無料で利用できるので、少額被害の多い消費者トラブルには最適である。

---

2) 2009年9月から施行されている消費者安全法8条、10条は自治体の消費生活センター設置の根拠規定になっている。
3) 消費者庁『令和4年度地方消費者行政の現況』9頁。
4) 国民生活センター『2022年度 全国の消費生活相談の状況』1頁。

② 行政が行っているので、その見解は事業者に対してある程度重みがある。
③ 事業者との合意による、法律の規定に必ずしもこだわらない解決がなされている。反面交渉・説得に応じない事業者を強制する術はなく、このような事業者に対する解決は難しい（後述の苦情処理委員会はこの点をある程度補うものである）。
④ 全国的な被害情報の交流・蓄積は、交渉の有力な武器となっている。

(2) 消費生活センターの手法

消費生活センターでは、紛争解決のため以下の手法がとられている。
① 情報提供：消費者の疑問や判断に必要な情報を提供する。
② 助言：消費者に対して、クーリング・オフなどの書面作成の方法や交渉に必要な知識を助言する。
③ あっせん：センターが相談者と事業者の間に入って交渉を促進して解決を図る。
④ 他機関紹介：解決困難な案件に関して、後述する苦情処理委員会に上げたり、弁護士会、各弁護団を紹介している。

消費生活センターの活動は、基本的に消費者の利益擁護を目的として行われており、形式的にみれば消費者側に偏り公平性を欠くようにみえるが、消費者が事業者と比較して、様々な面で劣位にあることを考えると、むしろ実質的な公平性の確保が図られていると考えられる。また消費者と事業者の紛争場面における交渉力などの格差を考えると、解決のための手法としてはあっせんが重要であり（実際にあっせんが行われているのは相談・苦情件数の９％前後[5]）、あっせんでは相談担当者の積極的な役割が求められる[6]。

なお、消費生活センターでのあっせんが不調になった場合、これを解決するための機関として、多くの都道府県、一部の政令指定都市や市区町村で苦情処理委員会が設置されている。条例に根拠を持つ知事など首長の付属機関

---

[5] 前掲4) 84頁。
[6] 経済企画庁国民生活局長通知（昭和45年5月4日経企消第55号）は、「窓口で受け付けた苦情については、単に相手方に苦情を取り次ぐだけでなく、解決に必要な情報を提供し、当事者の希望があればあっせん案を提示するなど積極的に取り組み、その苦情が最終的に解決されるまで責任を持って見届けることが必要である」とする。

として設けられ、学識経験者委員、事業者委員、消費者委員で構成され、あっせん案の提示、調停を行う行政型ADRである。ただし、活動実績がみられるのは東京都（2023年3月末までに付託され審議を終了した案件は92件）など少数でしかない。

3　国民生活センターのADR

独立行政法人国民生活センターは、2008年5月の国民生活センター法改正により、紛争解決委員会が設けられ、重要消費者紛争に関して、和解の仲介または仲裁により解決を図る行政型ADRとしての性格を強く持つことになった。

紛争解決委員会は、独立してその職務を行い、15人以内の委員から組織される。委員は、法律や商品、サービスの取引についての専門的な知識・経験を有する者のうちから、内閣総理大臣の認可を受けて、国民生活センター理事長が任命することになっている。それ以外に専門分野に詳しい特別委員も紛争解決手続きに関与できる。

重要消費者紛争とは、消費者および適格消費者団体と事業者との間で生じる消費者紛争のうち、消費者被害の状況または事案の性質に照らし、その解決が全国的に重要であるもので、国民生活センターが指定するものとなっているが、この要件は割合広く解されているようである。

国民生活センターのADRは、重要消費者紛争の当事者（消費者、適格消費者団体、事業者）が申し立てることができ、かなり活発に運用されている。2017年4月から2022年10月末までに手続終了944件（和解成立621、和解不成立263、取下等60）の実績をあげている[7]。

なお、2022年の国民生活センター法改正により、ADRの計画的実施が規定された。

7）　国民生活センター『国民生活センターADRの実施状況と結果概要について（令和4年度第3回）令和4年12月21日』。

4　民間型ADR
(1)　利用の状況

　消費者トラブルに関する民間型ADRとしては、事業者団体や事業者間の自主規制機関によって設立された、製造物責任に関する家電製品や消費生活製品などのPLセンター、金融商品に関するFINMACなどの相談・苦情処理窓口、消費者団体（全相協、NACS、日本消費者協会など）の開設する相談窓口、各地の弁護士会が設置しているあっせん仲裁センターなどがある。これらのADRは法適用面から、①裁判外紛争解決手続の利用の促進に関する法律（以下「ADR法」という）により認証を受けたADR（認証ADR）、②金融分野で行政から指定され監督を受ける指定紛争解決機関（金融ADR）、③その他のADRに大別できる。

(2)　認証ADR

　民間型ADRの利用を促進するために2007年4月からADR法が施行されている。同法は、ADRの基本理念、国等の責務を定めるとともに、民間事業者が行う紛争解決手続（あっせん・調停）に関し認証制度を設け、併せて時効中断等の特例を定めて、その利便の向上を図ることを内容としている（同法1条）[8]。基本理念として、ADRは「法による紛争の解決のための手続として、紛争の当事者の自主的な紛争解決の努力を尊重しつつ、公正かつ適正に実施され、かつ、専門的な知見を反映して紛争の実情に即した迅速な解決を図るものでなければならない」と定めている（同3条）。

　同法でとりわけ重要なのは民間型ADRを業として行う者が法務大臣の認証を受けることができることである（同5条）。認証を受けるための基準として、適切な手続実施者が選任できること、手続実施者が紛争当事者と利害関係を有する場合等に排除する方法を定めていること、手続実施者が弁護士でない場合に法令の解釈適用に関して必要な場合に弁護士の助言を受けることができるような措置を定めていること等が要件とされ（同6条）、また暴

---

[8]　なお、同法1条はADRを「訴訟手続によらず民事上の紛争の解決をしようとする紛争の当事者のため、公正な第三者が関与して、その解決を図る手続」と定義して、紛争の一方当事者にのみ助言等を与える「相談」業務を適用除外としている。

力団関係者など一定の欠格事由が定められている（同7条）。そして認証ADRに対しては時効中断効（同25条）や訴訟手続きの中止（同26条）、調停前置主義の特例（同27条）が認められている。令和5年の法改正により、認証ADRが行う調停において成立した和解（特定和解）に基づく強制執行が可能になったが、消費者と事業者間の契約に関する紛争に係る特定和解には適用されない[9]。

　(3)　金融ADR

　金融ADRについては、**第10章第5、3(3)** を参照。

5　司法型ADR（民事調停）

　(1)　しくみ

　民事調停制度は、民事に関する紛争につき、調停機関（原則として、調停主任裁判官と2名以上の民事調停委員で組織される調停委員会）があっせん・仲介して、当事者の互譲により、条理にかない実情に即した解決を図ることを目的として行われる紛争解決制度である（民事調停法1条）。合意に達した場合に作成される調停調書は確定判決と同様の効力がある。

　訴訟と比較すると、申立方法がそれほど厳格でなく、また費用も低廉である。手続きにおける主張も口頭で行うことができるので消費者本人でも利用が可能である。

　(2)　利用状況

　申立の簡易性、手続きの柔軟性、申立費用を要するなどの点では消費生活センターなどと比べて劣り、一般消費者の利用は多いとはいえない。

6　今後の課題としてのODR

　ODRはデジタル技術を利用してADRをオンライン上で実施するものである。当事者や手続実施者が期日に一同に会する必要もないので時間的・場

---

[9]　令和5年3月現在の認証ADRは163事業者であり（法務省「認証紛争解決事業者の取扱件数（全体）」）、本項(1)で挙げたADRでも必ずしも認証を得ていないものもある。なお、個々の認証ADRは法務省のサイト（https://www.adr.go.jp/jigyousha/）で確認できる。

所的制約を受けず、例えばスマホ等からも手続きに参加することが可能となるので、消費者のADRへのアクセス障害を著しく軽減する可能性がある。わが国では未だ導入が遅れているが、今後の推進が期待される分野である[10]。

第4　消費者が訴訟を利用する場合

1　消費者紛争において訴訟が果たす役割

　前述した消費者紛争の特質から、その圧倒的多数は訴訟という過程を経ることなく、終了していると考えられる。

　しかし、訴訟を含む民事裁判制度が、消費者被害の救済に一定の役割を果たしていることは疑いない。

　たとえば、豊田商事事件やココ山岡事件などに代表される悪質商法による大型消費者被害は絶えることなく繰り返されているが、事件が明るみに出た時点で生み出される、個々人では対処する術を知らない多数の被害者を、弁護団によって集団化して、裁判所に提訴等をすることで、民事裁判手続の中で一定の解決がもたらされてきた。また投資取引被害など、被害が比較的高額なものは、訴訟提起がなされ、その中で解決にいたることが多い。

　また、消費者訴訟が消費者被害の救済に新たな途を切り開いてきたことも重要である。消費者紛争解決の有力な武器となっているクレジット契約における「抗弁権の接続」（割販法35条の3の19等）は、もとはといえば多数の裁判例の蓄積が割賦販売法の改正に結実したものであった。比較的近時では、学納金返還訴訟など消費者契約法に関する裁判例、あるいは過払金返還訴訟の裁判例などが消費者紛争解決の指針として注目された。裁判所の判断は、立法をはじめ、消費生活センターなどのADRにおける紛争解決のみならず、事業者の苦情処理窓口等での消費者紛争の解決基準にも大きな影響を与える。このような訴訟の持つ意義は今後もその重要性を失うことはないと思われる。

　このように訴訟を含む民事裁判制度が消費者被害の救済に一定の役割を果たし、また期待されているにもかかわらず、消費者にあまり訴訟が利用され

---

10)　法務省『ODRの推進に関する基本方針 2022年3月』参照。

ていない状況をどのように変えていったらよいのであろうか。

2　消費者訴訟を機能させるための方策

　消費者被害の救済のため訴訟制度を十分機能させるためには、消費者の訴訟へのアクセス障害を少なくするとともに、訴訟に伴う負担の軽減や証拠の偏在などを是正することによって、消費者が利用しやすい訴訟制度にしていく必要がある。

　そのための一つの方策として、**第5**で述べる消費者団体訴訟制度がある。

　なお、2022年の民事訴訟法改正により、①当事者双方がウェブ会議・電話会議を利用して弁論準備や和解期日に出席できること、②ウェブ会議を利用して口頭弁論に参加できること、③訴えの提起や主張書面のオンライン提出ができること、④法定審理期間訴訟手続が規定された。①については、2023年3月に施行された。①から③の訴訟手続のIT化は、消費者にとっても利便性が高まることになる。もっとも、④については、主張、証拠提出の期限があらかじめ短期間に設定されることから、不適切な事案に利用された場合には適正な解決が図られないおそれがある。そのため、消費者契約に関する訴えには適用されない（民事訴訟法381条の2第1項1号）。

第5　消費者団体訴訟制度

1　消費者団体訴訟制度とは

　消費者団体訴訟制度とは、消費者に被害が生じている場合、あるいは生じるおそれがある場合に、消費者団体が消費者全体の利益のために訴訟の当事者となって訴訟を行う制度である。後述のように差止請求と被害回復の2つの制度がある。

　通常の民事訴訟では、当事者適格は保護されるべき権利・利益の帰属主体に認められる。消費者団体訴訟では、侵害されている、あるいはその危険にさらされている権利・利益は消費者一般に帰属しており、権利・利益の帰属主体でない消費者団体が当事者となって訴訟を遂行するという点で、通常の民事訴訟と異なる。

また消費者団体訴訟で判断の対象となるものは、個々の具体的紛争を前提としない抽象的な契約条項や勧誘行為、あるいは事業者が被害消費者に対して共通して負う法的義務である点でも通常訴訟と異なる。

2 消費者団体訴訟制度の創設と役割

消費者団体訴訟制度は、2006年6月の消費者契約法改正でまず差止請求が導入された。当初は消契法4条の不当勧誘行為、同8～10条の不当条項を対象とする差止請求のみであったが、2008年5月の特商法、景表法の改正、2013年6月の食品表示法の成立で、それぞれの法が定める行為類型に対する差止請求も認められるようになった。その後2013年12月成立の消費者裁判手続特例法（現在の正式名称は「消費者の財産的被害等の集団的な回復のための民事の裁判手続の特例に関する法律」）により多数の消費者に生じた財産的被害等を集団的に回復する制度が設けられた。

これらの制度導入・適用対象の拡大の背景には、消費者被害の激増がある。消契法の立法など実体法の整備はそれなりに進み、消費者の個別救済に資するものになってはきたが消費者被害の減少には繋がっていない。少額・多数被害、被害の潜在化という特質、消費者の訴訟への心理的ハードルが高いことなどから、必ずしも個々の消費者に権利行使、とりわけ訴訟提起は期待しがたいのが実情である。そこで消費者に代わって、消費者の利益擁護を目的とする消費者団体による訴訟遂行を認めるに至ったのである。

また、2004年6月に改正された消費者基本法8条は、消費者団体に「消費者の被害の防止及び救済のための活動」に努めるべき役割を課す規定を新設したが、消費者団体訴訟制度は、このような消費者団体の活動に法的裏付けを与えるものといえる。

3 消費者団体訴訟制度（差止請求）

(1) 適格消費者団体の差止請求権の法的性質

適格消費者団体の有する差止請求権の法的性質に関しては、いくつかの考え方がある。公正な取引秩序の維持を図る客観訴訟的な面を強調する民衆訴訟説、それぞれの消費者に帰属する請求権を消費者団体が法定訴訟担当とし

て行使すると説く法定訴訟担当説もあるが、法律により消費者団体に与えられた固有の実体法上の権利（固有権説）と考えられる[11]。

適格消費者団体が、訴訟上だけでなく、訴訟外でも事業者に差止請求ができることなどは、固有権説に立つと理解しやすい。反面、消契法12条の2第1項2号の後訴制限効など固有権説からは説明困難な条項もあり、法的性質論から一義的に消費者団体訴訟制度を理解・解釈できるものではない[12]。

(2) 差止請求制度の概要

ア　差止請求の対象事案

適格消費者団体が差止請求できる対象は、事業者の以下の①～④にあげる行為が、ア）不特定かつ多数の消費者に対して、イ）現に行われまたは行われるおそれのある場合である。

① 消契法に該当する不当な勧誘行為、不当条項を含む意思表示（同法12条）

消契法4条に該当する不当な勧誘行為（不実告知、断定的判断の提供、不益事実の不告知、困惑類型、過量契約）、同8～10条（事業者を不当に免責する条項、消費者の解除権を放棄させる条項、解除に伴う不当な違約金を定めた条項、消費者に一方的に不利益な条項）に該当する不当な契約条項を含む申込みまたは承諾の意思表示。

② 特商法に違反する不当勧誘、不当条項を含む意思表示、虚偽・誇大広告（同法58条の18～58条の24）

具体的には、（ア）契約締結のためやクーリング・オフ妨害のためにする不実の告知・威迫して困惑させる行為、契約締結のためにする重要事項の故意の不告知、（イ）クーリング・オフ規定に反する特約、中途解約の規定などに反する特約、解除の場合の損害賠償等の額を制限する規定に反する特約

---

11) 差止請求権の法的性格に関しては、上原敏夫『団体訴訟・クラスアクションの研究』（商事法務研究会、2001年）34頁以下、宗田貴行『団体訴訟の新展開』（慶応義塾大学出版会、2006年）219頁以下、日本弁護士連合会消費者問題対策委員会編『コンメンタール消費者契約法〔第2版増補版〕』（商事法務、2015年）337頁以下に詳しい。

12) 三木浩一「消費者団体訴訟の立法的課題—手続法の観点から」NBL790号44頁は、提訴権の法的性質を一義的に確定し、それによって演繹的に結論を導こうとするアプローチは、さほど建設的であるとは考えられない、とする。

等を含む契約の申込みまたは承諾の意思表示（通販除く）、（ウ）虚偽・誇大広告（通販、連鎖、特役、業提）、（エ）断定的判断の提供（連鎖、業提のみ）。（オ）特定申込みに係る書面に、法定事項を表示しない行為又は不実の表示をする行為、誤認表示（通販）（カ）引き渡しを受けるための不実告知、故意の事実不告知、威迫困惑（訪問購入）
③　景表法の優良誤認表示、有利誤認表示（同法30条１項）
　景表法の優良誤認表示、有利誤認表示（詳しくは**第９章第３、２(2)** 参照）が対象である。
④　食品表示法による、食品表示基準に違反し、販売食品の名称、アレルゲン、保存の方法、消費期限、原材料、添加物、栄養成分の量もしくは熱量または原産地について著しく事実に相違する表示（同法11条）。
　イ　差止請求の相手方と請求内容
　差止請求の相手方は、前記アの対象行為を現に行い、または行おうとする事業者が原則であるが、消費者契約法（以下、本項では「法」という）ではそのほかに契約締結についての媒介の委託を受けた受託者等、または事業者・受託者等の代理人（法12条１・３項）も対象となる（ただし不当条項では代理人のみである。）。　差止請求の内容は、「〜してはならない」という不作為を求めるのが原則であるが、法12条１、３項では当該事業者に「当該行為の停止若しくは予防又は当該行為に供したものの廃棄若しくは除去その他の当該行為の停止若しくは予防に必要な措置」も求めることができる。同条２項では委託者等（たとえばクレジット契約における信販会社）は、受託者（たとえばクレジット契約の締結の媒介を受託している販売店）に対して「是正の指示又は教唆の停止その他の当該行為の停止又は予防に必要な措置」等の一定の作為も求めることができる。同条４項では、不当条項について事業者は、代理人に対して、「是正の指示又は教唆の停止その他の当該行為の停止又は予防に必要な措置」を求めることができる。
　ウ　提訴権者
　（ア）　適格消費者団体の要件
　差止請求訴訟を提訴できるのは、内閣総理大臣が法13条３〜５項に定める要件をいずれも備えていると認定した団体（適格消費者団体）である。この

要件は諸外国と比較するとかなり厳格である。適格認定の有効期間は6年間で、引き続き差止請求業務を行う場合は更新が必要である（法17条1・2項）。
　（イ）　遵守すべき事項や行政による監督など
　法23〜29条は、差止請求権の濫用禁止など適格消費者団体の遵守すべき事項を定めている。法30〜35条は、内閣総理大臣による適格認定の取消など適格消費者団体に対する行政の監督に関する事項を規定している。その他、内閣総理大臣、国民生活センターによる判決等の情報の公表（法39条）、国民生活センター、地方自治体による適格団体への消費生活相談及び国民生活センターのADRの情報の提供（法40条）などが定められている。
　エ　差止請求訴訟の訴訟手続
　原則は通常の民事訴訟手続きで行われるが、①事業者に書面で事前の請求を行い1週間経過しないと提訴できない（法41条1項）、②訴訟の目的物の価額は、財産権上の請求権でない請求の訴えとみなされる（法42条）、③管轄裁判所は、事業者の本店あるいは営業所の所在地、および行為地を管轄する裁判所（法43条）である、④同一または同種の行為の差止請求の場合の申立または職権による移送（法44条）、請求内容、相手方が同一である差止請求が同一の裁判所に係属した場合の弁論・裁判の必要的併合（法45条1項、ただし例外あり）などの特則がおかれている。
　また、以下の場合には差止請求権を行使できない（法12条の2）。
①　自己もしくは第三者の不正な利益を図り、または相手方への加害を目的とする場合。
②　他の適格消費者団体による確定判決等（訴訟の和解も含む）が存する場合における、請求内容、相手方が同一の請求（ただし、同条1項2号イ〜ハ、2項の例外あり）。
　オ　強制執行
　判決が確定したのに事業者がこれに従わない場合、裁判所は不履行により不特定かつ多数の消費者が受ける不利益を特に考慮して間接強制金を定める。（法47条）。
　カ　その他
　努力義務ではあるが、適格団体は、条項の開示、損害賠償の額を予定する

条項等に係る算定根拠の説明、差止請求について講じた措置の開示を事業者に要請できる（12条の3から12条の5）。

(3) 差止請求に関する実務上の問題点
ア　請求の趣旨の特定
(ア)　対象となる事業者の行為の特定

差止請求する不当勧誘行為、不当契約条項を含む意思表示を厳密に特定すれば、判決確定後に違反反為に対して強制執行する場合にはわかりやすいが、事業者が当該不当行為にわずかな改変を行うことで差止判決の効果を免れてしまうおそれがある。反面あまり請求の趣旨を抽象的にすると、執行段階で違反行為に当たるかの実質的な判断が必要となり強制執行が困難となるので、どの程度請求の趣旨を抽象化するかは苦心が必要である[13]。

(イ)　事業者に命じる行為の特定

原則は対象行為の「停止」または「予防」であるが、その実効性確保のため「停止又は予防に必要な措置をとること」もでき（法12条各項）、一定の作為を命じることを法は予定している。どのような作為命令を求められるかが問題となる[14]。従業員に対して「（差し止めが認められた定額補修分担金条項）の意思表示を行うための事務を行わないことを指示せよ」との請求が特定性を欠くか否かについて問題となった裁判例がある（京都地判平21・9・30判時2068号134頁は特定を欠くとし、控訴審大阪高判平22・3・26LEX/DB文献番号25470736は特定されているとした）。

イ　差止めの必要性

差止請求訴訟を提訴後、事業者が差止対象となっている不当契約条項を削除・改訂してしまう事案が少なくない。この場合には、もはや差止めの必要

---

13) 長野浩三「消費者団体訴訟の検証と今後の課題」現代消費者法14号59頁は、「差止訴訟における請求内容として、請求の対象をどの程度抽象化するか、必要な措置としていかなる請求をたてるかは、適格消費者団体の代理人として、今後研究・創意工夫する分野といえよう。」と述べる。
14) 笠井正俊「適格消費者団体による差止請求に関する諸問題」NBL959号27頁は、「差止請求の訴状における請求の趣旨の記載の具体性の程度は、社会通念に照らして、被告の立場や強制執行の可能性等の関係で、命じられる行為が認識・識別できるものであれば足りるということになろう。」とする。

性がなくなるといえるのか。すでに契約書から当該条項が削除された場合には「行うおそれがない」とする裁判例（京都地判平21・4・23判時2055号123頁）もあるが、事業者が訴訟上・訴訟外で不当条項であることを争っている場合には今後同様の意思表示を行う蓋然性が客観的に存在するとして差止の必要性を認めた裁判例（前掲大阪高判平22・3・26）もある。最高裁（最判平29・1・24民集71巻1号1頁）は、チラシの配布に関して当該行為を停止し、今後行わないと明言していることなどの事実関係を前提に、「現に行い、又は行うおそれがあるとはいえない」と判断している。少なくとも事業者が当該行為の不当性に関して争っている場合には、なお差止めの必要性があるというべきではあろう[15]。

　ウ　契約条項の一部に無効がある場合

　差止請求の対象となっている不当な契約条項の一部に無効な部分があるときに、条項全体が差止めの対象となるのであろうか。京都地判平24・7・19（判時2158号95頁）は、契約期間を2年とすることで料金を割り引く携帯電話の受信契約を消費者が途中で解約する場合、経過月数にかかわらず一律の解約料を支払う条項が、消契法9条1号に該当するとして差止めを求めた事案の判決である。契約締結あるいは更新月から22カ月目までは解約料の定めは事業者に生じる平均的損害を超えないから有効であるが、23カ月目以降に解約した場合には解約料の定めは平均的損害を超えることになるとその限りで一部無効としたが、差止めの対象は、あくまで現に使用されている解約料条項に限られ、一部無効となる範囲を明示した意思表示の差止めを求めることはできないとして、現行の解約料条項全体の差止めを認めた。

　これに対して、冠婚葬祭業者の解約料条項が消契法9条1号の「平均的損害」を超えるとして一部無効となる範囲を明らかにして、その部分の差止めを認めた裁判例もある（大阪高判平25・1・25判時2187号30頁）。

　エ　限定解釈の可否

　個別の訴訟では、契約条項を消費者に有利に限定的に解釈して、当該条項に当たらないとして消費者の主張を認めることがある。差止請求において契

---

15)　同旨、長野浩三・前掲注14) 63頁。

約条項を限定的に解釈すると、差止請求が棄却されることになるが、解釈について疑義の生ずる不明確な条項が有効なものとして引き続き使用され、かえって消費者の利益を損なうおそれがある。このため、差止請求においては、限定解釈をすべきでないとした判例がある（最高裁令和4年12月12日判決）。

　オ　不当勧誘行為への差止請求の相対的困難性

　訴訟では不当契約条項の差止めに関しては、契約書面などの証拠が整っていれば事実関係は割合明確で、裁判所の消契法に違反するか否かの判断を待つだけであり、審理期間はそれほど長くは要しないと思われる。これに対し、不当勧誘行為の差止めは、当該行為の存否、それが事業者自体の行為といえるか（たまたま従業員がした行為では足りない）などの事実関係が争いになることが予想され、立証の困難性とある程度の審理期間を要することが予想される。

　カ　後訴制限規定の適用について

　法12条の2第1項2号は、訴訟中のある適格消費者団体に確定判決や訴訟上の和解があった場合、他の適格消費者団体は同一の相手方に対して同一の請求はできず、すでに訴訟係属中であっても請求棄却となる後訴の制限を定める。民事訴訟では、確定判決等の効力は訴訟当事者間にだけ及ぶのが原則であるが、本規定は当該訴訟に関与していない他の適格消費者団体に効力を及ぼすという極めて異例な規定であり、比較法的にも類を見ないと思われる。この規定によれば、ある適格消費者団体が一審で勝訴判決を得て控訴審で審理されている途中に、後に提訴した他の適格消費者団体が訴訟上の和解をしてしまうと、先行していた適格消費者団体は訴訟を遂行できなくなってしまう、という不合理な事態もありうる。

　本規定は、事業者の応訴負担と裁判所間の判断の抵触に配慮した政策的な規定と解されるが、その適用による弊害を考慮し、同規定に定められている「請求の内容及び相手方の同一性」はできるだけ限定的に解釈されるべきである[16]。また法12条の2第2項の「後に生じた事由に基づいて」に関してもできるだけ広く提訴を認める方向で解釈すべきである。

　キ　その他の問題

　差止請求では、条項の無効判断に契約外の事業者の現実対応を考慮すべき

でないなど個別紛争の場合と異なる解釈をすべき場合がある[17]。

また事業者に対して適格消費者団体が、訴訟上積極的に一定の条項を示して改訂を請求できるかに関しては見解は分かれている[18]。

(4) 現状と課題

2024年2月10日時点で、全国各地に26の適格消費者団体がある（消費者庁HP）。これまでに適格消費者団体から事業者に対して差止めを申し入れた件数は966件あり、多くは訴訟提起前に事業者により改善がなされているが、提訴に至った件数も85件に上っている（いずれも2023年3月31日現在）[19]。

制度施行後の課題としては、1つは財政面の問題である。差止請求業務は何ら利益を生み出さないものであるため、適格消費者団体の財政はどこも厳しい。現状は各団体とも構成員のボランティア活動や会費・寄附などによって支えられているといえる。社会的に適格消費者団体の活動を支えていくしくみが必要である。

もう1つの課題は情報収集の問題である。消費者の相談・苦情は公的な消費生活センターが処理しており、こうした機関との機能的な連携や消費者からの被害情報をいかに効率的に収集するかが重要な課題である。

4　消費者団体訴訟制度（被害回復）

(1) 集合訴訟

消費者被害では、少額・多数被害、被害の潜在化という特質から、個々の消費者に権利行使を期待しがたい。そこで、①消費者に代わって第三者が、②多数の消費者の請求を集めて、③効率的な手続により請求額を確定して配

---

16) 日弁連・前掲注12) 書349頁は、「後訴制限効が問題ある制度であることを考えると、本号の趣旨が蒸し返し訴訟の弊害除去にあることを考えれば、蒸し返しか否かを基準にしながら、同一性を限定して考えるべきである。」とする。

17) 最判平24・3・16判タ1370号115頁は、保険の失効条項が消契法10条により無効か否かの判断に、契約外の契約者に配慮している事情も考慮すべきであるとするが、差止請求では考慮すべきではない。

18) 積極説としては日弁連・前掲注12) 書299頁。消極説としては山本豊「適格消費者団体による差止請求」法時83巻8号32頁。

19) 消費者庁「令和5年版消費者白書」156頁。

分することにより、1人当たりの費用を低減し、請求を容易にするということは、古くから世界中で考えられたことである。

①消費者に代わって訴訟をする第三者が誰か（国などの行政機関、公的団体、消費者団体や事業者団体などの民間団体、被害者）、②請求の集め方（反対の意思表示をしない限り請求したこととなるオプトアウト型、意思表示をしない限り請求ができないオプトイン型、請求を集めずある手続の結論を他の手続に活用するもの）③手続形態（訴訟手続、訴訟以外の裁判手続、ADR、あるいは、手続を二段階に分けてこれらを組み合わせる）の組み合わせで、様々な制度を構築することが可能であり、実際、世界には様々な制度があり、制度の対象も消費者紛争に限らない。

世界的に見て多様な集合訴訟があるのは、被害の実態に応じてふさわしい手続が異なるため、唯一最善の手続というものは存在しないためである。また、各国の裁判制度との連続性を確保する必要や制度創設に関する政治的合意が必要であることから、各国が模索しながら制度整備を進めているためでもある。そのため、近時は、多様な制度整備が行われてきた英国や北欧諸国を中心に、集合訴訟単体ではなく、行政手続やADRなども含めた既存制度との組み合わせによりどのように実効性を確保するかが議論されている。

(2) **消費者団体訴訟制度（被害回復）**

日本の消費者団体訴訟制度（被害回復）は、消費者裁判手続特例法（以下「特例法」という）に規定されており、2013年に公布され、2016年10月1日に施行された。

先の分類でいえば、消費者団体が行い、手続を二分して一段階目（共通義務確認訴訟）を訴訟手続として請求を集めず行い、二段階目（対象債権の確定手続）を訴訟以外の裁判手続も用いてオプトイン型で行うものである。このような手続とすることで、被害回復に要する費用・労力が低減され、個々の消費者の権利行使が期待しがたいという問題点に対応している。

(3) **訴訟要件**

共通義務確認訴訟に特有の訴訟要件として、共通性、多数性、支配性がある。共通性、多数性は、特例法2条4号の共通義務の定義において、「相当多数」「共通する」という文言があることが根拠となっている。支配性につ

いては、同法3条4項が根拠となっている。

多数とは、消費者被害の特徴や審理の効率性の観点を踏まえて、本制度を用いて被害回復を図ることが相当かどうかを念頭に判断するもので、一般的な事案では数十人程度であればよい。

支配性が欠ける場合、すなわち、簡易な手続で債権の存否および内容を適切かつ迅速に判断することが困難である場合には、例外的に共通義務確認訴訟を却下することになる。具体的には個々の消費者の損害や損失、因果関係の有無を判断するのに個々の消費者ごとに相当程度の審理を要する場合である。個別事例判断でしかないが、もともと支配性のある請求を類型化して列挙していることからみて、支配性を欠くとして却下されるのは例外的な事案と考えるべきである[20]。

(4) 対象となる事案

特例法3条1項は、対象となる請求を、一定の消費者契約に関する金銭請求として各号に列挙している。そして、事業者と故意重過失のある事業者の事業監督者、被用者に対する請求に限っている。

対象となる請求は、契約上の債務の履行の請求、不当利得に係る請求、契約上の債務の不履行による損害賠償の請求、民法の規定による不法行為に基づく損害賠償の請求である[21]。

さらに、特例法3条2項は、損害賠償の請求に関して、拡大損害（1号、3号）、逸失利益に係る損害（2号、4号）、人身損害（5号）、精神的苦痛を受けたことによる損害（6号）を除外している。ただし、6号については、財産的請求と併せて請求されるものと事業者の故意によって生じたものについては、その額の算定の基礎となる主要な事実関係が共通するものは対象となる。

この制度では、制度の対象となる請求を、簡易な手続で債権の存否および

---

20) 最高裁令和6年3月12日判決は、個々の消費者ごとに相当程度の審理を要する場合とはどのような場合かについて判断している。
21) 民法（債権法）改正に伴い、瑕疵担保責任に基づく損害賠償の請求は削除されたが、民法（債権法）改正が施行された令和2年4月1日より前に締結された消費者契約については、瑕疵担保に基づく損害賠償の共通義務確認は可能である（民法の一部を改正する法律の施行に伴う関係法律の整備等に関する法律第103条）

内容を適切かつ迅速に判断することが困難であるとはいえない請求（支配性があるもの）、共通義務確認訴訟において、被告が二段階目の手続で争われることになる消費者の被害額についておおよその見通しを把握できる請求（係争利益が把握可能であるもの）とした。そして、消費者の予測可能性を高め、制度の対象となるか否かについて争われることによる審理の複雑化や長期化を避けるため、対象となる請求を列挙した。

　金銭請求に限定したのは、金銭請求以外の請求は団体が請求を集めるという形態になじみにくいほか、支配性を確保するためである。また、損害賠償について拡大損害、逸失利益に係る損害、人身損害を除外したのは、支配性の確保および係争利益の把握の観点からである。もっとも、慰謝料については、額の算定根拠が共通しているものは、支配性、係争利益把握可能性の観点からは問題がない。そこで、財産的請求と併せてされるものは被告の応訴負担に配慮する必要性が低いこと、故意により生じた慰謝料は、被告の応訴負担に配慮することが公平の観点から妥当と言えないので対象とされた[22]。もっとも、財産的請求と併せてされるものか故意によるものとの制限が付されたのは、実質的には個人情報漏洩事案を除外するか否かをめぐっての政治的妥協によるものと考えられる。

　不法行為については、民法の規定によるものに限るとされている。これは、金商法、金販法、独禁法などの法律では、権利行使を容易にするため、不法行為について過失責任の転換や損害の推定規定等の特則を置いている場合がある。このような損害賠償請求を、権利行使を促進する本制度の対象とすると、当事者間の利益バランスを崩すことにならないか慎重に検討する必要があるためと説明されている。もっとも、立法過程をみれば、実際には、政治的妥協によるものと考えられる。

(5)　特定適格消費者団体

　手続の主体は、消費者の被害回復を図るための役割を責任を持って果たすことが制度的に担保されている者とする必要がある。適格性の判断について審理の長期化、被告の応訴負担などを考慮し、あらかじめ行政が適切な主体

---

22)　消費者裁判手続特例法等に関する検討会報告書10頁以下

を認定するという制度をとっている。

手続の主体としては、適格消費者団体がふさわしいとされたが、差止請求とは手続に相違があることから、一定の要件が付加されている。

(6) **手続の相手方**

不法行為請求以外は、手続の相手方は「事業者」であり、これは消費者契約法の「事業者」と同義である。消費者契約の相手方である。

特例法3条3項2号、3号イは、支配性および係争利益の把握可能性を確保するために、契約の相手方以外にも被告が広がりうる請求である不法行為に基づく損害賠償の請求に関しては、いわゆる履行補助者と「勧誘をし、当該勧誘をさせ、もしくは当該勧誘を助長する事業者」を定めている。後者については、いわゆる契約締結補助者が不法行為責任を負う場合があることを前提に規定したものであり、契約締結補助者の理論の実定法上の現れとして注目すべきものである。

また、事業監督者、被用者についても事業者が対象となる場合には対象となる（3号ロ、ハ）

(7) **一段階目の手続の特則**

一段階目の手続は、「消費者に共通する事実上及び法律上の原因に基づき、個々の消費者の事情によりその金銭の支払請求に理由がない場合を除いて、金銭を支払う義務」すなわち共通義務を確認するものである（特例法2条4号）。請求を基礎づける事実関係が主要部分において共通し、かつ、基本的な法的根拠が共通であることを意味している。

一段階目の手続には民事訴訟法が適用されるが、管轄、移送、併合、補助参加などいくつか特則を定めている。なお、和解金債権の支払い合意など多様な和解が可能である（11条）。

(8) **二段階目の手続**

二段階目の手続は、さらに簡易確定手続と異議後の訴訟に分かれる。特定適格消費者団体は、簡易確定手続開始の申立てをし（特例法16条1項）、手続が開始される（同20条1項）。裁判所が公告するほか（同23条1項）、団体の求めにより相手方が通知、公表をする（同28条、29条）。団体は知れている消費者に通知をし、公告をする（同26条・27条）。団体が通知をするための情報を

相手方から得られるように情報開示命令の制度、保全開示命令の制度がある（同32条、9条）。また、対象消費者に関する情報の回答義務もある（30条）。団体は、消費者から授権を受けて（同34条）債権届出をする（同33条2項）。事業者は認否をし（同45条1項）、事業者が認めた債権および認否を争う旨の申出が団体からない債権は確定する（同45条3項・50条1項）。確定しない債権は裁判所が簡易確定決定をする（同47条1項）。決定に不服がある団体、消費者、事業者は異議を申し立てることができる（同49条1項・2項）。異議の申立てがない債権は確定する（同49条6項）。異議の申立てがあると訴えの提起があったものとみなされる（同56条1項）。その後は通常の訴訟手続により審理判断される。簡易確定手続の事件記録は当事者及び利害関係者のみ閲覧できる（54条）。

また、消費者団体訴訟等支援法人の制度がある（98条以下）。

(9) 現状と課題

2024年2月10日現在で、特定適格消費者団体は全国で4団体ある。提訴された事件は2024年1月末までで8件あるほか、事前の交渉で解決した事例がある[23]。

制度の課題として、手続の主体を特定適格消費者団体以外にも認めるべき、対象事案を拡大すべき、通知広告の費用を事業者に負担させるべきなどの意見がある。

《参考文献》
・消費者庁消費者制度課編『逐条解説　消費者契約法』（商事法務、2019年）
・消費者庁消費者制度課編『一問一答　消費者裁判手続特例法』（商事法務、2014年）
・日本弁護士連合会消費者問題対策委員会編『コンメンタール消費者裁判手続特例法』（民事法研究会、2016年）

［佐々木幸孝・鈴木敦士］

---

[23] 現代消費者法50号4頁から19頁に4件の訴訟が、21頁以下に訴訟外の事例が紹介されている。

コラム　霊感商法の実態と対策

　霊感商法の被害救済は、1987年秋から始まった。若い女性が大理石の壺を200万円で買ってしまったという相談だった。複数の弁護士から納得して契約した以上売買代金の取戻しは難しいと言われたけど何とかならないかという真剣な相談だった。2時間以上聞いて勧誘側の巧妙な説得に驚いた。2年間銀行で働き続け、このままでいいのか、いい男性に出会えそうもない、私の人生はこれからどうなるの。そんな不安をあおられて、ご先祖が地獄で苦しんで私に救いを求めている。そのご先祖を救うために、天の蔵に富を積む決心が必要。そう思って2年間働いて貯めたお金はこのためにあったんだ。そう決心して支払った。

　しかし、よく聞くと、そう思い込まされていく経過が解明できた。これはやりすぎだ。商行為の許容範囲を逸脱しており、不法行為責任があると考え、販売会社に通知書を出して交渉したら比較的スムーズに全額返金された。

　ところがそれからが大変。その女性が同じ被害の知人も何とか救ってと連れてきた。それから芋づる式に次々と同様の被害者が来所した。これは組織的計画的で悪質な資金獲得活動だと痛感し、翌88年5月には全国約300人の弁護士で全国霊感商法対策弁護士連絡会（略称　全国弁連）を立ち上げて被害救済・抑止のための活動を始めた。それが今日まで35年余も続くとは思わなかった。

　これは世界基督教統一神霊協会（略称　統一教会）が文鮮明教祖の指揮下で彼が夢想する神の国（文鮮明の思い通りになる国）を実現するための資金獲得活動だった。表面上本人が納得のうえで法外な高額の商品を買ったり、信者として無料奉仕の献金勧誘や物品販売をしているように見えるが、その実態はどうか。全ての人が死後霊人体となって霊界の地獄で永遠に苦しみ続けている。あまりの苦しさに耐えられず地上の子孫に救いを求めて合図を送っている。それが色情因縁、殺傷因縁、財の因縁となってあなたに不幸をもたらす。何とかしたいなら神が地上につかわした再臨のメシア文鮮明師の指導に従って伝道と資金集めをし、合同結婚に参加してまことの家庭を築かねばならない。そう思い込まされた信者たちが人を救うためと信じ込んで、人を脅し、だまして、大金を払わせ、文鮮明の指揮下で人生を破滅させてきた。

その悲惨な結果のひとつが2022年7月8日の安倍元首相銃殺事件だった。信者として旧統一教会の指示のままに高額献金を繰り返した母親のため、人生を台無しにされたと思いつめた青年の犯行。
　2022年12月10日に成立した「法人等による寄付の不当な勧誘の防止等に関する法律（「寄付不当勧誘防止法」）は、これまで全国弁連の弁護士が積み重ねてきた統一教会信者による正体隠しの勧誘・教化やその結果させられた法外な献金や人生破壊・家族崩壊の被害が民法709条・715条・719条の不法行為・使用者責任・共同不法行為に該当するという判例の水準を法律化したものである。しかし最も肝心な「個人の自由な意思を抑圧し、寄付をするか否か適切な判断が困難な状態にすること」（新法3条1号）の禁止ではなく、配慮義務にとどまった。一方、これに違反する法人等に政府は勧告・公表ができる（新法6条）などの消費者行政の積極的関与の道が開かれた。
　更に、オウム真理教事件を機に改正された宗教法人法に基づく旧統一教会に対する文化庁の質問権の行使が7回なされ、その結果等を踏まえて2023年10月13日に文部科学大臣が宗教法人の解散命令を東京地裁に請求した。そして、この解散請求中に旧統一教会が財産隠匿散逸をして被害回復を妨げることができないよう「献金被害者救済特例法（略称）」が2023年12月13日に成立した。オウム真理教の被害者は十分な被害回復ができなかったので、旧統一教会の被害者救済の結果が注目されている。社会や個人に不当な害悪をもたらす宗教活動には毅然たる法規制が必要であり、これを特別視して被害拡大を容認するべきではない。一方で人類の歴史は常に宗教とともにあった。ピラミッドの時代から人は死後の世界を考えてきた。上手に使えば人に幸福をもたらすが、間違うと火炎となって不幸にする。宗教は火と同じく大切である。しかし使い方を誤ると人と世に禍をもたらす。

〔山口　広〕

第16章
消費者行政と消費者政策

第1　消費者問題における消費者行政の役割

1　消費者行政の位置づけ

　消費者問題の解決策を考えるとき、個別被害の救済だけであれば民事特別法としての消費者法の解釈・運用が中心となるが、同種被害の未然防止や拡大防止を図り、または消費者被害の全体像を踏まえた救済策を検討するときは、消費者行政の制度や権限を把握することが不可欠である。

　わが国の消費者政策は、歴史的には、ヒ素ミルク事件、カネミ油症事件、スモン事件、薬害エイズ事件など、食品や医薬品による大規模被害の経験から食品衛生法や薬事法などの行政規制法の整備から始まった。その後、規制緩和政策の中で、許認可登録等の参入規制から被害拡大防止の事後規制と民事特別法による事後救済を組み合わせた消費者法制度の整備へとシフトしてきた。さらに、適格消費者団体による被害防止活動、事業者の法令遵守（コンプライアンス）の促進、消費者教育の推進など、関係当事者の役割を重視した多角的な消費者施策が徐々に進んでいる。

2　未然防止・拡大防止・事後救済

　消費者被害の防止・救済の施策を段階に応じて分類すると、未然防止・拡大防止・事後救済の3段階に区分することができる。

(1) 未然防止

　適正な事業活動を営む基盤を備える事業者のみが参入できる許認可・登録制をとるものとして、食品衛生法、金融商品取引法、宅地建物取引業法、貸金業法、電気通信事業法などがあり、行為規制とこれに違反した場合の行政規制権限や、事業者の財産基盤の保全措置として営業保証金制度等がある。

　安全基準の認証を受けた製品だけを流通に置くことが許される製品認可制をとるものとして、医薬品医療機器等法、電気用品安全法などがある。国や第三者機関による認証制度と事業者自身による自己認証制度がある。

(2) 拡大防止

　消費者に危害を及ぼすおそれがある製品を流通させた事業者や違法な取引行為を行った事業者に対し、同種被害の拡大を防止するため、危険な製品の回収や違法な取引行為の中止・是正を命ずる手法である。

　消費者の生命・身体等に危害が及ぶおそれがある製品の情報を公表するとともに回収等の危害防止措置（いわゆるリコール制度）を命ずる例として、道路運送車両法63条の2、食品衛生法54条および58条、医薬品医療機器等法68条の9、電気用品安全法42条の5、消費生活用製品安全法39条などがある。

　取引分野では、消費者に被害を及ぼすおそれがある違法行為の是正指示・業務停止等を命ずる例として、金融商品取引法51条・52条、特定商取引法7条・8条、貸金業法24条の6の3、景品表示法7条などがある。

(3) 事後救済

　消費者被害が発生した場合に、民法に比べて消費者の救済要件を拡大する民事特別法として、消費者契約法の契約取消しや不当条項無効、特定商取引法のクーリング・オフや中途解約権、割販法の抗弁対抗や取消、製造物責任法の無過失損害賠償責任、金融サービス提供法の損害賠償責任などがある。

　医薬品副作用救済基金やSGマーク製品損害賠償責任保険制度のように第三者機関による事後救済制度もある。

3　規制行政と支援行政

　消費者行政の手法には、事業者に対し事業活動の適正化のために義務付けや違法行為を禁止する「規制行政」と、消費者に対して情報提供や救済措置

を講ずる「支援行政」とがある。事業者に対し許認可・登録制や書面交付義務や勧誘行為規制を設け、業務停止命令やリコール措置等を命ずる方法は、規制行政の例である。消費者向けに事故情報や手口情報を提供して注意喚起することや、消費者教育を推進する施策、消費生活センターにおいて相談苦情の解決に向け助言・あっせんを行うことは、支援行政の例である。

第2　従来の消費者行政の構造と課題

1　産業育成と消費者保護

　明治以来、わが国の行政組織や法律は、産業分野ごとにその事業を所管する監督官庁と規制権限を定め産業育成を図るという「業法」を制定し、所管省庁を整備する政策が中心であった。その構造を消費者保護の面から捉えると、縦割り行政、派生的行政、後追い行政という特徴がある。

(1)　事業分野ごとの縦割り行政

　事業者の活動を適正に育成する行政権限や法制度は、事業分野ごとに整備されてきた。たとえば、厚生労働省（食品衛生法、医薬品医療機器法等）、国土交通省（道路運送車両法、旅行業法等）、経済産業省（電気用品安全法、消費生活用製品安全法、割販法等）、金融庁（金融商品取引法、保険業法、貸金業法等）、総務省（電気通信事業法等）などである。つまり、業種ごとの縦割りの法制度と行政組織になっているため、新たな事業分野の中には個別の事業者規制法が存在しないものもある。

(2)　産業育成に付随する派生的消費者保護

　各種業法は、事業者の健全な発展・育成を第一次的な目的として位置付け、購入者・利用者の保護は二次的・派生的な位置付けとされているものが多い。行政組織の性格としても、産業育成を主務とする行政庁が消費者保護にも配慮するという構図であり、法律に定める各種事業者規制権限の行使に当たり、事業者の保護・育成を主目的とし、消費者保護は産業の円滑な発展のために二次的に配慮するという運用となりがちだと指摘されている。

(3)　被害発生の後追い行政

　産業優先の事業者規制法の性質や行政機関の姿勢から、消費者被害の後追

い行政となりがちであるという批判がある。たとえば、特商法や割販法は、2008年改正までは、現にトラブルが発生する商品・役務を個別的に規制対象に追加する「政令指定商品・役務制」を採用していた。現物まがい商法を規制する預託等取引法は、2021年改正まで指定商品制を維持していた。

また、権限発動において、消費者に危害を発生させる「おそれ」があるか否かが問題となったとき、違法行為の実態や原因が十分に解明されていないとして事業者規制を先送りするという運用上の問題が指摘されてきた[1]。

2 規制緩和政策と消費者政策の転換

(1) 規制緩和政策

1990年代から経済政策の基本方針としていわゆる規制緩和政策が推進されてきた。市場に対する行政の介入を最小限に止めることにより、行政組織の肥大化を抑制して国家財政の立て直しを進めたい政府の方針と、行政規制の削減により新規事業参入や新製品を開発し販売する経済活動の自由化と競争力強化を期待する産業界の思惑が合致し、世界的な潮流となっている。

(2) 消費者政策の転換

規制緩和政策は、消費者行政から見ると被害の未然防止型の事前規制を緩和する方向性を意味する。これに対し、消費者の生命・身体に被害を及ぼす分野や、個々の消費者の注意では被害回避が困難な分野については、未然防止型規制の縮小に反対する意見が強い。

事前規制を緩和する代わりに、違法行為に対する被害拡大防止型または公正取引確保型の規制を活用する傾向にある。取引分野では、行政庁の裁量による行政指導から、不当勧誘行為や不当契約条項や不当表示等の違法行為を法令に明記し、違反行為に対して行政処分や罰則を発動するという手法である。たとえば、特定商取引法は、許認可制や登録制はなく、不当勧誘行為規制や書面交付義務等を定め、違反行為に対する行政処分権限を定めている。

---

1) 抵当証券業規制法に基づく更新登録における監督権限不行使により、更新後の契約者が被った損害につき国家賠償責任が認められた事案として、大和都市管財事件（大阪高判平20・9・26判タ1312号81頁）がある。

また、安全の分野では、危害発生のおそれがある製品についてリコール措置を命ずる制度は被害拡大防止型の手法である。こうした被害拡大防止型行政規制が機能するためには、危害・危険情報や違法行為の情報を担当部署が的確に収集し分析する体制が不可欠である。

　事前規制の緩和に伴い活用される政策手法として、消費者に対する情報提供と被害回復の権利を付与する民事特別法の制定が広がりつつある。欠陥商品被害について無過失損害賠償責任を定めた製造物責任法（1995年制定）や、不当勧誘行為による契約取消しや不当契約条項の無効を定めた消費者契約法（2000年制定）は、規制緩和政策の流れの中で制定された。消費者に対する情報提供は、悪質商法の手口等を情報提供する施策から、消費者市民の育成を目指す消費者教育推進法（2012年制定）へと展開している。

(3)　21世紀型消費者政策のあり方と現状

　内閣府国民生活局に設けられていた国民生活審議会消費者政策部会は、2003年5月付「21世紀型消費者政策の在り方について」報告書[2]を取りまとめ、新しい時代の消費者政策の基本的な考え方の転換と各分野の課題を総合的に提示した。公益通報者保護法の制定や消費者団体訴訟制度の導入など、同報告書を受けてその後実現した法制度も少なくない。

　しかし、2012年頃から現在に至る国の政策方針は産業優先が極度に強調されている状況であり[3]、消費者被害防止・救済の法制度の審議においてもこれが大きな影響を及ぼしている。例えば、消費者契約法改正の審議に当たり、平均的損害額の立証責任を事業者に転換する提案や、困惑類型の取消権につき受け皿規定を設ける提案が、ことごとく排斥されている。消費者の暮らしの安心・安全を守りつつ持続可能な産業の発展を図るという政策のあり方は、これからも絶えず議論を重ねる必要がある。

---

2)　消費者庁Webサイト→消費者の窓→国民生活審議会→第18次消費者政策部会に掲載。
　　http://www.consumer.go.jp/seisaku/shingikai/bukai-index.html
3)　第183回国会における安倍総理の施政方針演説（2013年2月28日）において、「『世界で一番企業が活躍しやすい国』を目指します。」、「企業活動を妨げる障害を、一つ一つ解消していきます。これが新たな『規制改革会議』の使命です。」と発言。

第3　国の消費者行政・消費者政策の展開

1　消費者保護基本法から消費者基本法へ

　我が国の消費者政策のあり方を最初に提示した法律は、消費者保護基本法（1968年制定）である。その提案理由には、「従来の法制ないし行政が不統一であったことから、この際、国民生活優先の姿勢を打ち出し、消費者行政を統一的・効果的に行うことが必要である。」と指摘している。この当時から、縦割り消費者行政の問題点や産業優先のため消費者保護意思の不十分性が指摘されていた。消費者保護基本法は、消費者政策の指針を示す理念法であり、その具体的な行政組織や規制権限を定める法律の整備が重要である。

2　消費者基本法の概要

　前記国民生活審議会報告書を受けて、2004年に消費者保護基本法が大幅改正され、名称も「消費者基本法」に変更された（以下「基本法」という）。
　ア　消費者政策の目的
　基本法1条（目的規定）は、「消費者と事業者との間の情報の質及び量並びに交渉力の格差にかんがみ」、「消費者の権利の尊重及びその自立の支援」を基本理念として、総合的な施策を推進する旨規定する。
　この規定が定める消費者行政の役割について、見解の対立がある。一方では、消費者の自立と自己責任を中心に据え、事業者による情報提供と消費者の選択を促進することにより、消費者行政は補完的に関与すればよいとする考え方がある。2000年前後に一部の地方公共団体で消費生活センターの統廃合を進める施策が登場した際に強調され、消費者行政の縮小・後退を正当化する考え方に結び付きやすい。他方では、消費者を権利主体として位置付けるとともに、消費者の安全な生活と公正な取引を確保するため、消費者行政が積極的な施策を展開すべきであるとする考え方がある。消費者と事業者との間に構造的な格差が存在する実態（基本法1条）を踏まえて消費者政策を展開するならば、積極的な消費者行政の展開が求められよう。

イ　消費者の権利

基本法2条（基本理念）は、消費者政策の推進に当たり、「消費生活における基本的な需要が満たされ」、「健全な生活環境が確保され」、「消費者の安全が確保され」、「消費者の自主的かつ合理的な選択の機会が確保され」、「必要な情報及び教育の機会が提供され」、「消費者の意見が消費者政策に反映され」、「消費者被害が適切かつ迅速に救済される」として「消費者の権利」を尊重することと、消費者が自主的かつ合理的に行動できるよう「消費者の自立を支援」することを基本理念とする旨規定する。

消費者の権利とは、ケネディ大統領が1962年に発表した特別教書における消費者の権利宣言に由来する。同教書は「消費者の権利を実行するのに支障ないようにするのは、政府の、消費者に対する責任であるが、その責任を果たそうとするためにはさらに立法並びに行政措置をとることが必要になってくる」と記述している。つまり、消費者の権利は政府が積極的にその実現に向けた施策を展開すべき社会権的人権であると解される。

ウ　総則規定

基本法は、総則規定として、消費者政策に関する国の責務（3条）、地方公共団体の責務（4条）、事業者等の責務（5〜8条）のほか、政府は消費者政策の計画的な推進を図るため「消費者基本計画」を策定すること（9条）、政府は関係法令の改正や財政措置を講ずること（10条）を定めている。

消費者基本計画は、各省庁にまたがる消費者行政を総合的・計画的に推進するため、関係省庁が実施しようとする施策を列挙して、2005年から5年ごとに策定・改定されるとともに、計画の実施予定時期や進捗状況を取りまとめた工程表については1年ごとに見直しが行われている[4]。

エ　基本的施策

基本法は、国が行うべき基本的施策として、安全の確保、消費者契約の適正化、計量・規格・表示の適正化、公正競争の促進、意見の反映、情報通信社会への対応、国際的連携の確保、環境保全への配慮、試験・検査設備の整

---

4) 消費者庁Webサイト→消費者政策→消費者基本計画等の欄に掲載。www.caa.go.jp/policies/policy/consumer_policy/basic_plan/index.html#basic_plan_for_consumers

備（11〜16条・18条・20〜23条）を列挙する。ただし、基本法は政策の方針ないし理念を定めるものであるから、これらの規定に基づいて個別法制度の整備を推進することが求められる。

また、基本法は、国と地方公共団体が行うべき消費者支援施策として、消費者への啓発活動・教育の推進、苦情処理・紛争解決の促進（17条・19条）を定めている。

オ　行政組織等

基本法は、国および地方公共団体が行政組織や運営を改善すること（24条）、国民生活センターが消費者施策の中核的機関として積極的役割を果たすべきこと（25条）、国が消費者団体の活動促進の施策を講ずべきこと（26条）、政府に内閣総理大臣を会長とする消費者政策会議を設けること（27条）等を定める。

3　消費者保護関連法の整備

消費者保護関連法の中には、産業分野別の業法とは別に、分野横断的な法律や新しい政策手法の法律も制定されている。

(1)　**分野横断的な民事特別法**

製造物責任法（1995年制定）は、製造物の種類・分野を問わず、製造物の欠陥により人の生命・身体・財産に損害を生じた場合、製造者が無過失損害賠償責任を負うとする不法行為責任の特別法である（本書**第11章**参照）。

消費者契約法（2000年制定）は、分野を問わずすべての消費者契約を適用対象として、不当勧誘行為による契約の取消権と不当条項の無効を規定する民事特別法である（本書**第4章**参照）。

(2)　**分野横断的な行政規制法**

景品表示法（1962年制定）は、商品・役務の種類分野を問わず、不当景品と不当表示を規制するものであり、以前は公正取引委員会が所管していたが、現在は消費者庁が所管している（本書**第9章**参照）。

特定商取引法（1976年制定）は、訪問販売、通信販売、連鎖販売取引等、消費者トラブルが多発する7つの取引形態を規制対象とする法律であるが、登録制等の参入規制はなく、書面交付義務、勧誘行為規制、広告規制等の行

政規制と、クーリング・オフ、取消権等の民事ルールを設けており、消費者庁が所管している（本書**第6章**参照）。

個人情報保護法（2003年制定）は、種類を問わずすべての個人情報を保護対象とし、事業者の本体の事業を所轄する行政機関がそれぞれ本法の行政権限も所管し、個別法のない分野は個人情報保護委員会が所管する（本書**第14章**参照）。

消費者安全法（2009年制定）は、すべての消費者事故情報の収集と公表に関する権限やすき間事案に対する勧告・命令権限を規定する分野横断型の法律であり、消費者庁が所管している（本書**第11章**参照）。

(3) **行政規制・刑事規制と被害救済制度の架橋**

犯罪被害財産等被害回復給付金支給法（2006年制定）と組織犯罪処罰法（2006年改正）は、ヤミ金融被害や振り込め詐欺被害など組織的犯罪により多数の被害者の損害賠償請求権の行使が困難な場合や犯罪被害財産の隠匿が行われた場合、刑事判決とともに犯罪被害財産を国がいったん没収したうえで、検察官が管理して被害回復給付金の支給に充てるという法制度である。

金融機関等の更生手続の特例等に関する法律490条は、金融商品取引業者に破産手続開始の原因があるときは、金融庁が破産手続開始申立権限を有するものと定める。行政庁の事業者規制権限と被害回復制度を架橋する制度である。

商品預託商法のジャパンライフ事件は、消費者庁が2016年12月から2017年12月までに4回にわたり特定商取引法や特定商品預託取引法による業務停止命令を発したが、高齢者を中心とする契約者の被害申出が顕在化しないため、債権者破産の申立てができない状態が2018年2月まで続いた。こうした事態を踏まえ、預託等取引法2021年改正により事前承認制度による原則禁止としたが、現に被害が拡大している場合には、行政庁による破産申立が必要であると考えられる[5]。

---

5) 消費者庁消費者の財産被害に係る行政手法研究会・平成25年6月付「行政による経済的不利益賦課制度及び財産の隠匿・散逸防止策について」報告書25頁以下で、行政による破産手続開始申立てを行うことの意義と課題を検討している。

(4) 事業者の法令遵守と公益通報者保護法

公益通報者保護法（2004年制定）は、労働者等が、個人の生命・身体の保護に関する法律に規定する犯罪行為等に当たる事業上の違法行為に当たる事実を、①事業者内部の通報窓口に通報した場合、②または当該事実について相当の理由があるときに行政機関に通報した場合、③または内部通報や行政機関通報では不利益を受けるおそれ等の特別事情があるときに外部に通報した場合、事業者による当該通報者の解雇その他の不利益処分が禁止される。事業者の法令違反行為により国民が不利益を受ける事態を早期に防止し、事業者のコンプライアンス体制の整備を促進するための法制度である。

しかし、その後も企業の大規模な不祥事が相次ぎ、公益通報者が不利益を受ける事例もみられたことから、2020年改正（2022年6月施行）により、企業内の公益通報窓口の設置義務化、行政機関通報窓口の設置義務化、退職者等通報者の範囲の拡大、不利益取扱いに対する行政措置の導入などが規定された[6]。

(5) 消費者団体訴訟制度

消費者被害防止の役割を消費者行政だけに委ねるのではなく、国が認定した適格消費者団体による違法な事業活動の差止請求訴訟制度が2006年に導入された（本書**第15章**参照）。

さらに、消費者裁判手続特例法（2013年制定、2016年10月施行）は、特定適格消費者団体が事業者の違法行為に対し共通義務に関する第一段階訴訟を提起して判決を獲得した後、被害者から債権届出を受けて集団的に消費者被害の回復を行う制度を導入した（詳細は、本書**第15章**参照）。

---

6) 内閣府消費者委員会公益通報者保護専門調査会（www.cao.go.jp/consumer/kabusoshiki/koueki/index.html）。

第4　消費者庁・消費者委員会の創設と消費者行政権限の整備

1　消費者庁・消費者委員会
(1)　消費者行政一元化

政府は、2008年6月27日付け閣議決定「消費者行政推進基本計画」[7]において、消費者行政一元化を推進することを宣言した。その中に以下のような記述がある。

「明治以来、我が国は各府省庁縦割りの仕組みの下それぞれの領域で事業者の保護育成を通して国民経済の発展を図ってきたが、この間『消費者の保護』はあくまでも産業振興の間接的、派生的テーマとして、しかも縦割り的に行われてきた。しかし、こうした古い行政モデルは見直しの対象となり、規制緩和など市場重視の施策が推進されるようになった。その結果、今や『安全安心な市場』、『良質な市場』の実現こそが新たな公共的目標として位置付けられるべきものとなったのである。それは競争の質を高め、消費者、事業者双方にとって長期的な利益をもたらす唯一の道である。」

産業の保護育成から安全安心な市場の確保へと国の役割に関する基本認識の転換の下で、消費者行政の一元的な新組織として消費者庁と消費者委員会を創設する方針を示したのである。

(2)　消費者庁・消費者委員会の概要

2009年5月に「消費者庁及び消費者委員会設置法」、「消費者庁設置法の施行に伴う関係法律の整備に関する法律」および「消費者安全法」が制定され、同年9月1日に消費者庁および消費者委員会が創設された。政府内の新たな庁の設置は環境庁以来40年ぶりである。

ア　消費者庁の組織と権限

消費者庁の主な権限としては、①消費者事故情報を各省庁および地方公共団体から一元的に集約・分析し、公表すること（消費者安全法）、②消費者事故の防止のため行政措置が必要な場合は、消費者行政の司令塔として所轄す

---

7)　消費者行政推進基本計画の本文は、官邸 Web サイトに掲載されている。

る各省庁に対し対応策の勧告ができること（消費者安全法）、③消費者に身近な30本の法律を所管（共管を含む）すること（関連法律整備法）、④既存の法律では対応できないすき間事案に対処するため、すき間事案について事業者に対する立入調査や勧告権限を付与したこと（消費者安全法）など、消費者行政の責任官庁としての権限が与えられた。

消費者庁が所管（共管を含む）する主な法律としては、①安全分野では、消費生活用製品安全法、食品衛生法、食品安全基本法など、②表示分野では、景品表示法、JAS法、住宅品質確保法など、③取引分野では、特定商取引法、特定電子メール適正化法、特定商品預託取引法など、④その他に、消費者基本法、消費者契約法、製造物責任法、出資法、無限連鎖講防止法、公益通報者保護法、貸金業法、割賦販売法、宅地建物取引業法、旅行業法などがあり、現在は合計35本の法律がある。

　イ　消費者委員会の組織と権限

消費者問題への取組はあくまでも消費者の目線で実施する必要があることから、各省庁の出向職員を中心とする消費者庁による業務運営だけでは不十分であると考え、消費者庁から独立して政府の消費者行政全体の監視・提言役として職務を行う機関を設けた。民間人の委員10名による合議体組織であり、必要に応じて部会や専門調査会を設けて調査・審議・提言を行う。

消費者委員会の主な権限としては、①消費者庁所轄の法律関係事項について諮問を受けまたは自ら審議することのほかに、②消費者問題全般について内閣総理大臣に対し勧告・報告要求ができること、③個別問題への対応策を含めて重要事項について自ら課題を取り上げて建議できること、④関係省庁に対し資料提供を要求できることなど、消費者庁の中の審議機関ではなく独立した機関である。2009年9月の創設から2023年8月までの14年間に、建議23件、提言18件、意見111件、答申8件を発している[8]。

8）これまでの建議・意見書等は、消費者委員会 Web サイトの「建議・提言等の概要と成果」の欄に掲載している。www.cao.go.jp/consumer/about/kengi_teigen_iken.html

2　消費者安全法の概要

消費者庁の実体的な権限や地方消費者行政の推進等に関する法律として、消費者安全法がある。

(1)　重大事故情報の収集と公表

消費者事故情報の一元的集約と迅速な公表を実施するため以下の規定がある。

情報収集の対象となる「消費者事故等」とは、「事業者が供給する商品・役務の消費者による使用等に伴い生じた事故であって、消費者の生命又は身体について政令で定める程度の被害が発生したもの（その事故に係る商品等又は役務が消費安全性を欠くことにより生じたものでないことが明らかであるものを除く。）」（消費者安全法2条5項1号）。

行政機関や地方公共団体の長は生命身体に重大な被害を及ぼす恐れがある「重大事故等」の情報を得たときは、直ちに内閣総理大臣（消費者庁）に通知する義務を負う（同法12条1項）。通知を受けた消費者庁は、消費者被害の発生または拡大の防止を図るため消費者の注意を喚起する必要があると認めるときは、当該消費者事故等の態様、被害の状況等の情報を公表するものとする（同法15条）。

従来のリコール制度は、たとえば、自動車が「保安基準に適合していないおそれがあると認めるときであって、その原因が設計又は製作の過程にあると認めるとき」に必要な改善措置を勧告できる（道路運送車両法63条の2）と規定されているため、原因究明ができていない段階ではリコール対象にならないと解することになりがちである。消費者安全法は、「重大事故等」についてはその商品の「消費安全性を欠くことにより生じたものでないことが明らかであるものを除く。」と定めて、原因不明または調査中の段階であっても公表するという取扱いである。消費生活用製品安全法2条6項、35条の「重大製品事故」に関する事業者の報告義務（本書**第11章**参照）とともに、消費者への迅速な情報提供を優先した制度である。

(2)　各省庁への措置要求とすき間事案への権限

消費者庁は、「消費者事故等」の発生に関する情報を得た場合、消費者被害の発生または拡大の防止を図るために実施しうる他の法律の規定に基づく

措置があり、かつ、必要であると認めるときは、その事務を所掌する行政機関に対し当該措置の速やかな実施を要求することができる（消費者安全法16条）。消費者庁が他省庁に対し消費者行政を具体的に推進する司令塔機能を担うための権限規定である。

消費者庁は、商品・役務が消費安全性を欠くことにより「重大事故等」が発生した場合であって、実施し得る他の法律の規定に基づく措置がない場合（すき間事案）、重大消費者被害の発生または拡大の防止を図るため必要があると認めるときは、事業者に対し、当該商品・役務につき必要な点検、修理、改造、安全な使用方法の表示、役務の提供の方法の改善その他の必要な措置をとるべき旨を勧告することができる（同法17条）。いわゆるすき間事案に対し消費者庁が事業者に対し行政措置権限を行使できる包括的な規定である。

さらに、財産被害の分野についても、「多数消費者財産被害事態」（多数の消費者に不実告知等により重大な財産被害を生じさせる事態）を発生させた事業者に対し、被害の拡大防止を図る他の法律上の措置がない場合、消費者庁は、当該取引の中止等の措置を勧告し、これに従わないときは命令することができる旨規定がある（同法2条8項・40条4項・5項）。

(3) 消費者安全調査委員会

製品事故の横断的な原因究明機関として、消費者庁に消費者安全調査委員会を設置し、生命・身体分野の消費者事故等の原因究明のための調査等を任務とするものとした（同法15条・16条）。同委員会は、被害者の調査申出制度を設けるほか、委員会が自ら立入調査等の調査権限を行使することや、関連機関の調査等を評価し意見を述べることができる（2012年8月改正、同年10月施行）。

2022年9月までの10年間に、ガス湯沸器事故、ヒートポンプ給湯機振動問題、プール事故、エレベータ事故、エスカレータ事故、子供の医薬品誤飲事故など19件の調査報告書を公表している[9]。

---

9) 消費者庁Webサイト→消費者安全調査会→報告書／経過報告／評価書の欄にこれまでの事案の報告書等を掲載（http://www.caa.go.jp/policies/council/csic/report/）。

3　国民生活センター

(1) 組織体制

国民生活センターは、1970年に特殊法人として設立され、2003年に独立行政法人となった。国の予算によって運営されているが、行政機関ではなく事業者規制権限は有していない。全国の消費生活センターの相談情報の集約に基づいて、関係機関への情報提供や地方消費者行政への支援等、消費者問題の総合的な支援行政を担っている。

(2) 機能

ア　情報収集・分析：全国の消費生活センターが受け付けた相談情報を「全国消費生活情報ネットワークシステム（PIO-NET）」[10]によって収集・分析し、一般消費者への注意喚起のほかに、政府機関や報道機関等に情報提供している[11]。各省庁や国会の審議においても活用されている。

イ　相談：国民生活センター自身も、消費者から直接相談を受け付け助言やあっせん解決を行うほか、地方公共団体の消費生活センターからの質問を受け解決方法等を助言するなど相談処理を支援する機能も担っている。

ウ　裁判外紛争解決手続（ADR）：消費生活センターで解決が困難な事案のうち重要性が認められる「重要消費者紛争」を取り上げ、専門家による和解の仲介手続きにより紛争解決を図り、処理結果の概要を公表することにより、紛争解決の指針を情報提供する機能を果たしている[12]。

エ　教育・研修：消費生活相談員や消費者行政担当職員の実務的研修や消費生活相談員の資格試験を実施する。

オ　商品テスト：製品事故等の相談事案について原因判定等の商品テストを実施し、相談解決を支援するほか、消費者向けに注意喚起を行う。

---

10) 国民生活センターWebサイトの「2022年度全国の消費生活相談の状況——PIO-NETより——」によれば、相談件数895,606件にのぼる。

11) PIO-NET情報について2022年度の情報提供の実績は、国会や中央省庁からの情報提供依頼1,460件、警察・弁護士会・裁判所・適格消費者団体等の法令照会への対応463件、報道機関の取材883件など、我が国の消費者トラブルに関する最大の情報データベースとして活用されている。

12) 和解の仲介手続は、年間平均150件受け付け、終了事案のうち6割強が和解成立に至っている（http://www.kokusen.go.jp/adr/hunsou/hunsou.html）。

以上のとおり、国民生活センターは、全国の消費生活センターの相談情報の集約・分析を基盤として、国の関係機関と地方公共団体の関係先に情報提供することにより、消費者行政の中核的機関として重要な役割を果たしている。

第5　地方消費者行政

1　地方公共団体における消費者行政

　先駆的な自治体が1960年代後半から消費生活センターを設けて消費者からの苦情相談受付や情報提供を始めたことが、我が国の地方消費者行政の始まりであった。経済企画庁が1970年から都道府県および政令指定都市に消費生活センターを設置する補助金を交付したことから、各地でセンターの設置が進んだ。

　1970年代にはオイルショックによる売り惜しみや狂乱物価問題が各地で発生し、地方公共団体が生活必需品の確保や物価問題で調査や事業者指導を行う取り組みが広がった。規制緩和政策が進行した1990年代は消費生活相談件数が大幅に増加した。

2　消費生活条例

　消費生活条例は、すべての都道府県・政令指定都市と一部の市町村で制定されている。

　消費生活条例の内容は自治体により違いがあるが、主な内容としては、消費者の権利を規定しこれを擁護することを地方公共団体の責務として定めたうえで、地方消費者行政の処理事項として、①危害の防止（商品等の調査・検査・情報提供）、②表示の適正化（品質・単価・計量・包装等の表示基準設定）、③不適正な価格の是正（物価調査、買い占め・便乗値上げの是正）、④不適正な取引方法の防止（不適正取引の是正）、⑤消費者被害の救済（消費生活センターにおける助言・あっせん、苦情処理委員会の設置など）、⑥情報提供（商品テスト・啓発）、⑦消費者教育（啓発講座、消費者団体育成）などを規定し、これらを実施するために事業者に対する行政指導・立入調査・勧告・公表等の規定を置いているのが一般的である。

3　消費生活相談の位置づけ

　消費生活相談については、消費者基本法19条に「地方公共団体は、事業者と消費者との間の苦情が、専門的知見に基づいて適切かつ迅速に処理されるよう、苦情処理のあっせん等に努めなければならない。」と定めている。また、消費者安全法8条は、都道府県および市町村の消費生活相談等の事務を行う責務を規定し、同法10条は、都道府県に消費生活センターの設置義務、市町村に消費生活センターの設置努力規定を定めている。

　消費生活センターでは、消費者問題の専門的知見を有する消費生活相談員資格を有する者を配置し、PIO-NET情報端末を配備して、専門的知見と最新情報に基づいて助言（相談者の自主的対応を支援）またはあっせん（相談員が事業者に連絡して解決に向けて調整する処理）を行う。

　国や都道府県の事業者規制部門は、PIO-NET情報の分析を通じて事業者の違法行為を発見し、特定商取引法および景品表示法に基づく行政処分権限や、消費生活条例に基づく勧告・公表の措置に活用する。

4　地方消費者行政の後退と活性化

(1)　地方消費者行政の縮小・後退傾向

　地方消費者行政は、地域によっては国よりも早く始まり、縦割りではなく消費者の苦情相談を情報源として総合的に展開してきたが、1990年代から2000年代にかけて地方公共団体の財政難や行政改革の影響により、長期的に縮小・後退の傾向が続いた。一般会計や一般職職員の推移に比べ消費者行政の予算・人員の減少幅が極めて大きい（別表「消費者庁創設前の地方消費者行政の予算・人員の推移」）。地方消費者行政は軽視されてきたというほかない。

(2)　消費者庁創設と地方消費者行政の活性化

　2008年6月27日付閣議決定の「消費者行政推進基本計画」は、地方消費者行政の活性化について次のとおり力強いメッセージを発した。

　「霞が関に立派な新組織ができるだけでは何の意味もなく、地域の現場で消費者、国民本位の行政が行われることにつながるような制度設計をしていく必要がある。このため、新組織の創設と併せて、地方分権を基本としつつ、地方の消費者行政の強化を図ることが必要である。」、「地域ごとの消費者行

〈消費者庁創設前の地方消費者行政の予算・人員の推移〉[13]

	一般会計決算額 （百万円）	消費者行政予算額 （百万円）	一般職行政職員 （人）	消費者行政職員 （人）
1998年度	102,868,902	16,379	1,163,127	10,172
2007年度	91,181,397	10,830	1,002,735	6,572
減少率	△11.3%	△33.8%	△13.7%	△35.3%

政は自治事務であり、地方自治体自らが消費者行政部門に予算、人員の重点配分をする努力が不可欠である。」、「消費生活センターを一元的な消費者相談窓口と位置づけ、緊急時の対応や広域的な問題への対処等のために全国ネットワークを構築することは、国の要請に基づくものであり、法律にも位置づけを行うことを踏まえ、国は相当の財源確保に努める。」

　地方公共団体の消費生活センター等で消費生活相談情報を的確に収集・解決・情報提供できる体制が整備されなければ、国が相談情報を集約して施策に活かすことができない。国の消費者行政の司令塔として消費者庁・消費者委員会が機能することと、地方公共団体の消費者行政を充実・強化することは不可分である。

　そこでまず、国から地方への財政支援を活用して、第1に、地方公共団体の消費生活相談体制の整備を推進し、第2に、相談情報を活用して地域の消費者への注意喚起・啓発事業等を推進した。

(3)　**国の財政支援**

　政府は、2009年度から、地方消費者行政の活性化を推進するため、次のような財政支援措置を講じてきた。

①　地方交付税の基準財政需要額の増額措置

　2008年度までの90億円を2009年度から180億円に倍増し、2011年度からは270億円に増額した。しかし、地方交付税は、地方分権の原則の下で、地方公共団体が使途自由に利用できる一般財源であり、「基準財政需要額」は合理的な使途の積算の目安に過ぎない。そのため、消費者行政の位置づけが元々弱い地方公共団体では、消費者行政の独自予算にはほとんど回っていな

---

[13]　消費者委員会地方消費者行政専門調査会2013年8月報告書8頁。

いのが実情である。

②　地方消費者行政活性化交付金・推進交付金・強化交付金

そこで、消費者行政の事業に使途を限定して、2009年度以降、年間約50億円の交付金を継続的に交付してきた。地方公共団体は、これを活用して消費生活センターの整備、消費生活相談員の養成・レベルアップ、消費者向け啓発活動など、地方公共団体の実情に応じた施策を展開してきた。

消費者行政は自治事務であるという基本認識からすると、使途限定の交付金はあくまでも例外的な財政支援措置であり、いずれは地方公共団体が自主財源を確保することが求められる。消費者行政推進交付金は、2017年度までの新規事業に使途が限定されており、かつその後原則として7年間に限定されている。2018年度から導入された地方消費者行政強化交付金は、支援対象が国の重点施策に対応する事業に限定されるしくみであり、かつそれまでの推進交付金に比べ事業予算の2分の1は独自予算を充てるルールとされた。そのため、独自予算を手当てして取り組む自治体と事業の削減を余儀なくされる自治体の格差が生じている。

④　独自予算・担当職員の推移

2008年度は消費者行政予算の自主財源が100.8億円であったのに対し、2009年度以降は年間約50億円の交付金が交付された。しかし、自主財源は2017年度まではわずかの増加にとどまった。2018年度以降、強化交付金に変更されて自主財源2分の1を手当てする必要が生じた以降は増加傾向にあるが、基準財政需要額に比べると未だ59.8％（2024年度）にとどまる。

消費者行政職員の配置や人件費は交付金を充てることができないため、2009年度以降もほとんど横ばいまたは減少傾向である（別表「消費者庁創設後の地方消費者行政予算・人員の推移」）。つまり、国は消費者庁の創設に伴い消費者行政を充実するという政策判断の転換を行ったが、地方公共団体では消費者行政重視の政策判断が行われていないというほかない。

(4)　**これからの地方消費者行政の充実・強化の課題**

消費生活センターの設置や啓発事業はようやく全国的に整備されつつあるところ、今後は、次のような課題が重要であるとされている。

高齢者の消費者被害を防ぐため、地域の高齢者福祉関係者や地域の諸団体

〈消費者庁創設後の消費者行政予算・人員の推移〉[14]

	地方消費者行政予算額（うち自主財源）	消費者行政職員数
2008年度	100.8億円　（100.8億円）	5,646人
2009年度	145億円　　（131億円）	5,190人
2017年度	184億円　　（123億円）	5,255人
2020年度	183億円　　（148億円）	5,189人
2022年度	185億円　　（154億円）	5,166人
2023年度	193億円　　（161億円）	5,161人

の関係者による消費者被害の見守りネットワークの構築（消費者安全確保地域協議会の設置。消費者安全法11条の3以下）が重要である。高齢者福祉部門の見守りネットワークは、高齢者の命や健康の見守りを中心に以前から取り組まれているが、消費者被害の防止は見守り関係者が継続的に学びながら地域の高齢者に声掛けを繰り返すことから始める必要があるため、消費者被害防止サポーターの養成と連携が課題である。

　成年年齢引き下げに伴い若年者の消費者被害防止やインターネット取引被害の防止に向けて、地方公共団体内部の関連部局との連携や地域の民間関係団体との連携など、地方消費者行政の役割はますます広がっている。

　明治以来、消費者行政の体制整備を推進する司令塔役がない状態が続き、2009年に至って初めて消費者庁が創設され、地方消費者行政の充実・強化の施策と財政措置が始まって日が浅い。しばらくの間は国が最低限の行政水準（ナショナルミニマム）を確保するため、地方消費者行政に向けた交付金措置を講ずることが必要であると考える。

　もちろん、地方消費者行政の整備を将来にわたって国の財政支援によって維持する状況は決して健全な姿ではなく、地域の住民・消費者が消費者行政の充実・強化の必要性を十分に理解し、地方議会や首長の政策判断の中に消費者行政の重視を位置づけるよう、地域における住民・消費者の声を強くすることが重要である。

---

14) 消費者庁Webサイト「地方消費者行政の現況（令和5年度）」17頁、50頁。

第6　消費者教育推進法と消費者市民社会

1　消費者教育の推進

　変化の激しい現代の生活環境の中で消費者被害を防止するためには、学校教育や社会教育の様々な機会に消費者問題の実情と対応策を学ぶ消費者教育を受けることが重要である。消費者基本法17条は、国や地方公共団体が消費者教育を充実する施策を講ずるよう規定しているが、現実にはなかなか進んでこなかった。

　そこで、2012年8月、議員立法により「消費者教育の推進に関する法律」が制定された。同法は、消費者が自主的かつ合理的に行動できるよう支援することが重要であることや、消費者教育を受ける機会が提供されることが消費者の権利であることを踏まえて消費者教育を推進すること（1条）、消費者が主体的に「消費者市民社会」の形成に参画することの支援を旨として行うべきこと（3条2項）、国や地方公共団体は消費者教育推進の施策に必要な財政措置を講ずべきこと（8条）、政府は消費者教育の推進に関する基本的な方針を定め、5年ごとに見直しを行うこと（9条）、地方公共団体も消費者教育推進計画を策定すること（10条）、消費者教育の推進体制として、消費者庁に「消費者教育推進会議」を置くとともに（19条）、地方公共団体に「消費者教育推進地域協議会」を設置すること（20条）等を規定している。

2　消費者市民社会

　消費者教育は、単に自分が被害に遭わない知識を習得するだけではなく、環境や地域産業や将来世代など社会的価値を踏まえた選択行動をとること、さらに他の消費者・住民と連帯して地域社会の安全・安心の実現のため行動する消費者市民の育成が求められる。消費者行政と地域の消費者・消費者団体が連携して、「消費者市民社会」[15]の形成を目指すことが今後の重要な課題である。

3 消費者団体の育成支援

　消費者の声を事業者や行政機関に届けるには、消費者個人では不十分であり消費者団体の活動が不可欠である。しかし、経済力も専門知識もない消費者が自ら情報を収集することは困難であるし、情報氾濫社会である反面で消費者団体による継続的な活動を自然発生的に期待することは難しい。

　消費者基本法26条は、国が消費者団体の自主的活動を促進する施策を講ずるよう規定しているが、消費者団体訴訟制度の支援を除き、具体的施策は乏しい。「消費者市民社会」の形成を目指す消費者教育推進法の事業として、国や地方公共団体による消費者団体の育成・支援を積極的に位置づけることが求められる。

《参考文献》
・消費者庁『令和5年版・消費者白書』（消費者庁 Web サイト）
・大島義則ほか編著『消費者行政法』（勁草書房、2016年）

[池本誠司]

15）　消費者市民社会とは、消費者が、個々の消費者の特性および消費生活の多様性を相互に尊重しつつ、自らの消費生活に関する行動が現在および将来の世代にわたって内外の社会経済情勢および地球環境に影響を及ぼしうるものであることを自覚して、公正かつ持続可能な社会の形成に積極的に参画する社会をいう（消費者教育推進法2条2項）。なお、内閣府『国民生活白書平成20年版』5頁参照。

コラム　消費者教育の推進と弁護士の役割

　法律実務家にとって消費者事件は、少額のため軽視されたり、集団被害事件では事務過多となり事務所経営にも響きかねず厄介視されがちだ。しかし、被害者にとっては一生に一度の深刻な問題で、おろそかにはできない。もっとも被害にあう前に対応できていれば未然防止や被害回復ができたのに、と悔しい思いをすることも少なくない。この解決のためには消費者教育が効果的である。悪質商法の構造と手口を知り、心構えや対処法を身につけられれば被害を避けることができる（被害にあわないための消費者教育）。

　また、被害にあったら消費者ホットライン（188）に電話したり、行政の対応や法制度の改善を求めるなどして新たな被害を防止する、企業人として消費者を食いものにするような事業活動をさせない、商品の選択から廃棄までの消費行動を地球環境問題や人権への影響を考えて行う、など「消費者市民」として社会に積極的に関わる生き方をすることは、よりよい社会作りに重要で、主権者育成という法教育の一角を成す（消費者市民を育む消費者教育）。

　2012年に「消費者教育推進法」が施行され、「消費者教育の推進に関する基本的な方針」（閣議決定）で推進体制が構築され、成年年齢引き下げへの対応も加わり、消費者教育は、消費者庁、文科省、国民生活センター、消費者教育支援センター、自治体、消費者教育学会、消費者団体、ACAPなど、多くの関係者によって全国的に推進されており、ネットでは豊富な実践的情報が入手でき、消費者教育をめぐる風景は一変した（消費者教育の広がり）。

　被害と救済の実態を知る弁護士は、消費生活講座の講師を務めるといった関与のみならず、教師集団など教育の専門家に実情や法的知識を提供するなどの共同・協力が求めらる。また、SDGsの実現は消費者市民社会実現の取り組みと重なる。そのためには、自らの生き方を見直し、「グリーンコンシューマー」、「エシカル消費」を実践する必要もあるだろう。

［青島明生］

事項索引

あ

ICT	443
愛染苑山久	7
アクワイアラー	200
あっせん（消費生活センター）	516
アフターサービス	272
アポイントメント商法	6, 42, 43
雨水の浸入を防止する部分	391
アレルゲン表示	260
安全配慮義務	409
安全表示	254, 257
安全・品質表示	291
暗号資産	221, 461

い

異議後の訴訟	496
意思の合致	45
意思表示の瑕疵	47
意思表示理論	59
イシュアー	200, 205
委託証拠金	128
一連一体の不法行為論	128, 134
一定の取引分野（独禁法）	235
一般条項	99
一般的調査・確認義務	299
遺伝子組換食品	18
違法性	134
違法性判断の方法	135
違法利益の吐き出し制度	152
医薬品	347
医薬部外品	347
医療機器	347
医療法	265, 289
印鑑ねずみ講	76
印鑑マルチ商法	76
インターネット	18, 302, 443, 456
インターネットオークション	447
インターネットショッピング	445, 447, 447

う

牛海綿状脳症（BSE）	18, 258
売主、注意せよ	315

え

栄養機能食品	260
栄養成分表示	260
ADR	477, 514
ADR法	481
液石法	353
エスクローサービス	197
SDGs	23, 522

お

オフアス取引	201
オプトイン	449, 468
オンアス取引	201

か

カード加盟店契約	205
カード番号安全管理義務	209
海外商品先物オプション取引	337
海外商品先物取引	73
外国為替証拠金取引	336
解釈型（約款規制の法理）	89
解除権を放棄させる条項等の無効	117
開発危険の抗弁	370
概要書面	177, 180, 181, 182, 183
架空請求	189, 462
確認措置（電通業法）	451
隠れたる瑕疵	294
貸金業法	289, 420
瑕疵担保責任	271, 292, 295, 412
過失責任	366
過失責任主義	131
過失相殺	142
過剰融資	417
過剰与信	422
過剰与信防止義務	200
ガス事業法	267, 353

課徴金……………………………………246
課徴金納付命令……………………246, 283
割賦販売…………………………………200
家庭用品品質表示法……………………269
過当取引…………………………………320
過払金返還請求…………………………430
株式………………………………………333
加盟店情報交換制度……………………208
加盟店調査措置義務………………206, 208
カラーテレビの二重価格問題……………17
空クレジット………………………………56
過量な内容の契約の取消し……………113
過量販売解除（制度）……………159, 166, 215
カルテル…………………………………229
簡易確定手続……………………………496
環境保護運動……………………………378
間接強制金………………………………488
願望の実現への不安をあおる勧誘行為…110
勧誘行為規制………………………177, 179, 183
勧誘をするに際し（消契法4条）………103
完了検査制度……………………………383
関連商品（特定継続的役務提供）………179, 187

き

規格の適正化……………………………257
規格表示型………………………………289
器具………………………………………347
期限の利益喪失…………………………217
技術基準…………………………………350
規制緩和政策……………………………503
規制行政…………………………………501
機能性表示食品…………………………260
既払金返還責任…………………………216
義務調整……………………………………85
キャッシュレス決済………………………192
キャリア決済………………………………195
給与所得者等再生………………………435
旧統一教会………………………………498
行政型ADR………………………………480
行政機関の長……………………………355
共通義務確認訴訟………………………492
強迫…………………………………………70
業務提供誘引販売取引………161, 182, 186, 187
業務提供利益………………………182, 187

極度額……………………………………200
居住利益控除論…………………………406
寄与度論…………………………………144
銀行法……………………………………328
金商法………………………………289, 325
金銭配当組織………………………………76
金の現物まがい商法……………………155
金融ADR…………………………………340
金融商品…………………………………309

く

クーリング・オフ……16, 40, 52, 53, 65, 160, 171, 178, 187, 188, 214
――の定義………………………………160
苦情処理委員会…………………………479
苦情相談処理……………………………515
組入要件……………………………………91
クラスアクション…………………………151
グレーゾーン…………………………424, 426
クレジットカード番号等取扱契約締結事業者
……………………………………………205
クレジット不正利用………………………199

け

携帯電話……………………447, 449, 453, 454
軽犯罪法…………………………………275
景表法…………………………17, 275, 277, 487
景品類……………………………………276
契約意思……………………………………51
契約正義……………………………………90
契約責任…………………………………147
契約締結意思………………………………42
契約締結上の過失……………………63, 296
契約締結前に義務の内容を実施する勧誘行為
……………………………………………112
契約締結前に契約締結を目指した事業活動の
実施による損失補償を請求する勧誘行為
……………………………………………112
契約内容に適合しない…………………392
契約内容の適正………………………72, 73
契約の拘束力…………………………49, 72
契約の拘束力否定型（被害救済の法理）……72
契約の成立…………………………………48
契約の不成立………………………………45

事項索引　525

計量の適正化	257
化粧品	267
欠陥	365, 367, 372, 380
欠陥現象	397
欠陥住宅	297, 380
欠陥判断の基準	386
決済代行業者	200
原因調査	356
健康増進法	262, 289
検査済証	383
建設省告示	400
建築確認制度	383
建築基準関係規定	383
建築主事	382
原野商法	44, 73, 126
原料原産地表示	260

こ

故意の事実不告知	169, 178
故意免責	87
好意の感情に乗じる勧誘行為	111
公益通報者保護法	509
高金利	417
後見の開始の審判等に対して解除権を付与する条項	117
広告	254
広告規制	160, 177, 180, 182, 183
広告その他の表示の適正化等	257
広告媒体（メディア）の責任	255, 298
工事監理	389
交渉力	27, 66, 98
公序良俗	74
——違反	39, 73, 76
公正競争規約	286
公正取引委員会	246, 277, 285
厚生労働大臣	346, 347
構造安全性能	388
構造耐力上主要な部分	391
拘束力（約款）	90
後訴制限効（消契法12条の2）	486, 492
行動経済学	22, 342
高度情報化社会	443
抗弁事由（割販法）	211
抗弁の対抗	18, 20, 40, 43, 211

合理的人間像	21, 22
高齢者の消費者被害	123
国際提携カード	200
国土交通省告示	400
国土交通大臣	349
国民生活センター	356, 478, 480, 514
——の長	355
国民生活センター法	17
ココ山岡事件	483
個人再生手続	435
個人情報	18, 465, 468
個人情報保護法	474
個人信用情報機関	438
個人責任	131, 146
個人向けカードローン	420
琴風事件	256, 305
コード決済	197
誤認	98, 103
誤認表示	279
個別信用購入あっせん	202, 210, 222
ゴルフ会員権	18
コンビーフ偽装表示事件	282, 291, 295
コンプガチャ	279
困惑	70, 98, 108

さ

再勧誘の禁止	168, 171
最低限の基準（建築基準法）	388
裁判外紛争処理機関　→ ADR	
再販売価格の拘束	239
裁量免責	434
詐欺	57, 59
詐欺・錯誤の拡張理論	61
錯誤	57, 295
差止（独禁法）	250
差止請求権（消契法）	485
差止請求の対象事案	486
差止訴訟（消契法）	69, 96
サリドマイド事件	343
三会統一基準	430

し

JAS規格（日本農林規格）	263
JAS法	264

JASマーク	265
支援行政	501
事業者	40, 41, 42, 98, 101
事業者団体	229
事業として（消契法）	100
事業のために（消契法）	100
資金移動業	196, 219, 462
資金決済法	218, 462
仕組債	334
仕組預金	334
事故確認制度	326, 339
自己情報コントロール権	468
自己破産	431
自主規制	128, 290
市場支配力（独禁法）	236, 239
市場メカニズム	233
JIS（日本産業規格）	270
JIS法	270
JISマーク	270
持続可能な開発目標　→SDGs	
市町村長	355
シックハウス	396
指定信用情報機関制度	438
私的独占	226
自動車検査証	349
自動車登録ファイル	349
支払可能見込額	206
司法型ADR	482
SIMロック	454
社会通念	139
社会的相当性	139
社債	331
ジャパンライフ事件	508
重大事故情報	512
重大事故等	355
重大製品事故	355
住宅資金特別条項	435
住宅性能表示制度	391
集団規定（建築基準法）	388
集団訴訟	150
集団的消費者被害回復制度	476
集団的損害賠償請求訴訟制度	152
集団投資スキーム	325
17条書面（貸金業法）	424
収納代行	220
18条書面（貸金業法）	424
重要事項	98, 107
重要消費者紛争	480
受任通知（多重債務事件）	427
消安法	267, 344, 350
少額訴訟	148
小規模個人再生	435
状況の濫用等	70
消極的表示規制	289
消契法	64, 95, 97, 324, 485
——改正（2006年）	485
——改正（2018年）	108
——改正（2022年）	108, 110, 112
商工ローン	439, 442
商先法	74, 289, 331
消費者	1, 12, 41, 98, 100
——概念	12
——観	22
——の権利	505
——の脆弱性	67
——の特性	12, 14
消費者安全調査委員会	356, 513
消費者安全法	27, 33, 345, 354, 510, 512
消費者委員会	345, 510
消費社会	16
消費者基本計画	506
消費者基本法	27, 32, 257, 274, 478, 505
——8条	485
消費者教育	520
消費者教育推進法	520, 521
消費者行政	19, 505
——一元化	510
消費者行政推進基本計画	510
消費者契約の契約過程	39
消費者裁判手続特例法	152, 493, 509
消費者事故調	345, 513
消費者事故等	355, 512
消費者市民社会	23, 520
消費者訴訟	483
消費者団体	69
消費者団体訴訟制度	96, 99, 484
消費者庁	19, 356, 510
消費者庁及び消費者安全委員会設置法	33

消費者の利益を一方的に害する条項の無効
　……………………………………………119
消費者被害の国際化……………………225
消費者法…………………………………1
消費者保護基本法……………………17, 505
消費者問題…………………………1, 4, 16
　──の特性………………………………19
　──の歴史………………………………16
消費者問題の歴史と立法の経緯（表）………30
消費者リース契約………………………168
消費者立法の経緯………………………16
消費生活条例……………………………515
消費生活センター…………………478, 514
消費生活用製品…………………………350
商品先物取引………………125, 128, 336
情報化社会………………………443, 444, 472
情報、交渉力における格差………………96
情報提供
　──（消費生活センター）……………479
　──義務……………………………62, 65
　──努力義務…………………………102
情報の質、量……………………………98
条理………………………………………139
初期契約解除制度………………………451
食品………………………………………345
　──の偽装表示……………………10, 19
食品安全委員会…………………………258
食品安全基本法…………………………258
食品衛生法……………………262, 343, 345
食品表示基準……………………………259
食品表示制度……………………………258
食品表示法…………………………258, 487
助言（消費生活センター）………………479
書面交付義務……160, 169, 171, 176, 177, 185, 200
真意…………………………………45, 51
侵害行為の態様（違法性の判断）……134, 135
信義則………………40, 46, 64, 84, 85, 148, 213
　──違反…………………………………41
　──の援用型……………………………89
真実性の調査・確認義務……………299, 301
新聞記事の瑕疵…………………………298
新聞広告掲載基準………………………290
信用リスク………………………………331

す

推奨者の責任………………………256, 304
すき間事案………………………………345
ステルスマーケティング…………………281
スマートフォン…………………………444
スマホ決済………………………………197
スモン事件………………………………344

せ

請求権の減縮……………………………84
性状の錯誤…………………………54, 296
製造………………………………………347
製造業者……………………357, 365, 374
製造販売…………………………………347
製造物………………………362, 365, 374
製造物責任………………………………357
製造物責任法………………………270, 358
制度間競合論……………………………129
性能規定（建築基準法）…………………389
製品安全4法……………………………267
製品事故……………………………355, 357
世界金融危機……………………………313
セカンド・ビッグバン……………………313
責任期間（製造物責任法）………………373
設計施工一括契約………………………387
設計図書…………………………………390
設計標準使用期間………………………351
説明義務…………………………64, 318, 327
全国消費生活相談情報ネットワーク・システ
　ム　→ PIO-NET
選定当事者制度……………………151, 152

そ

相関関係説（違法性の判断）……………134
総合衛生管理製造過程………………345, 346
創設的規定（割販法）……………………213
総量規制…………………………………438
措置命令（景表法）………………………282
損害………………………………………140
損害填補責任……………………………131
損害賠償額の予定条項等の無効…………117
損害賠償請求型（被害救済の法理）…40, 124
損害賠償の範囲（製造物責任法）…………369

損害賠償の予定条項 …………………………99

た

大規模訴訟 ……………………………………151
　——の特例 …………………………………151
退去妨害 ………………………………………109
代金引換（代引き） …………………………220
第三者による勧誘 ……………………………115
対象債権の確定手続 …………………………493
耐震偽装問題 …………………………………379
ダイヤルQ2 ……………………………87, 89
髙田浩吉事件 ……………………………256, 304
抱き合わせ販売 ………………………………241
他機関紹介（消費生活センター） …………479
多重債務 …………………………………11, 417
多重債務者対策本部 …………………………420
多重債務問題改善プログラム ………………420
多数消費者財産被害事態 ……………………513
宅建業法 ………………………………………289
建玉処分義務 …………………………………146
建物減価控除論 ………………………………407
食べログ事件 …………………………………251
ダンシング ………………………………………7
単体規定（建築基準法） ……………………388
団体訴訟制度 …………………………………476
断定的判断の提供 ………56, 98, 105, 320, 327

ち

地方消費者行政活性化交付金 ………………518
チャージバックルール ………………………214
注意義務措定型（違法性判断の方法） ……135
注意義務非措定型（違法性判断の方法） …137
中間検査制度 …………………………………382
中途解約権 …………………159, 176, 178, 180, 188
長期使用製品安全点検制度 …………………351
懲罰的損害賠償（制度） ……………………69, 132

つ

通信事業者 ……………………………………450
通信販売 ………………………………………171
次々販売 ………………………………166, 187, 215
つけ込み ………………………………………68
つけ込む行為 …………………………………71

て

出会い系サイト ………………………………467
定額補修分担金条項 …………………………489
定型取引 ………………………………………91
定型約款 ………………………………………91
　——の変更 …………………………………92
適格消費者団体 ………………96, 100, 285, 485
適合性原則 ……………………………166, 316, 326
デジタルプラットフォーマー …………244, 376
デジタルプラットフォーム ……246, 361, 362
デジタルプラットフォーム透明化法 ………471
手仕舞義務違反 ………………………………146
デビットカード（即時払い）決済 …………220
デリバティブ取引 ……………………………334
添加物 …………………………………………346
電気通信事業者 ………………………………450
電気用品安全法 ………………………………352
典型契約論 ……………………………………90
点検期間（消安法） …………………………351
電子掲示板（BBS） …………………………465
電子契約法 ……………………………………457
電子商取引 ……………………………………456
電子商取引及び情報財取引等に関する準則
　………………………………………………464
電子署名 ………………………………………458
電通業法 …………………………………448, 450
電話勧誘販売 ……………156, 161, 162, 170, 186
電話サービス契約約款 …………………………9

と

動機 …………………………………………56, 61, 62
動機の錯誤 …………………………46, 53, 56, 61, 62
投資ジャーナル ………………………………302
投資信託 ………………………………………333
投資信託・法人法 ……………………………328
同時廃止 ………………………………………432
投資マンション ………………………………18
灯油訴訟（鶴岡灯油訴訟事件） ………17, 229
道路運送車両法 ………………………………343
特殊販売 ………………………………………161
特商法 ……………………………64, 156, 288, 486
特定継続的役務提供 ………161, 162, 173, 179, 188
特定顧客 ………………………………………167

事項索引　529

特定住宅瑕疵担保責任履行確保法…………416
特定製品……………………………269, 350
特定調停手続…………………………426
特定適格消費者団体……………………495
特定電気通信…………………………470
特定電子メール法………………449, 459
特定負担……………………176, 178, 183
特定保険………………………………330
特定保健用食品………………………261
特定保守製品…………………………351
特定預金………………………………329
特定利益………………176, 177, 178, 187
特別特定製品…………………………350
独禁法……………………………227, 231
都道府県知事…………………………355
豊田商事事件……………………155, 483
取消し（消契法）…………64, 103, 169
　――権の行使期間……………………114
　――の効果……………………………113
取消制度（特商法）………………160, 167
取壊し建替え費用……………………404
取締法規違反……………………39, 72, 78
　――行為の私法上の効力…………79, 80
取引型不法行為……………132, 142, 143, 149
取引型不法行為論………………………64
取引DPF消費者保護法………………472
取引の仕組みの非難可能性…………140

な

内閣総理大臣……………………355, 356
内職・モニター商法……………7, 159, 182
内心的効果意思…………………………60
なりすまし（電子商取引）……………457

に

二三倍賠償（制度）……………132, 141, 150
二次被害………………………………187
ニセ牛缶事件…………………………275
二段の故意…………………………57, 59
日本広告業協会「広告倫理綱領」……290
日本広告審査機構（JARO）………274, 290
日本コーポ分譲マンション広告事件…256, 298
日本産業規格　→JIS
日本新聞協会…………………………290

日本通信販売協会……………………290
日本農林規格　→JAS
日本版ビッグバン……………………311
ニュー共済ファミリー事件………256, 299
任意性（貸金業法）……………………425
任意整理手続…………………………429

ね

ネガティブオプション…………………185
ねずみ講…………………………17, 175, 176
ネットショッピング　→インターネットショッピング
根保証…………………………………440

の

農薬取締法……………………………289

は

媒介……………………………………115
媒介者の法理…………………………216
排除措置命令……………………246, 286
破産管財手続…………………………433
Parens patriae（父権訴訟）……………151
犯罪被害回復給付金法………………153
犯罪被害財産…………………………508
犯罪被害者への被害金分配手続……153
犯則調査手続…………………………248
判断力の低下による生活の維持への不安をあおる勧誘行為…………108
販売奨励金制度………………………454
反倫理的行為……………………142, 145

ひ

BSE　→牛海綿状脳症
PIO-NET………………………6, 478, 514
PLセンター……………………………481
BBS　→電子掲示板
被害救済の法理……………………38, 72, 124
被侵害利益の種類（違法性の判断）……134, 140
非免責債権……………………………432
表示……………………………………254, 279
　――の義務付け型……………………288
表示・広告規制………………………274
表示の錯誤………………………………54

標準仕様書　400
非良心性の法理（unconscionabilty）　68
品確法　391
貧困問題　420
品質表示　255, 257
品質表示基準制度　264

ふ

フィッシング　466
付加金　132
不公正な取引方法　238
不実証広告規制　281
不実の告知　98, 103, 104, 169, 178
不正アクセス行為　466
不正競争防止法　20, 274
不正利用防止義務　209
付帯役務　55
不退去　98, 108
普通保険約款　87
復権　434
不当勧誘禁止　327
不当勧誘行為　169
不動産特定共同事業法　289
不当条項　41, 99
　──の無効　115
不当な顧客誘引　274
不当な取引制限　233
不当表示　279
不当廉売　241
部品・原材料製造業者の抗弁　372
不法原因給付　77
不法行為責任　124, 130, 131, 291
不法行為訴訟　146
プラットフォーム　244, 447
フランチャイズ・システム　253
不利益事実の不告知　103, 105
振り込め詐欺　153, 449
振り込め詐欺救済法　153
プリペイド（前払い）決済　194, 218
プロスペクト理論　334
プロダクト・ライアビリティ（product liability）　357
プロバイダ　447, 470
プロバイダ責任制限法　470

紛争解決委員会　480
紛争処理の参考となるべき技術的基準　401

へ

平均的損害　118
ベルギーダイヤモンド事件　75, 124, 126
変額年金保険　334
変額保険　18, 44, 57, 334
返金措置　154, 284
弁護士費用　131, 146
弁護団（集団訴訟）　150

ほ

包括信用購入あっせん　201, 204
法適用通則法　463
訪問購入　184, 186
訪問販売　156, 161, 162, 167, 186
保険業法　329
保険法　325
保証契約（債務）　441
保証書（保証表示）　254, 271
保証責任（保証表示）　254, 271

ま

前払式割賦販売　201
前払式支払手段　218, 461
前払式特定取引　201
松下カラーテレビ事件　230
マルチ商法　17, 124, 137, 175, 241
マンスリークリア払い　192, 214

み

見えざる手　233
未公開株　337
みなし弁済　424
民間型ADR　481
民事調停（法）　482

む

無過失損害賠償責任　249
無限連鎖講　127, 175, 177
無限連鎖講防止法　69, 83
無断売買　309

め

- 名義貸し建築士 …………………………385
- 迷惑メール ……………………………173, 449
- 免責許可手続 ……………………………433
- 免責条項 …………………………………99
  - ——の無効 ……………………………116
- 免責不許可事由 …………………………432

も

- 申出制度 …………………………………186
- モニター商法　→内職・モニター商法

や

- 薬事法 ……………………………………343
- 約款規制 …………………………………87
  - ——の法理 ……………………………88
- 薬機法 ………………………267, 289, 347
- ヤミ金融 …………………………439, 442
- ヤミ金融規制法 …………………………439

ゆ

- 優越的地位の濫用 ………………………243
- 融資一体型の変額保険契約 ……………56
- 有利誤認表示 ……………………………280
- 優良誤認表示 ……………………………279

よ

- 容器包装 …………………………………346

要

- 要素の錯誤 ……………………58, 62, 73
- 預貯金 ……………………………………331

り

- 履行義務調整型（被害救済の法理）………39, 72
- 履行請求型（被害救済の法理）……………40
- リコール ………………………346, 349, 350
- リコール制度 ………………350, 501, 512
- 利息制限法 ………………………………423
- 立証責任の転換 …………………………186
- リニエンシー ……………………247, 284
- リボルビング払い ………………192, 202

れ

- 霊感商法 …………………………………498
- 霊感等により不安をあおる勧誘行為 ………108
- 連鎖販売取引 …………161, 174, 186, 187, 188

ろ

- ローン提携販売 …………………………192
- ロコ・ロンドン貴金属取引 ……………337

わ

- ワラント …………………………………18
- 割合的因果関係論 ………………………143

＊法令名は、凡例の法令名略称一覧に従った。

裁判例索引

●大正
大判大3・12・15民録20輯1101号…………60

●昭和28年～50年
東京高判昭28・12・7高民集6巻13号868頁
　……………………………………………235
最大判昭39・11・18民集18巻9号1868頁…423
山口地岩国支判昭42・8・16訟務月報13巻11
　号1333頁………………………………412
最大判昭43・11・13民集22巻12号2526頁…424
東京地判昭49・1・25判タ307号246頁…255
横浜地判昭50・5・23判タ327号236頁……408
公取委勧告審決昭50・6・13審決集22巻11号
　………………………………………………241

●昭和51～60年
最判昭52・6・20民集31巻4号449頁………251
東京高判昭52・9・19高民集30巻3号247頁
　……………………………………………231
最判昭53・3・14判時880号3頁……………286
東京地判昭53・5・29判時909号13頁………256
最判昭53・9・21判時907号54頁・判タ371号
　68頁………………………………………414
大阪地判昭57・5・27判タ477号154頁……408
名古屋地判昭57・9・1判時1067号85頁……73
高松高判昭57・9・13判時1059号81頁……20
最判昭57・10・26判時1060号132頁…………146
名古屋地判昭58・4・20判1083号117頁…20
最判昭59・2・24判時1108号3頁……………235
京都地判昭59・3・30判タ526号184頁……20
東京高判昭59・5・31判時1125号113頁…256
京都地和解昭59・11・30判タ545号100頁…230
横浜地判昭60・2・27判タ554号238頁……406
本荘簡判昭60・3・25生活行政情報318号109
　頁・判時1157号181頁………………43, 44
名古屋地判昭60・4・26判時1163号112頁…74
東京地判昭60・6・27判時1199号94頁…256
名古屋高判昭60・9・26判時1180号64頁、消
　費者法判例百選〔17①〕…………………20, 43
門司簡判昭60・10・18判タ576号93頁、消費

　者法判例百選〔18〕……………………43, 47
東京地判昭60・10・25判時1168号14頁………87
福井地判昭60・10・30判例集未登載…………177

●昭和61～63年
福岡高判昭61・5・29判タ604号123頁……20
神戸地判昭61・9・3判時1238号118頁
　………………………………………406, 408
松江地西郷支判昭61・10・24判例集未登載
　………………………………………………401
秋田地判昭61・11・17判時1222号127頁…43, 46
大阪地判昭61・12・12判タ668号178頁、消費
　者法判例百選〔11〕………………………256
岡山簡判昭61・12・23「消費者取引をめぐる
　最新判例の動向（中）」NBL374号58頁…43, 55
大阪地判昭62・2・27先物取引裁判例集11号
　37頁………………………………………125
大阪地判昭62・3・30判時1240号35頁、消費
　者取引判例百選〔36〕………………256, 377
最判昭62・7・2民集41巻5号785頁・判時
　1239号3頁…………………………………17
名古屋高金沢支判昭62・8・31判時1254号76
　頁・判時1279号22頁………………………76
浦和地判昭62・9・29判時1279号51頁……298
大阪地判昭63・2・24判時1292号117頁、消
　費者取引判例百選〔32〕…………………126
大阪地判昭63・2・26判時1292号113頁…126
横浜地判昭63・2・29判時1280号151頁……434
名古屋地判昭63・7・22判時1303号103頁…20
下関簡判昭63・12・27日弁連消費者問題ニュ
　ース9号6頁………………………………85

●平成1年～10年
京都地判平1・2・20先物取引判例精選17頁
　………………………………………………137
高松簡判平1・5・24消費者法ニュース準備
　号14頁………………………………20, 131
名古屋地判平1・7・26先物取引裁判例集9
　号211頁……………………………………137
最判平1・9・19裁判集民事157号601頁…256

裁判例索引　533

最判平 1・12・8 民集43巻11号1259頁・判時
　　1340号 3 頁 ……………………………17, 229
東京地判平 1・12・25判タ731号208頁 ……302
最判平 2・2・20判時1354号76頁 …………213
大阪地判平 2・8・6 判時1382号107頁 ……20
大阪地判平 2・9・19消費者法ニュース 5 号
　　25頁 ………………………………… 20, 131
大阪地判平 2・10・29金法1284号26頁、消費
　　者法判例百選〔62〕……………………44, 56
大阪地判平 2・11・14金法1284号26頁 ……44
仙台高秋田支判平 2・11・26判タ751号152頁
　　………………………………… 125, 136, 139
大阪地判平 3・2・14消費者法ニュース 7 号
　　36頁 ………………………………………131
広島地判平 3・3・25判タ858号202頁 ……125
東京地判平 3・4・17判時1406号38頁、消費
　　者取引判例百選〔38〕……………………84
東京地判平 3・6・14判時1413号78頁 ……411
大阪高判平 3・9・24判時1411号79頁
　　……………………………… 85, 125, 131, 136
東京高判平 3・10・21判時1412号109頁……408
神戸簡判平 4・1・30判時1455号140頁 ……163
最判平 4・2・28判時1417号64頁 …… 141, 321
大阪高判平 4・3・27判時1450号100頁
　　……………………………………75, 124, 137
仙台地判平 4・7・16先物取引裁判例集14号
　　24頁 ………………………………………142
最判平 4・10・20民集46巻 7 号1129頁、重判
　　平 4 民 6 ………………………………… 393
東京地判平 4・11・10判時1479号32頁、消費
　　者取引判例百選〔24〕……………73, 136, 147
京都地判平 4・12・4 判時1476号142頁……411
東京高判平 5・3・29判時1457号92頁
　　…………………………………………125, 242
最判平 5・3・30判時1489号153頁、消費者
　　法判例百選〔54〕…………………………87
大阪高判平 5・6・29判時1475号77頁、消費
　　者取引判例百選〔47〕………………75, 125
広島高判平 5・7・16判タ858号198頁 ……125
東京地判平 5・8・30判タ844号252頁 ……163
最判平 6・1・31先物取引裁判例集15号77頁
　　………………………………… 85, 131, 147
東京高判平 6・2・24判タ859号203頁 ……408
釧路簡判平 6・3・16判タ842号89頁、消費

者取引判例百選〔81〕……………………84, 422
岡山地判平 6・4・28先物取引裁判例集16号
　　43頁 ………………………………………142
東京高判平 6・5・28判タ874号204頁 ……413
東京高判平 6・5・31判時1530号73頁 ……340
東京地判平 6・7・25判時1509号31頁、消費
　　者法判例百選〔13〕………………………256
福岡高判平 6・8・31判時1530号64頁・判タ
　　872号289頁 ……………………………20, 163
大阪地判平 6・9・13判時1530号82頁 ……85
名古屋地判平 6・9・26判時1523号114頁…136
大阪地判平 6・9・30判時1516号87頁 ……302
東京地判平 7・2・23判タ891号208頁 ……136
名古屋地判平 7・3・24証券取引被害判例セ
　　レクト 4 巻28頁 ……………………137, 146
最判平 7・7・4 先物取引裁判例集19号 1 頁
　　……………………………………………125
東京地判平 7・8・31判タ911号214頁 ……163
鳥取地判平 7・9・5 消費者法ニュース29号
　　57頁 ………………………………………187
大阪地堺支判平 7・9・8 金判1432号35頁
　　……………………………………………136
仙台地加古川支判平 7・11・20先物取引裁判
　　例集19号167頁 …………………………142
東京高判平 8・1・30判タ921号247頁 ……317
東京高判平 8・4・18判時1594号118頁 ……163
富山地判平 8・6・19金判1465号110頁 ……139
横浜地判平 8・9・4 判時1587号82頁 ……321
横浜地判平 8・9・4 判時1587号91頁 …44, 56
最判平 8・10・28金法1469号51頁 …………335
東京地判平 8・11・27判時1587号72頁 ……319
名古屋地豊橋支判平 9・1・28先物取引裁判
　　例集21号23頁 ……………………………321
最判平 9・2・14民集51巻 2 号337頁・判タ
　　936号196頁・判時1598巻65頁 …………414
東京高判平 9・5・22証券取引被害判例セレ
　　クト 6 巻54頁 ……………………………320
東京高判平 9・6・10判時1636号52頁
　　…………………………………………421, 427
東京高判平 9・7・10判タ984号201頁 ……319
最判平 9・7・15民集51巻 6 号2581頁 ……414
神戸地判平 9・8・26消費者のための欠陥住
　　宅判例第 1 集38頁 ………………401, 406, 408
大阪地判平 9・8・29証券取引被害判例セレ

クト6巻66頁‥‥‥‥‥‥‥‥‥‥‥320
最判平9・9・4証券取引被害判例セレクト
　6巻93頁‥‥‥‥‥‥‥‥‥‥‥‥‥320
大阪地判平9・11・27判時1654号67頁‥‥‥302
福岡高判平10・2・27証券取引被害判例セレ
　クト7巻206頁‥‥‥‥‥‥‥‥‥‥319
広島高松江支判平10・3・27証券取引被害判
　例セレクト7巻244頁‥‥‥‥‥‥‥319
名古屋地一宮支判平10・5・8先物取引裁判
　例集24号15頁‥‥‥‥‥‥‥‥‥‥142
大阪地判平10・7・29消費者のための欠陥住
　宅判例第2集4頁‥‥‥‥‥‥‥‥‥409
前橋地桐生支判平10・9・11先物取引裁判例
　集25号64頁‥‥‥‥‥‥‥‥‥‥‥142
大阪高判平10・12・1判タ1001号143頁‥‥‥400
大阪地判平10・12・18消費者のための欠陥住
　宅判例第1集84頁‥‥‥‥‥‥406, 407

●平成11年～20年

最判平11・1・21民集53巻1号98頁‥‥‥‥426
福岡地小倉支判平11・3・30消費者のための
　欠陥住宅判例第1集‥‥‥‥‥‥‥‥408
大阪地判平11・6・30消費者のための欠陥住
　宅判例第1集62頁‥‥‥‥‥‥‥‥‥406
名古屋地判平11・6・30判時1682号106頁‥‥362
東京地判平11・7・8国民生活2002年12月号
　46頁‥‥‥‥‥‥‥‥‥‥‥‥‥‥‥163
千葉地一宮支判平11・7・16消費者のための
　欠陥住宅判例第1集98頁‥‥‥‥‥‥412
東京高判平11・7・27証券取引被害判例セレ
　クト14巻1頁‥‥‥‥‥‥‥‥‥‥‥320
大阪高判平11・9・3消費者のための欠陥住
　宅判例第1集‥‥‥‥‥‥‥‥‥‥‥408
福岡地判平11・10・20消費者のための欠陥住
　宅判例第1集‥‥‥‥‥‥‥‥‥‥‥408
大阪判平11・12・16消費者のための欠陥住
　宅判例第1集104頁‥‥‥‥‥‥‥‥‥406
東京地判平11・12・24消費者のための欠陥住
　宅判例第1集‥‥‥‥‥‥‥‥‥‥‥408
浦和地判平12・1・27判例集未登載‥‥‥‥321
大阪地判平12・3・6消費者法ニュース45号
　69頁‥‥‥‥‥‥‥‥‥‥‥‥‥‥‥163
東京高判平12・3・15消費者のための欠陥住
　宅判例第1集‥‥‥‥‥‥‥‥‥‥‥398

東京地判平12・3・31判時1734号28頁‥‥‥230
東京高判平12・4・27判時1714号73頁‥‥‥320
大阪地判平12・6・30消費者のための欠陥住
　宅判例第2集170頁‥‥‥‥‥‥‥‥‥412
大阪地判平12・8・30判タ1047号221頁‥‥‥410
大阪地判平12・9・27消費者のための欠陥住
　宅判例第2集4頁‥‥‥‥‥‥‥‥‥409
大阪地判平12・10・20消費者のための欠陥住
　宅判例第2集146頁‥‥‥‥‥‥‥‥‥412
東京高判平12・10・26判タ1044号291頁‥‥‥332
京都地判平12・11・22消費者のための欠陥住
　宅判例第2集314頁‥‥‥‥‥‥‥‥‥406
東京高判平13・1・25判タ1085号228頁‥‥‥89
札幌地判平13・1・29消費者のための欠陥住
　宅判例第2集72頁‥‥‥‥‥‥‥‥‥412
東京地判平13・1・29消費者のための欠陥住
　宅判例第2集124頁‥‥‥‥‥‥412, 413
東京高判平13・2・20金判1111号3頁‥‥‥441
東京高判平13・2・28判タ1068号181頁‥‥‥370
最判平13・3・27民集55巻2号434頁、消費
　者法判例百選〔97〕‥‥‥‥‥‥‥‥‥87
東京地判平13・6・27消費者のための欠陥住
　宅判例第2集32頁‥‥‥‥‥‥‥‥‥413
東京高判平13・6・28判タ1104号221頁‥‥‥320
東京高判平13・8・10証券取引被害判例セレ
　クト18巻102頁‥‥‥‥‥‥‥‥‥‥332
京都地判平13・8・20消費者のための欠陥住
　宅判例第3集4頁‥‥‥‥‥‥‥‥‥404
大阪地判平13・11・7消費者のための欠陥住
　宅判例第2集22頁‥‥‥‥‥‥409, 410
最判平13・11・22判時1811号76頁‥‥‥‥‥213
最判平13・11・27民集55巻6号1311頁‥‥‥393
横浜地川崎支判平13・12・20消費者のための
　欠陥住宅判例第2集426頁‥‥‥‥‥‥411
千葉地判平14・3・13判タ1088号286頁‥‥‥440
東京地判平14・3・25金判1152号36頁
　‥‥‥‥‥‥‥‥‥‥‥‥‥‥‥118, 119
東京高判平14・3・26判時1780号98頁‥‥‥421
東京高判平14・6・7判タ1099号88頁‥‥‥280
名古屋地判平14・6・14国民生活2002年11月
　号50頁‥‥‥‥‥‥‥‥‥‥‥‥‥‥183
最判平14・7・11判時1805号56頁‥‥‥‥‥56
大阪高判平14・9・19消費者のための欠陥住
　宅判例第3集22頁‥‥‥‥‥‥‥‥‥404

最判平14・9・24判時1801号77頁
　………………………………404, 405, 413
東京地判平14・12・13判時1805号14頁
　………………………………362, 363, 371
大阪高判平15・3・26金判1183号42頁…56, 321
東京地判平15・4・9金法1688号43頁
　………………………………………324, 333
札幌地判平15・5・16金判1174号33頁……337
最判平15・7・18民集57巻7号895頁………440
東京地判平15・7・31判時1842号84頁……370
大津地判平15・10・3最高裁HP下級裁判所
　判例集・日弁連消費者問題ニュース97号11
　頁……………………………………………97
最判平15・10・10判時1840号18頁……399, 414
神戸地尼崎支判平15・10・24LEX/DB文献
　番号25437488……………………………109
大阪地判平15・11・4金判1180号6頁……335
東京地判平15・11・10判時1845号78頁……120
最判平15・11・14民集57巻10号1561頁……412
東京地判平15・11・17判時1839号83頁……440
大分簡判平16・2・19日弁連消費者問題ニュ
　ース100号11頁……………………………109
最判平16・2・20民集58巻2号380頁…424, 425
最判平16・2・20民集58巻2号475頁…424, 425
東京高判平16・2・25金判1197号45頁…56, 321
京都地判平16・3・16最高裁HP下級裁判所
　判例集……………………………………120
大阪高判平16・4・16消費者法ニュース60号
　137頁・兵庫県弁護士会HP消費者判例…223
大阪高判平16・4・22消費者法ニュース60号
　156頁………………………………………104
神戸地判平16・6・11消費者のための欠陥住
　宅判例第1集……………………………408
最判平16・7・9判時1870号12頁…………426
大阪高判平16・7・30LEX/DB文献番号
　25437403…………………………………109
福岡地判平16・9・22最高裁HP下級裁判所
　判例集……………………………………106
福岡高判平16・11・12最高裁HP下級裁判所
　判例集………………………………………97
大阪高判平16・12・17判時1894号19頁
　…………………………………………101, 120
大阪地判平16・12・22兵庫県弁護士会HP消
　費者判例…………………………………431

東京高判平17・1・26LEX/DB文献番号
　28101913……………………………362, 371
名古屋地判平17・1・26消費者法ニュース63
　号100頁・先物取引裁判例集39巻374頁…325
東京高判平17・3・31金判1218号35頁…56, 321
静岡地沼津支判平17・4・27消費者のための
　欠陥住宅判例第4集258頁………………404
京都地判平17・5・16国民生活2006年2月号
　66頁………………………………………163
最決平17・6・24判時1904号69頁…………411
最判平17・7・14民集59巻6号1323頁・判時
　1909号30頁……………………………138, 317
最判平17・7・19民集59巻6号1783頁……428
東京地判平17・7・25判時1900号126頁……334
東京高判平17・8・10判タ1194号159頁……441
東京地判平17・11・8判時1941号98頁・判タ
　1224号259頁………………………………105
横浜地判平17・11・30判例地方自治277号31
　頁…………………………………………412
東京地判平17・12・5判時1914号107頁……413
最判平17・12・15民集59巻10号2899頁
　……………………………………………425, 431
最判平18・1・13民集60巻1号1頁…425, 431
最判平18・1・19判時1926号17頁…………425
最判平18・1・24判時1926号28頁…425, 426
東京高判平18・3・15証券取引被害判例セレ
　クト27巻6頁……………………………334
大阪地判平18・4・26金判1246号37頁……333
東京高判平18・8・30LLI判例検索・消費者
　法ニュース76号31頁……………………106
最判平18・11・27民集60巻9号3597頁・判時
　1958号12頁・判タ1232号97頁…………118
最判平18・11・27民集60巻9号3732頁……101
最判平19・2・13民集61巻1号182頁…428, 431
大阪高判平19・4・27判時1987号18頁……105
最判平19・6・7民集61巻4号1537頁……428
最判平19・7・6判時1984号34頁…………408
最判平19・7・13民集61巻5号1980頁……431
最判平19・7・19民集61巻5号2175頁……428
東京簡判平19・7・26最高裁HP下級裁判所
　判例集……………………………………109
最判平20・1・18民集62巻1号28頁………428
最判平20・6・10民集62巻6号1488頁・判時
　2011号3頁……………………………142, 440

最判平20・6・24判時2014号68頁…………142
大阪高判平20・9・26判タ1312号81頁……503
大阪高判平20・11・20証券取引被害判例セレ
　クト32巻340頁・判時2041号50頁…………332

●平成21年〜30年
最判平21・1・22民集63巻1号247頁………431
福岡高判平21・2・6判時2051号74頁・判タ
　1303号205頁……………………………………409
最判平21・4・14判時2047号118頁…………428
東京高判平21・4・16証券取引被害判例セレ
　クト34巻417頁・判時2078号25頁…………332
京都地判平21・4・23判時2055号123頁……490
名古屋高判平21・5・28証券取引被害判例セ
　レクト35巻323頁・判時2073号42頁・判タ
　1336号191頁……………………………………332
東京地判平21・6・19判時2058号69頁……106
最判平21・7・10民集63巻6号1170頁……431
最判平21・7・17判時2048号9頁…………431
最判平21・9・11判時2059号55頁…………428
京都地判平21・9・30判時2068号134頁……489
東京高判平22・3・10消費者法ニュース84号
　216頁……………………………………………197
大阪高判平22・3・26LEX/DB 文献番号
　25470736…………………………………489, 490
最判平22・3・30判時2075号32頁・判タ1321
　号88頁…………………………………………106
最判平22・4・20民集64巻3号921頁………423
仙台高判平22・4・22判時2086号42頁……368
大阪地判平22・5・12判時2084号37頁……304
最判平22・6・17判時2082号55頁……406, 407
大阪高判平22・10・12金法1914号68頁・金判
　1358号31頁……………………………………321
東京地判平22・11・25判時2103号64頁
　……………………………………………298, 307
最判平22・12・17民集64巻8号2067頁・判タ
　1339号55頁……………………………………236
最判平23・3・22判時2118号34頁…………431
最判平23・3・24判時2128号33頁・判タ1356
　号81頁…………………………………………120
東京地決平23・3・30LEX/DB 文献番号
　25480106…………………………………………251
最判平23・4・22民集65巻3号1405頁
　………………………………………64, 136, 139, 319

最判平23・7・15判時2135号38頁・判タ1361
　号89頁…………………………………………120
最判平23・7・21判時2129号36頁…………410
さいたま地越谷支判平23・8・8消費者法ニ
　ュース89号231頁…………………………149, 467
最判平23・9・30判時2131号57頁…………431
宇都宮地大田原支判平23・11・8公取委審決
　集58巻第二分冊248頁………………………251
最判平23・12・1判時2139号7頁…………431
最判平24・3・16判時2149号135頁・判タ
　1370号115頁………………………………121, 492
最判平24・6・29判時2160号20頁…………431
京都地判平24・7・19判時2158号95頁……490
東京地判平24・11・26LEX/DB 文献番号
　25497279…………………………………………368
大阪高判平25・1・25判時2187号30頁……490
最判平25・3・7判時2185号64頁…………319
最判平25・3・26判時2185号67頁…………319
東京高判平25・6・19判時2206号83頁
　……………………………………………138, 467
東京高判平25・8・30判時2209号10頁……250
東京地判平26・1・29判時2230号30頁……363
福岡高判平26・1・30先物取引裁判例集70号
　134頁……………………………………………150
東京地判平26・7・17先物取引裁判例集71号
　192頁……………………………………………150
最判平26・7・24判時2241号63頁…………428
最判平26・7・29判時2241号63頁…………428
東京地判平26・10・3判タ1413号279頁……186
東京地判平26・12・26LEX/DB 文献番号
　25523552…………………………………………150
最判平28・3・15判時2302号43頁…………319
最判平29・1・24民集71巻1号1頁
　…………………………………………104, 174, 490
最判平29・2・21判タ1437号70頁…………223
京都地判平30・2・20裁判所 HP
　……………………………………………366, 371, 372
東京地判平30・6・22裁判所 HP
　……………………………………………360, 366, 371, 373
福岡地判平30・7・18判時2418号38頁
　……………………………………………360, 366, 371, 373

●令和1年〜
東京高判令元・9・26先物取引裁判例集82巻

178頁 …………………………………136
東京高判令元・11・14 LEX/DB 文献番号
　　　25564995 ……………………………203
東京地判令元・12・2 判例集未登載 ………138
東京高判令3・3・3 LEX/DB 文献番号
　　　25569362 ……………………………244
東京地判令2・3・24判時2470号47頁 ……440
福岡高判令2・6・25ウエストロー・ジャパ
　　　ン2020WLJPCA06256015 …360, 366, 371, 373
東京地判令4・4・15判タ1510号241頁 ……362

東京地判令4・6・16 LEX/DB 文献番号
　　　25593696 ……………………………251
東京地判令和4・11・24判例集未登載 ……474
最判令4・12・12民集66巻5号2216頁・判時
　　　2558号16頁 …………………………121
東京高判令和5・10・30判例集未登載 ……474
東京地判令6・2・16判例集未登載 ………142

＊ホームページは HP と略した。

■**執筆者**（執筆順）

齋藤雅弘（さいとう・まさひろ）　東京弁護士会【第1章～第3章、第5章、第9章、コラム】

野々山 宏（ののやま・ひろし）　京都弁護士会【第4章】

村 千鶴子（むら・ちづこ）　東京弁護士会、東京経済大学名誉教授【第6章】

池本誠司（いけもと・せいじ）　埼玉弁護士会【第7章、第9章、第16章】

長尾愛女（ながお・えめ）　第二東京弁護士会【第8章】

桜井健夫（さくらい・たけお）　第二東京弁護士会【第10章、コラム】

朝見行弘（あさみ・ゆきひろ）　福岡県弁護士会、久留米大学名誉教授【第11章】

谷合周三（たにあい・しゅうぞう）　東京弁護士会【第12章】

平澤慎一（ひらさわ・しんいち）　東京弁護士会【第13章】

髙木篤夫（たかぎ・あつお）　東京弁護士会【第14章】

佐々木幸孝（ささき・ゆきたか）　東京弁護士会【第15章】

鈴木敦士（すずき・あつし）　東京弁護士会【第15章】

■**コラム執筆者**（執筆順）

石戸谷 豊（いしとや・ゆたか）　神奈川県弁護士会

瀬戸和宏（せと・かずひろ）　東京弁護士会

薬袋真司（みない・しんじ）　大阪弁護士会

村本武志（むらもと・たけし）　大阪弁護士会

浅岡美恵（あさおか・みえ）　京都弁護士会

新里宏二（にいさと・こうじ）　仙台弁護士会

板倉陽一郎（いたくら・よういちろう）　第二東京弁護士会

山口 広（やまぐち・ひろし）　第二東京弁護士会

青島明生（あおしま・あけお）　富山県弁護士会

● 消費者法講義 [第6版]

2004年10月20日　第1版第1刷発行
2005年10月20日　第1版第4刷発行
2007年1月25日　第2版第1刷発行
2008年4月20日　第2版第4刷発行
2009年9月25日　第3版第1刷発行
2011年1月25日　第3版第3刷発行
2013年3月25日　第4版第1刷発行
2014年5月25日　第4版第2刷発行
2018年10月15日　第5版第1刷発行
2024年8月20日　第6版第1刷発行

編　者——日本弁護士連合会
発行所——株式会社　日本評論社
　　　　　東京都豊島区南大塚3-12-4
　　　　　電話03-3987-8621（販売）——8631（編集）
　　　　　振替00100-3-16
印刷所——株式会社　平文社
製本所——牧製本印刷株式会社

©2024 Japan Federation of Bar Associations
装幀／林　健造　　Printed in Japan
ISBN978-4-535-52718-8

JCOPY ＜(社)出版者著作権管理機構　委託出版物＞

本書の無断複写は著作権法上での例外を除き禁じられています。複写される場合は、そのつど事前に、（社）出版者著作権管理機構（電話03-5244-5088、FAX 03-5244-5089、e-mail: info@jcopy.or.jp）の許諾を得てください。
また、本書を代行業者等の第三者に依頼してスキャニング等の行為によりデジタル化することは、個人の家庭内の利用であっても、一切認められておりません。